湛若水著作選刊

春秋正傳

第一冊

[明] 湛若水／撰
邢益海／整理

上海古籍出版社

圖書在版編目(CIP)數據

春秋正傳 / (明) 湛若水撰;邢益海整理. —上海:上海古籍出版社, 2024.5
(湛若水著作選刊)
ISBN 978-7-5732-1121-7

Ⅰ.①春… Ⅱ.①湛… ②邢… Ⅲ.①《春秋》—研究 Ⅳ.①K225.04

中國國家版本館 CIP 數據核字(2024)第 077726 號

湛若水著作選刊
春秋正傳
(全三册)
[明] 湛若水 撰
邢益海 整理
上海古籍出版社出版發行
(上海市閔行區號景路 159 弄 1-5 號 A 座 5F 郵政編碼 201101)
(1) 網址: www.guji.com.cn
(2) E-mail: guji1@guji.com.cn
(3) 易文網網址: www.ewen.co
上海惠敦印務科技有限公司印刷
開本 890×1240 1/32 印張 30.5 插頁 6 字數 571,000
2024 年 5 月第 1 版 2024 年 5 月第 1 次印刷
印數: 1—1,500
ISBN 978-7-5732-1121-7
B·1387 定價: 128.00 元

整理説明

一

湛若水（一四六六—一五六〇），字元明，因居於廣東增城甘泉都，學者稱爲甘泉先生。弘治五年（一四九二）中舉。次年會試下第，入陳獻章門下，前後六年，悟出「隨處體認天理」六字訣，得陳獻章嘉許，成爲其衣鉢傳人。弘治十八年（一五〇五）中進士，獲選庶吉士，後授翰林院編修。正德元年（一五〇六），與王陽明一見定交。正德十年（一五一五），丁母憂回鄉，復入西樵山隱居，講學著書。嘉靖元年（一五二二），起復回京，歷任翰林院編修、侍讀、南京國子監祭酒、南京吏部右侍郎、北京禮部右侍郎、北京禮部左侍郎、南京禮部尚書、南京吏部尚書、南京兵部尚書。嘉靖十九年（一五四〇）致仕，回鄉後講學不輟，直至去世。

湛若水繼承和發展了陳獻章的江門心學，使得嶺南心學完善化、系統化與精微化。他一生勤於著述，並通過講學將其思想廣爲傳播，前後建書院近四十所，弟子逾四千人。他與王陽明共倡心學，各立宗旨，和而不同，一同將明代心學推向了高潮。

二

中國古代哲人往往通過詮釋經典的方式來表達自己的思想，湛若水亦是如此。他的著作很多，其中不乏釐正、解説六經之作，如二禮經傳測、釐正詩小序等。其中對後世影響較大的，首推春秋正傳。

春秋原爲春秋時魯國的編年體史書，記載了自魯隱公元年（前七二二）至魯哀公十四年（前四八一）共二百四十二年的史事。相傳孔子爲了挽救傾覆中的周代禮制，對春秋進行了「筆削」。如孟子所説：「世衰道微，邪説暴行有作，臣弒其君者有之，子弒其父者有之。孔子懼，作春秋。」

此後，春秋一書被儒家奉爲六經之一。漢代經學興盛，解説春秋的主要有三家：公羊家、穀梁家和左傳家，分别傳授公羊傳、穀梁傳和左傳。三傳中，左傳以述史爲主，公羊、穀梁二家則立例釋義，歸納出一套春秋筆法，以設問的方式揭示春秋微言大義，所謂「義例」便應運而生。後來，何休撰春秋公羊傳解詁，杜預撰春秋左氏經傳集解，范甯撰春秋穀梁傳集解，對春秋義例進行了擴充、完備。總結義例遂成爲後儒解讀春秋的主流方法。

宋代以降，理學興起，義理化的經學成爲主流。理學家紛紛從義理角度來解説春秋，他們「棄傳從經」，拋棄了三傳，卻沿襲了漢唐經學以義例解讀春秋的傳統。如四庫全書總目所説：「其推闡譏貶，少可多否，實陰本公羊、穀梁法。」這一時期的春秋學著作，以南宋胡安國春秋胡氏傳影響最大。胡安國視春秋爲聖人的「傳心要典」，力圖從天理與人欲相對立的角度解説春秋經義，把春秋所褒都説成天理之所存，把春秋所貶都説成本當抑絶的人欲，因而把春秋徹底納入了理學體系。

明代，心學崛起，主張從外在之理回歸本心，這一思潮也影響到經學。如王陽明説「六經者非他，吾心之常道也」，又説「春秋也者，志吾心之誠僞邪正者也」。但明代的心學大儒中，陳獻章不事著述，王陽明也没有留下系統解説春秋的著作。真正在春秋學史上産生影響的明代心學家是湛若水，其代表作即春秋正傳。

春秋正傳書前有湛若水自序，作於嘉靖十一年（一五三二），應即其成書時間。其時，湛若水正在北京禮部供職，他撰寫春秋正傳或與他的這一身份有關。春秋被古代經學家視爲「禮義之大宗」，而春秋正傳與嘉靖四年（一五二五）成書的二禮經傳測是湛若水僅有的兩部大部頭經學著作，足見其對禮學的關注。此外，嘉靖初年的「大禮議」事件或許也是促使湛若水注目於春秋的因素之一。在「大禮議」事件中，湛若水站在楊廷和等閣臣一邊，反對嘉靖帝追崇生身父母，但是態度較爲温和，没有參與左順門哭諫事件，故雖然招致了嘉靖帝的惡感，仕途並未受到大的影響。這一事件或許激發了湛若水對禮的關注。

湛若水在春秋正傳自序中說：「春秋者，聖人之心，天之道也。」體現出心本論的心學家立場。又說：「聖人之心存乎義，聖心之義存乎事，春秋之事存乎傳。」他認爲，要把握春秋中隱藏的聖人之心，必須先把傳中所記之事搞清楚，再以平常心去讀春秋，自然就能與聖人心意相通：「故觀經以知聖人之取義，觀傳以知聖人所以取義之指，夫然後聖人之心可得也。」但是，以往的經學家不務於此，卻津津於歸納「義例」。這些煩瑣的義例背離了孔子的原旨，成爲人們理解春秋的障礙。湛若水對此有嚴厲的批判：「自三氏、百家以及胡氏之傳，多相沿襲於義例之蔽，而不知義例非聖人立也。公、穀，穿鑿之厲階也，其於聖人之心、魯史之舊，其有合乎？」因此，春秋正傳批駁了春秋三傳、春秋胡氏傳及其他各種春秋義例說，並致力於核實、訂正春秋所記之事：「去其穿鑿而反諸渾淪，芟其繁蕪以不汩其本根，不泥夫經之舊文而一證諸傳之實事。」湛若水說：「是故治春秋者，不必泥之於經，而考之於事；不必鑿之於事，而求之於心。大其心以觀之，事得而後聖人之心、春秋之義可得矣。」這樣一種奠基於史學而以讀者之心爲最終判準的解經方法，是我們閲讀春秋正傳時應當注意的。

三

春秋正傳現存五種版本：

其一，嘉靖十三年（一五三四）初刻本，三十七卷，後附春秋修後魯史舊文、答門人高簡春秋正傳辯疑。該本由高簡、沈汝淵校勘，卞萊捐資刊行。今藏國家圖書館、北京大學圖書館等。

其二，日本江户時代寫本，三十七卷，後附舊文、辯疑。抄寫者不詳，今藏日本内閣文庫。

其三，四庫全書本，三十七卷，後附舊文、辯疑，並有乾隆四十三年（一七七八）二月四庫館臣校勘記。四庫本所據應爲嘉靖本，部分文字有改易，並對嘉靖本的訛誤有所修訂。

其四，乾隆六十年（一七九五）紅荔山房刻本，三十七卷，後附舊文、辯疑。由湛若水後人湛祖貴據四庫本重刊。今藏廣東省立中山圖書館。湛祖貴對四庫本多有校訂，故此本與四庫本有不少文字差異。

其五，同治五年（一八六六）資政堂刻本，三十七卷，後附舊文、辯疑，今藏增城湛氏宗族。此本據紅荔山房刻本重刻，二者版式完全一致，脱漏、缺頁等情況亦完全一致。

本次整理以乾隆紅荔山房刻本爲底本，以嘉靖本、日本江户寫本、四庫本爲校本，並參考春秋三傳通行本、胡安國春秋胡氏傳（浙江古籍出版社，二〇一〇年）以及程頤春秋傳（中華書局二程集本，二〇〇四年）。整理過程中，蒙中山大學黄國聲老師審訂指導，在此深致謝忱。

本書原收於黄明同主編湛若水全集（上海古籍出版社，二〇二〇年），爲便於讀者閲讀使用，上海古籍出版社決定出版單行本，並約請本人改寫了整理説明，同時對初版的訛誤進行了修訂。然春秋乃專門之學，限於整理者的學養，書中錯誤之處在所不免，懇請讀者不吝指正。

邢益海

二〇二四年甲辰上元於廣東清遠斯樂齋

目録

春秋正傳序……一一
春秋正傳序……一三
春秋正傳序……一五
正朔月數論……一九
卷之一……二三
隱公……二三
卷之二……三五
隱公……三五
卷之三……五三
隱公……五三
卷之四……七四
桓公……七四
卷之五……九一
桓公……九一
卷之六……一一〇
桓公……一一〇
卷之七……一三五
莊公……一三五
卷之八……一五三
莊公……一五三
卷之九……一七四

莊公……一七四
卷之十……一九一
莊公……一九一
卷之十一……二一三
閔公……二一三
卷之十二……二二一
僖公……二二一
卷之十三……二四一
僖公……二四一
卷之十四……二七一
僖公……二七一
卷之十五……二九八
僖公……二九八
卷之十六……三二三
僖公……三二三
卷之十七……三四二
文公……三四二
卷之十八……三七三
文公……三七三
卷之十九……四〇九
宣公……四〇九
卷之二十……四三三
宣公……四三三
卷之二十一……四五六
宣公……四五六
卷之二十二……四七九
成公……四七九
卷之二十三……五〇四
成公……五〇四
卷之二十四……五二九
成公……五二九
卷之二十五……五六六

襄公……五六六
卷之二十六……六〇二
襄公……六〇二
卷之二十七……六三五
襄公……六三五
卷之二十八……六七五
襄公……六七五
卷之二十九……七〇五
昭公……七〇五
卷之三十……七三四
昭公……七三四
卷之三十一……七六九
昭公……七六九
卷之三十二……七九六
昭公……七九六
卷之三十三……八二〇
昭公……八二〇
卷之三十四……八四四
定公……八四四
卷之三十五……八六九
定公……八六九
卷之三十六……九〇五
哀公……九〇五
卷之三十七……九三二
哀公……九三二
春秋脩後魯史舊文……九五八
魯哀公……九五八
附答門人高簡春秋正傳辯疑……九六六
跋……九七一

春秋正傳序

永寧令湛東塘爲余通家，余視學西江，事竣瀕行，以其族祖明宮保、尚書甘泉先生春秋正傳一書問序于余。余惟先生負經世材，毅然以天下爲己任，當明正德、嘉靖間，近習充庭，姦邪竊柄，實世道既衰、乾綱解紐之日也。先生雖仕於朝，豈能展其用！顧其生平出處大概，及其所建白，或行或不行，莫不彪炳寰區，芬薌史册，要無愧古聖賢行事。先生既知不得志於時，思必有以裨於來者，於是友教四方，以廣道學之傳。孜孜著述，雖耄弗倦。今所傳者，文集而外，是書與格物通均入欽定四庫全書。格物通故有刊本，獨此罕見。東塘請于典守中秘者，得抄録而付諸剞劂焉。夫傳春秋者，説如聚訟。左氏、公羊、穀梁三家已有異同，後人或攻或守，又有舉而束之高閣，以自申其説者。大抵説者滋多，則穿鑿支離之害益甚。先生獨以聖人存魯史之文，即所書而其義自見，不可以例畫之。觀自序云：「不泥夫經之舊文而一證諸傳之實事，聖人竊取之心洞然復明。」「正傳云者，正諸傳之謬而歸之正也。」其議論正大，真能得説經之要旨矣。恭逢聖天子稽古右文，是書得以流傳于世，前賢之用心不致湮没弗彰，而後之學者亦樂藉是以爲討論之資也已。

乾隆六十年歲次乙卯孟冬月既望，賜進士及第、光禄大夫、經筵講官、吏部右侍郎、提督江西學政，後學平湖沈初撰。

春秋正傳序〔一〕

夫春秋正傳之作，其有憂乎！昔者仲尼慨道不行于天下，而文章〔二〕之法廢，是故援魯史而直書，以昭揭之，使后之覯之者，得考其善惡是非，以爲永鑒焉耳。其爲心，周〔三〕渾乎其天而皎乎其日月也。乃義例興而諸傳出焉，而後春秋之學始若法家者流，鍛鍊刻深，而莫知所紀極也。間有明焉者，則又通諸此而彼或窒焉。至於所謂進退予奪之類，以爲盡由孔子，害義尤甚。故眉山蘇氏不得其説，而强歸諸魯，其亦覺乎此也矣。甘泉先生憂聖人之心之弗明也，乃即其書法而表章之。一本諸孟子，正諸傳之誤，兼采其長，而後聖人之心千載之下昭乎如日月〔四〕中天，自有春秋以來，始〔五〕見其盛焉者也。蓋先生以其灑然平易之心而契之，故聖人取義之志躍如於前而不可掩。諸儒非不有其心也，而義例拘焉，或有非聖人之義者矣。簡自家食時，每讀是經，苦諸傳之紛紛也，而思未有以正之者，積恨有年矣。乃今得先生所述而讀之，始覺吾心豁然開朗，絶無瑕翳，如親覿洙泗而挹聖範焉。於戲〔六〕盛哉！爰與同門江都沈汝淵氏，參詳讐校，將圖刻之，而未有貲也。乃吾徒卞崍，亦先生門人，遂捐貲刻之以傳。夫天下後世讀春秋而不得其心者，苟不以予言爲然，盍自反其初心而契乎聖心，則正傳之説人人具足，固非先生所得而益之也。簡不佞，願與四方同志共講焉。

嘉靖甲午歲秋七月穀旦，門人西蜀高簡謹序。

校記：

〔一〕嘉靖本題作「校刻春秋正傳序」。

〔二〕「章」，嘉靖本作「武」。

〔三〕「周」，嘉靖本作「固」。

〔四〕「月」，嘉靖本無。

〔五〕「始」，嘉靖本不清，四庫本作「未」。

〔六〕「戲」，嘉靖本作「乎」。

春秋正傳序〔一〕

甘泉子曰：春秋，聖人之刑書也。刑與禮一，出禮則入刑，出刑則入禮。禮也者理也，天理也。天理也者，天之道也。得天之道，然後知春秋。春秋者，聖人之心，天之道也，而可以易言乎哉？然則聖人之心則固不可見乎？夫子曰：「吾志在春秋。」聖人之心存乎義，聖心之義存乎事，春秋之事存乎傳。夫經，識其大者也。夫傳，識其小者也。夫經，竊取乎得失之義，則孔子之事也。夫傳，明載乎得失之迹，則左氏之事也。夫春秋者，魯史之文而列國之報也，乃謂聖人拘拘焉某字褒、某字貶，非聖人之心也。然則所謂筆則筆、削則削者非歟？曰：筆以言乎其所書也，削以言乎其所去也。昔夫子没而微言湮，其道在子思。孟子親受業於子思之門人，得天之道而契聖人之心者，莫如孟子。故後之知春秋者，亦莫如孟子。孟子曰：「晋之乘，楚之檮杌，魯之春秋，一也。其事則齊桓、晋文，其文則史。孔子曰『其義則丘竊取之矣』。」夫其文則史，經之謂也。其事則齊桓、晋文，傳之謂也。合文與事，而義存乎其中矣，竊取之謂也。義取於聖人之心，事詳乎魯史之文。夫春秋，魯史之文，與晋之乘、楚之檮杌等耳。

然而後世之言春秋者，謂字字而筆之，字字而削之，若然，烏在其爲魯史之文哉？若是，聖人之心亦淺矣。曰：然則所謂「孔子作春秋而亂臣賊子懼」，曰「知我者其惟春秋乎！罪我者其惟春秋乎」，夫子於春秋果不作乎？曰：非是之謂也。夫所謂作者，筆而書之之謂也。其謂知我罪我者，所謂我，衆人也，以言乎天下後世之善惡者，讀春秋之所善所惡，若美我刺我然也。故曰「孔子成春秋而亂臣賊子懼」。懼也者，知我罪我之謂也。若如後儒之〔說〕〔二〕，則孟子自與其文則史之言前後相矛盾矣，不亦異乎！或曰：經爲斷案，然歟？曰：亦非也。竊取之〔意存乎經〕〔三〕、傳，以傳實經，而斷案見矣。譬之今之理獄者，〔其事其〕〔四〕斷，一一存乎案矣。聖人之經，特如其案之標題云「某年某月某人某事」云爾。其或間有本文見是非者，如案標題云「某是非勝負」云爾，然亦希矣，而其是非之詳，自見於案也。故觀經以知聖人之取義，觀傳以知聖人所以取義之指，夫然後聖人之心可得矣。紫陽朱子曰：「直書其事，而善惡自見。」此其幾矣。惜也魯史之文世遠而久湮，左氏之傳事實而未純，其餘皆多臆說耳。自三氏、百家以及胡氏之傳，多相沿襲于義例之蔽，而不知義例非聖人立也。公、穀，穿鑿之〔厲階〕〔五〕也，其於聖人之心、魯史之舊，其有合乎？是故治春秋者，不必泥之於經，而考之於事；不必鑿之於事〔六〕，而〔求〕〔七〕之於心。大其心以觀之，事得而後聖人之〔心、春秋之〕〔八〕義可得矣。予生千載之下，痛斯經之無傳，諸儒〔又從〕〔九〕而紛紛各以己見臆說而汩之，聖人竊取之心、之義遂隱而不可見。故象山陸氏曰：「後世之論春秋者，多如法令，非聖人之旨也。」又曰：「諸儒説春秋之謬，尤甚於諸經。」蓋有以見此矣。後之學者欲治春秋，明〔王道〕〔一〇〕，正人心，遏讒邪，禁亂賊，以泝大道之源，必於〔紀事之〕〔一一〕傳焉核實而訂正之可也。水也從事於斯有年矣，求春秋之旨、聖人之心，若有神明通之，粗有得〔一二〕焉，而未敢自信。嘆其傳之不全，獨遺憾於千載之下，取諸家之説而釐正焉，去其穿鑿而反諸渾淪，芟其繁蕪以不汩其本根，不泥夫經之舊文而一證諸傳之實事。聖人竊取之心，似若洞然復明，如披雲霧而覩青天也。幸與天下後世學者共商之，名曰春秋正傳。夫正傳云者，正諸傳之謬而歸之正也。

嘉靖十一年七月朔旦，後學甘泉湛若水序。〔一三〕

校記：

〔一〕四庫本題作「春秋正傳自序」。

〔二〕「説」，據嘉靖本補。

〔三〕「意存乎經」，據嘉靖本補。

〔四〕「其事其」，據嘉靖本補。

〔五〕「厲階」，據嘉靖本補。

〔六〕「事」，嘉靖本作「文」。
〔七〕「求」，據嘉靖本補。
〔八〕「心春秋之」，據嘉靖本補。
〔九〕「又從」，據嘉靖本補。
〔一〇〕「王道」，據嘉靖本補。
〔一一〕「紀事之」，據嘉靖本補。
〔一二〕「得」，嘉靖本作「契」。
〔一三〕四庫本録此序不署時間，並無「後學」二字。

正朔月數論

或問正朔月數之異。甘泉子曰：「正也者，正也，其所以爲正之月也。以爲正，則亦以爲始月也。」或曰：「以爲始月也，則亦可以爲春乎？」曰：「可。人以爲正者，寅也，則夏以爲春；地以爲正者，丑也，則商以爲春；天以爲正者，子也，則周以爲春。」曰：「敢問何義？」曰：「三陽之月，皆可以爲春。夫天地人之初也，開於子，闢於丑，生於寅。開以始之，闢以遂之，生以成之，故皆可以爲春也。春也者，歲之初也。正月也者，月之初也。陽也者，養也。王者，奉天地以養萬物也。」或曰：「其如歲時之不定何？」曰：「子月不可以爲來歲之始，則子時獨可以爲來日之始也乎？是故君子觀一日之運，可以知一歲之運矣。夫陽始於子而極於巳，故可以爲春、爲夏。春也者，蠢也，陽氣蠢然而生也。夏也者，大也，陽氣至此始大也。陰始於午而極於亥，故可以爲秋、爲冬。秋也者，抽也，至是陽極而陰抽也。冬也者，終也，萬物至是成而告終也。」或曰：「三代正朔異，而月數不可改也，如之何？」曰：「如正朔改而月數不改，則名義不正，於何稱正？於何稱月乎？」或曰：「有徵乎？」曰：「有。吾徵諸書、詩、春秋、語、孟耳矣。」

曰：「其徵諸書也何？」曰：「書曰『協時月』，則春夏秋冬之時，容有不同者矣；月數之起，容有不同者矣。」詰之者曰：「伊訓『元祀十有二月』，非月數不改乎？」曰：「非也。古之舉大事，有以正月者，有不以正月者。以正月者，虞書『正月上日，受終于文祖』是也，行大事可用正朔者也。伊訓『元祀十有二月』，則仲壬初喪，太甲告即位，不得以擇月日也。」「其徵諸春秋也何？」曰：「其用周之子月始〔一〕，則成十年六月丙午，晉侯使甸人獻麥也；僖五年十二月丙子朔，晉滅虢也；僖五年春王正月辛亥朔，日南至也。其用周之時，則僖十年冬大雨雪，是以酉戌爲冬也。哀二十八年春無冰，是以子丑月爲春也。桓四年春正月，公狩于郎。哀十四年春，西狩獲麟。狩，冬田名也，是以夏之冬爲春也。定十三年夏〔二〕，蒐于比蒲。次年又書五月大蒐于比蒲。蒐，春田名也，是以夏之春爲夏也。春秋書春王正月，以正月繫春之下，則月數之起，其隨春乎？以王加於正月之上，明其爲王之正月，而非其他之正月矣乎。其必有他之正月矣乎！又因王之正月，其可以見春乃王之春，而非其他之春也乎。其必有他之春也乎！」曰：「其〔三〕他者何？」曰：「蓋夏、商之餘民各因其故俗，而列國或各建正朔以自異，容或有不同者也。」曰：「其徵之詩也何？」曰：「周詩有之：『四月維夏，六月徂暑。』維夏，明周時也；徂暑，明周候也。如曰夏之暑，夫人知之，何假言乎？則其改也已明。」曰：「豳詩七月、九月之類，何也？」曰：「寅月起也。」「一之日、二之日，何月也？」曰：「子月起也。」「並載一詩而不同，何也？」曰：「詩因民俗者也。民俗三代並行之，故先王欲協而正焉耳。夫人情風俗不同，而天象時氣有定。故流火之言，可以知其爲夏之七月；觱發栗冽之言，可以知其爲周之一、二月也。其月數未嘗不改也已明。」「其徵論語也何？」曰：「孔子曰『行夏之時』。時，四時，春、夏、秋、冬也。既曰『行夏之時』，其必有非夏之時也乎！」「其徵之孟子也何？」曰：「孟子『七八月之間旱』，未月也，苗時也。『歲十一月徒杠成，十二月輿梁成』，明周制也。如曰月數不改，則夏七、八月非憂旱之時矣。夏十一、二月杠梁，爲後時之政矣。夫三代正朔不同，而時月以異也。由是觀之，則見月令禍福之説爲謬作，而非先王之書也。蓋三代之制，以爲正則以爲春，而以起月數也。蔡氏謂『三代正朔不同，然皆以寅月起數』，是以正朔爲虚器，月數爲無由，蓋未之覩耳矣。」陽明子曰：「後聖有作者，其以子月陽生爲春乎？」甘泉子曰：「先王有之矣，而非以爲善也，故孔子善夏時。蓋陰陽無截然之理，故冬也陽生其中矣，夏也陰生其中矣。故曰『動静無端，陰陽無始』，妙之至也。」

校記：

〔一〕「始」後，嘉靖本有「者」字。

〔二〕「夏」後，嘉靖本有「大」字。

〔三〕「其」後，嘉靖本有「曰」字。

春秋正傳卷之一

隱公

名息姑，姬姓，侯爵。自周公子伯禽始受封，傳世〔一〕十三而至隱公。惠公繼室所生，在位十一年。

周平王四十九年。**元年，**齊僖公祿父九年、晉鄂侯郄二年、曲沃莊伯鱓十一年、衛桓公完十三年、蔡宣公考父二十八年、鄭莊公寤生二十二年、曹桓公終生三十五年、陳桓公鮑二十三年、杞武公二十九年、宋穆公和七年、秦文公四十四年、楚武王熊通十九年。

春王正月。

正傳曰：「春王正月」，乃春秋表時以紀事之通例，無事亦書，虛以待事也。公羊曰：「春者何？歲之始也。王者孰謂？謂天王也。曷爲先言王而後言正月？王正月也。何言乎王正月？大一統也。」程子曰「春，天時。正月，王正月。書王〔二〕正月，言人君當上奉天時，下承王正」，是也。然而因以爲表時紀事之例，穀梁曰「雖無事，必舉正月，謹始也」，非也。何以謂王之正月也？春秋之時，時月不協，蓋必有非王之正月者矣，列國之正朔或不同也。胡傳以爲「謂正朔改而時月不改」者，非也。孔子作春秋，皆因史之文，況肯以匹夫改周之正朔，生今而反古乎！蓋舜巡狩，協時月、正日時者，謂春夏秋冬四時也。而曰協，則知春、夏、秋、冬，歷代異方，容有不同者矣；月數之起，容有不同者矣。孔子曰「行夏之時」，則知周時不同夏之春、夏、秋、冬者矣。蓋三陽之月，皆可以爲歲首，皆可以爲春。考之經書「春正月，無冰」之類可見。或曰：子月可以爲來歲之始乎？曰：子時何以爲來日之始也乎？夫正月云者，爲正之月也。周正子，子正月也。夏、商正寅正丑，亦如之。如曰正朔改而月數不改，則名義不正，於何稱月乎？至於吴氏又謂：「周既有曆，而魯自造曆，以春爲一歲之始，於是改子丑寅之月爲春，夫子因而書之，譏也。」誤矣。蓋夫子欲從周，戒〔三〕生今反古，況肯書背王制之時月乎？魯之書即周之制，子爲周之正，斷可見矣。其隱不書即位者何也？史不書也。不書不在夫子也，其文則史也。立君以嫡〔四〕不以庶〔五〕，桓嫡〔六〕而幼，隱長而庶〔七〕。不宜立隱，非嫡〔八〕而立，立不正也。故上難以告天子，下難以報列國。不報，故不書，史之文也。不書，非夫子之所削也，而其是非自見矣。聖人何心哉！左傳云：「不書即位，攝也。」非也。夫攝者，必立桓而隱輔之，如周公之輔成王可也。必據其位焉，非篡而何？三傳之言，皆非其正也。何也？左傳謂之攝。

公羊謂：「凡隱之立，爲桓立也。」穀梁曰：「不書即位，將以讓桓也。」均之爲濟惡之詞云爾。

三月，公及邾儀父盟于蔑。

正傳曰：邾，附庸之國。名克，字儀父。書公及盟者何也？非其盟也。程子曰：「諸侯交相盟誓，亂世之事也。」胡氏曰：「春秋大義，公天下以講信脩睦爲事，而刑牲歃血，要質鬼神，非所貴也。」其文〔九〕曰「隱公之私」，何也？左傳曰：「公攝位而欲求好於邾，故爲蔑之盟。」愚謂聖人因魯史之文而書之，見失禮之中又失禮焉，然則非之之義見矣。左氏以爲：「曰儀父，貴之也。」公羊以爲：「稱字，褒之也。」皆非也。程子曰：「附庸之君稱字，同王臣也。」胡氏曰：「附庸例稱字，其常也。」又何褒貴之云乎？況此史之舊文，非聖人加之也。聖人書之，竊取其義爾。

夏五月，鄭伯克段于鄢。

正傳曰：段，鄭伯之弟，名段〔一〇〕。直書「鄭伯克段于鄢」，則其兄弟君臣之罪並見矣。而程子以爲「稱鄭伯而不言弟」，穀梁以爲「段，弟也，而弗爲弟；公子也，而弗爲公子，貶之以賤段而甚鄭伯也」，其意則爲〔一一〕贅矣。又曰：「鄭伯之處心積慮而成於殺也。于鄢，遠也。」則得之矣。夫仁人之於弟，親愛之而已。舜封象于有庳，親愛而富貴之，使吏治而納其貢稅焉，斯可矣，何以致於惡而遠殺之乎！左氏曰：「姜氏愛共叔段，欲立之。請於武公，武公弗許。及莊公即位，爲之請制。公曰：『制，巖邑也，虢叔死焉。他邑惟命。』請京，使居之，謂之京城太叔。祭仲曰：『都城過百雉，國之害也。先王之制，大都不過叁國之一，中五之一，小九之一。今京不度，非制也，君將不堪。』公曰：『姜氏欲之，焉辟害？』對曰：『姜氏何厭之有？不如早爲之所，無使滋蔓。蔓，難圖也。蔓草猶不可除，況君之寵弟乎？』公曰：『多行不義必自斃，姑待之。』既而太叔使西鄙、北鄙貳於己。公子呂曰：『國不堪貳，君將若之何？欲與太叔，臣請事之；若弗與，請除之，無生民心。』公曰：『無庸，將自及。』太叔又收貳以爲己邑，至于廩延。子封曰：『可矣。厚將得衆。』公曰：『不義，不暱，厚將崩。』太叔完聚，繕甲、兵，具卒、乘，將襲鄭。夫人將啓之。公聞其期，曰：『可矣！』命子封帥車二百乘以伐京。京叛太叔段。段入于鄢。公伐諸鄢。」是鄭伯之處心積慮殺段也。其曰鄭伯、曰克、曰段、曰鄢，魯史之文也，聖人特書之以見義耳。或曰：「然則周公之誅管、蔡非歟？」曰：「周公愛弟之情，憂國之志，仁之至、義之盡也。直在周公，曲在管、蔡也。鄭伯養弟之惡而殺之，不仁不義之甚，曲在鄭伯也。烏得比而同之！」

秋七月，天王使宰咺來歸惠公、仲子之賵。

正傳曰：賵者，公羊謂「以乘馬束帛」。書「天王使宰咺來歸惠公、仲子之賵」，則非禮見矣。王而曰天王者，天之王也，程子曰「奉若天道」也，故以爲稱天子之例。其後或稱或不稱，史之文有詳畧耳。若以爲與奪，則以匹夫而奪天子之號，何以爲孔子？宰，冢宰也。咺，其名。稱宰咺者，並書其爵與名，猶云某官某人耳。況於禮有「君前臣名」之義，而春秋爲垂示萬世之書乎！胡氏謂：「貶而書名，以見宰之非宰。」然則成風亦莊公之妾，榮叔歸含賵，召伯來會葬，又何以書字而不名也？由是觀之，則名不名，史之文有詳畧焉。聖人但舉其事而書之，其義自見矣。何以爲非禮也？程子曰：「以夫人禮賵人之妾，不天亂倫之甚也。」胡氏曰：「天王，紀法之宗也；六卿，紀法之守也。議紀法而脩諸朝廷之上，則與聞其謀。頒紀法而行諸邦國之間，則專掌其事。而承命以賵諸侯之妾，是壞法亂紀自王朝始也。春秋重嫡妾之分，故特貶而書名，以見宰之非宰也。」愚謂宰與名並書，則名不足以辱宰。但書云「天王使某歸某賵」，則非禮自見矣，何假乎一字之加乎？

九月，及宋人盟于宿。

正傳曰：左氏稱：「惠公之季年，敗宋師于黄。公立而求成焉。九月，及宋人盟于宿，始通也。」此其實事也。愚謂稱「及」稱「人」，魯史舊文也。公羊曰：「及，内之微者也。」程子曰：「稱『及』稱『人』，皆非卿也。」理或然也。宿者，宿國地。宿亦與盟。不日，史畧之也。穀梁曰：「卑者之盟，不日。」非也。聖人何以書其盟也？不與其盟也。春秋無善盟。

胡氏曰：「凡書盟者，惡之。」或曰：「周官有司盟，掌盟載之法，詛祝作其詞，玉府供其器，戎右役其事，太史藏其約。蘇公亦曰：『出此三物，以詛爾斯。』夫盟以結信，出於人情，先王猶不禁也。」愚謂周官固周公之書，而此與夢人之類，則後人所爲也。夫周公之時，天下同軌同倫，豈有列國盟誓之事？蓋後世之人爲之而不覺其僞之難掩也。夫自盟誓作而忠信薄矣，豈復可以結信哉！故胡氏曰：「魯既及儀父、宋人盟矣，尋自叛之，信安在乎？」愚故曰不與其盟也。

冬十有二月，祭伯來。

正傳曰：祭伯，程子以爲「畿内諸侯，爲王卿士」，公羊以爲「天子之大夫」，是也。何以書祭伯來？罪祭伯也。左氏曰「非王命也」。穀梁謂「來者，來朝。其弗謂朝，弗與朝」。非也。愚謂實非朝之禮也，私交也。夫人臣無私交，況以王人而外交於諸侯乎？況無王命而私越境乎？胡氏曰：「人臣義無私交，大夫非君命不越境，所以然者，杜朋黨之原，爲後世事君而有貳心者之明戒。」愚謂祭伯不能以禮自守，天子不能以禮禁之，世道可知矣。聖人特表而書之，則祭伯之罪不容逃矣。

公子益師卒。

正傳曰：書「公子益師卒」，志貴戚之大故也。聖人竊取之義，如是而已耳。其不日者，左氏以爲「公不與小斂」，公羊以爲遠，穀梁以爲惡，皆非也。胡氏曰：「公羊以爲遠，然公子彄遠矣，而書日，則非遠也。穀梁以爲惡，然公子牙、季孫意如〔一二〕惡矣，而書日，則非惡也。左氏以爲『公不與小斂』，然公孫敖卒于外而公在內，叔孫舍卒于內而公在外，不與小斂明矣，而書日，左氏之説亦非也。」是也。然又謂「其見恩數之有厚薄」，愚謂恩數之厚薄，有儀品隆殺焉，豈在於日不日之間？程子乃又謂：「不書官，以公子故使爲卿也。」胡氏因之，皆非經之本旨矣。程子曰：「或日或不日，因舊史也。古之史，記事簡畧，日月或不備。春秋因舊史，有可損而不可〔一三〕益也。」由是觀之，則春秋皆魯史之文，而孟子謂其文則史，爲確乎不可易矣。然而程子於他傳猶有不皆然者，何也？夫既曰不能益，則又安能損？惟無損無益，其竊取之義，繫於書不書耳。

平王五十年。二年齊僖十年、晉鄂三年、衛桓十四年、蔡宣二十九年、鄭莊二十三年、曹桓三十六年、陳桓二十四年、杞武三十年、宋穆八年、秦文四十五年、楚武二十年。

春，公會戎于潛。

正傳曰：書「公會戎于潛」，著隱公之非也。左氏謂：「脩惠公之好也。戎請盟，公辭。」夫辭盟可矣，而獨可與之會乎？穀梁以爲「危公」，非也。胡氏曰：「戎狄舉號，外之也。」愚謂非外之也。戎者，戎狄之本號也。不此之書，而何書乎？聖人因魯史舊文而書之，著隱公之非，義在於嚴内外華夷之辨也。程子曰：「春秋華夷之辨尤謹。居其地，而親中國、與盟會者，則與之。公之會戎，非義也。」愚謂：因列國之會盟，而夷狄來與者則與之，所謂夷狄而中國則中國之，春秋之義也。無故而與之會，非會盟之正，破内外之防，其爲得罪於王法明矣。

夏五月，莒人入向。

正傳曰：書「莒人入向」，著莒人之罪也。程子曰：「入者，入其國也。侵人之境且爲暴，況入人之國乎？」春秋無義戰，征伐出於天子。無故而加兵於人，春秋之所罪者也。左氏曰：「莒子娶于向，向姜不安莒而歸。莒人入向，以姜氏還。」審如是，是因小忿，無故而加兵於所親，其無上滅親之罪莫大焉。案與斷皆在是矣，春秋標而著之，而是非則存乎傳矣。胡氏謂「傳爲案，經爲斷」，蓋未之思耳。

無駭帥師入極。

正傳曰：無駭者，左氏謂：「司空無駭入極，費庈父勝之。」公羊謂：「展無駭也。何以不氏？貶。曷爲貶？疾始滅也。」愚謂聖人作春秋，竊取其義耳。無擅褒，亦無擅貶。而謂一字之褒貶皆聖人爲之，是孔子之文而非史之文矣。其不氏者，程子、胡子皆謂「未賜族」。或史之文記有詳畧耳。餘義見前。

秋八月庚辰，公及戎盟于唐。

正傳曰：左氏曰：「戎請盟。秋，盟于唐，復脩戎好也。」程子曰：「戎猾夏，而與之盟，非義也。」愚謂：春書「公會戎于潛」，秋又書「公及戎盟于唐」，重書之，甚公之罪也。夫與之會且不可，況盟乎！胡氏曰：「費誓稱淮夷、徐戎，此蓋徐州之戎久居中國，在魯之東郊者也。春秋謹嚴莫大於華夷之辨矣。中國而夷狄，則夷狄之。夷狄猾夏，則膺之。此春秋之旨也。而與戎歃血以約盟，非義矣。是故成於日者，必以事繫日，而前此盟于蔑則不日，盟于宿則不日；後此盟于密則不日，盟于石門則不日。獨盟于唐而書日者，謹之也。」愚謂：或日或不日，史之文記有詳畧，聖人因而書之，取罪盟之義耳。故直書之，而義自見，固不繫乎日不日也。

九月，紀履緰來逆女。冬十月，伯姬歸于紀。

正傳曰：何以書？謹婚禮也。蓋夫婦，人倫之始也，故謹之耳。公羊曰：「紀履緰者何？紀大夫。」左氏曰：「卿爲君逆也。」公、穀、胡氏皆以爲譏不親逆，非也。程子謂：「先儒皆謂諸侯當親迎。親迎者，迎於其所館，故有親御授綏之禮，豈有委宗廟社稷，遠適他國，以逆婦者乎？非惟諸侯，大夫而下皆然。詩稱文王親迎于渭，未嘗出疆也。」又曰：「逆夫人是國之重事，使卿逆，亦無妨。」由是觀之，則春秋書此，非爲譏不親迎矣。至入疆於所館而行親迎焉，未可知也，又烏得而譏之？

紀子伯、莒子盟于密。

正傳曰：書「盟于密」，非其盟也。春秋無善戰，亦無善盟者。自盟誓興，而忠信之道亡矣，故聖人傷之。此紀、莒事也，而書于魯史者，告報于魯也。有告報則書之，凡不書者，無告報耳。如元年八月，紀人伐夷，左氏曰：「夷不告，故不書。」皆此類也。以不書爲貶罪者，謬也。胡氏曰：「凡闕文，有本據舊史因之而不能益者。」其説是矣。然而於他處乃泥其一字而求褒貶之義者，何耶？可以自反而推其類以及其餘，而不至拘拘焉失聖人取義之心矣。伯字之上，程子以爲：「此闕文也。當云紀侯某伯、莒子盟于密。」愚謂得之矣。

十有二月乙卯，夫人子氏薨。

正傳曰：書「夫人子氏薨」，謹正終也。夫人子氏，穀梁、程子皆謂隱之妻也。公羊以爲隱之母者，非也。夫人，國之小君；正終，人之大事，故書之。其不書葬者，或史闕其文，聖人因史之文，不得而益之也。或以爲從君，或以爲公在故不書，或以爲先卒則不書葬以明順，皆過求其義，而非其實矣。

鄭人伐衛。

正傳曰：書「鄭人伐衛」，罪專伐也。左氏曰：「討公孫滑之亂也。」程子曰：「聲其罪曰伐。衛服，故不戰。衛服，可免矣。鄭之擅興戎，王法所不容也。」胡氏曰：「鄭共叔之亂，公孫滑出奔衛。衛人爲之伐鄭，取廩延。至是，鄭人伐衛，討滑之亂也。」又曰：「鄭無王命，雖有言可執，亦王法所禁，況於脩怨乎？」愚謂聖人書之，特罪其擅伐耳。至於不書戰，安知非史之闕文乎？凡先儒之説春秋，皆泥此義。

校記：

〔一〕「世」後，嘉靖本有「二」字。

〔二〕「王」前，嘉靖本有「春」字。

〔三〕「戒」，嘉靖本作「誡」。

〔四〕「嫡」，嘉靖本作「貴」。

〔五〕「庶」，嘉靖本作「長」。

〔六〕「嫡」，嘉靖本作「貴」。

〔七〕「庶」，嘉靖本作「卑」。

〔八〕「嫡」，嘉靖本作「貴」。

〔九〕「文」，嘉靖本作「又」。

〔一〇〕「段」，嘉靖本作「但」，字屬下。

〔一一〕「爲」，嘉靖本無。

〔一二〕「意如」，嘉靖本作「如意」。

〔一三〕「可」，嘉靖本作「能」。

春秋正傳卷之二

隱公

三年齊僖十一年、晉鄂四年、衛桓十五年、蔡宣三十年、鄭莊二十四年、曹桓三十七年、陳桓二十五年、杞武三十一年、宋穆九年卒、秦文四十六年、楚武二十一年。平王五十一年崩。

春王二月，己巳，日有食之。

正傳曰：日有食之，若有物食之耳，非真有物也。書「日有食之」，公羊以爲「記異」，是也。穀梁以爲「言日不言朔，食晦日」，臆説也。程子曰：「日食有定數，聖人必書者，蓋欲人君因此恐懼脩省。」愚謂：或日有常度，災而非異也，星辰陵轢〔一〕亦然。然而亦有當食不當食者，其脩德之所弭歟！胡氏曰：「日者，衆陽之宗，人君之表，而有食之，災咎象也。克謹天戒，則雖有其象而無其應；弗克畏天，災咎之來必矣。凡經所書者，或妾婦乘其夫，或臣子背君父，或政權在臣下，或夷狄侵中國，皆陽微陰盛之證也。」愚謂此皆以利害言之。聖人言畏天命，而迅雷風烈必變，則理固所當畏，而未暇論其利害矣。夫人君之於上天，如人子之於父母，父母有怒，人子自當起敬起孝，安暇計利害乎！春秋書此，所以教人敬天也。後倣此。

三月庚戌，天王崩。

正傳曰：左氏謂：「壬戌，平王崩。赴以庚戌，故書之。」愚謂由此觀之，則春秋之書皆因魯史之文，魯史之文皆因列國之赴告，而諸儒拘拘，謂聖人一字之褒貶，爲不足以得聖人心地之灑然而無疑，此言可百世以俟聖人而不惑矣。書崩不書葬，諸儒之説皆無考，信不足以按伏其罪也。或者魯史因不赴，故不書。魯君因不赴，故不奔。然而當此之時，天下已無王。王朝不以告，則失其所以爲君。魯國不問而奔赴之，則失其所以爲臣。足以見天朝之無人，而列國之無君矣。

夏四月辛卯，尹氏卒。

正傳曰：尹氏，周大師尹氏，所謂「赫赫師尹」也。左氏以爲夫人聲子者，非也。公、穀、程、胡皆以爲天子之大夫，是也。書「尹氏」者，公羊、胡氏皆以爲貶譏世卿，程子以爲「見其世繼」，則皆泥矣。然則春秋之時，世卿者多矣，豈得一一而盡譏乎？恐累聖人竊取之義也。其書「卒」者，史因赴報而書之，聖人因史文而存之，豈特天子之卿宜然？然而尹氏平生之惡使人可考矣。公羊以爲：「此何以卒？天王崩，諸侯之主也。」穀梁從之。皆非也。胡氏曰：「尹氏，天子大夫，世執朝權，爲周亂階〔二〕，家父所刺『秉國之鈞，不平謂何』是也。」

秋，武氏子來求賻。

正傳曰：愚謂〔三〕書「武氏子來求賻」，則上下之失道並可見矣。武氏子，公、穀、程、胡皆以爲天子之大夫卿，是也。不稱官，稱武氏，公、穀以爲未命爵，程子以爲「見世官」，皆非據信也。其不言使，公、穀以爲未君、無君，胡氏以爲：「君薨諒陰，百官總己以聽於冢宰。」愚謂：然則冢宰之命即代王之言命之也，夫何不可？蓋皆不得其説而爲之詞耳。蓋〔四〕或舊史畧之，聖人因史之文不得而加詳也。然而據事直書，則夫上下之失不可掩矣。穀梁曰：「歸死者曰賵，歸生者曰賻。歸之者，正也。求之者，非正也。周雖不求，魯不可以不歸。魯雖不歸，周不可以求之。求之爲言，得不得未可知之詞也。交譏之」，是耳。

八月庚辰，宋公和卒。

正傳曰：書「宋公和卒」，志與國之大故也。左氏謂：「宋穆公疾，召大司馬孔父而屬殤公焉，曰：『先君舍與夷而立寡人，寡人弗敢忘。請子奉之，以主社稷。』對曰：『羣臣願奉馮也。』公曰：『不可。』使公子馮出居於鄭。穆公卒，殤公即位。」愚謂如是則宋公和可謂賢矣，然則春秋書「卒」，豈非以其賢乎？曰：否。賢不賢亦各言其義也。程子曰：「吉凶慶弔，講信脩睦，鄰國之常禮，人情所當然。諸侯之卒，與國之大故，來告則書。」是也。胡氏亦曰：「外諸侯卒，國史承告而後書，聖人皆存而弗削。」又曰：「諸侯曰薨，大夫曰卒。周室東遷，諸侯放恣，專享其國而不請命，特書曰卒，不與其爲諸侯也。」是春秋皆聖人之文，而孟子「其文則史」之言誣矣。春秋之作，皆因魯史之文而書，其義自見，故大夫則大夫之，諸侯則諸侯之，而其賢否自不可掩，豈待易其名實而後見乎？況以穆公之賢，且承先君之舊，乃不免乎？

冬十有二月，齊侯、鄭伯盟于石門。

正傳曰：「齊侯、鄭伯盟于石門」，外國來告者也。來告何以書之？非其盟也。春秋無善盟，盟者，忠信之衰也。左氏曰：「齊、鄭盟于石門，尋盧之盟也。」愚謂盟且不可，況尋盟乎？盟可尋也，亦可寒也。程子曰：「天下無王，諸侯不守信義，數相盟誓，所以長亂也。故[五]諸侯盟，來告者則書之。」胡氏謂：「有虞氏未施信於民而民信，夏后氏未施敬於民而民敬，殷人作誓而民始畔，周人作會而民始疑。故凡書盟者，惡之也。」愚故曰：盟者，忠信之衰也。

癸未，葬宋穆公。

正傳曰：書「癸未，葬宋穆公」者，與國睦鄰之義也。告則國史書之，聖人因而存之，重睦鄰之義也。其或日或不日，公、穀或以爲渴葬，或以爲慢葬，或以爲過時而隱之，或以爲不能葬，或以爲正，或以爲危不得葬。且公羊曰：「此當時，何危爾？宣公謂穆公曰：『以吾愛與夷，則不若愛女。以爲社稷宗廟主，則與夷不若女，盍終爲君矣。』宣公死，穆公立。穆公逐其二子莊公馮與左師勃。曰：『爾爲吾子，生毋相見，死毋相哭。』與夷復曰：『先君之所爲不與臣國，而納國乎君者，以君可爲社稷宗廟主也。今君逐君之二子，而將致國于與夷，此非先君之志也。且使子而可逐，則先君其逐臣矣。』穆公曰：『先君之不爾逐，可知矣。吾立于此，攝也。』終致國乎與夷。莊公馮弑與夷。」愚謂此以爲危不得葬者，蓋因事而爲之詞耳，非聖人取義之本旨也。胡氏曰：「備則書日，畧則書時。」又曰：「無其事則闕其文，魯史之舊也。」愚謂若皆以此言春秋，烏乎不可？以此觀春秋，則見聖人之心。

桓王元年。

四年 齊僖十二年、晉鄂五年、衛桓十六年弑、蔡宣三十一年、鄭莊二十五年、曹桓三十八年、陳桓二十六年、杞武三十二年、宋殤公與夷元年、秦文四十七年、楚武二十二年。

春王二月，莒人伐杞，取牟婁。

正傳曰：牟婁者，公羊、胡氏皆以爲杞之邑。書「莒人伐杞，取牟婁」者何？罪之也。其稱人、稱伐、稱取，皆因舊史之文，聖人未嘗一改也。春秋無義戰。夫戰伐且猶不可，而況取之乎？故書之。穀梁曰：「言伐、言取，所惡。」是也。公羊曰：「外取邑不書，此何以書？疾始取邑也。」穀梁曰：「諸侯相伐取地於是始，故謹而書之。」二説皆非也。愚謂或不報則不書耳，而云始則謹書之，則夫他日取地者遂不之恤乎？程子曰：「諸侯土地有所受之，伐其罪，而奪取其土地〔六〕，惡又甚焉，王法所當誅也。」

戊申，衛州吁弒其君完。

正傳曰：何以書？正弒逆之賊也。左氏謂：「衛州吁弒桓公而立。」完，桓公名，其名桓公而不稱桓公，與州吁公子而不稱公子，皆史舊文，非有所與奪也，而其罪不可掩矣。州吁曰衛者，衛之州吁也，不謂衛而何謂？公羊以爲當國，穀梁以爲嫌者，皆非也。其不稱公子者，胡氏以爲：「削其屬籍，特以國氏者，罪莊公不待之以公子之道，使預聞政事，主兵權而當國。」則求之過深矣。程子以爲：「身爲大惡，自絕於先君，豈復得爲先君子孫？」又曰：「其後或以屬稱，或見其以親而寵之太過，或見其天屬之親而反爲寇讎，立義各不同。」蓋不得其説而爲之詞耳，而不知於聖人作經灑然之心晦矣。聖人特因魯史之文而存之，則州吁弒君之罪萬世不可逃矣，奚必他論乎！

夏，公及宋公遇于清。

正傳曰：清，衛邑。直書「遇」，則其非禮自見矣。公羊曰：「遇者何？不期也。」程子曰：「諸侯相見，不行朝會之禮，如道路之相遇，故書曰『遇』，非周禮『冬見曰遇』之遇也。」胡氏亦曰：「春秋書『遇』，私爲之約，自比於不期而遇者，直欲簡其禮耳。簡畧慢易，無國君之禮，則莫適主矣。」又曰：「凡書遇者，皆惡其無人君相見之禮也。」至於穀梁曰：「及者，内爲志焉耳。」左氏曰：「公與宋公爲會，將尋宿之盟。未及期，衛來告亂。及宋公遇于清。」此其魯志也。夫期會尋盟與倉卒而遇，皆非禮也。然聖人之直書，考於此傳，而其非禮自見矣。

宋公、陳侯、蔡人、衛人伐鄭。

正傳曰：書「宋公、陳侯、蔡人、衛人伐鄭」，罪列國之專伐也。原情據實，則列國之罪不可逭矣。何謂情實？左氏曰：「宋殤公之即位也，公子馮出奔鄭，鄭人欲納之。及衛州吁立，將脩先君之怨於鄭，而求寵於諸侯，以和其民。使告於宋曰：『君若伐鄭以除君害，君爲主，敝邑以賦與陳、蔡從，則衛國之願也。』宋人許之。於是陳、蔡方睦於衛，故宋公、陳侯、蔡人、衛人伐鄭。圍其東門，五日而還。公問於衆仲曰：『衛州吁其成乎？』對曰：『臣聞以德和民，不聞以亂。以亂，猶治絲而棼之也。夫州吁阻兵而安忍。阻兵，無衆；安忍，無親。衆叛親離，難以濟矣。夫兵猶火也，弗戢，將自焚也。夫州吁弑其君，而虐用〔七〕其民，於是乎不務令德而欲以亂成，必不免矣。』」程子曰：「宋摟諸侯以伐鄭，固爲罪矣。而衛弑其君，天下所當誅也。乃與脩好而同伐人，其惡甚矣。」胡氏曰：「春秋之法誅首惡。興是役者，首謀在衛。宋殤公不恤衛有弑君之難，欲定州吁而從其邪説，是肆人欲、滅天理也。故以宋公爲首，諸國爲從，示誅亂臣、討賊子，必先治其黨與之法也。」愚謂諸説，一則以衛，一則以宋，皆未盡也。衛首之而宋成之，同惡相濟也。宋以公子馮在鄭，衛以先君之怨在鄭，故魯史以〔八〕書首宋而終衛，聖人因之以見義。觀於左傳，則其同惡相濟之罪自可見矣。或曰：或稱爵，或稱人，有褒貶乎？曰：非也。人衛可矣，人蔡何爲？其不人宋，又何爲？由是觀之，則夫諸儒之説春秋以一字爲褒貶者，其説爲謬，非聖人之義而不足信矣。他倣此。

秋，翬帥師會宋公、陳侯、蔡人、衛人伐鄭。

正傳曰：此當爲一章，而左氏别爲二章，而於其帥師之末則云：「諸侯敗鄭徒兵，取其禾而還。」則妄也。書翬帥師會諸侯之兵伐鄭，罪翬之擅興也。左氏曰：「秋，諸侯復伐鄭。宋公使來乞師，公辭之。羽父請以師會之，公弗許，固請而行。故書曰『翬帥師』，疾之也。」然以爲再伐，則非也。然則不稱公子，貶之乎？曰：亦非也，史畧之耳。然而直書之，稱公子與不稱，名與不名，考傳據事而惡自見矣。公羊、穀梁、程子皆以爲不稱公子，以翬與弑乎公，故貶之。弑逆之人，辨之宜早。愚謂三子之説，吾皆未敢信也。夫此與隱公之見弑於翬，相隔七八年也。蓋今四年一翬也，十一年又一翬也。翬當時與弑之惡未至，聖人安得先事而貶之乎？非聖人無意必固我、大公至正之心也。程子以爲：「再序四國，重言其罪。」胡氏矯之，則又以爲：「春秋立義最精，詞極簡嚴而不贅。」然又以爲：「言之重，詞之複，其中必有大美惡焉。四國合黨，翬復會師同伐無罪之邦，欲定弑君之賊，惡之極也。言之不足而再言，聖人之情見矣。」愚謂聖人之作春秋，皆因魯史舊文而不改，魯史則必因報而後書，又豈有重書之理？程、胡二子皆爲左氏所誤矣。蓋伐鄭之事，乃一舉也。夏之書「宋公、陳侯、蔡人、衛人伐鄭」者，四國始謀而欲動，著四國之罪也。秋之書「翬會宋公、陳侯、蔡人、衛人伐鄭」者，翬已動而行事，著翬之罪也。不然，秋之言會，上文不言某會，非翬之會而誰會乎？

九月，衛人殺州吁于濮。

正傳曰：書「衛人殺州吁于濮」，誅弑君之賊也。稱人者，史通稱之詞耳。公羊以爲「討賊之詞」，穀梁以爲「稱人以殺，殺有罪」。程子以爲：「稱『衛人』，衆詞也，舉國殺之也。」胡氏亦以爲然。信斯四言也，則夏、秋之稱衛人者何耶？蔡亦稱人者又何耶？蓋弑君之賊，不必人人衛而已知其爲一國之共棄、天下之所共誅矣，只據報直書，而義自見矣。左氏曰：

「州吁未能和其民，石厚問定君于石子。石子曰：『王覲爲可。』曰：『何以得覲？』曰：『陳桓公方有寵於王。陳、衛方睦，若朝陳使請，必可得也。』厚從州吁如陳。石碏使告于陳曰：『衛國褊小，老夫耄矣，無能爲也。此二人者，實弑寡君，敢即圖之。』陳人執之，而請涖于衛。九月，衛人使右宰醜涖殺州吁于濮。石碏使其宰獳羊肩涖殺石厚于陳。」胡氏又曰：「于濮者，憫衛國之人，著諸侯之罪。」亦非也。蓋濮者，地名也，不言濮而奚言？夫春秋之不明，皆諸儒穿鑿害之也。象山陸氏曰：「諸儒説經之謬，春秋視他經尤甚。」信夫！

冬十有二月，衛人立晉。

正傳曰：書「衛人立晉」，而衛國擅立之罪自可見矣。左氏曰：「衛人逆公子晉于邢。冬十二月，宣公即位。」公羊曰：「晉者何？公子晉也。」程子曰：「書『衛人立晉』，衛人立之也。諸侯自立，必受命于天子。當時雖不請命于天子，猶受命于先君。衛人以晉公子也，可以立，故立之。春秋所不與也。」胡氏曰：「晉雖諸侯之子，内不承國于先君，上不禀命于天子，故春秋于衛人特書曰『立』，所以著擅置其君之罪。」皆是也。但又謂：「於晉絶其公子，所以明專有其國之非。」而程子亦以爲「先君子孫不由天子、先君之命，不可立也，故去其公子」，與公羊「立者，不宜立」之説，則皆鑿矣。而左氏又以爲：「書『衛人立晉』，衆也。」穀梁、胡氏皆以爲「衆詞」也。然則他國亦有稱人者，豈皆衆詞耶？蓋衛人者，他國稱之之詞耳。苟得其義，則凡此之類，皆不足泥也。

桓王二年。五年齊僖十三年、晋鄂六年奔、衛宣公晋元年、蔡宣三十二年、鄭莊二十六年、曹桓三十九年、陳桓二十七年、杞武三十三年、宋殤二年、秦文四十八年、楚武二十三年。

春，公觀魚于棠。

正傳曰：書「公觀魚于棠」，則譏慢遊之義著矣。觀左傳則聖人譏慢遊之事見矣。左傳曰：「公將如棠觀魚者。臧僖伯諫曰：『凡物不足以講大事，其材〔九〕不足以備器用，則君不舉焉。君將納民於軌物者也。故春蒐、夏苗、秋獮、冬狩，皆於農隙以講事也。三年而治兵，入而振旅，歸而飲至，以數軍實。昭文章，明貴賤，辨等列，順少長，習威儀也。鳥獸之肉不登于俎，皮革、齒牙、骨角、毛羽不登于器，則公不射，古之制也。若夫山林、川澤之實，器用之資，皂隸之事，官司之守，非君所及也。』公曰：『吾將畧地焉。』遂往，陳魚而觀之，僖伯稱疾不從。書曰『公矢魚于棠』，非禮也，且言遠地也。」公羊曰：「棠者何？濟上之邑也。」程子曰：「諸侯非王事民事不遠出，遠出觀魚，非道也。」胡氏曰：「隱公慢棄國政，遠事逸遊，僖伯之忠言不見納亦已矣，又從而爲之辭，是縱慾而不能自克之以禮也，能無鍾巫之及乎？特書『觀魚』，譏之也。」愚謂：穀梁謂「常事曰視，非常曰觀」，鑿乎其爲說矣。

夏四月，葬衛桓公。

正傳曰：書「夏四月，葬衛桓公」，魯史因報而直書也，聖人竊取之義，則後時而葬之，非禮；會葬，鄰國之大事，皆可見矣。左氏曰：「衛亂，是以緩。」程子曰：「魯往會，故書。」是也。程傳：「稱桓公，見國人私謚。」胡氏亦以爲然，又謂：「春秋于邦君薨，正以王法而書卒，至於葬，則從其私謚而稱公。或革或因，前以貶不臣順之諸侯，後以罪不忠孝之臣子。」愚謂如是，是自相矛盾矣，恐非聖人竊取之正意也。蓋皆當時史之舊文耳，不然，則既死宜薨，而貶之以卒，未免有咎往之心。及葬，私謚稱公，宜削而反因其桓公之號，何以見聖人至公至明之心哉！諸儒謂筆削褒貶一出於聖人之手者，豈其然乎？

秋，衛師入郕。

正傳曰：書「衛師入郕」，則衛君擅興之罪、窮黷之暴可見矣。左氏曰：「衛之亂也，郕人侵衛，故衛師入郕。」是也。程子曰：「衛晋乘亂得立，不思安國保民之道，以尊王爲先，居喪爲重，乃興戎脩怨，入人之國，書其失道。」胡氏亦曰：「衛宣繼州吁暴亂之後，不施德政，固本卹民，而毒衆臨戎，入人之國，失君道矣。書『衛師入郕』，著其暴也。」皆得之矣。其稱師者，兵衆之詞。公羊以爲：「將卑師衆曰師。」胡氏則又有「矜其盛」、「著其暴」、「惡其無名不義」之三言，則幾於以文害詞矣。

九月，考仲子之宫。初獻六羽。

正傳曰：「九月，考仲子之宫。初獻六羽」當爲一章。左傳本如此。蓋自公、穀分之，程、胡遂襲其誤耳。而程子於考宫傳有曰：「聖人之意，又在下句，見其初獻六羽也。考者，始成而祀也。初者，始也。六羽者，六佾也。書『九月，考仲子之宫，初獻六羽』者何？志禮之變，而著非禮之失也。」左氏曰：「九月，考仲子之宫，將萬焉。公問羽數於衆仲。對曰：『天子用八，諸侯用六，大夫四，士二。夫舞，所以節八音而行八風，故自八以下。』公從之。於是初獻六羽，始用六佾也。」愚謂公、穀皆以譏始僭諸公，非也。夫禮，有天子、諸侯、大夫、士四等，如左氏所載而已矣。程子曰：「成王賜魯用天子禮樂祀周公，後世遂羣廟皆用。仲子别宫，故不敢同羣廟而用六羽也。書『初獻』，見前此用八佾〔一〇〕之僭也。」胡氏從之，是謂禮之小變。然而魯以諸侯而僭天子之禮，仲子以妾而僭諸侯夫人之禮，是謂非禮之失矣。諸侯僭於上，妾僭於中，大夫僭於下，故其末流季氏八佾舞於庭，而三家者以雍徹，其所由來者漸也。聖人因事而存魯史之文，其義微矣。

邾人、鄭人伐宋。

正傳曰：書「邾人、鄭人伐宋」，譏擅興之罪也。征伐自天子出也，諸侯非王命而擅興師者，皆無王之罪也。春秋無義戰，況聲罪致討乎！左氏曰：「宋人取邾田。邾人告于鄭曰：『請君釋憾於宋，敝邑爲道。』鄭人以王師會之，伐宋，入其郛，以報東門之役。宋人使來告命。公聞其入郛也，將救之，問於使者曰：『師何及？』對曰：『未及國。』公怒，乃止，辭使者曰：『君命寡人同恤社稷之難，今問諸使者，曰：「師未及國」，非寡人之所敢知也。』」程子曰：「先邾人，爲主也。」胡氏從之，又曰：「雖附庸小國，而序乎鄭之上。凡班序上下，以國之小大，從禮之常也。而盟會征伐，以主者先，因事之變也。然則衛州吁告於宋以伐鄭事，與此同，而聖人以宋爲主者何？此春秋撥亂之大法也。凡誅亂臣、討賊子，必深絶其黨。」愚謂史特因其報之首事者而書之，聖人因而存焉，而其罪之首從自見耳，聖人未必如是之刻深也。

螟。

正傳曰：書「螟」，謹天戒而重民災也。公羊曰：「螟，何以書？記災也。」穀梁以爲甚則月，不甚則時，臆説也。程子曰：「書螟書螽，皆爲災也，國之大事，故書。」胡氏曰：「蟲食苗心曰螟，食葉曰螣，食節曰賊，食根曰蟊。國以民爲本，民以食爲天。詩去螟螣，害稼也；春秋書『螟』，記災也。聖人以是爲國之大事也，故書，而近世王安石乃稱爲人牧者不必論奏災傷之事，亦獨何哉？甚矣，其不講於聖人之經，以欺當年而誤天下與來世也。」愚謂皆得之矣。

冬十有二月辛巳，公子彄卒。

正傳曰：書「冬十有二月辛巳，公子彄卒」，重親者、貴者、賢者之大故也。彄，臧僖伯名。左氏曰：「臧僖伯卒。公曰：『叔父有憾於寡人，寡人不敢忘。』葬之加一等。」穀梁曰：「隱不爵命大夫，其曰公子彄，何也？先君之大夫也。」胡氏曰：「以公羊三世考之，則所傳聞之世也，而書日，見恩禮之厚明矣。公將如棠觀魚者，僖伯諫而不聽，則稱疾不從，可謂忠臣矣。葬之加一等，夫是之謂稱。」愚故曰重親者、貴者、賢者之大故也。

宋人伐鄭，圍長葛。

正傳曰：長葛，鄭邑也。書「宋人伐鄭，圍長葛」，著暴兵也。春秋無義戰，況伐乎？況圍其邑乎？左氏曰：「以報入郛之役也。」愚謂以是興師，豈有義戰乎？程子曰：「伐國而圍邑，肆其暴也。」胡氏曰：「圍者，環其城邑，絶其往來之使，禁其樵採之途，守城不下，至於經年而不解，誅亂臣、討賊子可也。長葛，鄭邑，何罪乎？書圍於此而書取於後，宋人之惡彰矣。」

桓王三年。六年齊僖十四年、晋哀侯光元年、衛宣二年、蔡宣三十三年、鄭莊二十七年、曹桓四十年、陳桓二十八年、杞武三十四年、宋殤三年、秦文四十九年、楚武二十四年。

春，鄭人來輸平。

正傳曰：書「鄭人來輸平」，譏失信也。輸平，公、穀皆以爲墮成。程子以爲渝〔一一〕平。胡氏則以爲納成結好以離宋、魯之黨。二説皆未知。然以理推之，若納成結好，必有會盟之舉，而但云來輸平，則絶交之義似有理而可信。公羊曰：「輸平者何？輸平，猶墮成也。何言乎墮成？敗其成也。曰：吾成敗矣。吾與鄭人未有成也。吾與鄭人則曷爲未有成？狐壤之戰，隱公獲焉。」程子曰：「魯與鄭舊脩好，既而迫於宋、衛，遂與之同伐鄭，故鄭來絶交。渝平，變其平也。匹夫且不肯失信於人，爲國君而負約，可羞之甚也。」胡氏曰：「公之未立，與鄭人戰于狐壤，止焉。元年及宋盟于宿，四年遇于清，其秋會師伐鄭，即宋、魯爲黨，與鄭有舊怨明矣。五年，鄭人伐宋，入其郛。宋來告命，魯欲救之，使者失辭，公怒而止。其冬，宋人伐鄭，圍長葛。鄭伯知其適有用間可乘之隙也，是以來納成耳。」愚謂據胡子之説，公素有夙怨於鄭，有結好於宋、鄭，又安得一旦因使者失辭之小嫌，而遽投隙以納成乎？且以魯、鄭之深怨，非盟會講睦，如後公與齊盟艾之事，則未易解也，而可遽爾納成哉？

夏五月辛酉，公會齊侯盟于艾。

正傳曰：書「公會齊侯盟于艾」，譏非禮也。非聘問朝會而以私會，非禮之正也。左氏曰：「夏盟于艾，始平于齊也。」此所謂以私會也。

秋七月。

正傳曰：書「秋七月」者何也？無事亦書時月，虛以待事，史之法也，聖人因而不削耳。公羊以爲：「春秋編年，四時具，然後爲年。」程子曰：「無事書首月天時，王月備而後成歲也。」胡氏曰：「四德備而後爲乾，故易曰『乾，元亨利貞』。一德不備，則乾道熄矣。四時具而後成歲，故春秋雖無事，首時過則書，一時不具，則歲功虧矣。既書時又書月者，時，天時也；月，王月也。書時又書月，見天人之理合也。易不云乎：君子行此四德者，故曰『乾，元亨利貞』。」愚謂諸說推之益遠而愈晦矣。然則信斯言也，夫聖人作經，止舉春秋二時爲名何耶？皆以爲不成歲歟？後皆倣此。

冬，宋人取長葛。

正傳曰：書「宋人取長葛」，著宋久師、强取之罪也。公羊、穀梁皆以爲：「外取邑不書，此何以書？久之也。」程子曰：「宋人之圍長葛，歲且周矣，其虐民無道之甚，而天子弗治，方伯弗征，鄭視其民之危困而弗能保，未〔二〕有赴訴，卒喪其邑，皆罪也。宋之强取，不可勝誅矣。」胡氏從之，又曰：「初，穆公屬國於與夷，使其子馮出居於鄭。殤公既立，忌馮而伐鄭，不亦逆天理乎！春秋序宋主兵，以殤公之罪重也。明年鄭人伐宋，序邾爲首，以鄭伯之罪輕也。至於宋又主兵伐鄭而圍其邑，肆行暴虐，不善之積已著而不可解矣。其見弑於亂臣，豈一朝一夕之故哉？凡此類皆直書于策，按其行事而善惡之應可考，而知天理之不誣者也。」

校記：

〔一〕「轢」，嘉靖本作「歷」。
〔二〕「亂階」，春秋胡氏傳作「階亂」。
〔三〕「愚謂」，嘉靖本作「經特」。
〔四〕「蓋」，嘉靖本作「此」。
〔五〕「故」下，嘉靖本有「外」字。
〔六〕「地」，嘉靖本無。
〔七〕「用」，嘉靖本無。
〔八〕「以」，嘉靖本作「之」。
〔九〕「材」，原作「財」，據左傳改。
〔一〇〕「佾」，嘉靖本無。
〔一一〕「渝」，原作「輸」，據嘉靖本改。
〔一二〕「未」，嘉靖本無。

春秋正傳卷之三

隱公

桓王四年。七年齊僖十五年、晉哀二年、曲沃武公稱元年、衛宣三年、蔡宣三十四年、鄭莊二十八年、曹桓四十一年、陳桓二十九年、杞武三十五年、宋殤四年、秦文五十年、楚武二十五年。

春王三月，叔姬歸于紀。

正傳曰：書「叔姬歸于紀」，賢之也。叔姬者，紀侯夫人伯姬之娣也。程子曰：「待年於家，今始歸。娣歸不書，憫其無終也。」愚謂後之無終，非聖人對時書事之義也，以其賢耳。胡氏曰：「古者諸侯一娶九女，必格之同時者，所以定名分、窒亂源也。今叔姬待年於宗國，不與嫡俱行，則非禮之常，所以書也。眉山蘇氏以謂『書叔姬，賢之也』。叔姬不歸宗國而歸于酅，以全婦道，賢可知矣。」由是觀之，則胡氏所謂不與嫡俱行者，非矣。夫不與嫡俱行，則非一娶九女之數也，必已娶而歸，待年於〔一〕後，所謂不歸宗國而歸于鄘，以全婦道，然後可以見其賢也。穀梁又謂「不言逆，逆之道微，無足道者」，妄矣。既在一娶之數矣，豈有再逆之理耶？

滕侯卒。

正傳曰：書「滕侯卒」，諸侯卹與國之義，有大故，赴告則史書之，以紀變也。滕侯不名，左氏以爲未同盟，公羊以爲微國，穀梁以爲「少曰世子，長曰君，狄道也」。其不正者名也」。之數説者，皆非也。程子曰「史闕文」，是也。愚謂諸侯宜薨而書卒，有葬而不書葬，或史畧之耳，或滕不以告耳。胡氏曰：「滕侯書卒，何以不葬？怠於禮，弱其君而不葬者，滕侯、宿男之類是已。」又曰：「怠於禮而不往，弱其君而不會，無其事而闕其文，此魯史之舊也，聖人無加損焉。存其卒，闕其葬，義自見矣。」愚謂胡氏以爲魯史之舊聖人無加損焉，此正吾今之説，於孟子之文見之者，如使胡氏皆持此説以觀春秋，則聖人之心得矣，他何獨而不然也？惜夫！

夏，城中丘。

正傳曰：何以書「夏，城中丘」？左氏曰：「書，不時也。」公羊曰：「中丘者何？内之邑也。城中丘何以書？以重書也。」愚謂二説皆是也。事孰爲重？愛民爲重。愛民孰重？以時爲重。穀梁曰：「城爲保民爲之也，民衆城小則益城，益城無極。凡城之志，皆譏也。」是未知重民、重時之道矣。程子曰：「春秋凡用民必書，然有用民力之大而不書者，爲教之意深矣。僖公脩泮宫、復閟宫，非不用民力也，然而不書，二者復古興廢之大事，爲國之先務，如是而用民力，所當用也。」愚謂此尤宜書以美之，而或不書者，史闕畧之耳，不可以執一論也。胡氏曰：「春秋凡用民必書。其所興作，不時害義固爲非矣。雖時且義亦書，見勞民爲重事也。」又曰：「凡書城者，完舊也。書築者，創始也。城中丘，使民不以時，非人君之心也。」得之矣。

齊侯使其弟年來聘。

正傳曰：書「齊侯使其弟〔二〕來聘」，善其不失典禮，而尤重以所親也。左氏曰：「齊侯使夷仲年來聘，結艾之盟也。」愚謂此雖有所爲而爲，然而聘問之禮不失矣，故春秋與之。其稱弟者，公羊以爲母弟，則失之薄，誠如程子之論者。穀梁以爲：「諸侯之尊，不得以屬通，稱弟以其接於我」，則失之謬。程子以爲「或責其失兄弟之義，或罪其以弟之愛而寵任之過」。胡氏以爲「不稱公子，貶也。稱兄弟，或罪其有寵愛之私，或責其薄友愛〔三〕之義」，則皆失之鑿。要之，史文據實直書，聖人存之。與其來聘之善耳，他何暇計焉？此皆〔四〕聖人之心也。

秋，公伐邾。

正傳曰：書「公伐邾」，則魯擅興、背盟之罪，不可掩矣。左氏曰：「秋，宋及鄭平。七月庚申，盟于宿。公伐邾，爲宋討也。」程子曰：「擅興甲兵，爲人而伐人，非義之甚也。」胡氏曰：「奉詞致討曰伐。按左氏：『公伐邾，爲宋討也。』宋人先取邾田，故邾人入其郛，魯與儀父則元年盟于蔑〔五〕矣，邾人何罪可聲？特托爲辭説以伐之爾。而不知渝蔑〔六〕之盟，不待貶而自見矣。」

冬〔七〕，天王使凡伯來聘。

正傳曰：書「天王使凡伯來聘」，著王朝之非禮也。曷爲非禮也？程子曰：「周禮，時聘以結諸侯之好。諸侯不脩臣職而聘之，非王體也。」愚謂朝覲巡狩之禮，每年一方諸侯來朝天子之國，及四方朝遍，然後天子一巡狩以歷四方之岳，見四方之諸侯。一來一往，禮無不答，乃其正也。今臣職不脩，先屈天王之使而聘之，則非禮矣。春秋所以譏之。

戎伐凡伯于楚丘以歸。

正傳曰：書「戎伐凡伯于楚丘以歸」者何？大戎之罪也。凡伯，天子之大夫也。楚丘，衛地也。伐者，執之也。胡氏以爲：「見其以徒衆也。以歸，甚之之詞也。」左氏曰：「初，戎朝于周，發幣于公卿，凡伯弗賓。冬，王使凡伯來聘。還，戎伐之于楚丘以歸。」愚謂：戎者，衛戎，如徐戎云爾。穀梁謂「貶衛，而戎之」，非也。以歸者，程子以爲「非〔八〕凡伯有失節之罪」，胡氏：「罪凡伯失節，不能死於位」，則是横生議論，而非聖人作經直書之義矣。胡氏曰：「周之秩官：『敵國賓至，關尹以告，候人爲導，司徒具徒，司寇詰姦，佃人積薪，火師監燎。其貴國之賓至，則以班加一等，益虔。至於王吏，則皆官正莅事。』今凡伯承王命以爲過賓於衛，而戎得伐之以歸，是蔑先王之官而無君父也。故旄丘録於國風，見衛不能脩方伯之職也。戎伐凡伯于楚丘以歸，見衛不救王臣之患也。爲狄所滅，則有由矣。」愚謂：此則言外之意，不可以此嬰聖人之心也。

桓王五年。八年齊僖十六年、晉哀三年、衛宣四年、蔡宣三十五年卒、鄭莊二十九年、曹桓四十二年、陳桓三十年、杞武三十六年、宋殤五年、秦寧公元年、楚武二十六年。

春，宋公、衛侯遇于垂。

正傳曰：書垂之遇，譏非禮也。垂，一曰犬丘。左氏曰：「齊侯將平宋、衛，有會期。宋公以幣請於衛〔九〕，請先相見。衛侯許之，故遇于犬丘。」穀梁曰：「不期而會曰遇，遇者，志相得也。」愚謂：據左氏，則宋、衛將與齊平，而先約會，若有志相會矣。書曰「遇」者，若不期而遇然也。遇且不可，況將會平，而先私約會以植黨乎？程子曰：「宋忌鄭之深，故與鄭卒不成好。與衛無諸侯相見之禮，故書曰遇。」愚謂此外事也，史因報而書之，聖人因史而存之，則悖禮之罪見矣。

三月，鄭伯使宛來歸祊。

正傳曰：書「鄭伯使宛來歸祊」，譏擅與也。左氏曰：「鄭伯請釋泰山之祀而祀周公，以泰山之祊易許田。三月，鄭伯使宛來歸祊，不祀泰山也。」公羊曰：「宛者何？鄭之微者也。邴者何？鄭湯沐之邑也。天子有事於泰山，諸侯皆從。泰山之下，諸侯皆有湯沐之邑焉。」穀梁曰：「名宛，所以貶鄭伯，惡與地也。」程子曰：「魯有朝宿之邑，在王畿之内，曰許。鄭有朝宿之邑，近於魯，曰祊。時王政不脩，天子不巡狩，魯亦不朝，故欲以祊易許田，各取其近者，故使宛來歸祊。始以祊歸魯，未言易也。朝宿之邑，先祖受之於先王，豈可相易也？鄭來歸而魯受之，其罪均也。」愚謂：觀諸傳，則聖人書「來歸祊」之義可見矣。

庚寅，我入祊。

正傳曰：書「入祊」者何？譏擅取也。前書「歸祊」，見鄭不宜私與而與，此書「入祊」，見魯不宜私取而取，其罪均矣。日者，本國之史，故詳之也。我者，謂魯也。入者，納其地也，乃常稱之詞，而公羊乃以入、以日爲難之説，以我爲非獨我之説。穀梁、程子乃以入爲内弗受之説，胡氏亦有「入者，不順之詞，義不可而强入」之説，則競爲穿鑿，而不知其累於聖人之心矣。但書「庚寅，我入祊」，則觀於傳而義自見矣，何暇於字字而求之？

夏六月己亥，蔡侯考父卒。

正傳曰：書「蔡侯考父卒」，鄰國告赴之大變也，有吊賻、會葬、恤哀之義焉，故書之。穀梁曰：「諸侯日卒，正也。」愚謂諸侯死曰薨，而書卒者，魯史之詞耳，聖人未常改也。其日不日，亦報赴有詳畧，史因而書之耳。

辛亥，宿男卒。

正傳曰：書「宿男卒」，恤小之義也。小國來赴告，則大國有恤小之義焉，故書之。不名者，史畧之也。穀梁云：「宿，微國也，未能同盟，故男卒也。」愚謂此則鑿矣。元年同盟矣，以不赴以名，故不書耳。胡氏曰：「天王崩，告于諸侯，則不名。諸侯薨，以名赴，而自別於大上，禮也。古者死而不謚，不以名爲諱。周人以謚易名，於是乎有諱禮。故君薨赴於他國，則曰：『寡君不禄，敢告執事。』春秋之時，遵用此禮。凡赴者，皆不以名矣。經書其終，雖五霸强國，齊桓、晋文之盛，莫不以名者，是仲尼筆之也。赴不以名而書其名者，與魯通也。已通而不名者，舊史失之爾。未通而名者，有所證矣。故傳此義者，記於禮篇曰『諸侯不生名』。夫生則不名，死則名之，别於大上，示君臣尊卑之等，蓋禮之中也。諸侯薨，赴不以名，而仲尼筆之，必以名書，變周制矣。春秋，魯史，聖人脩之也，而孟子謂之『作』，以此類也。」愚謂：或名或不名，史有詳畧耳，非聖人拘拘之筆。信斯言也，聖人一一而筆之，則何爲不於宿男之下而加之名乎？孟子言「孔子作春秋」，「作」者，創物之名，書以見義，而未嘗加損之也。故曰：其文則史，其義則丘竊取之矣。

秋七月庚午，宋公、齊侯、衛侯盟于瓦屋。

正傳曰：書「宋、齊、衛盟于瓦屋」，紀參盟也。古者天下爲公，會同之禮制於天子，無王命而私盟，無道之甚者也！然而彼善于此，則有之，參盟之謂也，故書而紀之。蓋參則近於公，然而非大道之世矣，況無王者之制乎！日與不日，史記有詳畧，此據列國之報而書之，聖人遂因之而不削耳。穀梁以爲：「諸侯參盟之始，故謹而日之。」胡氏從之，皆非也。左氏曰：「齊人卒平宋、衛于鄭。秋，會于温，盟于瓦屋，以釋東門之役，禮也。」愚曰：吁，曾是以爲禮乎？穀梁曰：「誥誓不及五帝，盟詛不及三王，交質子不及二伯。」胡氏曰：「程子云：『宋爲盟主，與鄭絶也。』大道隱而家天下，然後有誥誓；忠信薄而人心疑，然後有詛盟。盟詛繁而約劑亂，然後有交質子，至是傾危之俗成，民不立矣。」又曰：「周官設司盟掌盟載之法，凡邦國有疑則請盟於會同，聽命於天子，亦聖人待衰世之意爾。德又下衰，諸侯放恣，其屢盟也不待會同，其私約也不繇天子。口血未乾，而渝盟者有矣。其末至於交質子，猶有不信者焉。春秋謹參盟、善胥命、美蕭魚之會，以信待人而不疑也。蓋有志於天下爲公之世，凡此類亦變周制矣。」愚謂：世傳周官周公之書也，然周公之世，王道大行，天下爲公，有朝覲會同之典，無盟誓之事，安得有司盟盟載之法？吾以是知周官非盡周公之書也。

八月，葬蔡宣公。

正傳曰：書「葬蔡宣公」，赴告鄰國之大事，諸侯有會葬之禮焉，故書之。然而同盟之義、不及時之禮，具可見矣。卒名而葬不名，告有詳畧，史因書之耳。公羊以「卒名而葬不名，卒從正，而葬從主人。」謬矣。穀梁曰：「月葬故也。」是皆以私窺經而反亂乎經之説也。曷謂不及時之禮？程子曰：「速也。諸侯五月而葬，不及期，簡也。」愚謂此觀經考傳，而自不可掩矣。

九月辛卯，公及莒人盟于浮來。

正傳曰：上瓦屋之盟既云日，以爲謹始，則此日何爲？見諸儒説春秋之謬矣。浮來，莒邑也。邑，大夫耳。書公及莒人盟于浮來，譏私盟也，譏非禮也。私盟且不可，況以諸侯下盟于大夫之邑乎？甚非禮也！左氏曰：「以成紀好也。」愚謂此魯實志也。公、穀論稱人之旨，鑿矣。程子曰：「鄰國之交，講信脩睦可也，奚用盟爲？公屈己與臣盟，義非安也。」胡氏以「爲」〔一〇〕「莒，小國；人，微者。而公與之盟，故特言『及』，以譏失禮，且明非大夫之罪也。」愚謂及之爲言，上及下、尊及卑之詞，非以是爲褒貶也。若然，則他所稱及者，又將何謂耶？

螟。

正傳曰：書「螟」，紀災也。程子曰：「爲災也。民以食爲命，故有災必書。」是也。

冬十有二月，無駭卒。

正傳曰：無駭，字羽父，公子展之孫也。書「無駭卒」，重國之大夫，故紀其變也。左氏曰：「羽父請謚與族。公問族於衆仲。衆仲對曰：『天子建德，因生以賜姓，胙之土而命之氏。諸侯以字爲謚，因以爲族。官有世功，則有官族，邑亦如之。』公命以字爲展氏。」公羊曰：「此展無駭也，何以不氏？疾始滅也，故終其身不氏。」無駭之名，未有聞焉。或曰「隱不爵大夫也」，或説曰「故貶之也」，皆非也。程子曰：「未賜族，書名而已。」是矣。胡氏亦曰：「未賜族，而身爲大夫，則稱名，無駭、挾〔一〕之類。」是也。愚謂雖然，亦當時史之書法如此耳。

桓王六年。九年齊僖十七年、晋哀四年、衛宣五年、蔡桓侯封人元年、鄭莊三十年、曹桓四十三年、陳桓三十一年、杞武三十七年、宋殤六年、秦寧二年、楚武二十七年。

春，天王使南季來聘。

正傳曰：南，氏姓也；季，字也，天子之大夫也。書「天王使南季來聘」，則天子違禮之非、諸侯不恭之罪，並可見矣。穀梁以爲「聘諸侯，非正」。非也。諸侯不職，而天子聘之，乃不正也。程子曰：「周禮：大行人時聘以結諸侯之好。王法之行，時加聘問，以懷撫諸侯，乃常禮也。春秋之時，諸侯不脩臣職，朝覲之禮廢弛，王法所當治也。不能正典刑，而反聘之，又不見答，失道甚矣。」胡氏曰：「古者諸侯於天子，比年一小聘，三年一大聘，五年一朝。天子於諸侯不可以若是拁，故亦有聘問之禮焉。隱公即位九年于此，而史策不書遣使如周，則是未嘗聘也；亦不書公如京師，則是未嘗朝也。一不朝則貶其爵，再不朝則削其地，如隱公，貶爵削地可也，刑則不舉，遣使聘焉，其斯以爲不正乎？經書公如京師者一，朝于王所者二，卿大夫如京師者五。舉魯一國，則天下諸侯怠慢不臣可知矣。書天王來聘者七，錫命者三，歸脤者一，賵葬者四，則問於他邦及齊、晉、秦、楚之大國，又可知矣。王之不王如此，征伐安得不自諸侯出乎？諸侯之不臣如此，政事安得不自大夫出乎？君臣上下之分易矣，陪臣執國命，夷狄制諸夏矣，其原皆自天王失威福之柄也。」愚謂：春秋之取義，蓋見其微矣。

三月癸酉，大雨，震電。

正傳曰：穀梁以爲「震，雷也。電，霆也」。書「癸酉，大雨，震電」，公羊曰：「記異也。何異爾？不時也。」愚謂非特不時也，紀之示人以畏天變也。孔子「迅雷風烈必變」，人君之於天，如子之於父母，父母有大怒，可不起敬起孝乎？後皆倣此。

庚辰，大雨雪。

正傳曰：書「庚辰，大雨雪」，紀異也。左傳曰：「三月癸酉，大雨霖以震，書始也。庚辰，大雨雪，亦如之。書，時失也。凡雨，自三日以往爲霖。平地尺爲大雪。」穀梁曰：「志疏數也。八日之間，再有大變，陰陽錯行，故謹而日之也。雨月，志正也。」愚謂所雨雪必有日，雨雪不日而何日？諸儒説經之謬，皆此類。程子曰：「陰陽運動，有常而無忒，凡失其度，皆人爲感之也。故春秋災異必書。漢儒傳其説而不達其理，故所言多妄。三月大雨震電，不以〔一二〕時，災也。大雨雪，非常爲大，亦災也。」胡氏曰：「震電者，陽精之發。雨雪者，陰氣之凝。周三月，夏之正月也。雷未可以出，電未可以見，而大震電，此陽失節也。雷已出，電已見，則雪不當復降，而大雨雪，此陰氣縱也。夫陰陽運動有常而無忒，凡失其度，人爲感之也。今陽失節而陰氣縱，公子翬之讒兆矣，鍾巫之難萌矣。春秋災異必書，雖不言其事應，而事應具存，惟明於天人相感之際、響應之理，則見聖人所書之意矣。」愚謂聖人著其理而不論其應，聖人立教公溥之心也。若求某事得有某休徵應，某事失有某咎徵應，此漢儒泥於災祥之説，幾於誣聖經、誣上天矣。

挾卒。

正傳曰：書「挾卒」，紀大夫之大故也。公羊曰：「挾者何？吾大夫之未命者也。」

夏，城郎。

正傳曰：書「夏城郎」，譏之之義見矣。左氏曰：「書，不時也。」胡氏曰：「城者，禦暴保民之所。而城有制，役有時，大都不過三國之一，邑無百雉之城，制也。魯嘗城費、城郈，其後復墮焉，則越禮而非制矣。凡土功，龍見而戒事，火見而致用，水昏正而栽，日至而畢，時也。隱公城中丘、城郎，而皆以夏，則妨農務，而非時矣。城不踰制，役不違時，又當分財用，平板榦，稱畚築，程土物，議遠邇，畧基址，揣厚薄，仞溝洫，具餱糧，度有司，量功命，日不愆于素，然後爲之可也。況失其時、制，妄興大作，無愛養斯民之意者，其罪之輕重見矣。」

秋七月。

正傳曰：無事亦書時月，史之舊例也，虛以待事，其後因存之也。穀梁曰：「無事焉，何以書？不遺時也。」愚謂恐非聖人之意也。

冬，公會齊侯于防。

正傳曰：書「公會齊侯于防」，譏失禮之義見矣。左氏曰：「宋公不王，鄭伯爲王左卿士，以王命討之，伐宋。宋以入郛之役怨公，不告命。公怒，絶宋使。秋，鄭人以王命來告伐宋。冬，公會諸〔一三〕侯于防，謀伐宋也。」愚謂非王制會同之正，而私會以私謀，皆非禮也。故史非〔一四〕以著其罪。胡氏曰：「周官行人曰：『時會以發四方之禁。』此謂非時而合諸侯，以禁止天下之不義也。列國何爲有此名？凡書『會』，皆譏也，謂非王事相會聚爾。左傳稱：『宋公不王，鄭伯以王命討之，使來告命，會于防，謀伐宋也。』于中丘，爲師期也。亦謂之非王事，可乎？曰：以王命討宋，而聽征討之禁於王都，雖召陵之舉，不及是矣。始則私相會，爲謀於防，中則私相盟，爲師期於鄧〔一五〕，終則乘敗人而深爲利，以取二邑歸諸己。奉王命討不庭者，果如是乎？經之書『會』書『伐』而不異其文，以此。」

桓王七年。**十年** 齊僖十八年、晋哀五年、衛宣六年、蔡桓二年、鄭莊三十一年、曹桓四十四年、陳桓三十二年、杞武三十八年、宋殤七年、秦寧三年、楚武二十八年。

春王二月，公會齊侯、鄭伯于中丘。

正傳曰：書「公會齊侯、鄭伯于中丘」，則會之非禮，自可見矣。左氏曰：「春王正月，公會齊侯、鄭伯于中丘。癸丑，盟于鄧，爲師期。」愚謂朝覲會同之禮，有王制焉。非王制而行，皆非禮也，况爲師期而會乎！失禮之中又失禮矣。

夏，翬帥師會齊人、鄭人伐宋。

正傳曰：書「翬帥師會齊人、鄭人伐宋」，如四年秋書「翬帥師會宋、陳、衛伐鄭」之文也。

左氏曰：「夏五月，羽父先會齊侯、鄭伯伐宋」，則擅興積久之罪著矣。翬不稱公子，齊、鄭稱人，史之詞有詳畧耳，若翬之惡而稱公子，則其罪益著，何必去公子而後可誅之也？信斯言也，則至如不盡爲人之道者，不名曰人，可乎？多見其泥也。公羊未免乎鑿，而程、胡二子襲之，蓋未之思耳。

六月壬戌，公敗宋師于菅。

正傳曰：菅，宋地也。書「公敗宋師于菅」，譏敗人以不正也。胡氏曰：「詐戰曰敗。」獨書公者，左氏曰：「六月戊申，公會齊侯、鄭伯于老桃。壬戌，敗宋師于菅。」則是會齊、鄭也，魯爲主，故獨稱公。或曰齊、鄭後期，公獨敗之，敗未陣也。夫及其未陣而敗之，是以詐也，是之謂不正。

辛未，取郜。辛巳，取防。

正傳曰：書「取郜」、「取防」，則其擅取之罪見矣。書「辛未」、「辛巳」，則其一月再取，而擅取、貪取之罪已甚矣。夫諸侯之土地，受之天子，傳之先君，各有其分，而擅取之，可乎？非其有而有之，可乎？抑又有甚焉。左氏曰：「庚午，鄭師入郜。辛未，歸于我。庚辰，鄭師入防，辛巳，歸于我。」愚謂：若然，則是因人以敗人而已。獨攘其利而取之，可恥之甚者也。〔故程子曰：「取二邑而〕〔一六〕有之，盜也。」胡氏亦曰：「諸侯分邑，非其有而有之，盜也。」是矣。然胡氏又有「内大惡，其詞婉。小惡，直書」之説，愚謂據事直書，古之良史也，若董狐、南史，何隱之有？率非聖經取義之所關，不必如是之破碎、支離也。

秋，宋人、衛人入鄭。

正傳曰：程傳：「鄭勞民以務外，而不知守其國，故二國入之。」愚謂書「宋人、衛人入鄭」，著擅興反覆相攻之罪也。夏，鄭與齊、魯伐宋。秋，宋與衛人伐鄭。干戈相尋而王法不禁，觀其所書而聖人之志可見矣。

宋人、蔡人、衛人伐戴。鄭伯伐取之。

正傳曰：戴，小國也。上書「秋，宋人、衛人入鄭」，此書「宋人、蔡人、衛人伐戴。鄭伯伐取之」，並著列國交攻之罪也。左氏曰：「秋七月庚寅，鄭師入郊。猶在郊，宋人、衛人入鄭，蔡人從之伐戴。八月壬戌，鄭伯圍戴。癸亥，克之，取三師焉。宋、衛既入鄭，而以伐戴召蔡人，蔡人怒，故不和而敗。」程子曰：「戴，鄭所與也，故三國伐之。鄭、戴合攻，盡取三國之衆，其殘民也甚矣。」愚謂由二傳觀之，則宋、衛入鄭，將伐鄭，而又與蔡伐戴，以去鄭黨與，而鄭、戴内外交攻，以取三國之師。公、穀反謂鄭因三國之力以取戴，非其實矣。夫三國伐鄭，豈有鄭反與之伐戴乎？胡氏又有「鄭師素能以奇勝，多方誤之，起乘其弊」之説，以歸於「卞莊子之術」，則不可知，亦非經之本旨，而不必問也。

冬十月壬午，齊人、鄭人入郕。

正傳曰：郕，小國也，書「齊人、鄭人入郕」，則强凌弱、衆暴寡之罪見矣。左氏曰：「蔡人、衛人以郕人不會王命，冬，齊人、鄭人入郕，討違王命也。」程子曰：「討不會伐宋也。」胡氏曰：「左氏傳云：宋不王，鄭伯以王命致討，而郕人不會。齊、鄭入郕，討違王命也。」程氏謂：『宋本以公子馮在鄭，故二國交惡。春秋不見其爲王討也。王臣不行，王師不出，矯假以逞私忿耳。』此説據經爲合。」愚謂左氏於其時爲近，必得其真。或非王命而假王命以令諸侯，當五霸之時多如此。而穀梁又泥「入」之一字，爲内弗受。胡氏亦以爲：「討違王命，則不書入矣。入者，不順之詞。」則類皆穿鑿之病。而不知入者，兵入其境而義自見耳，不以此一字繫乎經義之得失〔一七〕也。

十有一年齊僖十九年、晋哀六年、衛宣七年、蔡桓三年、鄭莊三十二年、曹桓四十五年、陳桓三十三年、杞武三十九年、宋殤八年、秦寧四年、楚武二十九年。桓王八年。

春，滕侯、薛侯來朝。

正傳曰：滕，薛，二小國也。書「滕侯、薛侯來朝」，則不當朝而朝，當朝而不朝，與旅見非禮之義並見矣。左氏曰：「春，滕侯、薛侯來朝，争長。薛侯曰：『我先封。』滕侯曰：『我，周之卜正也。薛，庶姓也，我不可以後之。』公使羽父請於薛侯曰：『君與滕君辱在寡人，周諺有之曰：「山有木，工則度之；賓有禮，主則擇之。」周之宗盟，異姓爲後。寡人若朝于薛，不敢與諸任齒。君若辱貺寡人，則願以滕君爲請。』薛侯許之，乃長滕侯。」愚謂此實傳也。胡氏曰：「邦君爲兩君之好，有反坫。周禮行人：凡諸侯之邦交，殷相聘，世相朝也。然謂之殷，則得中而不過。謂之世，則終諸侯之世而一相朝。其爲禮亦節矣。周衰，諸侯無禮義之交，惟强弱之視。」以胡氏之言觀之，則滕、薛之來朝，無合於中聘世朝之制，是之謂不當朝而朝。程子曰：「諸侯雖有相朝之禮，而當時諸侯於天子未嘗朝覲，獨相率以朝魯，得爲禮乎？」而胡氏亦曰：「列國於天子述所職者，蓋闕如也，而自相朝聘可乎？凡大國來聘，小國來朝，一切書而不削，皆所以示譏。」以二傳而觀之，是之謂當朝而不朝。胡氏又曰：「滕、薛二君不特言者，又譏旅見也。非天子不旅見，諸侯偃然受之而不辭，亦以見隱公之志荒矣。」由是觀之，是之謂旅見之非禮。三者於聖經取義之旨，並見之矣，不必如公羊分別「來」、「朝」二字之瑣碎，而穀梁槩以天子無事，諸侯相朝之爲正，亦非矣。

夏，公會鄭伯于時來。

正傳曰：時來，鄭地。左氏作郲。書「公會鄭伯于時來」，則非禮之會可見矣。何爲非禮之會？非會同之正，而爲私謀也。左氏曰：「夏，公會鄭伯于郲，謀伐許也。鄭伯將伐許，五月甲辰，授兵于大宮。公孫閼與潁考叔爭車，潁考叔挾輈以走，子都拔棘以逐之，及大逵，弗及，子都怒。」由是觀之，則其爲謀可知矣。

秋七月壬午，公及齊侯、鄭伯入許。

正傳曰：前書公「會」，此書公「及」，則隱公搆怨擅伐之罪不可掩矣。左氏曰：「秋七月，公會齊侯、鄭伯伐許。庚辰，傅于許。潁考叔取鄭伯之旗蝥弧以先登，子都自下射之，顚。瑕叔盈又以蝥弧登，周麾而呼曰：『君登矣。』鄭師畢登。壬午，遂入許。許莊公奔衛。齊侯以許讓公。公曰：『君謂許不共，故從君討之。許既伏其罪矣，雖君有命，寡人弗敢與聞。』乃與鄭人。鄭伯使許大夫百里奉許叔以居許東偏，曰：『天禍許國，鬼神實不逞于許君，而假手于我寡人。寡人唯是一二父兄不能共億，其敢以許自爲功乎？寡人有弟，不能和協，而使餬其口於四方，其況能久有許乎？吾子其奉許叔以撫柔此民也，吾將使獲也佐吾子。』」云云。由是觀之，則胡氏謂「書會，則伐許者本鄭志也。書及，則入許者，公所欲也」，得之矣。又曰：「隱公即位十有一年，天王遣使來聘者再，而未嘗朝于京師，罪一也。平王崩，不奔喪會葬，至使武氏子來求賻，罪二也。禮樂征伐自天子出，而擅興兵甲，爲宋而伐郳，爲鄭而伐宋，罪三也。山川土田，各有封守，上受之天王，下傳之先祖，而取郜及防，入祊易許，罪四也。今又入人之國，而逐其君，罪五也。凡此五不韙者，人臣之大惡，而隱公兼有之。然則不善之殃，豈特始於惠，成於桓，而隱之積亦不可得而揜矣。」

冬十有一月壬辰，公薨。

正傳曰：書「壬辰，公薨」，紀國君之大變也。左氏曰：「羽父請殺桓公，將以求大宰。隱公曰：『爲其少故也，吾將授之矣。使營菟裘，吾將老焉。』羽父懼，反譖公於桓公而請弑之。公之爲公子也，與鄭人戰于狐壤，止焉。鄭人囚諸尹氏，賂尹氏而禱於其主鍾巫，遂與尹氏歸，而立其主。十一月，公祭鍾巫，齊于社圃，館于寪氏。壬辰，羽父使賊殺公于寪氏，立桓公而討寪氏，有死者。不書葬，不成喪也。」愚謂左氏謂「不書葬，不成喪」，出於大變倉卒之際，理或然也。公、穀、程、胡皆以爲責臣下不能討賊之罪，非也。隱公弑也，其稱薨者，國史懾於勢而爲諱之，聖人因而存之耳，而弑君之罪，自不可掩矣。胡氏曰：「隱公見弑，魯史舊文必以實書。其曰公薨者，仲尼親筆也。古者史官以直爲職，而不諱國惡。仲尼筆削舊史，斷自聖心。於魯君見弑削而不書者，蓋國史一官之守，春秋萬世之法，其用固不同矣。」愚謂爲君諱惡者，本國臣子之事耳。若春秋萬世之法，正宜直書，以誅弑君之賊，而不書者，非聖人改舊史之文也，乃其威懾國史而諱之，聖人因之而不加，而其事自不可掩，罪自不可逃矣。

校記：

〔一〕「於」，嘉靖本作「如」。

〔二〕「弟」後，嘉靖本有二「年」字。
〔三〕「友愛」，胡傳作「友恭」。
〔四〕「皆」，嘉靖本無。
〔五〕〔六〕「蔑」，嘉靖本作「昧」。
〔七〕「冬」，原作「終」，據嘉靖本改。
〔八〕二程集「非」下有「執」字。
〔九〕「請於衛」，嘉靖本無。
〔一〇〕「爲」，據文義補。
〔一一〕「挾」，胡傳作「俠」。
〔一二〕「以」，嘉靖本無。
〔一三〕「諸」，嘉靖本作「齊」。
〔一四〕「非」，嘉靖本作「書」。
〔一五〕「鄧」，嘉靖本作「鄭」。
〔一六〕「故程子曰取二邑而」，據嘉靖本補。
〔一七〕「失」，原作「夫」，據嘉靖本改。

春秋正傳卷之四

桓公

名軌。史記：名允。惠公之子，隱公弟，在位十八年。

桓王九年。元年齊僖二十年、晉哀七年、衛宣八年、蔡桓四年、鄭莊三十三年、曹桓四十六年、陳桓三十四年、杞武四十年、宋殤九年、秦寧五年、楚武三十年。

正傳曰：元者，始也。元年者，胡氏曰：「即位之始年也。自是累數，雖久而不易。此前古人君記事之例，春秋祖述爲編年法。」是也。胡氏又引「乾，元、亨、利、貞，乾元、坤元、體元、調元。仁，人心」之義，以證元爲人君之用，則支離而遠於事實矣。

春王正月，公即位。

正傳曰：書「春王正月，公即位」，國史之法，直書其即位之月，紀大事也，而桓公篡弑之罪自不可掩矣。穀梁以爲「桓無王」，非也。隱不書即位，而桓書即位，何也？史之舊文有詳署，聖人因之，其善惡固不係乎此也。然桓書即位，公羊以爲「如其意」，穀梁以爲「與聞乎弑」，程、胡從之。若然，則隱之即位亦非正也，而胡氏以爲隱闕即位者，是仲尼削之，惡其「與争亂造端，而篡弑所由起也」，何〔一〕不如桓之書即位，以著其罪乎？於隱之不書則曰削之，不與其爲君，於桓之書則曰著其罪，是前後不一，紛紛爲之説而不憚煩，使聖人之心益晦也。餘見隱公元年。

三月，公會鄭伯于垂，

正傳曰：垂者，杜預曰「衛地」，穀梁曰：「會者，外爲主焉耳。」愚謂書「公會鄭伯于垂」，則違禮之失、黨比之私皆可見矣。古者朝覲、會同必有其時，非其時而會，皆非禮也。高氏曰：「鄭知桓之篡不自安，爲會以求賂，魯急會諸侯以從欲。」是所謂黨比之私也。下文鄭伯以璧假許田，亦其一事矣。

鄭伯以璧假許田。

正傳曰：假，猶易也，不言易而言假，鄭行人爲美詞耳。公、穀、程、胡皆以爲諱、爲隱，非也。許田者，公羊曰：「魯朝宿之邑也。諸侯時朝于天子，天子之郊，諸侯皆有朝宿之邑。」左氏曰：「公即位，脩好于鄭。鄭人請復祀周公，卒易祊田。公許之。三月，鄭伯以璧假許田，爲周公、祊故也。」愚謂是矣，書鄭伯以璧假許田，則私相易地之非可見矣。何以爲之非？公羊曰：「有天子存，則諸侯不得專地也。」穀梁曰：「禮：天子在上，諸侯不得以地相與也。」程子曰：「隱公八年，鄭伯使宛來歸祊，蓋欲易許田，魯受祊而未與許田。及桓弑立，故爲會以求之，復加以璧。夫朝宿之邑，先祖受之於先王，豈可相易也？」胡氏曰：「鄭既歸祊矣，又加璧者，祊薄于許。」愚謂非也。祊歸而許未與，故加以禮要之耳。胡氏又以爲：「聖人惡之，爲其放於利而行，孟子極陳利國之害，皆拔本塞源，杜簒弑之漸也。」愚謂此則推義愈遠而愈支，恐非聖人取義之本意矣。

夏四月丁未，公及鄭伯盟于越。

正傳曰：越，地名。及者，公及之也。書「公及鄭伯盟于越」，則非其盟之義見矣。何謂非盟？左氏曰：「結祊成也。」盟曰：『渝盟，無享國。』」程子曰：「桓公欲結鄭好以自安，故既與田，又爲盟也。弑君之人，凡民罔不懟，而鄭與之盟以定之，其罪大矣。」胡氏曰：「鄭人欲得許田以自廣，是以爲垂之會。桓公欲結鄭好以自安，是以爲越之盟。夫弑逆之人，凡民罔弗憝，即孟子所謂不待教人得而誅之者也。而鄭與之盟，以定其位，是肆人欲，滅天理，變中國爲夷狄，化人類爲禽獸，聖人所爲懼，春秋所以作，無俟於貶絶而惡自見矣。」愚謂由胡氏之言觀之，則愚所謂春秋褒貶，不待聖人字字而筆之，而善惡自不可掩者，此之謂也。夫聖人之心如天，然天豈物物而雕刻之哉？胡子宜持此以觀春秋。

秋，大水。

正傳曰：書「秋，大水」，誌災也。左氏曰：「凡平原出水爲大水。」穀梁曰：「高下有水災曰大水。」愚謂天人感應之理微矣，或災而有應者，程子所謂「若桓行逆德而致陰沴，乃其宜」，是也。或災而無應者，胡氏所謂「堯之時豈有致之者」，是也。皆不可執一以爲必然之説，而反啓後世人君不信之心也。蓋人君之於災變之來，知〔二〕上天之所示譴，聖人敬天之心不得不戒。故堯曰「洚水警予」，而燮理陰陽，寅亮天地，以致位育，乃人君性分内事耳。故堯、舜憂洪水，使禹治焉，然後人得平土而居之，此其分内事也。胡氏又以爲：「天非爲堯有洪水之災，至禹而後水由地中行爾。」則又不免固執不通而爲之詞矣。

冬十月。

正傳曰：無事亦書「冬十月」，具時以待事，國史之法也。仲尼於史法猶存之而不削，亦可以見春秋爲史之文，而非仲尼之文矣。

桓王十年。 二年齊僖二十一年、晋哀八年、衛宣九年、蔡桓五年、鄭莊三十四年、曹桓四十七年、陳桓三十五年、杞武四十一年、宋殤十年弑、秦寧六年、楚武三十一年。

春王正月。戊申，宋督弑其君與夷，

正傳曰：以臣弑君，人倫之大變，天地之反覆，故書之，所以誅亂賊也。書「春王正月，戊申」，以時月日紀其實，大變不可不詳，史之法也。穀梁以爲：「桓無王，而曰王，正與夷之卒。」胡氏以爲：「桓無王，而元年書春王正月，以天道王法正桓公之罪。二年書春王正月，以天道王法正宋督之罪。」皆非也。若桓、督之大惡，天下之所共知而共誅之者，何待以天道王法而後可以正其罪乎？蓋書「春王正月」，史之通例耳。

及其大夫孔父。

正傳曰：書「及其大夫孔父」，則弑亂之謀、忠君之節，皆可見矣。孔姓，父名，宋大夫。及者，兼并之稱。公、穀皆以爲「累之」，非也。左氏曰：「宋督攻孔氏，殺孔父而取其妻。公怒，督懼，遂弑殤公。君子以督爲有無君之心，然後動於惡，故先書弑其君。」此可見宋督弑亂之謀也。公羊曰：「督將弑殤公，孔父生而存，則殤公不得而弑也，故於是先攻孔父之家。殤公知孔父死，己必死，趨而救之，皆死焉。孔父正色而立於朝，則人莫敢過而致難於其君者。」穀梁曰：「督欲弑君，而恐不立，於是乎先殺孔父。」程子曰：「人臣死君難，書以著其節。」胡氏曰：「君弑，死於其難，處命不渝，亦可以無愧矣。」此可見孔父忠君之節也。

滕子來朝。

正傳曰：書「滕子來朝」，則悖禮之罪、黨賊之惡，皆可見矣。夫朝覲會同，有王者之制，而私相朝，是無君悖禮，其罪一也。況桓乃弑君之賊，鄰國所宜告於天子，約於與國而討之，滕反朝焉，則其黨惡之罪二也，不可解矣。程子曰：「首朝桓公，罪自見矣。」胡氏曰：「桓公弟弑兄，臣弑君，天下之大惡，凡民罔弗憝也。己不能討，又先鄰國而朝之，是反天理、肆人欲，與夷狄無異，而春秋之所深惡。」愚謂此皆是也。至於程子以爲：「滕本侯爵，後服於楚，故降稱子，夷狄之。」胡氏又以爲：「孔子作春秋，嚴亂賊之黨，故降而稱子，以正其罪。」則皆求之太過矣。夫侯而侯之，子而子之，則滕之罪安可逃耶？夫禮樂征伐自天子出，非天子不議禮，故爵乃命之於天子，所謂天命、天討也。孔子作春秋，以遏亂賊，乃公然自執天子征伐爵命與奪之權，是自墮於無上之歸而不自免矣。孟子所謂「春秋天子之事」，「知我罪我惟春秋」者，蓋我者，我衆人也，謂天下後世善者惡者觀春秋之所善惡，若知我罪我者，此所以亂臣賊子懼而寓天子之法也。譬之懸明鑑於此，而妍者媸者過之皆惕然，以爲若妍媸我也。先儒解書之誤，至使此兩言與前「其文則史」、「其義竊取」之旨，大相矛盾，其累聖人之心，豈小小哉？然則何以稱子？曰：滕本五十里小國也，子男之國也。或其先僭稱，或今出於史官之稱，皆未可知，非聖人黜之也。

三月，公會齊侯、陳侯、鄭伯于稷，以成宋亂。

正傳曰：書「公會齊侯、陳侯、鄭伯于稷，以成宋亂」，則直書其以惡濟惡之罪矣。曰「公會」者，公主之也。曰以者，公以之也。故穀梁曰：「以者，内爲志焉爾。公爲志乎成是亂也。」愚謂：使公不會，則宋之亂賊必〔三〕討乎？左氏曰：「會于稷，以成宋亂，爲賂故，立華氏也。宋殤公立，十年十一戰，民不堪命。孔父嘉爲司馬，督爲大宰，故因民之不堪命，先宣言曰：『司馬則然。』已殺孔父而弑殤公，召莊公于鄭而立之，以親鄭。〔四〕以郜大鼎賂公，齊、陳、鄭皆有賂，故督遂相宋公。」愚謂：觀此，則宋亂公成之也。桓公、宋督皆弑君之賊，故曰以惡濟惡也。其不諱國惡者，史之直筆，以示天下後世之公也。其於桓直而於隱諱者，公羊以爲「隱賢而桓賤」，非也。史之文有詳畧耳。程子曰：「宋弑其君，而四國共成定之，天下之大惡也。」胡氏曰：「邾定公時有弑父者，公瞿然失席曰：『是寡人之罪也，嘗學斷斯獄矣。臣弑君，凡在官者殺無赦。子殺父，凡在官者殺無赦。殺其人，壞其室，洿其宫，而瀦焉。蓋君踰月而後舉爵。』華督弑君之賊，凡民罔不憝也，而桓與諸侯會而受賂，以立華氏，使相宋公，甚矣，故特書其所爲，而曰『成宋亂』。」又曰：「桓弑隱，督弑殤，般弑景，皆天下大惡，聖人所爲懼，春秋所以作也。一則受宋賂而立華氏，一則謀宋災而不能討，故特書其事以示貶焉。然澶淵之會既不書魯卿，又貶諸國之大夫而稱『人』，此則書公，又序諸侯之爵，何也？澶淵之會，欲謀宋災，而不討弑君之賊，雖書曰『宋災故』，而未能表其誅責之意也，必深諱魯卿，而重貶諸國之大夫，然後足以啓問者、見是非也。稷之會，前有宋督弑君，後有取宋鼎之事，書曰『成宋亂』，則其責已明，不必諱公與貶諸侯之爵次，然後見其罪矣。」愚嘗謂春秋中未嘗以一字定是非，其間有之者，若此書「以成宋亂」是也，亦罕矣。若諸儒之説春秋，皆執泥其一字之文故，他或又有不然者，不得其説，從而爲之詞耳。胡氏於此始謂：「不必諱公與貶諸侯之爵，然後見其罪」，則凡春秋皆據事以求聖人竊取之義，而不必問其名與不名、貶與不貶，而其是非自見，不亦快乎！

夏四月，取郜大鼎于宋。戊申，納于太廟。

正傳曰：書「取郜大鼎于宋，納于大廟」，罪納賊賂也。取猶致也，納猶入也。程、朱皆以爲「弗受而强致之」之詞，則泥矣。左氏曰：「非禮也。臧哀伯諫曰：『君人者，將昭德塞違，以臨照百官，猶懼或失之，故昭令德以示子孫。是以清廟茅屋，大路越席，大羹不致，粢食不鑿，昭其儉也。衮、冕、黻、珽，帶、裳、幅、舄，衡、紞、紘、綖，昭其度也。藻率、鞞、鞛，鞶、厲、游、纓，昭其數也。火、龍、黼、黻，昭其文也。五色比象，昭其物也。錫、鑾、和、鈴，昭其聲也。三辰旂旗，昭其明也。夫德，儉而有度，登降有數，文、物以紀之，聲明以發之，以臨照百官。百官於是乎戒懼，而不敢易紀律。今滅德立違，而寘其賂器於太廟，以明示百官。百官象之，其又何誅焉？國家之敗，由官邪也。官之失德，寵賂章也。郜鼎在廟，章孰甚焉？武王克商，遷九鼎于雒邑，義士猶或非之，而况將昭違亂之賂器於太廟，其若之何？』公不聽。周内史聞之，曰：『臧孫達其有後於魯乎！君違，不忘諫之以德。』」公羊曰：「何譏爾？遂亂受賂，納于大廟，非禮也。」穀梁曰：「桓内弑其君，外成人之亂，受賂而退，以事其祖，非禮也。」程子曰：「四國既成宋亂，而宋以鼎賂魯。齊、陳、鄭，皆有賂，以爲功而受之，故書『取』。以成亂之賂器，置于周公之廟，周公其享之乎？」胡氏曰：「弑逆之賊不得致討，而受其賂器，寘于太廟，以明示百官，是教之習爲夷狄、禽獸之行也。公子牙、慶父、仲遂、意如之惡，又何誅焉？聖人爲此懼而作春秋，故直載其事，謹書其日，垂訓後世，使知寵賂之行，保邪廢正，能敗人之國家也，亦或知戒矣。」愚謂：日者，亦史日之耳。

秋七月，杞侯來朝。

正傳曰：杞，公、穀、程子皆作紀。書「七月，杞侯來朝」，則其違禮、黨惡之罪可見矣。月者，穀梁以爲「惡之，故月以謹書之」，非也。據事直書而其惡自見，何係月與不月乎？胡氏曰：「桓弟弑兄，臣弑君，天下之大惡，王與諸侯不奉天討，反行朝聘之禮，則皆有貶焉，所以存天理，正人倫也。杞侯來朝，何獨無貶乎？當是時，齊欲滅杞，杞侯求魯爲之主，非爲桓立而朝之也。」左氏又曰：「杞侯來朝，不敬。杞侯歸，乃謀伐之。」愚謂左、胡二説相矛盾。夫杞既求魯爲之主，則必無不敬之事。有不敬者，必爲桓立而朝之也。諸侯朝聘，皆有定制，無故而私朝，以成弑君之賊，則違禮、黨惡之罪不容誅矣。

蔡侯、鄭伯會于鄧。

正傳曰：書「蔡侯、鄭伯會于鄧」，則三國非禮之失、陰謀召禍之端，皆可見矣。夫三國不守會同之大義，不宜會而會，以謀禦楚，則終不免矣。左氏曰：「始懼楚也。」胡氏曰：「其地以國，鄧亦與焉。楚自西周已爲中國之患，宣王蓋嘗命將南征矣。及周東遷，僭號稱王，憑陵江、漢。此三國者，地與之鄰，是以懼也。其後卒滅鄧、虜蔡侯，而鄭以王室懿親爲之服役，終春秋之世，聖人蓋傷之也。夫天下莫大於天理，莫强於信義。循天理，惇信義，以自守其國家，荆楚雖大，何懼焉？不知本此，事醜德齊，莫能相尚，則以地之大小、力之强弱分勝負矣。」

九月，入杞。

正傳曰：書「九月，入杞」，著擅興憤暴之罪也。左傳曰：「討不敬也。」入者，穀梁曰：「我入之也。」程子又有「將卑師少，外則稱入，内則止云入某伐某」之説，則求之太鑿矣。愚謂：禮人不答，反其敬，敬立而人敬之矣。况已本未敬，而責人以敬而討之，而入之，可乎？

公及戎盟于唐。

正傳曰：左氏謂「脩舊好」。書「公及戎盟于唐」，著其盟之非也。春秋無善盟。盟者，非先王之法，而忠信之薄也。况及戎盟乎！况遠盟于唐乎！故春秋書以非之。

冬，公至自唐。

正傳曰：書「公至自唐」，紀人君出告、反面之節也，而其出與反之是非自見矣。君舉必書，國史之職也。左氏曰：「告于廟也。凡公行，告于宗廟；反行，飲至、舍爵、策勳焉，禮也。特相會，往來稱地，讓事也。自參以上，則往稱地，來稱會，成事也。」愚按：穀梁以爲「遠之也」，是也。程、胡皆以爲「危之」者，非也。至於「居夷浮海」之説，愈迂遠矣。蓋人子出告、反面，常禮耳，況唐之盟，又遠出乎？何謂出與反之是非也？蓋聖人嚴華夷内外之防，重天冠地履之分，而盟于夷，皆悖先王之禮也。其出也，必曰爲某人出；其反面，亦如之，則將何以致詞於周公之前乎？故曰其是非自見矣。

桓王十一年。三年齊僖二十二年、晉哀九年、衛宣十年、蔡桓六年、鄭莊三十五年、曹桓四十八年、陳桓三十六年、杞武四十二年、宋莊元年、秦寧七年、楚武三十二年。

春正月公會齊侯于嬴。

正傳曰：嬴，齊地。「春正月」三字，當與下「公會」六字相連，先儒分之，誤矣。書「春正月公會齊〔五〕侯于嬴」，著會之非禮也。左傳曰：「會于嬴，成昏于齊也。」夫昏必有媒介，必行采幣。魯桓不此之由，而自越境以會，成昏於齊，以自托自安其篡，是會不以禮、昏不以禮也。故春秋譏之。春正月而不言王者，蒙元年、二年之文，國史畧之耳。且正月非王之正月，而誰正月乎？若以爲桓弒賊無王，故不稱王，則元年、二年何以稱王？若以爲元年、二年稱王，以正桓公、宋督之罪，則何必待三年後乃不稱王乎？若以爲周不頒曆故不稱王，如是則雖正月亦不宜書矣。此皆不通之論，程、胡從之，誤矣。

夏，齊侯、衛侯胥命于蒲。

正傳曰：蒲者，地名。「衛」下缺一「侯」字〔六〕。書「夏，齊侯、衛侯胥命于蒲」，善二國之胥命也。春秋無善盟，而善胥命。左氏曰：「不盟也。」公羊曰：「胥命者，相命也。近正也。古者不盟，結言而退。」程子曰：「二國爲會，約言相命而不爲盟詛，近於理也，故善之。」胡氏曰：「人愛其情，私相疑貳，以成傾危之俗，其所由來漸矣。有能相命而信諭，豈不獨爲近正乎？故特起胥命之文，於此有取焉。聖人以信易食，答子貢之問，君子以信易生，重桓王之失信，去則民不立矣。故荀卿言春秋善胥命。」

六月，公會杞侯于郕。

正傳曰：杞當作紀。書「公會紀侯于郕」，著不正之會也。會同有禮，此其正也。非期而會，會必以私，皆不正矣。左氏曰：「杞求成也。」程子曰：「自桓公篡立，無歲不與諸侯盟會，結外援以自固也。」愚謂如是而會，豈禮之正乎？故春秋書以非之。

秋七月壬辰朔，日有食之，既。

正傳曰：「七月壬辰朔」者，七月初一日壬辰也。穀梁曰：「言日言朔，食正朔」，則其詞愈支而晦矣。胡氏因之，又有食晦、食夜之說。公羊曰：「既者何？盡也。」愚謂書「壬辰朔，日有食之，既」，紀非常之異也。程子曰：「食盡，爲異大也。」胡氏曰：「日者，衆陽之宗，人君之象，而有食之既，則其爲變大矣。先儒以爲荆楚僭號、鄭拒王師之應。」愚謂日食有常度，聖人書之，以示人君克謹天戒之道。然而天道遠，人道邇，雖無楚、鄭之應，聖人猶宜致謹也。

公子翬如齊逆女。

正傳曰：書「公子翬如齊逆女」，著桓公之非禮也。禮重大昏，昏必親迎，所以合二姓之好以嗣先君之嫡也。今使公子逆女，未聞親迎於其國、於境上、於所館焉，非禮之正也。穀梁曰：「逆女，親者也。使大夫，非正也。」胡氏曰：「娶妻必親迎，禮之正也。若夫邦君，以爵則有尊卑，以國則有大小，以道途則有遠邇，或迎之於其國，或迎之於境上，或迎之於所館，禮之節也。紀侯於魯，以小大言，則親之者也，而使履緰來。魯侯於齊，以遠邇言，則親之者也，而使公子翬往。是不重大昏之禮，失其節矣，故書。」愚謂皆是也。其稱公子、不稱公子，史之文有詳畧耳。左氏以爲：「脩先君之好，故曰公子。」程子以爲：「翬於隱世，不稱公子，隱之賊也；於桓世，稱公子，桓之黨也。」是翬於隱時，弒逆之惡未見，而反先去其公子；於桓時，弑逆之惡已成，而反完其公子，是與奪反易而不通矣。凡此類者，皆先儒擬經之過，不可不辨也。

九月，齊侯送姜氏于讙。公會齊侯于讙。夫人姜氏至自齊。

正傳曰：一事也，三書者何？譏昏之三失禮也，故其詞複。夫昏禮之重也，穀梁引：「子貢曰：『冕而親迎，不已重乎？』孔子曰：『合二姓之好，以繼萬世之後，何謂已重乎？』」何以謂之三失禮？左氏曰：「凡公女，嫁于敵國，姊妹則上卿送之，公不自送。」故齊侯送嫁之非，一失禮矣。愚謂會則有會禮，親迎則有親迎之禮，公不行親迎之禮，而于讙乃又會焉，是失親迎之禮，又非會同之時，故程子曰：「齊侯出疆送女，公遠會之，皆非禮也。」是二失禮矣。書「夫人姜氏至自齊」，程子曰「告于廟」，是也。何以知其爲告廟？告廟然後成其爲婦，以稱夫人見之也。今不言以至，則至不在公，是三失禮矣。胡氏曰：「古者昏禮必親迎，則授受明。後世親迎之禮廢，於是有父母兄弟越境而送其女者。以公子翬往逆，逆則既輕矣。爲齊侯來，乃逆而會之于讙，是公之行，其重在齊侯，而不在姜氏，豈禮也哉？不言以至者，既得見乎公也，不能防閑，於是乎在敝笱之刺兆矣。禮者，所以別嫌明微，制治于未亂，不可不謹也。娶夫人，國之大事，故詳。」

冬，齊侯使其弟年來聘。

正傳曰：書「齊侯使其弟年來聘」，紀致女之禮也。左氏曰「冬，齊仲年來聘，致夫人」，是也。

有年。

正傳曰：書「有年」，誌喜也。穀梁以爲「五穀皆熟爲有年」。公羊曰：「有年何以書？以喜書也。大有年何以書？亦以喜書也。此其曰有年何？僅有年也。彼其曰大有年何？大豐年也。僅有年，亦足以當喜乎？恃有年也。」愚謂觀春秋者，當大其心胷而觀之，然後得聖人之心。如書有年，不過魯史見魯之有年而書之以誌喜。聖人因而存之，重民食也。而程子乃有「紀異」之説，「桓弑逆而天乃有年」之説。胡氏宗之，既有「舊史不記，聖人不附益」之説，又有「豐年不見於經，聖人削之」之説，又有「桓、宣他年有歉可知」之説。紛紛辨説牴牾，而不能救其不通之論。殊不知以聖人大公之心觀經，則不費手段而自見。且「有年」之書，魯史然耳，安知他國之境不有年乎？安知有周之境不有年乎？又安知有年之應爲誰乎？是皆有以一國觀天，而不以天下觀天也。先儒觀春秋之謬，多類此。

桓王十二年。四年齊僖二十三年、晉小子侯元年、衛宣十一年、蔡桓七年、鄭莊三十六年、曹桓四十九年、陳桓三十七年、杞武四十三年、宋莊二年、秦寧八年、楚武三十三年。

春正月，公狩于郎。〔七〕

正傳曰：書「公狩于郎」，則狩之非禮見矣。左氏以爲「書時，禮也」，非也。公羊曰：「遠也。諸侯曷爲必田狩？一曰乾豆，二曰賓客，三曰充君之庖。」程子曰：「公出動衆皆當書。于郎，遠也。」胡氏曰：「何以書？譏遠也。戎、祀，國之大事。狩所以講大事也，用民以訓軍旅，所以示之武而威天下，取物以祭宗廟，所以示之孝而順天下。故中春教振旅，遂以蒐。中夏教茇舍，遂以苗。中秋教治兵，遂以獮。中冬教大閱，遂以狩。然不時則傷農，不地則害物。田狩之地，如鄭有原圃，秦有具囿，皆常所也。違其常所，犯害民物，而百姓苦之，則將聞車馬之音，見羽旄之美，舉疾首蹙頞而相告，可不謹乎？以非其地而必書，是春秋謹於微之意也。每謹於微，然後王德全矣。」

夏，天王使宰渠伯糾來聘。

正傳曰：天王者，天子之通稱。宰者，冢宰也。渠者，其氏也。伯者，其爵。糾者，其名也。書「天王使宰渠伯糾來聘」，則聘之非禮見矣。古者諸侯各脩臣職，遞年來朝，而後天子聘之。今諸侯不脩臣職，而桓又弑賊，王未之能討，乃使貴卿聘之，非禮之甚矣。如是，義則顯矣。程子以爲「稱天王，言當奉天，而其所爲如此」。愚謂其稱天者則既如此說，譏之矣。胡氏又言：「於桓公之没，王使榮叔來錫命，不稱天以示譏。」是則稱天亦譏也，不稱天亦譏也，將何適從乎？至於其名糾者，左氏以爲「父在，故名」，公羊以爲「下大夫，故名」，則固不足信矣。胡氏又以爲：「糾位六卿之長，降從中士之例，而書名，貶也。」而曰：「在周制，大司馬九伐之法，諸侯而有賊殺其親則正之，放弑其君則殘之。桓公之行當此二者，舍曰不討，而又聘焉，失天職矣。操刑賞之柄以馭下者，王也。論刑賞之法以詔王者，宰也。乃爲亂首承命，以聘弑君之賊，故特貶而書名，以見宰之非宰也。」是則似矣，然至於桓公之没，王使榮叔錫命，書字而不名，則今之名糾者，不足以爲貶矣。不得其説，乃爲咺或初得政未封，而糾或以諸侯入相之説。夫或者，或之也，疑之也。而以此説春秋，可乎？以其執泥之弊，至自相矛盾而不一，其爲説亦煩矣。

校記：

〔一〕「何」下，嘉靖本有「以」字。

〔二〕「知」，嘉靖本作「如」。

〔三〕「必」，嘉靖本作「不」。

〔四〕「以」上，嘉靖本有「鄭」字。

〔五〕「齊」，原作「諸」，據嘉靖本改。

〔六〕按嘉靖本此條經文缺「侯」字。

〔七〕以下兩條原缺，據嘉靖本補。

春秋正傳卷之五

桓　公

五年　桓王十三年。齊僖二十四年、晉小子二年、衛宣十二年、蔡桓八年、鄭莊三十七年、曹桓五十年、陳桓三十八年卒、杞武四十四年、宋莊三年、秦寧九年、楚武三十四年。

春正月，甲戌、己丑，陳侯鮑卒。

正傳曰：書陳侯鮑卒，紀鄰國之大變也。左氏曰：「於是陳亂，文公子佗殺太子免而代之。公疾病而亂作。」是大亂〔一〕也。其甲戌、己丑二日卒者，左氏以爲「亂作，國人分散，故再赴」。非也。再赴，必有定日矣。公、穀皆以爲陳侯以甲戌之日出亡，以己丑之日死，得之。蓋不知其死之日，故二日卒之。春秋之義，信以傳信，疑以傳疑。或彼以疑赴，魯史以疑書，聖人則因之而不改。於此觀之，則見春秋爲魯史之文，非聖人之改，無疑矣。

夏，齊侯、鄭伯如紀。

正傳曰：書「齊侯、鄭伯如紀」，罪齊、鄭之邪謀也。惟仁者爲能以大事小。齊、鄭大國也，不能事小，反合謀以圖之，其擅興陵暴之罪大矣！左氏曰：「齊侯、鄭伯朝于紀，欲以襲之，紀人知之。」公羊曰：「外相如不書，此何以書？離不言會也。」愚謂不言會而言如，則左氏襲紀之言信矣。程子曰：「齊爲諸侯，而欲爲賊於鄰國，不道之甚，鄭伯助之，其罪均矣。」胡氏曰：「如者，朝詞也。尊不朝乎卑，大不朝乎小。紀之爲紀，微乎微者也。齊在東州，尊則方伯，鄭亦大國也，並驅而朝紀，乃懷詐諼之謀，欲以襲之，而不虞紀人之覺也，其志憯矣。此外相如爾，何以書？紀人主魯，故來告其事。魯史承告，故備書于策。夫子脩經，存而不削者，以小國恃大國之安靖己，而乃包藏禍心以圖之，亦異於興滅國、繼絶世之義矣。故存而不削，以著齊人滅紀之罪，明紀侯去國之由，劉敞意林所謂聖人誅意之效是也。」

天王使仍叔之子來聘。

正傳曰：書「天王使仍叔之子來聘」，著天王之失道也。天王義見前。當是時，諸侯不脩臣職以朝天子，桓又篡弑之賊而不能誅，又再聘焉，其君道不立甚矣！左氏曰：「仍叔之子，弱也。」公羊曰：「天子之大夫也。」其稱仍叔之子者，公、穀、程、胡皆以爲譏。父老子代，譏世官。恐聖人取義之意在來聘，而不在乎此也。稱仍叔之子者，仍叔爲大夫，已老，其子未爵而承王命，故不可稱官，而稱仍叔之子，如今侯伯之子爲勳衛以入侍從者。

葬陳桓公。

正傳曰：書「葬陳桓公」，著與國之大事也。吴氏曰：「不書月，史失之也。蓋佗簒立，而葬之也。」春秋亦有無所是非而史紀之者，此之類也。則夫泥字字而求之者，未必一一然矣。

城祝丘。

正傳曰：夏書「城祝丘」，譏不時也。高氏曰：「祝丘，齊、魯兩境上邑。齊將襲紀，公欲助紀而畏齊，故非時城此以備之。」

秋，蔡人、衛人、陳人從王伐鄭。

正傳曰：書「蔡人、陳人、衛人從王伐鄭」，著征伐之罪〔二〕也。蓋天子奉行天討者，於諸侯一不朝則貶其爵，再不朝則削其地，三不朝則六師移之。天子討而不伐，鄭伯一不朝即屈萬乘之尊，帥諸侯之師而伐之，則非征伐之正矣。左氏曰：「王奪鄭伯政，鄭伯不朝。秋，王以諸侯伐鄭，鄭伯禦之。王爲中軍，虢公林父將右軍，蔡人、衛人屬焉；周公黑肩將左軍，陳人屬焉。鄭子元請爲左拒，以當蔡人、衛人；爲右拒，以當陳人，曰：『陳亂，民莫有鬬心。若先犯之，必奔。王卒顧之，必亂。蔡、衛不枝，固將先奔。既而萃於王卒，可以集事。』從之。曼伯爲右拒，祭仲足爲左拒，原繁、高渠彌以中軍奉公，爲魚麗之陳。先偏後伍，伍承彌縫。戰于繻葛。命二拒曰：『旝動而鼓！』蔡、衛、陳皆奔，王卒亂，鄭師合以攻之，王卒大敗。祝聃射王中肩，王亦能軍。祝聃請從之。公曰：『君子不欲多上人，況敢陵天子乎？苟自救也，社稷無隕，多矣。』夜，鄭伯使祭足勞王，且問左右。」愚謂：觀此，則王師之失伐可見矣。公羊乃以「從王以爲正」。穀梁乃以「舉從之者，爲天王諱伐鄭」。程子乃以「不書敗，諸侯不可敵王」。胡氏又以「王奪鄭伯政，而怒其不朝，以諸侯伐焉，非天討也，故不稱天」。皆泥文之過也。蓋書敗不書敗，稱天不稱天，皆當時國史之文也，夫子未嘗改之，而其事自不可掩矣。

大雩。

正傳曰：書「大雩」，則其僭禮之非與不時之舉皆可見矣。然而僭禮之非，則失時非所問。左氏曰：「凡祀，啓蟄而郊，龍見而雩，始殺而嘗，閉蟄而烝。過則書。」是也。然而末矣。公羊以爲「旱祭也，記災也」，誤矣。何謂僭禮之非？曰雩則可，大雩則不可。諸侯祭山川，天子祭天地，是故諸侯禱雨于境内之山川，亦謂之雩。天子則禱雨于天，則謂之大雩。魯桓以諸侯而僭天子之大雩，以禱雨于天，而又以秋而祭，失時焉。故春秋書以著其非。

程子曰：「成王尊周公，故賜魯重祭，得郊禘、大雩。大雩，雩于上帝，用盛樂也。故夫子曰：『魯之郊禘非禮也，周公其衰矣。』大雩，歲之常祀，不能皆書也。故因其非時則書之。遇旱災，則非時而雩，書之所以見其非禮，且志旱也。郊禘亦因事而書。」胡氏曰：「魯，諸侯而郊禘、大雩，欲悉書於策，則有不勝書，故雩祭則因旱以書，而特謂之大。郊禘亦因事以書，而義自見。」是也。又曰：「此皆國史所不能與。」愚謂：國史書其實，聖人取其義而存之，而其非自見矣。

螽。

正傳曰：螽，蟲災也，以旱而生。書「螽」，記災也。穀梁曰：「螽，螽之災也。甚則月，不甚則時。」程子曰：「螽，蝗也。既旱又蝗，饑不在書也。」

冬，州公如曹。

正傳曰：州者，張氏以爲畿〔三〕內之地，河內州縣也。都淳于縣，故稱淳于公。書州公如曹，紀諸侯之去國也。左氏曰：「淳于公如曹，度其國危，遂不復。」穀梁曰：「外相如不書，此其書，何也？過我也。」愚謂非也。有報，故史書之。程子曰：「州公嘗爲王三公，故稱公。不能保其國，去如曹，遂不復。」胡氏曰：「外相如不書，此何以書？將有其末，故先録其本。」愚謂聖人之心，過化存神，無意、必、固、我之私，據事而書之耳，而謂將有其末先録其本，恐非聖人之心也。

桓王十四年。**六年** 齊僖二十五年、晋小子三年、衛宣十三年、蔡桓九年、鄭莊三十八年、曹桓五十一年、陳厲公躍元年、杞武四十五年、宋莊四年、秦寧十年、楚武三十五年。

春正月，寔來。

正傳曰：書「寔來」，紀失國而來寓也。左氏曰：「自曹來朝，書曰『寔來』，不復其國也。」胡氏曰：「寔者，州公名也。春秋之法，諸侯不生名，失地滅同姓則名。正名，經世之本，名正而天下定矣。」胡氏又分別：或「迫乎大國之間而失國」以爲不幸，或「驕奢淫暴，自底滅亡」以爲自取，故名與不名，以待寓公之差等，則吾未之敢信耳。孟子以諸侯失國而托於諸侯爲禮。禮，諸侯不臣寓公。未聞分別其以何而失國而名之，慢之也。且寔之爲州公名，未有所考。左傳、公、穀皆未有明言，而程子所謂「名之」。來者，又謂：「寔不稱州，亡其國也。」胡氏遂因之。愚以文勢觀之，上年冬書州公如曹，此六年春正月書「寔來」，則州公將奔魯而先如曹，今春乃寔來也。何等直截明白耶！豈有冬尚稱公而春即稱寔？冬以國稱而春即以名稱？冬尚爲諸侯而春即爲匹夫耶？若論失國則自如曹已然矣，不及逾時而名稱反易，以爲褒貶，不亦惑甚矣乎！聖人之心，必不如是也。

夏四月，公會紀侯于郕。

正傳曰：郕，公、左作成，魯地。書「公會紀侯于郕」，著恤小之義也。左氏曰：「會于成，紀來諮謀齊難也。」愚謂前此齊、鄭欲襲紀而弗遂，齊欲滅之，故來諮謀于成，而公會之也。

秋八月壬午，大閱。

正傳曰：書「秋八月壬午，大閱」，著不時也。公羊以爲「以罕書」者，非也。閱者，左氏曰「簡車馬也」。愚謂周之秋八月，夏之夏六月也，故程子曰「盛夏大閱，妨民害人，失政之甚」。胡氏曰：「周制，大司馬中冬大閱，教衆庶，脩戰法，獨詳於三時，爲農隙故也。書『八月』，不時矣。以鼓則王執路鼓，諸侯執賁鼓。以旗則王載太常，諸侯載旂。以殺則王下大綏，諸侯下小綏。其禮固亦不同也。書『大閱』，非禮矣。先王寓軍政于四時之田，訓民禦暴，其備豫也。懼鄭忽，畏齊人，不因田狩而閱兵車，厲農失政甚矣，何以保其國乎？」

蔡人殺陳佗。

正傳曰：書「蔡人殺陳佗」，著討賊之義也。佗，陳君也。程子曰：「佗弑太子免而竊位，不能有其國，故書曰陳佗。佗，天下之大惡，人皆得而誅之。蔡侯殺之，實以私也，而書『蔡人』，同於討賊之例，見討賊者衆人之公也。」胡氏曰：「佗殺太子而代其位，至是踰年，不成之爲君者，以賊討也。書『蔡人』，以善蔡。書『陳佗』，以善陳。善蔡者，以蔡人知佗之爲賊。善陳者，以陳國不以佗爲君，知其爲賊，故稱人。稱人，討賊之詞。不以爲君，則稱名。稱名，當討之賊也。」愚謂但直書之，則其惡自不可掩，不待人不人、名不名也。

九月丁卯，子同生。

正傳曰：書「子同生」，謹嫡嗣之義也。以月日，著其所生之辰也。左氏曰：「以太子生之禮舉之：接以太牢，卜士負之，士妻食之，公與文姜、宗婦命之。公問名於申繻，對曰：『名有五，有信，有義，有象，有假，有類。以名生爲信，以德命爲義，以類命爲象，取於物爲假，取於父爲類。不以國，不以官，不以山川，不以隱疾，不以畜牲，不以器幣。』公曰：『是其生也，與吾同物。命之曰同。』」程子曰：「書『子同生』，聖人所以正大本而防僭亂。子同者，桓之嫡長子也。於其始生即書之，其位固已定矣。嫡冢之生，國之大事，故書。」胡氏曰：「傳子以嫡，天下之達禮也。故有君薨而世子未生之禮，植遺腹，朝委裘而天下不亂者，以名分素明，而民志定也。經書『子同生』，所以明與子之法，正國家之本，防後世配嫡奪正之事，垂訓之義大矣。此世子也，其不曰世子何也？天下無生而貴者。誓於天子，然後爲世子。」

冬，紀侯來朝。

正傳曰：書「紀侯來朝」，著失禮也。朝聘有時，非時而來，朝假，來朝以求助，皆非禮也。

左氏曰：「請王命以求成于齊，公告不能。」程子曰：「紀畏齊，而來朝以求助也。不能上訴於天子，近赴於賢侯，和輯其民，效死以守，而欲求援於魯桓，是豈爲國之道哉？其不能保其終，至於大去其國，宜也。」胡氏曰：「魯桓者，弑君之賊，人人之所同惡，夫人得而討之也，而主之以求援，其能國乎？」

桓王十五年。**七年** 齊僖二十六年、晋小子四年、衛宣十四年、蔡桓十年、鄭莊三十九年、曹桓五十二年、陳厲二年、杞武四十六年、宋莊五年、秦寧十一年、楚武三十六年。

春二月己亥，焚咸丘。

正傳曰：咸丘，邾婁之邑，地名。焚者，焦林而獵也。書「春二月己亥，焚咸丘」，譏田之非禮而不以時也。程子曰：「古者昆蟲蟄而後火田，去莽翳以逐禽獸，非竭山林而焚之也。焚咸丘如盡焚其地，見其廣之甚也。」胡氏曰：「易稱『王用三驅』，在禮：『天子不合圍，諸侯不掩羣』，夫子『釣而不綱，弋不射宿』，皆愛物之意也。推此心以及物，至於鳥獸。若草木裕，無淫獵之過矣。書『焚咸丘』，所謂焚林而田也。」

夏，穀伯綏來朝。鄧侯吾離來朝。

正傳曰：書「穀伯綏來朝。鄧侯吾離來朝」，兩著朝之非禮也。古者諸侯四載一朝天子之國，今二國臣職不脩，而遠來朝于逆賊之國，非但非禮，而又甚焉。春秋書之，所以誅其惡也。左氏曰：「穀伯、鄧侯來朝，名，賤之。」非也。公、穀以爲：「失地、失國之君」，亦非也。史以其國小而遠，微之，故名之。聖人又因來朝之非禮而助惡，故存史之文，以惡之耳。胡氏曰：「春秋之法，諸侯不生名。穀伯、鄧侯何以名？桓，天下之大惡也，執之者無禁，殺之者無罪。穀伯、鄧侯越國踰境，相繼而來朝，即大惡之黨也，故特貶而書名，與失地滅同姓者比焉。」愚謂法例皆後儒觀春秋者爲之，非聖經之明訓也。且古人尚樸，多相稱名，如周公之於召公者，又何也？夫不名者，或一時禮際之宜，而史者實萬世垂訓之典，安得不名？其或名或不名，史書之詳畧，聖人因之耳。程〔子〕〔四〕又言：「桓之惡逆，天子累聘，諸侯相繼而朝之，亂天道，歲功不成，故不具秋冬。」而不知史法必具時以書事，其有不具者，史逸之耳。而天道歲功，周流萬古不息，不爲堯存，不爲桀亡，豈有因一人之惡而遂闕其萬古不息之天道與歲功哉？蓋後儒所謂春秋法例者惑之，雖程、胡大儒，未免如此。

八年桓王十六年。齊僖二十七年、晉侯緡元年、衛宣十五年、蔡桓十一年、鄭莊四十年、曹桓五十三年、陳厲三年、杞武四十七年、宋莊六年、秦寧十二年、楚武三十七年。

春正月己卯，烝。

正傳曰：書「春正月己卯，烝」，紀常祭也。國之大事在祀，故紀之。公羊以爲譏亟、黷，非也。亟可以言之於夏再烝而不可言之此也。穀梁曰：「烝，冬事也。春興之，志不時。」亦非也。程子曰：「冬烝非過也，書之，以見五月又烝，爲非禮之甚也。」胡氏曰：「按周官，大司馬烝以仲冬。今魯烝以春正月，其不同何也？周書有周月以紀政，而其言曰夏數得天，百王所同，其在商周革命改正，示不相沿。至於敬授民時，巡狩烝享，猶自夏焉。然則司馬中冬教大閱，獻禽以享烝，所謂自夏，而魯之烝祭在春正月，見春秋用周正紀魯事也。而穀梁子乃曰：『烝，冬事也。春興之，志不時也。』是以閉蟄而烝，爲是與周制異矣。春秋非以不時志也，爲再烝見瀆書也。」愚謂春秋書春正月，而程子以爲「冬烝，非過」，何也？蓋周正子爲歲首，爲月數之始；夏正寅爲歲首，爲月數之始。蓋謂之正月者，以爲正之月也，義可見矣。周之春正月即夏之冬十一月也。烝以物之收藏爲詞，故用之於夏十一月，周之正月，故曰非過也。由是觀之，則胡氏前謂魯烝在春正月，見春秋用周正紀魯事，是也。則夫謂三代正朔改而月數不改爲謬明矣。今據此經，於子月而書曰春正月，則見周之時正朔改而月數亦從之而改矣。孔子曰行夏之時，時謂春夏秋冬四時也，而欲行夏時，則四時於三代必有不同者矣。舜巡狩，協時月正日，時亦謂四時，月謂晦朔，日謂甲乙，而欲協之正之，則時與月及日必有不同者矣。蓋三陽之月皆可爲歲首，則皆可以爲春。春者，蠢也，凡物生意，蠢蠢然動也。今子月生意已動，子月陽生之月，故爲歲首，而經書之曰春。胡氏至此可以悟矣，終不改其舊説，何歟？

天王使家父來聘。

正傳曰：天王者，春秋天子之通稱。家，氏；父，字，天子之大夫也。書「天王使家父來聘」，譏失道也。禮，諸侯四年一朝，天子五年一聘。今聘非其時，又加於弑君之人，故書之。程子曰：「桓公弑立，未嘗朝覲，天王不討而屢使聘之，失道之甚也。」胡氏曰「下聘弑逆之人，而不加貶，何也？既名冢宰於前，其餘無責焉，乃同則書重之義，以此見春秋任宰相之專，而責之備也」云云。又云：「歸賵仲子，會葬成風，則咺書名於前，而王不稱天於後。來聘桓公，賜桓公命，則宰糾書名以正其始，王不稱天以正其終，而榮叔、家父之徒不與也。故人主之職，在論相而已矣。」愚謂胡氏常以一字觀春秋，至於義同而字之褒貶不同，則不得其說，又從而爲之詞，皆此類也。蓋聘弑君之賊，則凡天王使之來與受命而來者，皆可責，何必獨責之於相？又此王何以不去其天耶？如其前後不一，則亦不足以示貶矣。

夏五月丁丑，烝。

正傳曰：周之夏五月，即夏之春三月也。書「夏五月丁丑，烝」，見非時黷祭之失禮也。公羊曰：「烝者何？冬烝也。春曰祠，夏曰礿，秋曰嘗，冬曰烝。常事，此何以書？譏亟也。亟則黷，黷則不敬，疏則怠，怠則忘。」公羊曰：「何以書？譏亟也。」穀梁曰：「烝，冬事也。春夏興之，黷祀也，志不敬也。」程子曰：「正月既烝矣，而非時復烝者，必以前烝爲不備也，其黷亂甚矣。」

秋，伐邾。

正傳曰：書「伐邾」，著桓公凌暴之罪也。春秋無善戰，凡非奉王命而行討者，皆不義之兵也。桓篡立，不能脩臣職而朝王，反受列國之朝，又肆其横兵而伐邾，以强凌弱，以衆暴寡，其爲惡極矣。故春秋書之，以著其罪。

冬十月，雨雪。

正傳曰：雨者，從天而下之稱也。書「冬十月，雨雪」，史記天時之異也。公羊曰：「何異爾？不時也。」程子曰：「建酉之月，未霜而雪，書異也。」夫建酉之月，夏時之八月也，於夏時爲中秋。今魯史以周時書之曰十月，則三代正朔與四時月數皆改，可知矣。胡氏所謂正朔改而月數不改之謬，益可知矣。王氏曰：「陰陽方中而寒氣先至，此積陰侵陽之象也。」是也。

祭公來，遂逆王后于紀。

正傳曰：祭公，王之三公也，故稱公。遂者，公羊以爲繼事之詞也。書「祭公來，遂逆王后于紀」，著逆后之非禮也。左氏以爲禮，非也。何謂非禮？曰：不專其爲逆后也。禮重大昏，后者承宗廟之嗣以爲萬世本，先之以媒介，申之以采聘，所以重其事以重宗廟之嫡也。祭公來，謀於魯，若朝會于魯，然且以宗廟之重事謀於弑逆之賊，乃因而往紀，以逆后焉，其爲輕瀆甚矣。程子曰：「祭公受命逆后，因過魯，遂行朝〔五〕會之禮。聖人深罪之，故書其來使，若以朝魯爲主，而逆后爲遂也。」

桓王十七年。

九年

齊僖二十八年、晋緡二年、衛宣十六年、蔡桓十二年、鄭莊四十一年、曹桓五十四年、陳厲四年、杞靖公元年、宋莊七年、秦出子元年、楚武三十八年。

春，紀季姜歸于京師。

正傳曰：書「春，紀季姜歸于京師」，重王后于歸之始也。左氏曰：「凡諸侯之女行，惟王后書。」京師，王者所居，衆〔六〕人之稱。始稱王后，而此稱紀季姜者，自王朝往逆而言，則謂之王后；自紀國于歸而言，則謂之季姜。於往逆之時而稱王后，所以定名分於始；於于歸之際而稱季姜，所以著名實於終。互文見義，使知所謂王后乃季姜也，更無他褒貶抑揚之意。後儒多以己意窺聖經，而無達觀之心，是以往往横生議論。如書春不書月，程子則以爲：「書王國之事，不用無王之月，故書時而已。」書季姜而不書王后，則程子以爲：「諸侯莫至，是不能母天下，故書紀女歸而已。」胡氏則以爲：「自歸者而言，則當樛屈逮下，使婦嬪皆得進御於君，而無嫉妬之心，故從父母所子而稱季姜。」何其迂遠而費於詞也！惟公羊「自我言紀」。父母之於子，雖王后，猶曰吾季姜」爲近理。愚謂：謂之歸者，自紀而言，未至之詞也。程子云「王后之歸」，胡氏云「既歸」，則是自已至京師而言，所以不明也。

夏四月。秋七月。

正傳曰：此國史具時月以紀事之例，當時必有其事，今逸其傳矣。然則史之闕文者尚多。愚嘗謂夫子不削魯史之文，於此類可考而知也。

冬，曹伯使其世子射姑來朝。

正傳曰：射姑，曹世子名。書「曹伯使其世子射姑來朝」，著失禮也。有朝王之定期，有會同之定期，則或諸侯有病不得已使世子往者。朝桓非有會同之期、不得已之事，而使世子以代之，既爲失禮，而汲汲焉以朝弑君之人，是失禮之中又失禮焉，故春秋書之。左氏曰：「冬，曹太子來朝。賓之以上卿，禮也。享曹太子。初獻，樂奏而嘆。施父曰：『曹太子其有憂乎！非嘆所也。』」愚謂是其實事也。公、穀又有辯言「朝」字、言「使」字之義，則愈分析矣。程子曰：「曹伯有疾不能親行，故使其世子來朝。春秋之時，君疾而使世子出，取危亂之道也。」胡氏曰：「按周官典命，『凡諸侯之嫡子誓於天子，而攝其君，則下其君之禮一等；未誓，則以皮帛繼子男。』世子固有出會朝聘之儀矣，然攝其君、繼子男者，謂諸侯朝于天子，有時而不敢後，故老疾者使世子攝己事，以見天子，急述職也。諸侯間於王事則相朝，其禮本無時。曹伯既有疾，何急於朝桓而使世子攝哉？大位，姦之窺也。危疾，邪之伺也。世子，君之貳也。君疾而儲副出，啓窺伺之心，危道也。當享而射姑嘆，踰月而終生卒，其有疾明矣，而使世子來，終生之過也。世子將欲已乎？則方命矣。曰：孝子盡道以事其親者也，不盡道而苟焉以從命爲孝，又焉得爲孝？故尸子曰：『夫已多乎道。』」愚謂二公前一截所論，正也。後一截論危道，乃經外之意。

桓王十八年。

十年

齊僖二十九年、晉緡三年、衛宣十七年、蔡桓十三年、鄭莊四十二年、曹桓五十五年卒、陳厲五年、杞靖二年、宋莊八年、秦出子二年、楚武三十九年。

春王正月，

正傳曰：春者，建子之月，王正月，見前。書「春王正月」，國史表年書事之法，非別有取義。自桓三年以後不稱王，胡氏、諸儒以爲桓無王，愚於前經辯之詳矣。夫既三年以後見桓無王，則元年、二年何以有王？今十年而又有王，何其前後與中間之不一耶？胡氏不得其説，則又以爲「十年，數之盈，天道之周，至是桓宜見誅於天人，故書王，紀常理也」，豈通論耶？又舉「習於穀梁者，見二年書王，以爲正與夷之卒。見此書王，以爲正曹伯終生之卒」，而皆以爲誤。是徒知習穀梁者之非，而不知己之附會支吾之爲非也。

庚申，曹伯終生卒。

正傳曰：庚申，即上文春王正月之庚申日也。終生，曹桓公名，名之亦非貶也。書「庚申曹伯終生卒」，重鄰國之大變，有赴則書也。穀梁以爲「桓無王，其曰王，正終生之卒」，非也。夫天道不能一日而不運，天下不可一日而無王。史者垂世之典，非爲一人而作也，則不可爲一人而無天，不可爲一人而無王也。諸儒之説，皆謬矣。

夏五月，葬曹桓公。

正傳曰：書「夏五月葬曹桓公」，著葬之得禮也。桓公，春正月庚申卒，至是夏五月而葬，禮也。禮，諸侯五月而葬。何以書？有赴報則史書之，聖人存之，而竊取之義則在褒合禮也。

秋，公會衛侯于桃丘，弗遇。

正傳曰：桃丘，衛地名。書「公會衛侯于桃丘，弗遇」，著失舉也。夫會同自有定制、定期，非制、非期而爲會，是妄舉也，宜乎人之不信而不遇矣。故公羊以爲「弗遇，公不見要」，謂衛不要之也。穀梁以爲「志不相得」。胡氏謂：「衛初約魯會于桃丘，至是中變而從齊、鄭，於是乎有郎之師。」皆是也。至於「弗」之一字，不過猶言不耳。穀梁以爲内詞，胡氏以爲遷詞，豈非穿鑿之弊耶？胡氏又以爲「桃丘之弗遇，惡衛之失信」，恐亦非也。使衛人果〔七〕來赴約，此會猶爲非禮耳，非聖人之所取，此固不足深論也。

冬十有二月丙午，齊侯、衛侯、鄭伯來戰于郎。

正傳曰：郎者，魯近邑也。書「齊侯、衛侯、鄭伯來戰于郎」，著三國之擅興越境以伐人也。左氏曰：「齊、衛、鄭來戰于郎，我有辭也。初，北戎病齊，諸侯救之，鄭公子忽有功焉。齊人餼諸侯，使魯次之。魯以周班後鄭。鄭人怒，請師于齊。齊人以衛師助之，故不稱侵伐。先書齊、衛，王爵也。」程子曰：「左氏載其事，曰我有辭也，我則有禮，彼悖道縱慾而以興戎，故特曰來戰。以三國爲主，甚其惡也。」胡氏曰：「春秋加兵于魯衆矣，未有書來戰者。此獨不稱侵伐，而以來戰爲文，何也？兵，凶器。戰，危事。聖人之所重也。誅暴禁亂，敵加於己，蓋有不得已而應之者矣。未有悖道縱慾，得已不已而先之者也。魯桓弑立，天下大惡，人人之所得討也。鄭伯則首盟于越，以定其位；齊侯則繼會于稷，以濟其姦。曾不能脩方伯之職，駐師境上，聲罪致討，伸天下之大義也。今特以私忿小怨，親帥其師，戰于魯境，尚爲知類也哉？此春秋之所必誅，而不以聽也。故以三國爲主，而書『來戰于郎』。鄭主兵而首齊，猶衛州吁主兵，而先宋。」愚謂此說是也。至於公、穀皆有「内不言戰，言戰則敗」之説，「不言及者，爲内諱」之説，則鑿矣。

校記：

〔一〕「亂」，嘉靖本作「變」。

〔二〕「罪」，嘉靖本作「非」。

〔三〕「譏」，原作「幾」，據嘉靖本改。

〔四〕「子」，據嘉靖本補。

〔五〕「朝」，原作「期」，據嘉靖本改。

〔六〕「衆」，嘉靖本作「大」。

〔七〕「果」，原作「更」，據嘉靖本改。

春秋正傳卷之六

桓公

桓王十九年。十有一年齊僖三十年、晉緡四年、衛宣十八年、蔡桓十四年、鄭莊四十三年卒、曹莊公射姑元年、陳厲六年、杞靖三年、宋莊九年、秦出子三年、楚武四十年。

春正月，齊人、衛人、鄭人盟于惡曹。

正傳曰：書「齊人、衛人、鄭人盟于惡曹」，著其盟之非也。春秋無善盟。盟者，忠信之薄。諸侯不以忠信相諭，而殺牲歃血以相盟，已不正矣，況三國所盟乃結黨謀魯，同惡相濟，逞其私忿，而不知聲罪討賊之義乎！胡氏曰：「惡曹之盟，即三國之君矣。既不以道興師，爲郎之戰；又結怨固黨，爲惡曹之盟。」是矣。又曰：「前書其爵而以來戰著罪，後書此盟而以奪爵示貶。」愚謂或人或爵，史之文耳，聖人之取義，固不區區在是。此盟既曰人之以示貶，則上無故加兵戰于郎者，不去其爵何耶？是不能充其類也。且十年書「春王正月」，既以十數之盈桓惡，宜見誅於天人矣，故書王紀常理也，而此十一年又書「春正月」，而不書王者，又何耶？是徒知立説以求通，而不能充其類之疚也。

夏五月癸未，鄭伯寤生卒。

正傳曰：寤生，鄭伯名，即莊公也。書「鄭伯寤生卒」，紀鄰國之大變也。諸侯有故則赴，赴則必名，而史必書之。聖人存之而弗去，著恤鄰之大義耳，别無他意。由是則諸儒紛紛執文以穿鑿者，觀此可悟矣。左氏曰：「夏，鄭莊公卒。初，祭封人仲足有寵於莊公，莊公使爲卿。爲公娶鄧曼，生昭公。故祭仲立之。」愚謂此經之本傳也。胡氏又曰：「鄭莊公志殺其弟，使餬其口於四方，自以爲保國之計得也，然身没未幾，而世嫡出奔，庶孽奪正，公子互争，兵革不息，忽儀亹突之際，其禍憯矣。亂之初生也，起於一念之不善，後世則而象之，至於兄弟相殘，國内大亂，民思保其室家而不得，不亦酷乎！有國者所以必循天理，而不可以私欲滅之也。莊公之事，可以爲永鑒矣。」愚謂此又經外之意也。

秋七月，葬鄭莊公。

正傳曰：莊公卒，至是三月耳。書「葬鄭莊公」，鄭來赴，故國史書之，聖人存而不去，而諸侯會葬之義，鄭昭速葬之非，皆可見矣。

九月，宋人執鄭祭仲。

正傳曰：書「宋人執鄭祭仲」，紀鄰國之變也，而執者與見執者之罪並見矣。左氏曰：「宋雍氏女于鄭莊公，曰雍姞，生厲公，即突。雍氏宗有寵於宋莊公，故誘祭仲而執之，曰『不立突，將死』。亦執厲公而求賂焉。祭仲與宋人盟，以厲公歸而立之。」愚謂據此則宋公以諸侯之尊爲詭賊以脅人，祭仲以國相爲弑逐以從賊，其罪自不可掩矣，不在乎泥一字以爲貶罪也。穀梁乃以人宋公爲貶。公羊以不名祭仲爲「出忽立突」，爲達權之賢。胡氏又以不名祭仲，以命大夫，稱貴卿，以大其罪。諸皆紛然議論雜乎其間，而後聖經取義之大旨隱矣。

突歸于鄭。

正傳曰：突，厲公名。書「突歸于鄭」，則不當歸而歸，不當立而立之義見矣。左氏曰：「厲公立，則祭仲以之歸而立之也。」公羊曰：「突何以名？挈乎祭仲也。其言歸何？順祭仲也。」穀梁曰：「死君難，臣道也。今立惡而黜正，惡祭仲也。」愚謂：據此，則突爲邪謀所擁立之不正，其義自見，不必如程、胡所言，不稱公子，不稱鄭突，稱歸，有易詞、順詞之別，然後可誅而絶之，以正其罪也。觀春秋者，不必泥一字之文，而惟求竊取之義。蓋執字則他或不類而難通，求義則無所往而不通。

鄭忽出奔衛。

正傳曰：忽，昭公名。書「鄭忽出奔衛」，著鄭君臣之不道也。鄭忽爲祭仲所逐，忽不能脩道以自立，仲爲宋所脅而逐君，所謂無道之甚者也。其名忽者，公羊曰：「忽何以名？春秋伯子男一也，辭無所貶。」愚謂：據此，則禮之當名，史之常稱耳。穀梁以爲「其名，失國也。」胡氏又謂：「忽以國氏，正也。出奔而名，不能君也。」又謂：「其世嫡之正，至于見逐，不能立乎位」，責之誠是也。聖人取義恐不在乎鄭與忽之二字耳。

柔會宋公、陳侯、蔡叔盟于折。

正傳曰：柔，魯大夫，未命，未賜族者。蔡叔，蔡侯之兄弟，稱字。折，地名。書「柔會宋公、陳侯、蔡叔盟于折」，著會盟之非禮也。非會同之正而會且不可，況又盟乎？又況臣與君盟乎？故書以著其非。

公會宋公于夫鍾。○冬十有二月，公會宋公于闞。

正傳曰：夫鍾，郕地。闞，魯地。書「公會宋公于夫鍾」，又書「公會宋公于闞」，著數會之非也。上柔折之盟、夫鍾之會，皆秋九月也。闞之會，冬十二月也。四月之間，會盟者三焉。夫一盟一會猶且示人以疑，況四月而至三乎？胡氏曰：「臣與宋公盟于折，君與宋公會于夫鍾，于闞、于虛、于龜，皆存而不削，何其詞費也？曰盟者，春秋所惡，而屢盟以長亂。會者，諸侯所不得，而數會以厚疑。聖人皆存而不削，於以見屢盟而卒叛，數會而卒離，其事可謂著明矣。是故春秋之志，在於天下爲公、講信脩睦，不以會盟爲可恃也。」愚謂此言皆是矣。至於謂聖人皆存而不削，益可見春秋爲魯史之文，而無疑矣。

桓王二十年。十有二年齊僖三十一年、晉緡五年、衛宣十九年卒、蔡桓十五年、鄭厲公突元年、曹莊二年、陳厲七年卒、杞靖四年、宋莊十年、秦出子四年、楚武四十一年。

春正月。

正傳曰：書時月，義見前。正月不言王者，史之省文耳，非有他義。

夏六月壬寅，公會杞侯、莒子盟于曲池。

正傳曰：曲池，魯地。杞當作紀。書「夏六月壬寅，公會杞侯、莒子盟于曲池」，著私會陰謀之非禮也。左氏曰：「平杞、莒也。」程子曰：「隱二年，紀、莒盟于密。是時紀謀齊難，故魯桓與之盟莒以援之耳。」愚謂此之謂陰謀也，非諸侯會同之正禮，而爲陰謀以相會，是之謂私會。紀謀齊難，不能自達於天子，爲魯桓者，當爲之請于天子，明下禁令，各守封疆，而齊不服從王命，則當告于天子，會于連帥而伐之，何爲會之紛紛而無益於救紀也？故春秋書之，以著其非。

秋七月丁亥，公會宋公、燕人盟于穀丘。

正傳曰：燕人，南燕大夫。穀丘，宋地。書穀丘之會，著非禮也。

八月壬辰，陳侯躍卒。

正傳曰：躍，陳侯名。書名，國史之文，無他義。書卒，著鄰國之大變，有赴則書也。

公會宋公于虚。○冬十有一月，公會宋公于龜。

正傳曰：虚、龜，皆宋地名。會于虚，秋八月也。會于龜，冬十一月也。並書之，著數會之非禮也。左氏曰：「公欲平宋、鄭。秋，公及宋公盟于句瀆之丘。宋成未可知也，故又會于虚。冬，又會于龜。」愚謂會同之禮，聖人有定制，又有定期。魯桓之於宋，不踰時而于穀丘、于虚、于龜，凡三會焉，其瀆禮輕舉如此，宜乎人之見疑而反辭平，以踈之也。

丙戌，公會鄭伯，盟于武父。

正傳曰：武父，鄭地。書「公會鄭伯盟于武父」，著其盟之非也。左氏曰：「宋公辭平，故與鄭伯盟于武父。」張氏曰：「公自龜還，遽會鄭伯而謀伐之。」愚謂苟以忠信相結，何假乎盟？盟煩信瀆，長亂之端也。

丙戌，衛侯晋卒。

正傳曰：晋，衛侯名。書「丙戌，衛侯晋卒」，紀鄰國之大變也，赴報則史書之。再書丙戌者，諸侯之卒，鄰國之大變，不可不詳也。

十有二月，及鄭師伐宋。丁未，戰于宋。

正傳曰：及者，魯及之也。書「十有二月，及鄭師伐宋。丁未，戰于宋」，著擅興報怨之罪也。魯桓屢盟會于宋，是失己也。及宋不信，而會鄭以伐之，是又不知反己也。桓之惡於是乎大矣。左氏曰：「遂帥師而伐宋，戰焉，宋無信也。君子曰：苟信不繼，盟無益也。詩云『君子屢盟，亂是用長』，無信也。」胡氏曰：「既書伐宋，又書戰于宋者，責賂于鄭而無厭，屢盟於魯而無信者，宋也。二國聲其罪以致討，故書曰伐。夫宋之罪，則固可伐矣，然取其賂以立督者，魯桓也。資其力以篡國者，鄭突也。無諸己然後可以非諸人，春秋之義，用賢治不肖，不以亂易亂也。故又書曰『戰于宋』。來戰者，罪在彼，戰于郎是也。往戰者，罪在內，戰于宋是也。」愚謂公、穀又皆有言伐不言敗，爲避嫌、内諱之説，蓋所謂言賾而可惡者矣。

桓王二十一年。十有三年齊僖三十二年、晋緡六年、衛惠公朔元年、蔡桓十六年、鄭厲二年、曹莊三年、陳莊公林元年、杞靖五年、宋莊十一年、秦出子五年、楚武四十二年。

春二月，公會紀侯、鄭伯。己巳，及齊侯、宋公、衛侯、燕人戰。齊師、宋師、衛師、燕師敗績。

正傳曰：書「二月，公會紀侯、鄭伯」者，著紀、鄭始謀報齊、宋之怨來會魯，故魯會之也。書「己巳，及齊侯、宋公、衛侯、燕人戰」者，及猶與也，魯以紀、鄭與齊、宋、衛、燕四國之兵戰也，戰之地不可考。穀、胡皆以爲於紀者，以紀爲怨主，國小懼亡，不暇遠戰，然亦意度之詞耳。書齊、宋、衛、燕四國之兵敗績者，見紀、鄭、魯之幸勝，未必非敗禍之原也。此三者何以書？著其擅興構怨之罪也。其餘左氏「不書所戰，後也」之説；公羊「内不言戰，此從外也」之説，「何以不地？近也」之説；胡氏又言「左氏以爲鄭與宋戰，公羊以爲宋與魯戰，穀梁以爲紀與齊戰」之説，而述「趙匡考據經文，内兵則以紀爲主，而先於鄭；外兵則以齊爲主，而先於宋」之説，諸皆以己意度聖經，執泥文義而爲之詞耳。然則於紀、鄭、齊、宋、衛則爵之，於燕則人之者，又何説耶？豈亦有褒貶耶？故愚嘗謂春秋之不明，諸儒亂之也。

三月，葬衛宣公。

正傳曰：書「三月葬衛宣公」，紀鄰國之重事，來報則書之也。其不書日者，或不報，或史逸其文耳，他無褒貶。胡氏又曰：「葬，自内録也。既與衛人戰，曷爲葬宣公？怨不棄義，怒不廢禮，是知古人以葬爲重也。禮，喪在殯，孤無外事。衛宣未葬，朔乃即戎，已爲失禮，又不稱子，是以吉服從金革之事，其爲惡大矣。凡此類，據事直書，年月具存，而惡自見矣。」愚謂：此經外之意也。

夏，大水。

正傳曰：書「夏，大水」，紀異也。大水，陰盛之象也。夫水，陰之象也，惡之象也，小人之象也，臣下之象也，夷狄之象也，妻妾之象也。人君於此，可以儆省矣。

秋七月。○冬十月。

正傳曰：書「秋七月」、「冬十月」，具時月以待紀事，史之法也。

十有四年齊僖三十三年卒、晉緡七年、衛惠二年、蔡桓十七年、鄭厲三年、曹莊四年、陳莊二年、杞靖六年、宋莊十二年、秦出子六年、楚武四十三年。桓王二十二年。

春正月，公會鄭伯于曹。

正傳曰：書「春正月，公會鄭伯于曹」，著會之非禮也。何爲非禮？非會同之正，而以陰謀齊、衛而會成之於私也。左氏曰：「春會于曹，曹人致餼，禮也。」臨川吴氏曰：「前年魯、鄭同謀救紀，而敗齊、衛之師，蓋虞齊、衛之報怨也，故爲會以謀之。曹素與魯協，故會於其地。」是也。

無冰。

正傳曰：春正月，書「無冰」，左氏以爲記異，是也。穀梁曰：「時燠也。」胡氏曰：「按豳風七月，周公陳王業之詩也。其詞曰：『二之日鑿冰沖沖，三之日納于凌陰。四之日其蚤，獻羔祭韭。』周官凌人之職，頒冰於夏。其藏之也，固陰沍寒，於是乎取。其出之也，賓食喪祭，於是乎用。藏之周，用之徧，亦理陰陽天地之一事也。今在仲冬之月，燠而無冰，則政治縱弛不明之所致也，故書於策。夫春秋所載，皆經邦大訓，而書法若此，其察於四時寒暑之變詳矣。」愚謂天人一氣也，故古之君相，其道在燮理陰陽，位天地而育萬物。丙吉不問鬬傷而問牛喘，蓋有以識此矣。此春秋所以謹而書之。且書「無冰」於春正月之下，則是周以子爲春正月，以此見所謂「正朔改，而月數不改」之説爲非也。胡氏於此尚不悟，何也？

夏五。

正傳曰：夏五者何？史之闕文也。史之舊文，而所書不改，疑以傳疑之心可見矣。穀梁以爲夏五者傳疑也，是矣。胡氏曰：「疑而不益，見聖人之慎也。故其自言曰：『吾猶及史之闕文也。』其語人曰：『多聞闕疑，慎言其餘，則寡尤。』而世或以私意改易古書者有矣，盍亦視此爲鑒可也。然則春秋何以謂之作？曰：其義則斷自聖心，或筆或削，明聖人之大用。其事則因舊史，有可損而不能益也。」愚謂筆而存之，乃所謂作也。所謂筆者，存而書之也。所謂削者，去之而不存也。存而書之，而義自見。聖人於史舊文，無損無益，故曰「其文則史」，「其義則丘竊取之」也。若云可損舊史，則非史之文矣。後儒以一字而取義者，盍亦觀此「夏五」之闕文而有悟乎？或曰：此春秋成後而傳者闕之，若聖人闕之，則於何取義乎？亦通。

鄭伯使其弟語來盟。

正傳曰：書「鄭伯使其弟語來盟」，著尋盟之非也。以忠信相結，人猶恐渝之，況盟乎？又況尋盟乎？語者，其弟名也。左氏曰：「鄭子人來尋盟，且脩曹之會。」此其實傳也，是取義止於譏尋盟耳。穀梁又有「諸侯尊，弟不得以屬通。稱弟云者，以其來我，舉其貴者」之說，又有「非前定之盟，不日」之說。程、胡二子皆從之。胡氏又曰：「諸侯之弟兄例以字通，而書名者，罪其有寵愛之私，非友于之義也。」愚謂是皆泥文之過矣。

秋八月壬申，御廩災。

正傳曰：書「御廩災」，紀災也。公羊曰：「御廩者何？粢盛委積之所藏也。御廩災，何以書？記災也。」胡氏曰：「門觀災而新作則書。御廩，粢盛之所藏，其新必矣，何以不書？營宮室，以宗廟爲先，重本也。御廩災，而新則不書，常事也。以爲常事而不書，垂教之意深矣。知其説者，然後知有國之急務，爲政之後先，雖勤於工築而民不怨勞，與妄興土木，困民力以自奉者異矣。」愚謂此亦經外之意也。

乙亥，嘗。

正傳曰：書「乙亥，嘗」，紀國之大事也。史，君舉必書，況祀，國之大事乎？如八年春正月之烝爲無失而亦書者是已，而謂常事不書，可乎？嘗，秋祭也。周以八月嘗，於禮無失。胡氏以爲「不時」，則以夏之正朔言之矣。公、穀、胡氏皆以爲譏其嘗於「未易災之餘」，然以左氏「書，不害也」之言而觀之，則或災於此所，而他所安知其〔一〕有不害者乎？

冬十有二月丁巳，齊侯禄父卒。

正傳曰：書「齊侯禄父卒」，鄰國之大變，有赴則書之，義也。餘義見前。

宋人以齊人、蔡人、衛人、陳人伐鄭。

正傳曰：書「宋人以齊人、蔡人、衛人、陳人伐鄭」，著其擅興專伐之罪也。天子討而不伐，諸侯伐而不討，諸侯奉天子之討，以伐有罪者也。今宋以私忿討鄭，以四國之兵伐之，其得罪于王法甚矣，故春秋書之。左氏曰：「宋人以諸侯伐鄭，報宋之戰也。焚渠門，入，及大逵。伐東郊，取牛首。以大宮之椽歸，爲盧門之椽。」胡氏曰：「宋怨鄭突之背己，故以四國伐鄭。魯怨齊人之侵己，故以楚師伐齊。蔡怨囊瓦之拘己，故以吴子伐楚。蔡弱於吴，魯弱於楚，宋與蔡、衛、陳敵，而弱於齊，乃用其師以行己意，故特書曰『以』。列國之兵有制，皆統乎天子，而敢私用之與私爲之，用以伐人國，大亂之道也。」愚謂此説是矣，然又稱穀梁「以者，不以者也」之說，則鑿矣。

桓王二十三年崩。

十有五年

齊襄公諸兒元年、晉緡八年、衛惠三年、蔡桓十八年、鄭厲四年、曹莊五年、陳莊三年、杞靖七年、宋莊十三年、秦武公元年、楚武四十四年。

春二月，天王使家父來求車。

正傳曰：書「天王使家父來求車」，見周王之無道也。文王以庶邦惟正之供，上有常用，下有常貢，故上無過求，而下無失職也。況車服者，王者所用以庸有功、勵臣下者也。而以天王之尊，反下求於諸侯乎？諸侯朝貢之不入，有由然矣。左氏曰：「非禮也。諸侯不貢車、服，天子不私求財。」公羊曰：「王者無求。求車，非禮也。」胡氏曰：「遣使需索之謂求。王畿千里，租税所入，足以充費，不至於有求。四方諸侯，各有職貢，不至於來求。以喪事而求貨財，已爲不可，況車、服乎？經於求賻、求車、求金，皆書曰『求』，垂後戒也。夫上有好者，下必有甚焉者矣。王者有求，下觀而化，諸侯必將有求，以利其國；大夫必將有求，以利其家；士庶人必將有求，以利其身。皇皇焉唯恐不足，未至於篡弑奪攘，則不厭矣。古之君人者，必昭儉德以臨百官，尊卑登降，各有度數，示等威，明貴賤，民志既定之後，皆安其分而無求，兵刑寢矣。及侈心一動，莫爲防制，必至於亢不衷，官失德，廉恥道喪，寵賂日章，淪於危亡而後止也。觀春秋所書，則見王室衰亂之由，而知興衰治亂之說矣。」

三月己未，天王崩。

正傳曰：崩者，上墜之聲。天子死曰崩。書「天王崩」，紀天下之大變也，天下臣民所宜喪之如父，遏密八音者。周來赴，故史書之。而魯侯、列國之主未聞奔喪者，則不俟聖人之加損而義自見矣。

夏四月己巳，葬齊僖公。

正傳曰：周之夏四月，即夏之春二月也。書「葬齊僖公」，紀鄰國之大事也。齊來赴，則史書之，聖人存而不去，紀大事，著恤鄰之義耳。

五月，鄭伯突出奔蔡。

正傳曰：突，鄭伯名。名之，無他義。公、穀以爲奪其正，皆非也。其名忽者，又將何取耶？書「鄭伯突出奔蔡」，則鄭君臣之無道，而不能安其位可見矣。左氏曰：「祭仲專，鄭伯患之，使其壻雍糾殺之。將享諸郊，雍姬知之，謂其母曰：『父與夫孰親？』其母曰：『人盡夫也，父一而已，胡可比也？』遂告祭仲曰：『雍氏舍其室而將享子於郊，吾惑之，以告。』祭仲殺雍糾，尸諸周氏之汪。公載以出，曰：『謀及婦人，宜其死也。』夏，厲公出奔蔡。」程子曰：「避祭仲而出，非國人出之也。」胡氏曰：「公出奔蔡，是祭仲逐之也。没而不書，其義何也？陸淳曰：『逐君之臣，其罪易知也。君而見逐，其惡甚矣。聖人之教在乎端本清源，故凡諸侯之奔，皆不書所逐之臣，而以自奔爲名，所以警乎人君。』其説是也。夫君實有國，而出於臣，乃其自取焉耳。本正而天下之事理矣。」

鄭世子忽復歸于鄭。

正傳曰：忽，鄭昭公名。名之，無他義，他國史書之詞耳。忽不能有其國，故人稱之曰世子。書「鄭世子忽復歸于鄭」，正鄭君之復國也。夫有失然後有復，謂既失而今乃復之，故穀梁以爲「反正」，是也。左氏曰：「六月乙亥，昭公入。」愚謂此紀實傳也。公羊又以稱世子爲復正之義，又言「復歸者，出惡，歸無惡」之義。程子又有：「不能保其位，故不爵。」胡氏又以爲「復，厭詞也」。則皆泥文求義之過矣。胡氏曰：「其稱復歸者，謂既絶而復歸也。然諸侯失國出奔，歸而稱復則可。大夫失位出奔，歸而稱復則不可。古者諸侯世國，大夫不世官。」愚謂此則是也。諸侯以守國爲善，大夫以去君爲惡。

許叔入于許。

正傳曰：書「許叔入于許」，則其入之得失自可考矣。汪氏曰：「隱十一年，魯及齊、鄭入許，許莊公奔衛，鄭悉有許之土地，而使許莊公之弟許叔居許東偏，以奉其祭祀。是年鄭亂，許叔度鄭之力不能與己争，故自入其國而君之也。」此其實傳也。夫許叔復其舊物以繼先君之統，此其得矣。穀梁又曰：「其歸之道，非所以歸也。」胡氏曰：「許，大岳之裔。先王建國，迫於齊、鄭，不得奉其社稷，未聞可滅之罪也。即當伸其大義，以直詞上告諸天王，下赴諸方伯，求復其國，糞除宗廟，孰能與之争？今乃因亂竊入，則非復國之義。」愚謂此則所失也。胡氏又以書入爲難詞，泥文之過矣。

公會齊侯于艾。

正傳曰：書「公會齊侯于艾」，著非禮之會也。左氏曰：「謀定許也。」夫會既非會同之正，則既爲非禮矣。又爲謀許而會，豈得爲禮會乎？故春秋非之。

邾人、牟人、葛人來朝。

正傳曰：書「邾人、牟人、葛人來朝」，著非禮之朝也。非會同之正，而相率以來朝弑君之賊，其黨惡無王之罪見矣。胡氏謂：「公羊曰：『皆何以稱人？夷狄之也。』其夷狄之何？天子崩，不奔喪，而相率朝弑君之賊也。」愚謂此言是也，然而是非善惡皎然，不待稱人而後知也。人者，泛稱之詞耳。

秋九月，鄭伯突入于櫟。

正傳曰：櫟者，鄭之邑名。書「鄭伯突入于櫟」，不正其入也。突已嘗爲君矣，何以不正其入？忽亦嘗爲君矣，忽嫡而正，突以庶篡而邪。忽既入復君，而突又入櫟以争，亂罪之大者也。左氏曰：「鄭伯因櫟人殺檀伯，而遂居櫟。」程子曰：「突，非正也。忽既恣行，故國人君之，諸侯助之。書爵，所以戒居正者，不能保則人取之矣。書入，以見義不容也。」胡氏曰：「經於厲公復國，削而不書，獨書『入于櫟』，何也？夫制邑之死虢君，共城之叛大叔，皆莊公所親戒也。今又城櫟而寘子元焉，使昭公不立，何謀國之誤也？衛有蒲、戚〔二〕，而出獻公。楚有陳、蔡、不羹，而叛棄疾。末大必折，有國之害也。故夫子行乎季孫，曰：『古者家不藏甲，邑無百雉之城』，遂墮三都，以張公室。於厲公復國削而不書者，若曰既入于櫟，則國已復矣。於以明居重馭輕，强榦弱枝，以身使臂之義，爲天下與來世之鑒也。爲國者可不謹於禮乎？春秋此義，皆小康之事，衰世之意也。」愚謂書爵乃國史因舊稱之之詞耳，不然，則突之不正，聖人胡爲而爵之乎？

冬十有一月，公會宋公、衛侯、陳侯于袲，伐鄭。

正傳曰：袲，宋地名。書「公會宋公、衛侯、陳侯于袲，伐鄭」，則列國擅興邪謀之罪見矣。左氏曰：「會于袲，謀伐鄭，將納厲公也。弗克而還。」愚謂此其實傳也。忽嫡而正，且君矣；突庶而以邪篡，且出矣。忽雖弱，乃君也。突雖强，乃賊也。今列國不審是非邪正之辨，而惟强弱之謀，欲納邪而逐正，其罪孰大焉？穀梁以「地而後伐」爲「疑詞」，爲「非其疑也」。胡氏從之，皆泥文求義之固也。

莊王元年。十有六年齊襄二年、晋緡九年、衛惠四年、蔡桓十九年、鄭厲五年、昭公忽元年、曹莊六年、陳莊四年、杞靖八年、宋莊十四年、秦武二年、楚武四十五年。

春正月，公會宋公、蔡侯、衛侯于曹。

正傳曰：書「公會宋公、蔡侯、衛侯于曹」，則非正之會可考矣。左氏曰：「謀伐鄭也。」愚謂非禮之會且爲不正，況屢謀以伐人乎？其肆人欲、滅天理，罪孰大焉！

夏四月，公會宋公、衛侯、陳侯、蔡侯伐鄭。

正傳曰：書「公會宋公、衛侯、陳侯、蔡侯伐鄭」，著擅興黨惡之罪也。程子曰：「突善結諸侯，故皆爲之致力，屢伐鄭也。」愚謂此實傳也，則夫列國惟以强弱爲向背，而不顧是非邪正之歸，亂王法，違正道，其罪又在擅興之上矣，此時豈復有尊卑上下之等？胡氏又云：「春正月會于曹，蔡先於衛。夏四月伐鄭，衛先於蔡。王制，諸侯之爵次，其後先固有序矣。在周官大司馬：『設儀辨位，以等邦國』，猶天建地設，不可亂也。及春秋時，禮制既亡，霸者以意之向背爲升降，諸國以勢之强弱相上下。蔡嘗先衛，今序陳下者，先儒以爲後至也。以至之先後易其序，是以利率人，而不要諸禮也，豈所以定民志乎？」愚謂諸侯列之先後，乃當時國史之文耳，非聖人有意而爲之也。況宋且稱公，而諸國之爲侯，等耳，何以差别？後儒乃又有後至之説，大抵皆臆度之詞也。

秋七月，公至自伐鄭。

正傳曰：書「公至自伐鄭」，君舉必書，史之法也，況遠出入乎？況戰伐之事乎？左氏以爲「以飲至之禮」，穀梁以爲「危之」，皆非也。程子又曰：「不惟告廟，又以見勤勞於鄭突也。」胡氏又曰：「伐鄭則致，罪之也。曷爲罪之？以納突也。諸侯失國，諸侯納之，正也。伐鄭以納突，非正也，故書至以罪桓之上無王法、恣爲不義，而莫之禁也。」此二説，則經外之意也。

冬，城向。

正傳曰：向，魯邑名。書「冬，城向」，左氏曰「書，時也」，是也。

十有一月，衛侯朔出奔齊。

正傳曰：朔，衛惠公名。書「衛侯朔出奔齊」，著衛君之無道也。左氏曰：「初，衛宣公烝於夷姜，生急子，屬諸右公子。爲之娶於齊，而美，公取之。生壽及朔，屬壽於左公子。夷姜縊。宣姜與公子朔構急子。公使諸齊。使盜待諸莘，將殺之。壽子告之，使行，不可，曰：『棄父之命，惡用子矣？有無父之國則可也。』及行，飲以酒。壽子載其旌以先，盜殺之。急子至，曰：『我之求也，此何罪？請殺我乎！』又殺之。二公子故怨惠公。十一月，左公子洩、右公子職立公子黔牟。惠公奔齊。」愚謂：觀此傳，則惠公之無道可見矣，不必如公羊之所謂名朔乃絶之，以爲「得罪於天子」；不必如穀梁之所謂名朔以惡之，以爲「天子召而不往」，迂遠而無稽也。

莊王二年。十有七年齊襄三年、晋緡十年、衛惠五年、黔牟元年、蔡桓二十年卒、鄭厲六年、昭二年、曹莊七年、陳莊五年、杞靖九年、宋莊十五年、秦武三年、楚武四十六年。

春正月丙辰，公會齊侯、紀侯盟于黄。

正傳曰：黄，齊地名。書「公會齊侯、紀侯盟于黄」，非其盟也。春秋無善盟，上不尊王法，下不協侯度，而歃血相盟，以要鬼神，此大亂之道也。故曰春秋無善盟，況又陰謀以相侵伐乎？左氏謂此會「平齊、紀，且謀衛故也」。此春秋所以非之。

二月丙午，公會邾儀父，盟于趡。

正傳曰：趡，魯地名。書「公會邾儀父，盟于趡」，著會盟之非也。左氏曰：「尋蔑之盟也。」愚謂此其實傳也，盟以結信，然而不信，自此始也。故春秋於列國之盟，必書以非之。

夏五月丙午，及齊師戰于奚。

正傳曰：奚，魯地。齊來侵而魯與之戰也。書「及齊師戰于奚」，著擅興之罪也。爲齊君者，必上告天王，聲罪以討魯賊之篡弑，可也。而乃爲侵疆之謀，則魯之罪，齊固分之矣。

左氏曰：「疆事也。於是齊人侵魯疆，疆吏來告。公曰：『疆埸之事，慎守其一而備其不虞。姑盡所備焉。事至而戰，又何謁焉？』」愚謂此實傳也，是故春秋非之。穀梁又有「爲内諱敗，不言及之者」之説，則固矣。

六月丁丑，蔡侯封人卒。

正傳曰：封人，蔡侯名。列國諸侯之卒，大變也，故來赴則史書之，聖人因存而不去耳。而謂凡書皆聖筆，寓褒貶，則此書何以褒？何以貶乎？亦可以解惑矣。

秋八月，蔡季自陳歸于蔡。

正傳曰：蔡季，蔡之貴者，季其字也。書「蔡季自陳歸于蔡」，嘉蔡季之得衆也。左氏曰「蔡人召蔡季于陳。秋，蔡季自陳歸于蔡，蔡人嘉之」是也。穀梁曰：「蔡季自陳，陳有奉焉耳。」此臆説也。胡氏曰：「蔡季之去，以道而去者也。其歸，以禮而歸者也。公子不去國，季何以去？權也。既歸，何以不有國？獻舞立矣。若季者，劉敞所謂智足以與權而不亂，力足以得國而不居，遠而不攜，邇而不迫者也。是以見貴於春秋。」愚謂是矣。若夫胡氏以歸爲順詞，以入爲難詞，如此義類不一，非出聖人之意，乃公、穀之徒立此以起義，後儒遂宗之，雖大儒猶不能免焉，況其他耶！蓋必盡去此類，然後聖人取義之心昭然如青天，皎然如日星，可因傳因事而盡得之矣。

癸巳，葬蔡桓侯。

正傳曰：書「葬蔡桓侯」，同列之大事來赴，則史書之，聖人因存而不削，以紀會葬之義也。桓侯稱侯，正也。其伯子男葬，皆稱公，僭也。史因其所報而書之耳。胡氏從啖助，以桓侯有謚而遂歸之蔡季，蓋因季之賢而生此説耳。是皆以己意觀春秋之蔽也。

及宋人、衛人伐邾。

正傳曰：及者，我及之也。左氏以爲「宋志」，非也。書「及宋人、衛人伐邾」，著魯桓之暴也。前與邾盟，口血未乾，今即及宋、衛以伐之，則魯桓反覆之罪不可逃，而盟誓之言不足信矣。

冬十月朔，日有食之。

正傳曰：書「冬十月朔，日有食之」，紀異也。不書日之甲子，史逸其傳耳。夫史有逸其傳者，則夫以一字取義者，何可盡據耶？左氏以爲「不書日，官失之」，是也。穀梁又以爲「不言日，食既朔也」，則臆説矣。

莊王三年。

十有八年

齊襄四年、晉緡十一年、衛惠六年、黔牟二年、蔡哀侯獻舞元年、鄭厲七年、子亹元年、曹莊八年、杞靖十年、陳莊六年、宋莊十六年、秦武四年、楚武四十七年。

春王正月，

正傳曰：無事亦書時月，國史編年紀事之常也。胡氏曰：「是年桓公已終，復書『王』者，春秋之時，諸侯放恣，弑君簒國者已列於會，則不復致討。故魯宣殺惡及視以取國，賂齊請會，而傳曰：『會于平州，以定公位。』曹伯負芻殺太子自立，見執於晋，而曹人請之曰：『若爲有罪，則君列諸會矣。』孔子爲此懼，作春秋，於十八年復書『王』者，明弑君之賊，雖身已没，而王法不得赦也。又據桓十五年天王崩，至是新君嗣立，三年之喪畢矣，明殺君之賊，雖在前朝，而古今之惡一也。然則簒弑者，不容于天地之間，身無存没，時無古今，皆得討而不赦，聖人之法嚴矣。已列於會則不致討，可乎？故曰：春秋成而亂臣賊子懼。」愚謂此可見胡氏穿鑿之謬矣。此桓公十八年春正，至夏四月公乃薨，安得先爲稱王，以誅其罪於身後，以爲王法雖没不得赦耶？或書王或不書王，愚於前説盡之矣，今不復贅。但桓元年、二年稱王，則曰稱王以誅之；三年以後不稱王，則曰桓無王；及十年稱王，則曰十乃數之盈，桓罪宜見誅矣。今稱王，以常紀，其後不稱王，則無説矣。今十八年正月又稱王，則又如此云云，是其説屢變靡一，而不足徵信矣。

公會齊侯于濼。○公與夫人姜氏遂如齊。

正傳曰：書「公會齊侯于濼，公與夫人遂如齊」，著非所宜會而會，非所與如而如也，則夫此會者以夫人之意而會，如者以夫人之意而如，從欲肆淫，以及敗也。左氏曰：「公將有行，遂與姜氏如齊。申繻曰：『女有家，男有室，無相瀆也，謂之有禮。易此必敗。』公會齊侯于濼，遂及文姜如齊。」程子曰：「人雖不能無欲，然當有以制之。而惟欲之從，則人道廢而入於禽獸矣。」胡氏曰：「按齊詩惡魯桓微弱，不能防閑文姜，使至淫亂，爲二國患，而其詞曰：『敝笱在梁，其魚唯唯，齊子歸止，其從如水。』言公於齊姜，委曲順從，如水從地，無所不可。故爲亂者文姜，而春秋罪桓公，治其本也。」愚謂此是也。至又謂「與者，許可之詞。曰與者，罪桓公也」，而公羊又以爲「不言及夫人，夫人外公也」，則皆泥文私意爲經累也。

夏四月丙子，公薨于齊。丁酉，公之喪至自齊。

正傳曰：書「公薨于齊」，「公之喪至自齊」，紀國之大變也，而齊侯、文姜之惡自見矣。左氏曰：「公及文姜如齊。齊侯通焉。公謫之，以告。夏四月丙子，享公。使公子彭生乘公，公薨于車。魯人告于齊曰：『寡君畏君之威，不敢寧居，來脩舊好。禮成而不反，無所歸咎，惡於諸侯。請以彭生除之。』齊人殺彭生。」愚謂此其實傳也，觀此則不必他有論辯，而其惡自不可掩矣。而胡氏又以爲：「魯公弑而薨者，則以不地見其弑。今書桓公薨于齊，豈不没其實乎？前書公與夫人姜氏如齊，後書夫人孫于齊，去其姓氏，而莊公不書即位，則其實亦明矣。」愚謂：此何其費於詞耶！

秋七月。

正傳曰：書「秋七月」而無事者，紀時月以待事，國史之法也。聖人存而不去，因舊史也。

冬十有二月己丑，葬我君桓公。

正傳曰：書「冬十有二月己丑，葬我君桓公」，紀國之大事，故具時月日，謹書之也。內史也，故詳。公、穀、胡氏皆以爲「賊未討，何以書葬」及「在外在內」之説，皆後人起例耳，聖人未嘗有明訓也。他倣此。

校記：

〔一〕「其」下，嘉靖本有「不」字。

〔二〕「戚」，原作「城」，據嘉靖本改。

春秋正傳卷之七

莊公

名同。桓公子，母文姜，夫人哀姜。年十四即位，在位三十二年。

莊王四年。**元年**齊襄五年、晉緡十二年、衛惠七年、黔牟三年、蔡哀二年、鄭厲八年、子儀元年、曹莊九年、陳莊七年卒、杞靖十一年、宋莊十七年、秦武五年、楚武四十八年。

春王正月。

正傳曰：書「春王正月」，義已見前。元年宜書即位，不書者，或史之闕文耳。夫所謂元年者，即位之始年也。既不宜書即位，即不宜書元年矣。左氏以爲文姜出，故不稱即位。公、穀皆以爲「君弑，子不言即位，爲正」。胡氏則以爲「内無所承，上不請命」之故，則桓公書即位矣，乃爲有所承與請命耶？其説之不一，皆不可信也。

三月，夫人孫于齊。

正傳曰：夫人即文姜，孫者，遜避也。夫人先在齊，因而不歸，若孫避。然君母雖惡，不可以言奔，國史之詞也。書「三月，夫人孫于齊」，則夫人之惡自見矣。夫人淫亂致搆二國之禍，而桓公見弑于齊，文姜與焉。内不自安，外不見容，觀其孫，則其罪惡可知而莫掩矣，固不待去夫人之氏然後見也。左氏以爲「不稱姜氏，絶不爲親，禮也」，則孰若不稱夫人乎？胡氏又以「書夫人孫于齊，爲權恩義之輕重」，爲得之，亦時史之善書者爲之也。夫人姜氏何以與弑？公羊曰：「夫人譖公於齊侯：『公曰：同非吾子，齊侯之子也。』齊侯怒，與之飲酒。於其出焉，使公子彭生送之。於其乘焉，搚幹而殺之。」愚謂此其實傳也。觀其傳，而其弑逆之罪可見矣。

夏，單伯逆王姬。

正傳曰：單，姓。伯，字。魯大夫之命于天子者也。逆者，迎也。王姬者，天子之女，下嫁于齊者也。逆王姬在冬，至秋乃築館。而此夏書單伯逆王姬者，見單伯始承命之非正，而魯君臣之忘禮義也。斯時也，失禮義之端也。天子方召單伯使逆王姬，而使魯君主者。單伯、魯君當以喪服辭於天子之廷，而其與殺君父之賊不共戴天之大義，居喪不可與婚媾之大禮，并著矣。失此不圖，卒陷於不忠不孝之罪，可追悔耶！故穀梁曰：「其義不可受於京師也，躬君弑於齊，使之主婚媾，與齊爲禮，其義不可受也。」胡氏曰：「此明忘親釋怨，則無以立人道矣。」皆是也。

秋，築王姬之館于外。

正傳曰：外者，魯之郊外也。書「築王姬之館于外」，著失禮之中又失禮也。忘君父之讐，棄居喪之禮，而與齊主婚以逆王姬，已爲有罪矣。其築館于外者，左氏以爲「爲外，禮也」。穀梁以爲變禮之正，謂「仇讎之人，非所以接婚姻也。衰麻，非所以接弁冕也」，故築之于外也。此猶紾兄之臂者，謂之姑徐徐云爾。夫主王姬者，以自公門出，禮也。其初受命之不正，則今並與主王姬之禮皆失之，此所謂失禮之中又失禮焉者也。春秋書之，其罪不可掩矣。胡氏亦曰：「莊公有父之讎，方居苫塊，此禮之大變也。而爲之主婚，是廢人倫、滅天理矣。春秋於此事一書、再書、又再書者，其義以復讎爲重，示天下後世臣子不可忘君親之意。故雖築館于外，不以爲得禮，而特書之也。」

冬十月乙亥，陳侯林卒。

正傳曰：林，陳侯名。書「冬十月乙亥，陳侯林卒」，紀鄰國之大變也，有赴，則史書之。

王使榮叔來錫桓公命。

正傳曰：榮叔，王之大夫。公羊曰：「錫者何？賜也。命者何？加我服也。其言桓公何？追命也。」愚謂書「使榮叔來錫桓公命」，觀於此傳，則其非自見矣。是故一舉而有三失焉。穀梁曰：「禮有受命，無來錫命。錫命，非正也。」是一失矣。又曰：「生服之，死行之，禮也。生不服，死追錫之，不正甚矣。」是二失也。胡氏曰：「桓公弒君篡國，而王不能誅，反追命之，無天甚矣。」是三失也。愚謂書曰：「一人三失，怨豈在明？」周王之無道，具三失焉，何以立於天之下、諸侯之上乎？其不稱天者，史之省文耳，豈有孔子以匹夫作春秋，去天王而不天之耶？啖助以爲不稱天王，寵篡弒以瀆三綱，誤矣。

王姬歸于齊。

正傳曰：書「王姬歸于齊」，見不義非禮之始、中、終也。公羊曰：「何以書？我主之也。」穀梁曰：「爲之主者，歸之也。」胡氏曰：「魯主王姬之嫁舊矣，在他公時，常事不書，此獨書者，以歸于齊故也。逆于京師，築館于外，而不書歸于齊，則無以見其罪之在也。書歸于齊，而後忘親釋怨之罪著矣，春秋復讎之義明矣。」愚謂觀于此三傳，而其所書王姬歸齊之取義自見矣。

齊師遷紀郱、鄑、郚。

正傳曰：遷者，遷其民物而取之也。公羊曰「不言取之，爲襄公諱」，穀梁謂「遷紀于郱、鄑、郚」，皆非也。書「齊師遷紀郱、鄑、郚」，則齊君暴橫之罪甚矣。胡氏曰：「郱、鄑、郚者，紀三邑，邑不言遷，遷不言師。其以師遷之者，見紀民猶足與守，而齊人强暴用大衆，以迫之爲己屬也。凡書遷者，自是而滅矣。春秋興滅國、繼絶世，則遷國邑者，不再貶而罪已見矣。」愚謂此無貶詞而其罪自見。誠如胡氏之言，則他經有一字近似者，又何必執之而後義可見耶？可以類推矣。至於邑不言遷，遷不言師之語，亦義例之不通者。

莊王五年。二年齊襄六年、晋緡十三年、衛惠八年、黔牟四年、蔡哀三年、鄭厲九年、子儀二年、曹莊十年、陳宣公杵臼元年、杞靖十二年、宋莊十八年卒、秦武六年、楚武四十九年。

春王二月，葬陳莊公。

正傳曰：書「葬陳莊公」，紀鄰國之大事，又見葬之得禮也。陳侯林元年十月卒，至是乃五月而葬，諸侯之禮也。

夏，公子慶父帥師伐於餘丘。

正傳曰：慶父者，杜氏以爲莊公時年十五，則慶父莊公庶兄。於餘丘者，公、穀皆以爲邾之邑也。書「公子慶父帥師伐於餘丘」，則慶父弱君專權、用衆暴小之罪見矣。胡氏曰：「莊公幼年即位，首以慶父主兵，卒致子般之禍。於餘丘，法不當書，聖人特書以誌亂之所由，爲後戒也。魯在春秋中見弑者三君，其賊未有不得魯國之兵權者。公子翬再爲主將，專會諸侯，不出隱公之命。仲遂擅兵兩世，入杞伐邾，會師救鄭，三軍服其威令之日久矣。故翬弑隱公，而寪氏不能明其罪。慶父弑子般，而成季不能遏其惡。公子遂殺惡及視，而叔仲、惠伯不能免其死。夫豈一朝一夕之故哉？春秋所書，爲戒遠矣。」愚謂此則經外之意也。至於謂國而曰伐，此邑耳，其曰伐，誌慶父之得兵權，則泥矣。論語季氏伐顓臾，非伐邑也。

秋七月，齊王姬卒。

正傳曰：書「齊王姬卒」，著忘義失禮之終也。魯棄齊之讎爲忘義，以喪主婚爲失禮，至是王姬之卒，猶以繫魯焉，罪之終也。罪之終者，罪之始始之也。公羊曰：「外夫人不卒，此其卒者，我主之也。」穀梁謂：「爲之主者，卒之也。」胡氏曰：「内女嫁爲諸侯妻則書卒，王姬何以書？比内女爲之服也。故檀弓曰：『齊告王姬之喪，魯莊公爲之大功。』或曰：由魯嫁，故爲之服姊妹之服。夫服，稱情而爲之節者也。莊公於齊王姬厚矣，如不共戴天之義何？此所謂『不能三年之喪，而緦小功之察』也，特卒王姬以著其罪。」

冬十有二月，夫人姜氏會齊侯于禚。

正傳曰：禚，地名。書「夫人姜氏會齊侯于禚」，則姜氏、齊侯淫亂之罪自見矣。左氏曰：「書姦也。」姜氏於齊侯爲妹，齊侯於姜氏爲兄，同産相淫，天理人倫之大變，王法所必誅而不以赦者。穀梁謂「踰境言會爲非正」，是責斬關之盜以穿踰也。胡氏曰：「婦人無外事，送迎不出門，見兄弟不踰閾，在家從父，既嫁從夫，夫死從子。今會齊侯于禚，是莊公不能防閑其母，失子道也。故趙匡曰：『姜氏、齊侯之惡著矣，亦所以病公也。』曰：子可以制母乎？夫死從子，通乎其下，況於國君？君者，人神之主，風教之本也。不能正家，如正國何？若莊公者，哀痛以思父，誠敬以事母，威刑以督下，車馬僕從，莫不俟命，夫人徒往乎？夫人之往也，則公威命之不行，哀戚之不至爾。」愚謂：此正論也。然前謂去姜氏爲貶之者，則此不去姜氏，又何説耶？

乙酉，宋公馮卒。

正傳曰：馮，宋公名。書「宋公馮卒」，義見前。

莊王六年。三年齊襄七年、晋緡十四年、衛惠九年、黔牟五年、蔡哀四年、鄭厲十年、子儀三年、曹莊十一年、陳宣二年、杞靖十三年、宋閔公捷元年、秦武七年、楚武五十年。

春王正月，溺會齊師伐衛。

正傳曰：溺者，公子名溺也。公羊謂「吾大夫之未命者」，理或然也。書「溺會齊師伐衛」，則魯之君臣忘讎、伐親之罪並著矣。故左氏以爲「疾之」，是也。夫衛於魯爲同姓兄弟之國，義不可伐，而弑父之讎未復，乃與之會兵同伐人，其忘讎釋怨，天理滅矣。故春秋書之而著其罪，不待不稱公子以爲貶，穀梁之説鑿矣。

夏四月，葬宋莊公。

正傳曰：書「葬宋莊公」，紀恤鄰之大事也。其月而不日者，史畧之也。穀梁以爲「月葬故也」，非也。

五月，葬桓王。

正傳曰：書「五月葬桓王」，紀天下之大事，而其失禮之非自見矣。天子七月而葬，過之非禮也。公羊以爲「改葬」，穀梁以爲「郤尸以求諸侯」，或「危不得葬」，皆非也。左氏曰「緩也」，是也。胡氏曰：「左氏曰緩也。天子七月而葬，同軌畢至。諸侯五月，同盟至。大夫三月，同位至。士踰月，外姻至。王崩至是，蓋七年矣。先儒或言天子不志葬，又以爲不言葬者，常也。夫事孰有大於葬天子者，而可以不志乎？死生、終始之際，人道之大變，豈以是爲常事而不書也？」愚謂此説得之矣。

秋，紀季以酅入于齊。

正傳曰：季者，紀侯之弟也。酅，紀邑名。入于齊者，以酅事齊也。書「紀季以酅入于齊」，則紀能以小事大，存宗祀可見矣。國君死社稷，正也，然而太王亦嘗去邠矣，曰：狄人之所欲者，吾土地也。今季度勢不支，能以地事齊，請後五廟以存姑姊妹，權而得正也。左氏曰：「紀於是乎始判。」胡氏曰：「大夫不得用地，公子不當去國。盜地以下敵，棄君以避患，非人臣也。故春秋之義，私逃者必書奔，有罪者必加貶。今季不書奔則非竊地也，不書名則非貶也。諸侯兄弟，貶則書名，宋辰、秦鍼之類是也。不貶則書字，蔡季、許叔之類是也。紀季所以不書奔者，有紀侯之命矣。所以不書名者，天下無道，强衆相陵，天子不能正，方伯不能伐，屈己事齊，請後五廟，其亦不得已而爲之者，非其罪也，所以無貶乎？」愚謂是也。然書名者，未必皆貶。可貶者，未必皆名。而其是非自見矣。其又云：「入者，難詞也。」穀梁亦云：「入者，内弗受也。」則皆當時義例之惑也。

冬，公次于滑。

正傳曰：滑，鄭地名。書「公次于滑」，譏救難之不勇也。左氏曰：「將會鄭伯，謀紀故也。鄭伯辭以難。凡師，一宿爲舍，再宿爲信，過信爲次。」穀梁曰：「次，止也。有畏也，欲救紀而不能也。」胡氏曰：「次于滑，譏之也。魯、紀有婚姻之好，當恤其患。於齊有父之讎，不共戴天。苟能救紀抑齊，一舉而兩善并矣。見義不爲，而有畏也，春秋之所惡，故〔一〕書『公次于滑』，以譏之也。或言夫子意在刺無王命，若譏其怯懦，則當褒其勇者，春秋乃鼓亂之書。爲此言者誤矣。易於謙之六五則曰『利用侵伐』，師之六四則曰『左次，无咎』。進退勇怯，顧義如何耳，豈可專以勇爲鼓亂而不與乎？」

莊王七年。

四年 齊襄八年、晋緡十五年、衛惠十年、黔牟六年、蔡哀五年、鄭厲十一年、子儀四年、曹莊十二年、陳宣三年、杞靖十四年、宋閔二年、秦武八年、楚武五十一年。

春王二月，夫人姜氏享齊侯于祝丘。

正傳曰：祝丘，魯地名。書「夫人姜氏享齊侯于祝丘」，則非禮之罪自見矣。禮，内言不出於梱，外言不入於梱，兄弟相見不踰閾。而可以與外國諸侯相享于外乎！穀梁曰：「饗，甚矣。饗齊侯，所以病齊侯也。」胡氏曰：「享者，兩君之禮，所以訓共儉也。兩君相見，享于廟中，禮也。犧象不出門，嘉樂不野合。非兩君相見，又去其國而享諸侯，甚矣。」

三月，紀伯姬卒。

正傳曰：紀伯姬者，魯女之嫁于紀者也。書「紀伯姬卒」，則親親之義見矣。穀梁曰：「外夫人不卒，此其言卒，何也？吾女也。」愚謂：吾女則有服有葬，故來赴，來赴則史書之，故春秋有無他褒貶者，此之類也，又何詞之執乎？

夏，齊侯、陳侯、鄭伯遇于垂。

正傳曰：垂，地名。遇者，會之别名，假若不期而會，如偶相遇然。故書「齊侯、陳侯、鄭伯遇于垂」，則不正之義自見矣。蘇氏以鄭伯爲子儀，胡氏以爲實厲公也，非子儀也。

紀侯大去其國。

正傳曰：大去者，猶言盡去也。書「紀侯大去其國」，著不能守國之罪也。左氏曰：「紀侯不能下齊，以與紀季。夏，紀侯大去其國，違齊難也。」愚謂此實録也。公羊以大去爲齊滅之，不言滅，爲齊襄公賢者諱，以其能復九世之讎。及穀梁又云：「不言滅而曰大去其國者，不使小人加乎君子」，皆非也。惟程子曰：「大去，責在紀也，非齊之罪也。」齊侯、鄭伯遇于垂，方謀伐之，紀侯遂去其國，齊師未加而已去，故非齊之罪也。而胡氏又曰：「大去者，土地人民，儀章器物，悉委置之而不顧也。或曰：以争國爲小而不爲，以去國爲大而爲之者也。夫守天子之土疆，承先祖之祭祀，義莫重焉，委而去之，無貶歟？曰：有國家者，以義言之，世守也，非身之所能爲，則當效死而勿去。以道言之，不以其所以養人者害人，亦可去而不守。於斯二者，顧所擇如何爾。然則擬諸太王去邠之事，其可以無愧矣。曰：太王去邠，從之者如歸市。紀侯去國，日以微滅，則何太王之可擬哉？愚謂：擇者，擇於義也，故死之，其義正也。度其去國而不失其人民，不棄其宗廟，其義權也。」胡氏又謂「聖人與其不争而去，而不與其去而不存。與其不争而去，是以異於失地之君而不名，不與其去而不存，是故書叔姬歸酅，而不録紀侯之卒」，則非矣。夫去而不存，則雖不争而去，以失人民、宗祀，非聖人之大義所與也，焉得遂以不名爲與之，反以不卒爲非之耶？

六月乙丑，齊侯葬紀伯姬。

正傳曰：書「齊侯葬紀伯姬」，紀吾女之大事，有報則書之，而齊侯之罪益著矣。夫滅紀者，齊也。紀有伯姬之喪而滅之者，亦齊也。使其喪之無所歸而於我殯者，亦齊也。故曰書之則齊侯之罪益著矣。公、穀皆以爲隱而葬之，誤矣。胡氏曰：「葬紀伯姬不稱其人，而目其君者，見齊襄迫逐紀侯，使之去國，雖其夫人在殯而不及葬，然後襄公之罪著矣。」愚謂不待不稱齊人而目其君，而義亦已見矣。

秋七月。

正傳曰：無事亦書時月，義見前。

冬，公及齊人狩于禚。

正傳曰：齊人，穀梁以爲齊侯，是也。史外之之詞。公、穀以爲諱與讎，及卑公之敵以卑公，非也。及者，言公與之，主在公也。書「公及齊人狩于禚」，則魯忘親與讎之罪自見矣。穀梁子曰：「公不復讎而怨不釋，刺釋怨也。」胡氏曰：「父母之讎，不共戴天。兄弟之讎，不與同國。九族之讎，不同鄉黨。朋友之讎，不同市朝。今莊公與齊侯，不與共戴天，則無時焉可通也。而與之狩，是忘親釋怨，非人子矣。夫狩者，馳騁田獵，其爲樂不主乎己，一爲乾豆，其事上主乎宗廟，以爲有人心者宜於此焉變矣。故齊侯稱人，而魯公書及，以著其罪。」愚謂及者，與也，非貶詞也，但書此事，則魯之罪著矣，不待以書及稱人而後見也。

莊王八年。五年齊襄九年、晉緡十六年、衛惠十一年、黔牟七年、蔡哀六年、鄭厲十二年、子儀五年、曹莊十三年、陳宣四年、杞靖十五年、宋閔三年、秦武九年、楚文王熊貲元年。

春王正月。

正傳曰：無事亦書時月，義見前。

夏，夫人姜氏如齊師。

正傳曰：書「夫人姜氏如齊師」，則夫人、齊侯之醜大暴于衆矣。胡氏曰：「師者，衆多之地。按齊詩載驅，刺襄公無禮義，盛其車服，疾驅於通道大都，與文姜淫之詩也。其三章曰：『汶水湯湯，行人彭彭。魯道有蕩，齊子翱翔。』彭彭者，多貌也。其四章曰：『汶水滔滔，行人儦儦。魯道有蕩，齊子遊遨。』儦儦，衆貌也。曰會曰享，猶爲之名也。至是如齊師，羞惡之心亡矣。夫人之行，不可復制矣。春秋書此，以戒後世，謹禮於微，慮患於早之意也。」

秋，郳黎來來朝。

正傳曰：郳，國名。即後王命以爲小邾者，夷狄之附庸也。黎來，其名。書「郳黎來來朝」，則以小事大之義見矣。凡不朝王而私相朝會者，皆非之。此何以取之？曰：已朝王也，史未之傳耳。觀王命以爲小邾子，可見其朝矣。胡氏曰：「能脩朝禮，故特書曰朝。

其後王命以爲小邾子，蓋於此已能自進於禮矣。」愚謂：名之者，乃史之常，非有他義，義在取其來朝耳。左氏以爲未命，公羊以爲微國，穀梁以爲微國之未爵命者，胡氏以爲夷狄之附庸故名，皆求義之過也。

冬，公會齊人、宋人、陳人、蔡人伐衛。

正傳曰：書「公會齊人、宋人、陳人、蔡人伐衛」，則列國擅興、無王之罪著矣。左氏曰：「冬，伐衛，納惠公也。」公羊曰：「此伐衛何？納朔也。曷爲不言納衛侯朔？辟王也。」愚謂所謂辟王者，辟違王命也。故穀梁、程子皆以爲諸侯逆抗王命，故人以貶之。胡氏曰：「桓公十六年，衛侯朔出奔齊，經書其名，以王命絶之也。又黨有罪以納之，故貶而稱人。」愚謂抗違王命，覲下王人子突救衛可知矣。設若朔果當納，則當約與國上告天子，正其名，去其不當立者，而納之於禮，爲得矣。況不當耶？乃私相興兵而納焉，非擅興、無王而何？蓋不待稱人以貶之，而其罪不可逭矣。凡諸傳所謂貶其爵而稱人者，皆未敢信也。諸侯之爵，未有天子之命，豈得擅貶？再不朝，則削其爵，乃天子之權也。而擅行焉，則與擅興伐人之罪何以異耶？蓋人者，乃史氏衆稱之詞耳。

莊王九年。六年齊襄十年、晉緡十七年、衛惠十二年、黔牟八年、蔡哀七年、鄭厲十三年、子儀六年、曹莊十四年、陳宣五年、杞靖十六年、宋閔四年、秦武十年、楚文二年。

春王正月，王人子突救衛。

正傳曰：子突，其字。書「王人子突救衛」，則王法持危之道，與列國抗王之罪見矣。王人者，王者之人，尊貴之稱，非書人而貴之也。胡氏曰：「朔陷其兄，使至於死，罪固大矣。然其父所立，諸侯莫得而治也。王治其舊罪而廢之可也。又藉諸侯之力，抗王命以入國。」愚謂：觀此，則諸侯助之入者爲非，而子突救衛者爲是，蓋不待稱人稱字而後見矣。

夏六月，衛侯朔入于衛。

正傳曰：朔，衛侯名。書「衛侯朔入于衛」，則王人不能勝列國之衆，而列國與衛侯抗王之罪已著，不必泥入字而後見也。胡氏惑矣。衛宣公之子三人：曰急子，烝於夷姜所生；曰壽、曰朔，宣姜所生。夷姜縊，宣姜與朔構急子，使盜殺之，壽子争往，俱死焉。朔立，是爲惠公。於是左公子洩、右公子職怨朔，共立公子黔牟，朔奔齊。故程子曰：「朔構其兄而使至於死，其罪大矣。然父立之，諸侯莫得而治也，王治其舊惡而廢之宜也。」愚謂黔牟之立〔一〕，當時左右二公子必受命於王也，故王使王人子突救之。

秋，公至自伐衛。

正傳曰：書「公至自伐衛」者，君舉必書，而兵戎又國之大事也，故書之，則其抗王黨惡之罪自見矣。公、穀乃以致不致爲言，而胡氏亦曰：「衛朔書名、書入，以著其惡。王人書字、書救，以著其善。外則諸侯書人，内則莊公書至，而春秋之情見矣。」是皆拘於義例之惑也。故春秋之不明，皆義例蔽之也。

螟。

正傳曰：螟，蟲之食禾者。書「螟」者，國史有災則書也。聖人筆之而不削，示天戒也。

冬，齊人來歸衛俘。

正傳曰：俘，左氏、公羊皆作寶，蓋以釋所謂俘者寶也。書「齊人來歸衛俘」，則列國黨惡受賂之證，魯侯首惡之罪，不可掩矣。左氏曰：「齊人來歸衛寶，文姜請之也。」愚謂左氏必有所據。公羊以爲：「齊人讓衛寶乎我也，奈何？齊侯曰：『此非寡人之力，魯侯之力也。』」胡氏曰：「俘者，二傳以爲寶。按商書稱『遂伐三朡，俘厥寶玉』。則俘者，正文也。寶者，釋辭也。言齊歸衛寶，則知四國皆受朔之賂矣。春秋特書此事，結正諸侯之罪也。夫以弟弑兄，臣弑君，簒居其位，上逆天王之命，天理所不容矣。彼諸侯者，豈其弗察而援之甚力？則未有以驗其喪心失志，迷惑之端也。及書『齊人歸寶』，然後知其有欲貨之心，而後動於惡也。世衰道微，暴行交作，徇于貨寶，賄賂公行，使君臣父子兄弟，終去仁義，懷利以相與，不至於簒弑奪攘則不厭也。春秋書此，結正諸侯之罪，垂戒明矣。」愚謂此説是也。

莊王十年。七年齊襄十一年、晉緡十八年、衛惠十三年、蔡哀八年、鄭厲十四年、子儀七年、曹莊十五年、陳宣六年、杞靖十七年、宋閔五年、秦武十一年、楚文三年。

春，夫人姜氏會齊侯于防。

正傳曰：防，魯地。云會者，齊侯來防，而姜氏會之也。左氏以爲齊志，是也。書「夫人姜氏會齊侯于防」，則其非禮不正之惡，瀆亂之罪，不可掩矣。此據事直書夫人姜氏，而其惡自見，又可以見前之不書姜氏，先儒以爲貶者之類，皆非也。

夏四月辛卯，夜，恒星不見。夜中，星隕如雨。

正傳曰：夜中者，夜之中也。書「夜，恒星不見。夜中，星隕如雨」，史紀天變也。聖人筆之於春秋，示戒焉耳。胡氏曰：「恒星者，列星也。如雨者，言衆也。人事惑於下，則天變動於上。前此者，五國連衡，旅拒王命。後此者，齊桓、晉文更霸中國，政歸盟主，而王室遂虚。其爲法度廢絶、威信陵遲之象著矣。漢成帝永始中，亦有星隕之異，而五侯擅權，賊莽居攝，漢之宗支，掃蕩幾盡，天之示人顯矣，春秋謹於天象至矣。」愚謂雖無應，聖人猶書以示戒，迅雷風烈必變之意也。若必一一求其事以應之，則鑿矣。若有不應，則人君能無萌不信之心乎？

秋，大水。無麥、苗。

正傳曰：大水者，穀梁曰：「高下有水災，曰大水。」書「秋，大水。無麥、苗」，史紀災也。聖人筆之，畏天災而傷人窮也。麥、苗，麥早於穀苗。杜氏曰：「周之秋，今五月。平地出水，漂熟麥及五稼之苗。」愚謂此正麥、苗之時，穀梁以爲麥、苗同時，是也。胡氏曰：「書大水，畏天災也。無麥、苗，重民命也。畏天災，重民命，見王者之心矣。忽天災而不懼，輕民命而不圖，國之亡無日矣。春秋所以謹之也。」

冬，夫人姜氏會齊侯于穀。

正傳曰：穀，即濟北穀城縣，齊地也。書「夫人姜氏會齊侯于穀」，則夫人越境而會，其瀆亂甚矣。胡氏曰：「防，魯地也。穀，齊地也。初會于禚，次享于祝丘，又次如齊師，又一歲而再會焉，其爲惡益遠矣。明年無知弑諸兒，其禍淫之明驗也。」

校記：

〔一〕「故」，原作「敬」，據春秋胡氏傳改。

〔二〕「立」，原作「位」，據嘉靖本改。

春秋正傳卷之八

莊公

八年莊王十一年。齊襄十二年弑、晋緡十九年、衛惠十四年、蔡哀九年、鄭厲十五年、子儀八年、曹莊十六年、陳宣七年、杞靖十八年、宋閔六年、秦武十二年、楚文四年。

春王正月，師次于郎，以俟陳人、蔡人。

正傳曰：書「師次于郎，以俟陳人、蔡人」，則魯侯妄興之罪見矣。穀梁曰：「次，止也。俟，待也。」公羊以爲：「言俟，不得已也。」愚謂非也。夫兵者，凶器。戰者，危事。春秋無義戰，敵加於己，不得已而應之，曰守吾先君之土地，猶之可也。人來會己，不得已而會之，猶可言也。至於先出而俟之，罪在我矣，不可言也。胡氏曰：「用大衆曰師。次，止也。伐而次者，有整兵慎戰之意。其次，善之也。『遂伐楚，次于陘』是也。救而次者，有緩師畏敵之意。其次，譏之也。『次于匡』、『于聶北』、『于雍榆』是也。俟而次者，有無名妄動之意。『次于郎，以俟陳人、蔡人』是也。何俟乎陳、蔡？或曰：陳、蔡將過，我俟而邀之也。或曰：魯將與陳、蔡有事於鄰國，而陳、蔡不至，故次于郎以待之也。若是，皆非義矣。其曰『次』，曰『以俟』者，深貶之也。」愚謂春秋有經文即見義者，此類是也。然亦魯史之文詳而核者耳，他則未必然也。

甲午，治兵。

正傳曰：治者，整振之也。胡氏以爲治于郎，是也。左氏以爲「治兵于廟，禮也」，非也。書「甲午，治兵」，則魯侯妄動之罪再見矣。夫兵者，有仁義之兵，有應敵之兵。今魯侯無故而動衆，次俟于郎，及陳、蔡不至，乃治兵焉。夫非時而治兵，非義也。穀梁曰：「出曰治兵，習戰也。入曰振旅，習戰也。治兵而陳，蔡不至矣，兵事以嚴終，故曰善陳者不戰，此之謂也。善爲國者不師，善師者不陳，善陳者不戰，善戰者不死，善死者不亡。」胡氏曰：「俟而不至，暴師露衆，役久不用，則有失伍離次、逃亡潰散之虞，故復申明軍法，以整齊之。其志，非善之也，譏黷武也。」

夏，師及齊師圍郕。郕降于齊師。

正傳曰：及者，魯爲主。書「師及齊師圍郕，郕降于齊師」，則莊公忘讎暴弱之罪自見矣。

左氏曰：「仲慶父請伐齊師。公曰：『不可。我實不德，齊師何罪？罪我之由。夏書曰：「臯陶邁種德，德，乃降。」姑務脩德，以待時乎！』」愚謂齊侯親殺其父而淫其母，不共戴天之讎也，而可謂之無罪乎？舍復讎之義而不行，莊公於是乎無人心矣，天理滅矣，尚何德之可脩乎？忘讎不復而反同之以伐郕，宜郕人之不服而降齊也。然則慶父之請然歟？曰：亦非也。爲莊公者，當上告天子，聲大義以討之，必有得志者矣。舍此不爲，而請於郕降之時，亦可以見魯之無人矣。胡氏曰：「書及齊師者，親仇讎也。圍郕者，伐同姓也。郕降于齊師者，見伐國無義，不能服也。於是莊公之惡著矣。」

秋，師還。

正傳曰：師者，衆之稱。言師，則公在其中矣。胡氏以「不稱公而稱師，以衆爲重」，非也。書「秋，師還」，則曠時妄舉之罪見矣。左氏以爲善莊公，公羊以爲善辭，皆非也。書「秋」，則可以知夏知春矣。胡氏曰：「書『師還』，譏役久也。按左氏，仲慶父請伐齊師，莊公不可。是國君、上將親與圍郕之役也。然其次、其及、其還，皆不稱公者，重衆也。春秋正例，君將不稱帥師，則以君爲重。今此不稱公，又以爲重衆，何也？輕舉大衆，妄動久役，俟陳、蔡而陳、蔡不至，圍郕而郕不服，歷三時而後還，則無名黷武，非義害人，未有如此之甚也。至是，師爲重矣。」愚謂此説多是，但君重師重之説，則君、師豈有二耶？又所謂正例者，公、穀之徒爲之耳，非聖人之旨也。例立而後聖人春秋之義亡。

冬十有一月癸未，齊無知弑其君諸兒。

正傳曰：此二句先儒分爲二節，無義，今合爲一。無知者，齊公孫，夷仲年之子。年，僖公母弟也。書「齊無知弑其君諸兒」，紀鄰國篡弑之大變也。左氏曰：「齊侯使連稱、管至父戍葵丘，瓜時而往，曰：『及瓜而代。』期戍，公問不至。請代，弗許。故謀作亂。僖公之母弟曰夷仲年，生公孫無知，有寵於僖公，衣服禮秩如適。襄公絀之。二人因之以作亂。連稱有從妹在公宮，無寵，使間公，曰：『捷，吾以女爲夫人。』冬十二月，齊侯游于姑棼，遂田于貝丘，見大豕。從者曰：『公子彭生也。』公怒，曰：『彭生敢見！』射之。豕人立而啼。公懼，隊于車，傷足，喪屨。反，誅屨於徒人費。弗得，鞭之，見血。走出，遇賊于門，劫而束之。費曰：『我奚御哉？』袒而示之背，信之。費請先入，伏公而出，鬬，死於門中。石之紛如死于階下。遂入，殺孟陽于牀。曰：『非君也，不類。』見公之足于户下，遂弑之，而立無知。初，襄公立，無常。鮑叔牙曰：『君使民慢，亂將作矣。』奉公子小白出奔莒。亂作，管夷吾、召忽奉公子糾來奔。初，公孫無知虐于雍廩。九年春，雍廩殺無知。」愚謂此其實傳也。觀此，則連稱、管至父弑襄公也，而書「無知弑」者，無知受其立，則罪重在無知矣。無知固有罪也，而僖公偏愛過寵，以成無知之亂，過亦不可謂無矣。徒人費及石之紛如二人雖死君難，胡氏所謂逢君虐民之人，其節亦不足稱也。

莊王十二年。九年齊桓公小白元年、晋緡二十年、衛惠十五年、蔡哀十年、鄭厲十六年、子儀九年、曹莊十七年、陳宣八年、杞靖十九年、宋閔七年、秦武十三年、楚文五年。

春，齊人殺無知。

正傳曰：人者，衆人也。稱殺，不稱弑，稱無知，不稱君，史之詞也。連稱、管至父欲立之，國人不與，未成其君也。書「齊人殺無知」，則誅亂賊之義見矣。夫殺無知者雍廩，而曰齊人者，國之衆人共討賊也。

公及齊大夫盟于蔇。

正傳曰：蔇，魯地。書「公及齊大夫盟于蔇」，則非其盟之義見矣。春秋無善盟，盟則非信也。與其君盟且不可，況其大夫乎。左氏曰：「齊無君也。」穀梁曰：「盟，納子糾也。不日，其盟渝也。當齊無君，制在公矣。當可納而不納，故惡內也。」愚謂是也。九世之讎，猶可復之，況其近者乎？當此之時，莊公度子糾之不宜立，則已矣。如其宜立，則當上告天子，聲大義以納之，孰有敢當之者？而義且不可，又下與其大夫盟，則其卑陋甚矣。況新讎未復而可與盟乎？宜其盟之渝也。然以爲其盟渝故不日者，謬矣。胡氏曰：「曰『公及齊大夫盟』者，譏公之釋父怨、親仇讎也。或曰：以德報怨，寬身之仁，何以譏之也？

曰：德有輕重，怨有深淺。怨莫甚於父母之仇，而德莫重乎安定其國家，而圖其後嗣也。有父之讎而不知怨，乃欲以重德報之也，則人倫廢、天理滅矣。然則如之何？以直報怨，以德報德。」愚謂此説盡之矣。

夏，公伐齊，納糾。

正傳曰：糾者，公子糾也。書「公伐齊，納糾」，則忘讎妄舉之罪自見矣。莊公當父之見弑於齊，首不能興問罪復讎之師，次不能從慶父圍郕之請，今又不能舉於彼國無君疑亂之際，乃無故伐齊納糾，以續讎人之後，其罪孰甚焉！失此機會，無怪乎其有乾時之敗也。公羊謂「糾不稱公子，君前臣名」，非也，史失之耳。

齊小白入于齊。

正傳曰：小白，桓公名。曰齊、曰入字，無他義，公羊以爲「當國」、「爲篡詞」，非也。左氏曰：「公伐齊，納子糾，桓公自莒先入」，此實傳也。書「齊小白入于齊」，著兄弟争國之大變也。桓公與子糾，襄公之二子也，皆未有父命立之，而小白則長而當立也。爲小白者，宜以義請命於天子乃立，置其弟而使終其天年，夫誰曰不可？乃無君父之命，而入以自立焉。此春秋所以書之。又至於殺其弟，則罪甚矣。穀梁曰：「齊公孫無知弑襄公，公子糾、公子小白不能存，出亡。齊人殺無知，而迎公子糾於魯。公子小白不讓公子糾，先入，又殺之於魯，故曰齊小白入於齊，惡之也。」程子曰：「桓公兄，而子糾弟，襄公死，則桓公當立。」是也。然程子又以爲「於小白曰齊，言當有齊國；於子糾則曰糾，言不當有齊國」。又言「不言子非君之嗣子，又言糾見殺然後言子」。而穀梁又有「以惡歸曰入」。胡氏又有「納者，不受而强致之。稱入者，難詞」。則三子之説，皆義例爲之蔽也。

秋七月丁酉，葬齊襄公。

正傳曰：書「丁酉葬齊襄公」，紀恤鄰之大事也。有報則史書之，聖人筆之而不去，寓此義也。杜氏曰：「九月乃葬，亂故也，無貶。」

八月庚申，及齊師戰于乾時，我師敗績。

正傳曰：乾時，齊地。書「及齊師戰于乾時，我師敗績」，紀國之大事，而公輕舉取敗之義見矣。魯與齊，殺父之讎不共戴天也，公當以告于天子，聲大義以討之，夫誰能當之？莊公乃忘復讎之義，而爲納糾之舉，而與之戰，其道已顛置矣，焉得而不敗？左氏曰：「師及齊師戰于乾時，我師敗績。公喪戎路，傳乘而歸。秦子、梁子以公旗辟于下道，是以皆止。」愚謂此實傳也，諸傳多以爲内諱敗，内不言敗，皆非也。使有董狐、南史，猶宜面書之，何諱之有？胡氏又曰：「與讎〔一〕戰，雖敗亦榮。」公本忘親釋怨，欲納讎人之子，謀定其國家，不爲復讎而與之戰也。是故没公以見貶。若以復讎舉事，則此戰爲義戰，當書公冠于敗績之上，與沙隨之不得見、平丘之不與盟爲比，以示榮矣。惟不以復讎戰也，是故諱公，以重貶其忘親釋怨之罪，其義深切著明矣。」愚謂此説良是，但謂没公以見貶，諱公以重貶，則不免泥文而恐非經意耳。

九月，齊人取子糾殺之。

正傳曰：書「齊人取子糾殺之」，則齊、魯之害義並著矣。子糾奔魯以托生也。莊公以讎人之子不納之可也，乃與齊大夫盟，又伐齊納子糾，又與齊師戰，皆爲子糾耳。一旦畏齊之强而聽其取以殺之，魯一害義也。齊桓已得國，念子糾同氣之恩，置而不問，或以小邑居之，使吏治而納其貢税焉，以終其身，存其子孫可也。乃窮追諸魯而殺之，齊一害義也。左氏曰：「鮑叔帥師來言曰：『子糾，親也，請君討之。管、召，讎也，請受而甘心焉。』乃殺子糾于生竇，召忽死之。管仲請囚，鮑叔受之，及堂阜而税之。歸而以告曰：『管夷吾治於高傒，使相可也。』公從之。」穀梁曰：「十室之邑，可以逃難。百室之邑，可以隱死。以千乘之魯，而不能存子糾，以公爲病矣。」胡氏亦曰：「仁人之於兄弟，不藏怒焉，不宿怨焉，親愛之而已。糾雖争立，越在他國，置而勿問可也。必請于魯殺之，然後快于心，其不仁亦甚矣。」愚謂皆是也，但公羊謂「稱子爲貴之」之義，未必然爾。

冬，浚洙。

正傳曰：書「冬，浚洙」，著非所當作而作，雖時非也。公羊曰：「洙者何？水也。浚之者何？深之也。曷爲深之？畏齊也。」胡氏曰：「固國以保民爲本。輕用民力，妄興大作，邦本一摇，雖有長江巨川，限帶封域，洞庭、彭蠡、河、漢之險，猶不足憑，而況洙乎？書『浚洙』，見勞民於守國之末務，而不知本，爲後戒也。」

莊王十三年。十年齊桓二年、晉緡二十一年、衛惠十六年、蔡哀十一年、鄭厲十七年、子儀十年、曹莊十八年、陳宣九年、杞靖二十年、宋閔八年、秦武十四年、楚文六年。

春王正月，公敗齊師于長勺。

正傳曰：長勺，魯地。書「公敗齊師于長勺」，紀國之大事，著應敵之兵也。何以知之？以地而知之。長勺，魯地。齊來加兵，而魯禦之也，非取其能敗人也。春秋無義戰，此所謂彼善於此者也。左氏曰：「齊師伐我。公將戰。曹劌請見。其鄉人曰：『肉食者謀之，又何間焉？』劌曰：『肉食者鄙，未能遠謀。』乃入見，問何以戰。公曰：『衣食所安，弗敢專也，必以分人。』對曰：『小惠未徧，民弗從也。』公曰：『犧牲、玉帛，弗敢加也，必以信。』對曰：『小信未孚，神弗福也。』公曰：『小大之獄，雖不能察，必以情。』對曰：『忠之屬也，可以一戰，戰則請從。』公與之乘。戰于長勺。公將鼓之。劌曰：『未可。』齊人三鼓。劌曰：『可矣！』齊師敗績。公將馳之。下視其轍，登軾而望之，曰：『可矣！』遂逐齊師。

既克，公問其故。對曰：『夫戰，勇氣也。一鼓作氣，再而衰，三而竭。彼竭我盈，故克之。夫大國，難測也，懼有伏焉。吾視其轍亂，望其旗靡，故逐之。』」愚謂此其實傳也。胡氏又有不書齊伐魯，責魯之説，有詐戰曰敗之説，殆謂此類歟！又曰：「或謂：長勺，魯地，而齊師至此，所謂敵加於己，不得已而後應者也。疑若無罪焉，何以見責乎？善爲國者不師，善師者不陣，善陣者不戰，故行使則有文告之詞，而疆埸則有守禦之備。至於善陣，德已衰矣，而況兵刃相接，又以詐謀取勝，故書魯爲主以責之，皆已亂之道，寡怨之方，王者之事也。」愚謂此極致之論。然曹劌與公所言，皆主於忠，至於相時而動，好謀而成，亦兵家之道，未見其有詐謀取勝之跡也。舍是則不爲宋襄、陳餘之兵者，幾希矣。所謂敗者，敗其兵，乃勝之别名耳。詐戰曰敗，亦後儒起例之説也。

二月，公侵宋。

正傳曰：侵者，潛師畧境之謂。書「二月，公侵宋」，則莊公不義之兵可見矣。周官九伐之法，負固不服則侵之，此蓋天子之命諸侯以侵者，列國擅行之，已爲得罪於王法矣。又王氏曰：「宋閔以莊三年即位，二公未嘗有隙，而乘敗齊師之勝，而潛師以侵之，可謂無名，可謂不義矣，故春秋書以著之。」此月而不時、不日者，史之畧文耳。穀梁又爲侵時而不月之説，謬矣。

三月，宋人遷宿。

正傳曰：宿介於宋、魯之間，屬於宋而親魯，宋疑其貳己，故遷之。書「宋人遷宿」，則宋閔之無道可見矣。遷滅人國，乃鄰國之大事，有報則史書之，聖人筆而不削，以示戒也。胡氏曰：「其曰遷宿者，宿非欲遷，爲宋人之所遷也。懷土，常物之大情。遷國，重事也，雖違害就利，去危即安，猶或恐沈于衆，不肯率從，而況迫於橫逆，非其所欲，棄久宅之田里，刈新徙之蓬藋，道塗之勤，營築之勞，起怨諮，傷和氣，豈不惻然有隱乎？肆行莫之顧也，其不仁亦甚矣。凡書遷，不再貶而惡已見矣。」愚謂既曰不再貶，則此稱人，何無取義乎？可類推也。

夏六月，齊師、宋師次于郎。公敗宋師于乘丘。

正傳曰：乘丘，魯地。公羊曰：「其言次于郎，伐也。」愚謂伐者，二國來伐我也。書「齊師、宋師次于郎，公敗宋師于乘丘」，則莊公應敵之兵見矣。何以知之？以郎、乘丘皆魯邑而知之。所謂敵加於己，不得已而應之者也。左氏曰：「齊師、宋師次于郎。公子偃曰：『宋師不整，可敗也。宋敗，齊必還。請擊之。』公弗許。自雩門竊出，蒙皋比而先犯之。公從之，大敗宋師于乘丘。齊師乃還。」先儒以爲詐戰爲敗，非也。春秋無義戰，彼善於此則有之矣。戰則欲勝，欲勝則好謀而成，故兵法有正有奇。莊公以應敵之兵，用奇取勝，守先君之疆土社稷，未爲不可。胡氏曰：「齊、宋輕舉大衆，深入他境，肆其報復之心，誠有罪也。魯人若能不用詐謀，奉其辭令，二國去矣。偷得一時之捷，而積四鄰之忿，此小人之道。故次者不以其事，勝者不以其理，交譏之。」愚謂：以爲交譏之，則過矣。

秋九月，荆敗蔡師于莘，以蔡侯獻舞歸。

正傳曰：荆，楚也。楚，夷狄之國。獻舞，蔡侯名。書「荆敗蔡師于莘，以蔡侯獻舞歸」，紀荆夷憑陵中國之罪也。左氏曰：「蔡哀侯娶于陳，息侯亦娶焉。息嬀將歸，過蔡。蔡侯曰：『吾姨也。』止而見之，弗賓。息侯聞之，怒，使謂楚文王曰：『伐我，吾求救於蔡而伐之。』楚子從之。秋九月，楚敗蔡師于莘，以蔡侯獻舞歸。」愚謂此其實録也。息侯以此小忿，搆楚以興大患，夷狄陵中國自此始矣。故春秋書之。先儒謂獻舞被執，故賤而稱名，非也。史之文也。

冬十月，齊師滅譚。譚子奔莒。

正傳曰：譚、莒皆小國名。書「齊師滅譚。譚子奔莒」，則齊恃强以陵人，譚不自强以守國之罪，皆可見矣。左氏曰：「齊侯之出也，過譚，譚不禮焉。及其入也，諸侯皆賀，譚又不至。冬，齊師滅譚，譚無禮也。譚子奔莒，同盟故也。」此實録也。

莊王十四年。

十有一年

齊桓三年、晉緡二十二年、衛惠十七年、蔡哀十二年、鄭厲十八年、子儀十一年、曹莊十九年、陳宣十年、杞靖二十一年、宋閔九年、秦武十五年、楚文七年。

春王正月。

正傳曰：無事亦書，義見于前。

夏五月戊寅，公敗宋師于鄑。

正傳曰：敗者，我勝之也。若以爲詐戰曰敗，則古有司敗之官，又何謂乎？是故義例去然後春秋之旨明矣。鄑，魯地，宋師來伐我，故敗之。書「公敗宋師于鄑」，則魯莊應敵之義著矣。左氏曰：「夏，宋爲乘丘之役故，侵我。公禦之，宋師未陳而薄之，敗諸鄑。」愚謂此其實録也。

秋，宋大水。

正傳曰：高下有水災曰大水。書「宋大水」，紀鄰國之災也。此外國何以書？有來報則書之，非但書之，宜且吊之也。左氏曰：「秋，宋大水。公使吊焉，曰：『天作淫雨，害於粢盛，若之何不吊？』對曰：『孤實不敬，天降之災，又以爲君憂，拜命之辱。』臧文仲曰：『宋其興乎！禹、湯罪己，其興也勃焉；桀、紂罪人，其亡也忽焉。且列國有凶稱孤，禮也。言懼而名禮，其庶乎！』既而聞之曰公子御説之辭。臧孫達曰：『是宜爲君，有恤民之心。』」愚謂此其實傳也。胡氏曰：「諸侯於四鄰，有恤病救急之義，則告爲得禮，而不可以不吊。

故四國同災，許人不吊，君子以是知許之先亡也。凡志災，見春秋有謹天戒、恤民隱之心，王者之事也。」

冬，王姬歸于齊。

正傳曰：書「王姬歸于齊」，正昏媾之義也。何以書？左氏曰：「齊侯來逆共姬。」公、穀皆曰：「過我也，故書之。」胡氏曰：「按周制，王姬嫁於諸侯，車服不繫其夫，下王后一等，禮亦隆矣。春秋之義，尊君抑臣，其書王姬下嫁，曷爲與列國之女同辭而不異乎？曰：陽倡而陰和，夫先而婦從，天理也。述天理，訓後世，則雖以王姬之貴，其當執婦道，與公侯大夫士庶人之女何以異哉？故舜爲匹夫，妻帝二女，而其書曰『嬪于虞』。西周王姬嫁於齊侯，亦執婦道，成肅雍之德，其詩曰：『曷不肅雍，王姬之車。』自秦而後，尤欲尊君抑臣爲治，而不得其道，至謂列侯尚公主，使男事女，夫屈於婦，逆陰陽之位。故王陽條奏世務，指此爲失。而長樂王回，亦以其弊至父母不敢畜其子，舅姑不敢畜其婦。原其意，雖欲尊君抑臣爲治，而使人倫悖於上，風俗壞於下，又豈所以爲治也？其流至此，然後知春秋書王姬、侯女同詞而不異，垂訓之義大矣。」

莊王十五年崩。

十有二年

齊桓四年、晉緡二十三年、衛惠十八年、蔡哀十三年、鄭厲十九年、子儀十二年、曹莊二十年、陳宣十一年、杞靖二十二年、宋閔十年弒、秦武十六年、楚文八年。

春王三月，紀叔姬歸于酅。

正傳曰：叔姬者，魯伯姬之妹，隨嫁于紀者也。伯姬既死，叔姬攝治內事。紀亡，故歸于酅以奉紀祀。書「紀叔姬歸于酅」，表叔姬之盡婦道也。胡氏曰：「莊公四年，紀侯去國，叔姬至此始歸于酅者，紀侯方卒，故叔姬至此然後歸爾。歸者，順詞，以宗廟在酅，奉其祀也。魯爲宗國，婦人有來歸之義。紀既亡矣，不歸于魯，所謂全節守義，不以亡故而虧婦道者也。魯人高其節義，恩禮有加焉，是故其歸于酅，其卒其葬，史册悉書。夫子脩經，存而弗削，使與衛之共姜，同垂不朽，爲後世勸。若夏侯令女，曹爽之弟婦也，寡居守志，父母欲奪而嫁之，誓而弗許，而曰：『曹氏全盛之時，尚欲保終，況今衰亡，何忍棄之？』聞者爲之感動，其聞叔姬之風而興起者乎？」愚謂胡氏謂歸爲順詞，泥矣。婦謂嫁曰歸，酅有紀之宗廟，叔姬歸而守之，全所歸之義也，故曰歸耳。

夏四月。

正傳曰：無事亦書，義見于前。

秋八月甲午，宋萬弑其君捷及其大夫仇牧。

正傳曰：捷，宋閔公名。仇牧、宋萬皆宋大夫。書「宋萬弑其君捷及其大夫仇牧」，則弑君之賊、死難之節並見矣。左氏曰：「宋萬弑閔公于蒙澤。遇仇牧于門，批而殺之。遇太宰督於東宮之西，又殺之。立子游。羣公子奔蕭，公子御説奔亳。南宫牛、猛獲帥師圍亳。」公羊曰：「仇牧可謂不畏强禦矣。萬怒，搏閔公，絶其脰。仇牧聞君弑，趨而至，遇之于門，手劒而叱之。萬臂摋仇牧，碎其首，齒著乎門闔。仇牧可謂不畏强禦矣。」胡氏曰：「君弑而大夫死其難，春秋書之者，其所取也。大夫死於弑君之難，而有不書者，故知孔父、牧、息皆所取也。夫仇牧可謂不畏强禦矣。然徒殺其身，不能執賊，無益於事也，亦足取乎？食焉不避其難，義也。徒殺其身，不能執賊，亦足爲求利焉而逃其難者之訓矣，何名爲無益哉？夫審事物之重輕者，權也。權重輕而處之得其宜者，義也。太宰督亦死於閔公之難，削而不書者，身有罪也。惠伯死於子惡之難，亦削而不書者，非君命也。召忽死於子糾之難，孔子比於匹夫匹婦之諒，自經於溝瀆而莫之知者，所事不正也。崔杼弑君，晏平仲曰：『人有君而人弑之，吾焉得死之？而焉得亡之？』君子不以是罪晏子者，齊莊公不爲社稷死，而晏子非其私昵之臣也。若仇牧、荀息，立乎人之本朝，執國之政，而君見弑，不以其私也，雖欲勿死，焉得而勿死？聖人書而弗削，以爲求利焉而逃其難者之勸也。惟此義不行，然後有視棄其君猶土梗弁髦，曾莫之省，而三綱絶矣。」

冬十月，宋萬出奔陳。

正傳曰：書「宋萬出奔陳」，志逸賊也。萬，弑君之賊也。左氏曰：「冬十月，蕭叔大心及戴、武、宣、穆、莊之族以曹師伐之。殺南宮牛于師，殺子游于宋，立桓公。猛獲奔衛。南宮萬奔陳，以乘車輦其母，一日而至。宋人請猛獲于衛。衛人欲勿與。石祁子曰：『不可。天下之惡一也，惡於宋而保於我，保之何補？得一夫而失一國，與惡而棄好，非謀也。』衛人歸之。亦請南宮萬于陳，以賂。陳人使婦人飲之酒，而以犀革裹之。比及宋，手足皆見。宋人皆醢之。」愚謂此實傳也。

僖王元年。

十有三年 齊桓五年、晉緡二十四年、衛惠十九年、蔡哀十四年、鄭厲二十年、子儀十三年、曹莊二十一年、陳宣十二年、杞靖二十三年卒、宋桓公御説元年、秦武十七年、楚文九年。

春，齊侯、宋人、陳人、蔡人、邾人會于北杏。

正傳曰：北杏，齊地。書「齊侯、宋人、陳人、蔡人、邾人會于北杏」，著其會之非也。左氏曰「春會于北杏，以平宋亂」，是也。然則平宋亂，與國相恤之義也，何以非之？夫平宋亂者，必當上告天子，約與國，奉王法以平之，而私相會盟，則非矣。首齊侯者，桓公爲之主也。此五霸之始也。平宋亂可也，而列國相與戴齊以爲主，是無王也。所謂功之首，罪之魁也。春秋此書，其喜懼之情見矣。其首齊侯者，盟主也。稱人者，衆稱之詞。穀梁以爲始疑之詞者，非也。胡氏一〔二〕以爲：「稱人者，春秋之世以諸侯而主天下會盟之政，自北杏始。其後宋襄、晉文、楚莊、秦穆，交主夏盟，跡此而爲之者也。桓非受命之伯，諸侯自相推戴以爲盟主，是無君矣。故四國稱人，以誅始亂，正王法也。」一以爲：「齊侯稱爵者，上無天子，下無方伯，有能會諸侯，安中國，而免民於左衽，則雖與之可也。誅諸侯者，正也。與桓公者，權也。或曰：桓公始平宋亂，遂得諸侯，故四國稱人，言衆與之也。」愚謂胡氏二説自相矛盾也。夫既人四國以罪之，則不宜爵齊侯矣。爵齊侯以與之，則不宜罪四國矣。蓋齊桓之主霸，四國成之，其是非一體也。凡此皆史氏之詞，不必泥耳。

夏六月，齊人滅遂。

正傳曰：遂，小國也。書「夏六月，齊人滅遂」，則齊侯貪暴之罪自見矣。左氏謂「北杏之會，遂人不至」，又曰「齊人滅遂而戍之」，則因其不至，遂假此以滅取之，濟其私也。齊桓之霸，可不謂久假而不歸乎？胡氏曰：「取國而書滅：奪人土地，使不得有其民人；毁人宗廟，使不得奉其祭祀。非至不仁者，莫之忍爲。語有之曰：『興滅國，繼絶世，天下之民歸心焉。』今乃滅人之國，而絶其世，罪莫重矣。」又云：「凡書滅者，不待再貶而惡已見。」愚謂皆是矣。然又謂「其稱人，微者耳」，穀梁又謂「不日，微者也」，皆臆説也。且上文北杏之會，又何以不月不日耶？

秋七月。

正傳曰：無事亦書，義見前。

冬，公會齊侯盟于柯。

正傳曰：柯者，齊之柯邑。書「公會齊侯盟于柯」，則忘讎之罪、會盟之非自著矣。左氏曰：「冬，盟于柯，始及齊平也。」公羊曰：「莊公將會乎桓，曹子進曰：『君之意何如？』莊公曰：『寡人之生，則不若死矣。』曹子曰：『然則君請當其君，臣請當其臣。』莊公曰：『諾。』於是會乎桓。莊公升壇，曹子手劍而從之。管子進曰：『君何求乎？』曹子曰：『城壞壓竟，君不圖與？』管子曰：『然則君將何求？』曹子曰：『願請汶陽之田。』管子顧曰：『君許諾。』桓公曰：『諾。』曹子請盟，桓公下與之盟。已盟，曹子摽劍而去之。要盟可犯，而桓公不欺；曹子可讎，而桓公不怨。桓公之信著乎天下，自柯之盟始焉。」愚謂會盟以講信脩睦也。莊公用曹子之謀，而必且行劫焉，此愚所謂會盟之非也。胡氏曰：「始及齊平也。世讎而平，可乎？於傳有之，敵惠敵怨，不在後嗣。魯於襄公，有不共戴天之讎，當其身則釋怨不復，而主王姬，狩于禚，會伐衛，同圍郕，納子糾，故聖人詳加譏貶，以著其忘親之罪。今易世矣，而桓公始合諸侯，安中國，攘夷狄，尊天王，乃欲脩怨怒鄰，而危其宗社，可謂孝乎？」愚謂九世之讎猶可復，況易世乎？不脩怨可也，忘怨以會盟不可也。此愚所謂忘讎之罪也。

十有四年 齊桓六年、晉緡二十五年、衛惠二十年、蔡哀十五年、鄭厲二十一年、子儀十四年弒、曹莊二十二年、僖王二年。

陳宣十三年、杞共公元年、宋桓二年、秦武十八年、楚文十年。

春，齊人、陳人、曹人伐宋。

正傳曰：此三國皆稱人，可見上或侯、或人，爲無他義矣。書「齊人、陳人、曹人伐宋」，著擅伐之罪也。夫征伐自天子出，而桓公私與三國伐宋，其罪著矣。左氏曰「宋人背北杏之會」，是齊桓因假此會三國伐之，所謂五霸假之者是也。其皆稱人者，胡氏云「或以爲貶齊侯」，固非也。程子又舉將卑師少曰某人，以爲春秋之法，而胡氏從之，則北杏之會，列國皆稱人者，豈皆將卑師少耶？是皆沿襲於義例之蔽，遂以爲春秋之法，雖大儒猶不能自免也。

夏，單伯會伐宋。

正傳曰：此與上春三國之伐宋同一事，故此不再叙三國而云會伐宋。孟春會而至夏〔三〕乃即行伐也。單伯舊無與會，左氏云：「春，諸侯伐宋。齊請師于周。夏，單伯會之。取成于宋而還。」此實傳也。由是觀之，則周因齊桓之請師而命單伯奉詞往會三國伐之也。春秋於此書之，著伐宋之猶爲有義也。何也？桓公上請天子、下率諸侯而行，此齊桓爲霸之機也。然禮，天子討而不伐。而單伯王人，下與諸侯同行征伐，則亦異乎先王之法矣。

秋七月，荆入蔡。

正傳曰：荆即楚也。穀梁以爲「州舉之」，非也。書「荆入蔡」，再著夷狄憑陵中國之罪也。左氏曰：「蔡哀侯爲莘故，繩息嬀以語楚子。楚子如息，以食入享，遂滅息，以息嬀歸，生堵敖及成王焉。未言。楚子問之。對曰：『吾一婦人，而事二夫，縱弗能死，其又奚言？』楚子以蔡侯滅息，遂伐蔡。秋七月，楚入蔡。君子曰：『商書所謂「惡之易也，如火之燎于原，不可鄉邇，其猶可撲滅」者，其如蔡哀侯乎！』」

冬，單伯會齊侯、宋公、衛侯、鄭伯于鄄。

正傳曰：言「冬，單伯會」者，單伯奉王命，故首之也。書之，以終伐宋之事也。左氏曰：「冬，會于鄄，宋服故也。」愚謂：宋服則止而釋兵，而會以歸，於義無傷也。

校記：

〔一〕「讎」，原作「賊」，據嘉靖本改。

〔二〕「一」，原作「亦」，據嘉靖本改。

〔三〕「至夏」，原作「夏至」，據嘉靖本乙正。

春秋正傳卷之九

莊公

十有五年齊桓七年、晋緡二十六年、衛惠二十一年、蔡哀十六年、鄭厲二十二年、曹莊二十三年、陳宣十四年、杞共二年、宋桓三年、秦武十九年、楚文十一年。僖王三年。

春，齊侯、宋公、陳侯、衛侯、鄭伯會于鄄。

正傳曰：書「齊侯、宋公、陳侯、衛侯、鄭伯會于鄄」，著列國相會之非也。夫會若善於盟矣，然會同之禮出於王之制，而私相約會，可得爲禮乎？冬已會矣，而春復會者，左氏曰爲「齊始霸也」。是時列國諸侯皆不脩朝王之禮，而私爲朝霸，可得爲禮乎？且踰時而再會，非天下爲公、人臣尊王之道矣。

夏，夫人姜氏如齊。

正傳曰：書「夏，夫人姜氏如齊」，著如之非禮也。穀梁曰：「婦人既嫁不踰境，踰境非禮也。」

秋，宋人、齊人、邾人伐郳。

正傳曰：郳，小國。書「宋人、齊人、邾人伐郳」，則專征之罪見矣。夫征伐自天子出也，而齊與諸侯擅專之，其無王之罪大矣。左氏曰：「諸侯爲宋伐郳。」此實傳也。是實宋志，而齊爲霸主，故首以宋，宋主之也。胡氏以不先齊者，桓猶未成乎霸，非也。此皆稱人，與上不同，可以見稱人、不稱人之不足以言褒貶矣。他倣此。

鄭人侵宋。

正傳曰：書「鄭人侵宋」，則擅興之罪自見矣，不待乎「侵」之一字而罪之也。春秋無義戰，若以侵而非之，則夫他或書伐書戰者，即以爲善耶？左氏曰：「鄭人間之而侵宋。」張氏曰：「間諸侯伐郳而侵宋，不誠服齊以背二鄄之會。」胡氏曰：「侵伐之義，三傳不同。左氏曰：『有鐘鼓曰伐，無鐘鼓曰侵。』先儒或非其説，以爲『聲罪致討曰伐，無名行師曰侵』，未有以易之者也。然考諸五經，皆稱『侵伐』。在易謙之六五曰：『利用侵伐，征不服也。』書之泰誓曰：『我武惟揚，侵于之疆。』詩之皇矣曰：『依其在京，侵自阮疆。』周官大司馬以九伐之法正邦國，而曰『賊賢害民則伐之，負固不服則侵之』，而以爲無名行師，可乎？然則或曰『侵』或曰『伐』，何也？聲罪致討曰伐，潛師掠境曰侵。聲罪者，鳴鐘擊鼓，整衆而行，兵法所謂正也；潛師者，銜枚卧鼓，出人不意，兵法所謂奇也。」愚謂以易、書、詩之説觀之，則侵伐之分別，蓋皆秦漢以來治春秋者爲之耳。

冬十月。

正傳曰：無事亦書，義見前。

僖王四年。十有六年齊桓八年、晋緡二十七年滅、武公稱三十八年、衛惠二十二年、蔡哀十七年、鄭厲二十三年、曹莊二十四年、陳宣十五年、杞共三年、宋桓四年、秦武二十年、楚文十二年。

春王正月。

正傳曰：無事亦書，義見前。

夏，宋人、齊人、衛人伐鄭。

正傳曰：書「宋人、齊人、衛人伐鄭」，則擅興之罪見矣。齊桓爲霸，而先之以宋者，宋主之故。左氏曰：「諸侯伐鄭，宋故也。」孫氏曰：「鄭背鄄之兩會，侵宋，故桓帥諸侯伐之。」愚謂齊、宋雖有詞，然而擅專征伐之罪不可逃矣。夫諸儒義例以稱人爲貶，則此皆稱人，何以不謂爲貶耶？

秋，荆伐鄭。

正傳曰：書「荆伐鄭」，著夷狄陵中國之罪也。至是，楚三犯中國矣。左氏曰：「鄭伯自櫟入，緩告于楚。秋，楚伐鄭，及櫟，爲不禮故也。」愚謂此實傳也。

冬十有二月，會齊侯、宋公、陳侯、衛侯、鄭伯、許男、滑伯、滕子同盟于幽。

正傳曰：云會者，公會也。不言公，公自在其中，内史之詞也。程、胡皆以爲「桓始霸，義盟，而魯叛盟，故諱不稱公」，非也。書「會齊侯、宋公、陳侯、衛侯、鄭伯、許男、滑伯、滕子同盟于幽」，著天下諸侯之同心，而其功罪並著矣。鄭列會盟者，左氏謂：「同盟于幽，鄭成也。」公羊曰：「同盟者，同欲也。」穀梁曰：「同尊周也。」程氏曰：「上無明王，下無方伯，列國交争，桓公始霸，天下與之，故書同盟，志同欲也。」此愚之所謂功也。然而禮樂征伐自天子出，諸侯非奉王制之〔一〕會同而私相會盟，歃血以要神，於是乎盟主專征之事起矣，此愚之所謂罪也。聖人尊周之義，喜懼之情見矣。

邾子克卒。

正傳曰：克，其名。書「邾子克卒」，小國之大故也。聖人筆之於春秋而不削，寓恤小之義也。穀梁曰：「其曰子，進之也。」愚謂此史氏之詞耳。

僖王五年崩。十有七年齊桓九年、晋武三十九年卒、衛惠二十三年、蔡哀十八年、鄭厲二十四年、曹莊二十五年、陳宣十六年、杞共四年、宋桓五年、秦德公元年、楚文十三年。

春，齊人執鄭詹。

正傳曰：鄭詹，穀梁謂「鄭之佞人也」。胡氏曰：「詹爲執政用事之臣也。」書「齊人執鄭詹」，則齊桓之霸心見矣。何謂霸心？執言仗義以濟其私也。左氏曰：「鄭不朝也。」齊桓以鄭不朝而執其用事之臣，其霸天下之志見矣。其無王之罪著矣。如使齊桓有反己之心，以爲我列國諸侯尚不朝王，何以責鄭？則桓不止霸而進於王道矣。惜乎念不出此，遂終爲三王之罪人也。悲夫！故胡氏曰：「以責人之心責己，則盡道。以愛己之心愛人，則盡仁。此春秋待齊之意也。」

夏，齊人殲于遂。

正傳曰：殲者，殺之盡也。書曰：「殲厥渠魁。」書「夏，齊人殲于遂」，則齊人致禍之端可考矣。夫國必自伐而後人伐之。殺人之父兄，人亦殺其父兄。今齊滅人，是宜其反中之禍也。左氏曰：「夏，遂因氏、頜氏、工婁氏、須遂氏饗齊戍，醉而殺之，齊人殲焉。」愚謂此實傳也。胡氏曰：「春秋書此者，見齊人滅遂，恃强凌弱，非伐罪吊民之師。遂人書『滅』，乃亡國之善辭，上下之同力也。夫以亡國餘民，能殲强齊之戍，則申胥一身可以存楚，雖三户可以亡秦，固有是理，足爲强而不義之戒，而弱者亦可省身而自立矣。」

秋，鄭詹自齊逃來。

正傳曰：書「鄭詹自齊逃來」，則逃者與受逃者之非義並見矣。穀梁曰「逃義曰逃」，是也。謂非所當逃而逃也。胡氏曰：「逃者，匹夫之事。詹之見執，若其有罪，雖死可也。儻曰無罪，苟見免焉，請從惠於會，使諸侯聞之，則不辱君命矣。不能以理自明也，而反效匹夫之行，遁逃苟免，越在他國，不亦賤乎？特書曰『逃』，以著其幸免而不知命之罪也。齊桓始霸，同盟于幽，而魯首叛盟，受其逋逃，虧信義矣。書『自齊逃來』，又以罪魯也。」

冬，多麋。

正傳曰：書「冬，多麋」，公羊以爲記異，是也。胡氏曰：「麋，魯所有也，多則爲異，以其又害稼也，故書。此亦禹放龍蛇、周公遠犀象之意也，害稼則及人矣。」

十有八年齊桓十年、晉獻公佹諸元年、衛惠二十四年、蔡哀十九年、鄭厲二十五年、曹莊二十六年、陳宣十七年、杞共五年、宋桓六年、秦德二年、楚文十四年。惠王元年。

春，王三月，日有食之。

正傳曰：書「日有食之」，紀天變也。故聖人筆之於春秋，以示戒焉。穀梁曰：「不言日，不言朔，夜食也。何以知其夜食也？曰王者朝日，故雖爲天子，必有尊也；貴爲諸侯，必有長也。故天子朝日，諸侯朝朔。」愚謂若以爲夜食，何以不書某日夜食？然而今之夜而日食，則不奏不救何也？無以知其爲日食也。諸傳之妄，多類此。

夏，公追戎于濟西。

正傳曰：書「公追戎于濟西」，大公之攘夷狄也。不言其來，左氏以爲諱之，胡氏以爲不覺其來，皆非也。蓋來而未至，而豫禦之也。公羊曰：「此未有言伐者，其言追何？大其爲中國追也。此未有伐中國者，則其言爲中國追何？大其未至而豫禦之也。其言『于濟西』何？大之也。」穀梁亦謂：「其不言戎之伐我，以公之追之。不使戎邇於我也。『于濟西』者，大之也。何大焉？爲公之追之也。」愚謂二傳之言皆是也。

秋，有蜮。

正傳曰：蜮，含沙射人者也。書「秋有蜮」，紀災異也。非徒異而且爲災矣，有者，紀其有也。穀梁又生「一有一亡曰有」之說，胡氏又生「蜮者，魯所無，故以有書之」之說，皆惑也。胡氏曰：「夫以含沙射人，其爲物至微矣。魯人察之以聞于朝，魯史異之以書于策，何也？山陰陸佃曰：『蜮，陰物也。麋，亦陰物也。是時莊公上不能防閑其母，下不能正其身，陽淑消而陰慝長矣，此惡氣之應。』其説是也。然則簫韶作而鳳凰來儀，春秋成而麟出於野，何足怪乎？春秋書物象之應，欲人主之慎所感也。世衰道微，邪説作，正論消，小人長，善類退，天變動於上，地變動於下，禽獸將食人而不知懼也，亦昧於仲尼之意矣。」愚謂既曰魯人聞之，魯史書之，則春秋真國人之報，魯史之文，聖人未或改之，特竊取其義，於此斷無疑矣。

冬十月。

正傳曰：無事亦書，義見于前。

惠王二年。十有九年齊桓十一年、晉獻二年、衛惠二十五年、蔡哀二十年、鄭厲二十六年、曹莊二十七年、陳宣十八年、杞共六年、宋桓七年、秦宣公元年、楚文十五年卒。

春，王正月。

正傳曰：無事亦書，義見于前。

夏四月。

正傳曰：無事亦書，義見于前。

秋，公子結媵陳人之婦于鄄，遂及齊侯、宋公盟。

正傳曰：結，公子名。媵者，諸侯娶一國，則二國往媵之，以姪娣從。遂者，因事之名。書「公子結媵陳人之婦于鄄，遂及齊侯、宋公盟」，則其失禮之非自見矣。夫禮不貳舉，媵則媵，盟則盟也。今因媵而遂盟，將盟而先媵，二者皆失禮矣。穀梁曰：「媵，禮之輕者也。盟，國之重也。以輕事遂乎國重，無説。其曰『陳人之婦』，畧之也。其不日，數渝，惡之也。」程子曰：「鄄之巨室嫁女於陳人，結以其庶女媵之，因與齊、宋盟。挈之以往，結好大國，所以安國息民，乃以私事之小取怒大國，故深罪之，書其爲媵而往，盟爲遂事。」

夫人姜氏如莒。

正傳曰：書「夫人姜氏如莒」，譏如之非禮也。穀梁曰：「婦人既嫁不踰竟，踰竟，非正也。」

冬，齊人、宋人、陳人伐我西鄙。

正傳曰：鄙，國之邊境也。書「齊人、宋人、陳人伐我西鄙」，著擅興陵暴之罪也。程子曰：「齊桓始霸，責魯不恭其事，故來伐也。」愚謂魯雖不恭，而齊不告于天王，摟諸侯以伐之，其罪均矣。春秋書之，義在責齊之擅。而胡氏以謂責魯以「失己失人以招禍者」，非也。其曰「鄙，遠之。稱人，將卑師少」，義見前，兹不贅。

惠王三年。

二十年齊桓十二年、晉獻三年、衛惠二十六年、蔡穆侯肸元年、鄭厲二十七年、曹莊二十八年、陳宣十九年、杞共七年、宋桓八年、秦宣二年、楚堵敖熊囏元年。

春，王二月，夫人姜氏如莒。

正傳曰：屢書「夫人姜氏如莒」，著其非禮之甚也。禮，婦人既嫁不踰境。姜氏去年秋如莒，今年再如焉，破內外之防，踰禮義之閑，至是極矣。胡氏曰：「十有五年，夫人姜氏如齊，至是再如莒，而春秋書者，禮義，天下之大防也，其禁亂之所由生，猶坊止水之所自來也。衛女嫁於諸侯，父母終，思歸寧而不得，故泉水賦；許穆夫人閔衛之亡，思歸唁其兄而阻於義，故載馳作。聖人録於國風以訓後世，使知男女之別，自遠於禽獸也。今夫人如齊以寧其父母，而父母已終，以寧其兄弟，又義不得。宗國猶爾，而況如莒乎？婦人，從人者也，夫死從子，而莊公失子之道，不能防閑其母，禁亂之所由生。故初會于禚，次享于祝丘，又次入齊師，又次會于防、于穀，又次如齊，又再如莒，此以舊坊爲無所用而廢之者也，是以至此極。觀春秋所書之法，則知防閑之道矣。」

夏，齊大災。

正傳曰：大災者，非常之災，人民不育也。書「齊大災」，紀鄰國之變，有報則史書之，聖人筆之而不削，諸侯有恤鄰之道焉。公羊以爲「書者，及我」，非也。

秋七月。

正傳曰：無事亦書，義見于前。

冬，齊人伐戎。

正傳曰：書「齊人伐戎」，著攘夷狄之義也。張氏曰：「齊桓於是舉攘夷狄之兵。戎在徐州之域，最近齊、魯，故先伐之。」

惠王四年。二十有一年齊桓十三年、晋獻四年、衛惠二十七年、蔡穆二年、鄭厲二十八年卒、曹莊二十九年、陳宣二十年、杞共八年、宋桓九年、秦宣三年、楚堵敖二年。

春，王正月。

正傳曰：無事亦書，義見于前。

夏五月辛酉，鄭伯突卒。

正傳曰：書「鄭伯突卒」，鄭國之變，有報則史書之也。突復入櫟而篡，諸侯容其篡，兩與盟會，故史以其舊爵紀之也，豈亦有他義與之乎？左氏曰：「二十一年春，胥命于弭。夏，同伐王城。鄭伯將王自圉門入。虢叔自北門入。殺王子頹及五大夫。鄭伯享王于闕西辟，樂備。王與之武公之畧，自虎牢以東。原伯曰：『鄭伯效尤，其亦將有咎！』五月，鄭厲公卒。」愚謂此實録也。其具時日月者，史詳之耳，無他義。由是言之，則他不書日月者，何義之有？

秋七月戊戌，夫人姜氏薨。

正傳曰：書「夫人姜氏薨」，著君母小君之大故也。張氏曰：「文姜之行惡矣，而卒以國君之母寵榮終身，一用小君之禮，此魯之禍所以未艾，必至於莊公之終，兩君弑，哀姜、慶父誅，而後魯患始息也。」

冬十有二月，葬鄭厲公。

正傳曰：書「葬鄭厲公」，恤鄰國之大事也。

惠王五年。二十有二年齊桓十四年、晉獻五年、衛惠二十八年、蔡穆三年、鄭文公捷元年、曹莊三十年、陳宣二十一年、杞惠公元年、宋桓十年、秦宣四年、楚堵敖三年。

春，王正月，肆大眚。

正傳曰：肆者，縱放之之義。眚者，過誤。所犯大眚者，謂過誤而陷於大辟之類也。其過誤而入大辟者，縱放之，所謂肆大眚也。即舜典所謂「眚災肆赦」，臯陶所謂「宥過無大」也。公羊、程、胡皆以肆大眚爲譏失刑政，殊不知肆大罪不可也，肆大眚正合舜、臯陶之旨，何謂不可？故書「肆大眚」，紀仁政之一行也。啖氏曰：「肆者，放也。眚者，過也。如今之赦爾。公羊云忌省，有何義乎？」是也。夫春秋之時，濫殺無辜，糜爛其民，傷天地之大和，至此慘極矣。魯公獨能於過誤所犯之大者而肆赦焉，則小者可知矣。爲得天地好生之德，絕無而僅有者，故史書之，聖人筆之於春秋，其待衰世之志可見矣。

癸丑，葬我小君文姜。

正傳曰：邦君之妻，邦人稱之曰小君。稱小君者，史氏〔二〕之詞也。公羊曰：「文姜者何？莊公之母也。」愚謂書「葬我小君文姜」，紀君母之大事也。春秋有無褒貶〔者〕〔三〕，此之類也。安得謂字字句句而盡有褒貶乎？胡氏曰：「文姜之行甚矣，而用小君之禮，其無譏乎？以書『夫人孫于齊』不稱『姜氏』，及書『哀姜薨於夷』『齊人以歸』考之，則譏小君無禮，當謹之於始，而後可正也。文姜已歸爲國君母，臣子致送終之禮，雖欲貶之，不可得矣。」愚謂此言是也。

陳人殺其公子御寇。

正傳曰：謂之陳人者，衆人也。御寇，宣公之子。左氏云：「陳人殺其太子御寇」，則知其爲君之嫡也，而稱公子者，未命爲世子也。書「陳人殺公子御寇」，著殺逆之罪也。或其君殺之，或其大夫殺之，或國人殺之，則皆不可知也。外事宜遠而畧也。胡氏又有稱君、稱國、稱人之别，泥矣。又云：「考於傳之所載，以觀經之所斷，則罪之輕重見矣。」愚謂考傳以觀經，乃治春秋之法，即吾今之説也。

夏五月。

正傳曰：無事亦書時月，義見前。

秋七月丙申，及齊高傒盟于防。

正傳曰：高傒，齊之貴大夫也。及者，公及之也。不言公，公在其中矣。以爲諱之者，非也。書「及齊高傒盟于防」，見盟之非也。又與其大夫盟，失禮之中又失禮矣。

冬，公如齊納幣。

正傳曰：書「公如齊納幣」，著昏禮之非也。穀梁曰：「禮有問名、納采、納徵、告期。」公羊曰：「親納幣，非禮也。」胡氏曰：「來議結昏，娶仇人之女，大惡也。娶者其爲吉，下主乎己，上主乎宗廟，以爲有人之心者，宜於此焉變矣。公親如齊納幣，則不待貶也。」

惠王六年。二十有三年齊桓十五年、晉獻六年、衛惠二十九年、蔡穆四年、鄭文二年、曹莊三十一年卒、陳宣二十二年、杞惠二年、宋桓十一年、秦宣五年、楚成王頵元年。

春，公至自齊。

正傳曰：書「公至自齊」，始終乎昏禮之非也。書至，告于廟也。公羊以爲危之，非也。書曰「歸格于藝祖，用特」是也。夫告廟必曰：「今已納幣，聘娶齊某女。」夫齊侯親殺桓公者也，世讎也，桓公有知，其心當何如耶？莊公於是乎罪不可逃矣。故曰：始終乎昏禮之非也。

祭叔來聘。

正傳曰：祭叔，天子之大夫也。書「祭叔來聘」，著私交之非禮也。人臣無外交。穀梁子曰：「其不言『使』，天子之内臣也，不正其私交，故不與『使』也。」愚謂：蓋王實未之使而私來耳。

夏，公如齊觀社。

正傳曰：觀社者，觀齊之祀社也。書「公如齊觀社」，著非禮之舉也。左傳：「曹劌諫曰：『不可。夫禮，所以整民也。故會以訓上下之則，制財用之節；朝以正班爵之義，帥長幼之序；征伐以討其不然。諸侯有王，王有巡守，以大習之。非是，君不舉矣。君舉必書。書而不法，後嗣何觀？』」胡氏曰：「齊棄太公之法，而觀民於社，君爲是舉而往觀之，非故業也。天子祀上帝，諸侯會之受命焉；諸侯祀先公，卿大夫佐之受事焉。不聞諸侯之相會祀也。」

公至自齊。

正傳曰：書「公至自齊」，始終乎觀社之非禮也。至者，告廟也。告廟必將曰：「某如齊觀社。」夫踰境觀社，既非禮矣，而齊又世讎也，其可親乎？是失禮之中又失禮焉也。

荊人來聘。

正傳曰：人者，内使稱之之詞，非有褒貶也。書「荊人來聘」，紀荊楚禮中國之始也。夷狄而中國，則中國之，春秋與人爲善之義也。胡氏又謂：「荊前皆以州舉者，惡其猾夏不恭，故狄之也。至是來聘，遂稱『人』者，嘉其慕義自通，故進之也。」然則又以稱人爲美，何耶？蓋但筆之於春秋，而與進之義自見，不在乎稱人之一字也。

公及齊侯遇于穀。

正傳曰：穀梁云：「及者，内爲志焉爾。遇者，志相得也。」書「公及齊侯遇于穀」，著莊公忘親與讎之罪也。齊乃魯之世讎，而自往求昏，而如齊觀社，今又爲穀之遇，凡皆爲昏設也。其與讎忘親不孝之罪，不可解矣。

蕭叔朝公。

正傳曰：蕭叔，附庸小國之君，未爵者也。書「蕭叔朝公」，著非禮之舉也。公羊曰：「其言朝公何？公在外也。」穀梁曰：「其不言『來』，於外也。朝于廟，正也；於外，非正也。」胡氏曰：「爲禮必當其物與其所，而後可以言禮。大夫宗婦覿而用幣，則非其物。蕭叔朝公在齊之穀，則非其所也。嘉禮不野合，而朝公于外，是委之於野矣。故禮非其所，君子有不受，必反之于正而後止，此亦春秋撥亂之意也。」

秋，丹桓宮楹。

正傳曰：桓宮者，桓公之廟也。書「秋，丹桓宮楹」，著非禮也。穀梁子曰：「禮，天子、諸侯黝堊，大夫倉，士黈。丹楹，非禮也。」

冬十有一月，曹伯射姑卒。

正傳曰：射姑，曹伯名。名之無他義，書「曹伯射姑卒」，紀鄰國之大故也。有赴則史書之，聖人筆而不削，見恤鄰之義也。

十有二月甲寅，公會齊侯盟于扈。

正傳曰：書「公會齊侯盟于扈」，則違禮要結之非自見矣。胡氏謂：「程子曰：『遇于穀，盟于扈，皆爲要結媚好也。』傳稱男子二十而冠，冠而列，丈夫三十而不娶，則非禮矣。然天子、諸侯十五而冠者，以娶必先冠，而國不可久無儲貳，欲人君早有繼體，故因以爲節也。鰥者，老而無妻之稱。舜方三十未娶，而師錫帝堯，已曰『有鰥在下』矣，妻帝之二女，則不告於父母，以爲告則不得娶，而廢人之大倫，堯亦不告而妻焉，其欲及時而無過如此也。今莊公生於桓公之六年，至是三十有六載矣，以世嫡之正，諸侯之貴，尚無内主同任社稷之事，何也？蓋爲文姜所制，使必娶于母家，而齊女待年未及，故莊公越禮不顧如此其急，齊人有疑如此其緩，而遇于穀、盟于扈，要結之也。娶夫人，奉祭祀，爲宗廟之主，而母言是聽，不以大義裁之，至於失時，不孝甚矣。春秋詳書于策，爲後戒也。」

校記：

〔一〕「之」，原作「也」，據嘉靖本改。
〔二〕「氏」，原作「見」，據嘉靖本改。
〔三〕「者」，據嘉靖本補。

春秋正傳卷之十

莊公

二十有四年齊桓十六年、晉獻七年、衛惠三十年、蔡穆五年、鄭文三年、曹僖公赤元年、陳宣二十三年、杞惠三年、宋桓十二年、秦宣六年、楚成二年。惠王七年。

春，王三月，刻桓宮桷。

正傳曰：刻者，刻鏤之也。書「刻桓宮桷」，著非禮也。左氏曰：「春，刻其桷，皆非禮也。御孫諫曰：『臣聞之：儉，德之共也；侈，惡之大也。先君有共德，而君納諸大惡，無乃不可乎？』」穀梁曰：「禮，天子之桷，斲之礱之，加密石焉；諸侯之桷，斲之礱之；大夫斲之；士斲本。刻桷，非正也。夫人，所以崇宗廟也，取非禮與非正而加之於宗廟，以飾夫人，非正也。『刻桓宮桷』，『丹桓宮楹』，斥言『桓宮』以惡莊也。」胡氏曰：「公將逆姜氏，丹桓宫之楹，刻其桷，爲盛飾以誇示之，此非特有童心而已。自常情觀之，丹楹刻桷，宜若小失，而春秋詳書于策，御孫以爲大惡，何也？桓公見殺于齊則不能復，而盛飾其宫，誇示仇人之女，乃有亂心，廢人倫，悖天道，而不知正者也。御孫知爲大惡而不敢盡言。春秋謹禮於微，正後世人主之心術者也，故詳書于策，斥言桓宫以惡莊，爲後鑒也。」

葬曹莊公。

正傳曰：書「葬曹莊公」，著恤鄰之大事也。有報則史書之也，鄰國有賻贈之義焉。

夏，公如齊逆女。

正傳曰：書「公如齊逆女」，著昏雠之非也。穀梁曰：「親迎，恒事也，不志。此其志何也？不正其親迎於齊也。」公羊以親迎爲禮者，非矣。

秋，公至自齊。

正傳曰：書「公至自齊」，始終乎昏雠之非也。至者，必反面告廟，則將曰：「某親迎於齊而還。」桓公親見殺于齊者也，則將謂之何？故曰始終乎昏雠之非也。

八月丁丑，夫人姜氏入。

正傳曰：書「八月丁丑，夫人姜氏入」，著昏禮之非也。左氏曰「秋，哀姜至」，而書「八月丁丑」者，見不與公同至也。何以不與公同至？至則見廟，則廟有弗受，弗受讎人之女薦食也。義不在入之一字，其言難詞、不順之詞，其言惡入，皆非也。胡氏曰：「昏義以正始爲先，而公不與夫人皆至，姜氏不從公而入，已失夫婦之正，弑閔、孫邾之亂兆矣。莊公不勝其母，越禮踰時，娭仇人之女，薦舍於宗廟，以成好合，卒使宗嗣不立，弑逆相仍，幾至亡國。故春秋詳書其事，以著莊公不孝之罪，爲後戒也。」

戊寅，大夫宗婦覿，用幣。

正傳曰：宗婦者，大夫之妻也。覿，見也。書「戊寅，大夫宗婦覿，用幣」，則其男女同禮之非，失正始之道可見矣。左氏曰：「公使宗婦覿，用幣，非禮也。御孫曰：『男贄，大者玉帛，小者禽鳥，以章物也。女贄，不過榛、栗、棗、脩，以告虔也。今男女同贄，是無别也。男女之别，國之大節也，而由夫人亂之，無乃不可乎？』」胡氏曰：「禮，夫人至，大夫郊迎，明日執贄以見。」又曰：「男女同贄，是無别。公子牙、慶父之亂兆矣。春秋詳書，正始之道也。」

大水。

正傳曰：高下皆水曰大水。書「大水」，紀災也，著重民食之義焉。

冬，戎侵曹。曹羈出奔陳。赤歸于曹。

正傳曰：鬻，公羊以爲大夫，杜預以爲世子，皆非也。以經鬻、赤出歸之文觀之，則臨川吴氏以爲「世子嗣位」，是也。書「戎侵曹。曹鬻出奔陳。赤歸于曹」，則夷狄陵中國，鬻不能守社稷，赤爲戎所納之罪並見矣。賈氏曰：「赤，戎之外孫。」杜氏曰：「赤，曹僖公，蓋爲戎所納。」吴氏曰：「上年十二月曹莊公卒，今年三月葬，則鬻以世子嗣位，葬其先君，至是冬，在位期年矣。爲戎所逐而出。」愚故曰：夷狄犯中國，鬻不能守社稷，赤爲戎所納之罪並見矣。其鬻、赤皆書名而不書爵，史之文耳，不係此以爲褒貶也。

郭公。

正傳曰：郭者，小國名。郭公，公、穀皆以爲赤，非也。惟胡氏以爲當作「郭亡」之衍文，是也。然此或春秋成後，流傳之誤，未必聖人之闕文也。若聖人之闕文，何所取義乎？於此見先儒多執經文以起義例，安知其非有衍文、闕文存乎其間乎？書「郭亡」，史紀小國之變也，有報則史書之，聖人存之，見恤小之義耳。胡氏曰：「先儒或以爲『郭亡』者，於傳有之。齊桓公之郭問父老曰：『郭何故亡？』曰：『以其善善而惡惡也。』公曰：『若子之言，乃賢君也，何至於亡？』父老曰：『郭君善善不能用，惡惡不能去，所以亡也。』考其時與事，謂之『郭亡』，理或然也。夫善善而不能用，則無貴於知其善；惡惡而不能去，則無貴於知其惡。未之或知者，猶有所覬也。夫既或知之矣，不能行其所知，君子所以高舉遠引，小人所以肆行而無忌憚也。然則非有能亡郭者，郭自亡耳。」

惠王八年。二十有五年齊桓十七年、晉獻八年、衛惠三十一年卒、蔡穆六年、鄭文四年、曹僖二年、陳宣二十四年、杞惠四年、宋桓十三年、秦宣七年、楚成三年。

春，陳侯使女叔來聘。

正傳曰：女叔者，杜氏以爲女氏、叔字也。書「陳侯使女叔來聘」，紀諸侯交聘之始也。稱氏不名，史臣之詞，非有他義，義在紀其始加聘禮也。左氏以爲「嘉之，故不名」，穀梁以爲「天子之命大夫」，皆非也。此獨書春而不言王正月，史失之耳，則他以王不王、月日不月日爲義者，惑矣。

夏五月癸丑，衛侯朔卒。

正傳曰：書「夏五月癸丑，衛侯朔卒」，紀鄰國之大故。赴之詳，故史書之詳，聖人筆之於册，取恤鄰之義也。可見此名之與日之，無他義矣，則夫諸儒治春秋者，類以日爲詳而謹書之，以爲與之者，則此又何説乎？

六月辛未朔，日有食之。鼓，用牲于社。

正傳曰：朔者，穀梁以爲「食正朔也」。書「六月辛未朔，日有食之。鼓，用牲于社」，紀天變，著非禮也。穀梁曰：「鼓，禮也。用牲，非禮也。天子救日，置五麾，陳五兵、五鼓。諸侯置三麾，陳三鼓、三兵。大夫擊門。士擊柝。言充其陽也。」胡氏曰：「鼓，用牲于社，何以書？譏不鼓于朝而鼓于社，又用牲，則非禮矣。」

伯姬歸于杞。

正傳曰：婦人謂嫁爲歸。莊氏曰：「伯姬，莊公女。」書「伯姬歸于杞」，紀昏禮也。昏，禮之大者，故史書之，聖人存之，其不言逆，史逸之耳。胡氏以其非卿，其姓名不登於史策，可乎？遂以爲志其非禮，可乎？及穀梁以爲「不言逆，逆之道微」，皆非也。

秋，大水。鼓，用牲于社、于門。

正傳曰：穀梁以爲高下有水災曰大水。書「秋，大水。鼓，用牲于社、于門」，著非禮也。左氏曰：「凡天災，有幣無牲。非日、月之眚不鼓。」公羊曰：「其言于社、于門何？于社，禮也。于門，非禮也。」愚謂于社固爲禮，然而虛禮也。求之于神而不反之于己，以恐懼脩省，非應天之實也。苟能恐懼脩省以正其本，燮理陰陽，陰陽和而雨暘時若，何有陰盛陽微之咎，而致大水之災乎？

冬，公子友如陳。

正傳曰：友，莊公之母弟也。如陳，報聘也。書「冬，公子友如陳」，紀報聘之禮、邦交之宜也。

惠王九年。二十有六年齊桓十八年、晉獻九年、衛懿公赤元年、蔡穆七年、鄭文五年、曹僖三年、陳宣二十五年、杞惠五年、宋桓十四年、秦宣八年、楚成四年。

春，公伐戎。

正傳曰：此亦不書王某月，史逸之耳，義見前。書「公伐戎」，著攘夷尊華之義也。

夏，公至自伐戎。

正傳曰：書「公至自伐戎」，紀反面之禮，而以伐戎告也，始終乎伐戎之義也。

曹殺其大夫。

正傳曰：書「曹殺其大夫」，著專殺之罪也。大夫不名者，史逸其名耳，義不重於名，而重於專殺，故畧之也。胡氏分别名與不名之義，則泥矣。經中逸名、闕文、衍文者多矣，豈皆足以憑據而考信耶？胡氏又有「稱國以殺者，國君、大夫與謀其事，不請於天子而擅殺之」之説，皆泥文之弊也。又曰：「古者諸侯之卿大夫士，命于天子，而諸侯不敢專命也；有罪則請於天子，而諸侯不敢專殺也。及春秋時，國無大小，卿大夫士皆專命之，而不以告于王朝；有罪無罪，皆專殺之，而不以歸於司寇，無王甚矣。五霸，三王之罪人，而葵丘之會猶曰『無專殺大夫』，故春秋明書于策，備天子之禁也。」愚謂此論是矣，然則稱人、稱爵者，夫子獨得而與奪之耶？

秋，公會宋人、齊人伐徐。

正傳曰：人者，衆稱之詞，而以爲將卑師少之名，乃諸儒之私例也。書「公會宋人、齊人伐徐」，紀國之大事也。國之大事，在祀與戎，故舉必書之。魯公前追戎、伐戎，今又伐徐者，胡氏曰：「按書，伯禽嘗征徐戎，則戎在徐州之域，爲魯患舊矣。是年春，公伐戎，秋又伐徐者，必戎與徐合兵，表裏爲魯國之患也。」愚謂徐與戎爲黨，所謂中國而夷狄則夷狄之者也，故魯莊前年追戎，今春伐戎，秋又伐徐，皆應敵攘夷之兵，春秋書之，非貶也。

冬十有二月癸亥朔，日有食之。

正傳曰：書「癸亥朔，日有食之」，紀天變也。

二十有七年齊桓十九年、晉獻十年、衛懿二年、蔡穆八年、鄭文六年、曹僖四年、陳宣二十六年、杞惠六年、宋桓十五年、秦宣九年、楚成五年。惠王十年。

春，公會杞伯姬于洮。

正傳曰：杞伯姬，莊公之女，嫁于杞者也。洮，魯地。書「春，公會杞伯姬于洮」，著相會之非禮也。禮，内言不出於梱，外言不入於梱，況肯相會耶？況肯相會于野外耶？左氏曰：「非事也。天子非展義不巡守，諸侯非民事不舉，卿非君命不越境。」胡氏曰：「伯姬，莊公之女，非事而特會于洮，愛其女之過而不能節之以禮，此春秋之所禁也。惟不節之以禮，然後有使自擇配，如僖公之於季姬，而典訓亡矣。」

夏六月，公會齊侯、宋公、陳侯、鄭伯，同盟于幽。

正傳曰：書「公會齊侯、宋公、陳侯、鄭伯，同盟于幽」，大其同志之義也。程子曰：「同志而盟，非率之也。」穀梁曰：「同者有同也，同尊周也，於是而後授之諸侯也。其授之諸侯何也？齊侯得衆也。」又曰：「衣裳之會十有一，未嘗有歃血之盟也，信厚也。兵車之會四，未嘗有大戰也，愛民也。」愚謂同盟尊周，故春秋以其同取之。胡氏以爲「鄭伯之所欲而書同者」，非也。然而鄭伯嘗貳於齊矣，今亦同盟者，蓋至是齊桓强盛，有霸中國攘夷狄之勢，諸侯皆歸，故鄭有畏服之心。左氏以爲「同盟于幽，陳、鄭服」，是也。

秋，公子友如陳，葬原仲。

正傳曰：書「秋，公子友如陳，葬原仲」，著私行之非禮也。左氏曰：「非禮也，原仲，季友之舊也。」胡氏曰：「公子友如陳，葬原仲，私行也。臣之禮無私交，大夫非君命不越境，何以通季子之私行而無貶乎？曰：春秋，端本之書也；京師，諸夏之表也。祭伯以寰内諸侯而來朝，祭叔以王朝大夫而來聘，尹氏以天子三公來告其喪，誣上行私，表不正矣。是故季子違王制，委國事，越境而會葬。齊高固、莒慶以大夫即魯而圖昏。其後陳莊子死，赴喪於魯，魯人欲勿哭，繆公召縣子而問焉，曰：『古者大夫，束脩之問不出境，雖欲哭，焉得而哭諸？今之大夫，交政於中國，雖欲勿哭，焉得而勿哭？』末流可知矣。春秋深貶王臣，以明始亂。備書諸國大夫而無譏焉，則以著其效也，凡此皆正其本之意。」

冬，杞伯姬來。

正傳曰：書「冬，杞伯姬來」，譏非所來而來也。胡氏曰：「左氏曰：『歸寧也。』禮，父母在，歲一歸寧。若歸而合禮，則常事不書。其曰『杞伯姬來』者，不當來也。女子有行，遠父母兄弟，春會于洮矣，冬又歸魯，故知其不當也，來而必書。春秋於男女往來之際嚴矣。」

莒慶來逆叔姬。

正傳曰：莒慶，莒大夫字也。叔姬，莊公之次女也。書「莒慶來逆叔姬」，紀昏嫁之非禮也。公羊曰：「大夫越境逆女，非禮也。」胡氏曰：「諸侯嫁女於大夫，而公自主之，非禮也。」愚謂：於此見稱字亦無取之之義，則他或字、或名，不足爲褒貶矣。

杞伯來朝。

正傳曰：書「杞伯來朝」，著其朝之非禮也。朝聘有時，杞伯因伯姬之來而來朝，非時非禮也。高氏曰：「致伯姬也。杞伯不能制〔一〕其内，縱伯姬之數出，又來朝而致之，其卑弱可知矣。」

公會齊侯于城濮。

正傳曰：書「公會齊侯于城濮」，講霸事也。杜氏曰：「賜齊侯命，爲侯伯會于城濮，將討衛也。」

惠王十一年。二十有八年齊桓二十年、晉獻十一年、衛懿三年、蔡穆九年、鄭文七年、曹僖五年、陳宣二十七年、杞惠七年、宋桓十六年、秦宣十年、楚成六年。

春，王三月甲寅，齊人伐衛。衛人及齊人戰，衛人敗績。

正傳曰：人者，衆稱之詞。穀梁以爲微之，非也。謂衛人微可也，而謂齊人微，可乎？胡氏以爲將卑師少之稱。桓奉王命伐罪，衛宜悉衆以當之，而皆謂將卑師少，可乎？凡此之類，皆私例惑之也。及者，猶言與也，亦無他義。書「甲寅，齊人伐衛，衛人及齊人戰，衛人敗績」，則齊桓奉命之師、而衛侯抗命之罪可見矣。胡氏曰：「按左氏，衛嘗伐周立子頹，至是王使召伯廖賜齊侯命，且請伐衛。則齊人舉兵，乃奉王命，聲衛立子頹之罪以討之也。爲衛計者，誠有是罪，則當請歸司寇服刑可也。若惠徼康叔，不泯其社稷，使得自新，亦唯命，則可以免矣。今不徵詞請罪，而上逆王命，下拒方伯之師，直與交戰，則是衛人爲志乎此戰，故以衛主之也。」愚謂胡氏所謂「以衛主之」，則泥矣。惟據本文，而義自見矣。

夏四月丁未，邾子瑣卒。

正傳曰：瑣，邾子名。書「邾子瑣卒」，紀小國之大故也。聖人存之，寓恤小之義耳。

秋，荆伐鄭。公會齊人、宋人救鄭。

正傳曰：荆，楚也。書「荆伐鄭。公會齊人、宋人救鄭」，著霸主攘夷尊華之功也。故穀梁曰：「善救鄭。」左氏曰：「子元以車六百乘伐鄭，入于桔柣之門。子元、鬬御彊、鬬梧、耿之不比爲旆，鬬班、王孫游、王孫喜殿。衆車入自純門，及逵市。縣門不發，楚言而出。子元曰：『鄭有人焉。』諸侯救鄭。楚師夜遁。鄭人將奔桐丘，諜告曰：『楚幕有烏。』乃止。」愚謂此實傳也。程子曰：「齊桓霸主，魯望國，宋王者之後，此救鄭，制楚之始，蓋天下大勢所在。」胡氏曰：「按左氏，楚令尹子元無故以車六百乘伐鄭，入自純門，是陵弱暴寡之師也。故以州舉，狄之也。鄭人將奔桐丘，諸侯救之，楚師夜遁，是得救急恤鄰之義也，故書『救鄭』，善之也。」又曰：「桓公主兵，攘夷狄、安中國之事見矣。」愚謂荆，楚之本號也，云以州舉狄之者，義例之鑿矣。

冬，築郿。

正傳曰：築者，築土爲城也。胡氏有「用功大曰城、小曰築」之義，非也。書「冬築郿」，著不急之務，凶歲之役，雖時亦非也。何謂時？冬，農隙之候，乃時也。何謂凶歲？觀下同時書「大無麥禾」可知也。胡氏亦曰：「其志不視歲之豐凶，而輕用民力於其所不必爲也，則非人君之心也。」

大無麥禾。

正傳曰：書「大無麥禾」，志災也。書於「冬，築郿」之後者，著莊公不顧歲凶而妄興作也。其書「大無麥禾」於冬者，周之冬乃夏之八、九、十月也。至收成之時而後知麥禾皆無，故曰「大無」也。此曰「麥禾」，而胡氏以爲「大無」者倉廩皆竭之詞，歸咎於莊公費用不充，則非經書「麥禾」之義矣。

臧孫辰告糴于齊。

正傳曰：臧孫辰，魯大夫。告糴者，請糴也。書「臧孫辰告糴于齊」，見魯國之無備也。此與「冬，築郿」「大無麥禾」同時而書，則當國之凶，凶而無備，無備而妄興作焉，則魯之爲魯可知矣。穀梁曰：「國無九年之畜，曰不足；無六年之畜，曰急；無三年之畜，曰國非其國也。諸侯無粟，諸侯相歸粟，正也。臧孫告糴于齊，告然後與之，言内之無外交也。古者税什一，豐年補敗，不外求而上下皆足也。雖累凶年，民弗病也。一年不艾而百姓饑，君子非之。」胡氏曰：「魯人悦其名，而以急病攘夷爲功；君子責其實，而以不能務農重穀、節用愛人爲罪。」

二十有九年齊桓二十一年、晉獻十二年、衛懿四年、蔡穆十年、鄭文八年、曹僖六年、陳宣二十八年、杞惠王十二年。

八年、宋桓十七年、秦宣十一年、楚成七年。

春，新延廄。

正傳曰：延廄者，法廄也，國馬之所也。凡馬日中而出，日中而入。新者，脩舊也。書「春，新延廄」，見小大之非時也。當春農作方興，一歲之所係，而舉工作焉，是之謂小不時。上年大無麥禾，而告糴于齊矣，正宜節縮以爲數年之圖，此又與築郿相繼而興焉，是之謂大不時。穀梁曰：「古之君人者，必時視民之所勤：民勤於力，則工築罕；民勤於財，則貢賦少；民勤於食，則百事廢矣。冬築郿，春新延廄，以其用民力爲己，悉矣。」是也。

夏，鄭人侵許。

正傳曰：書「鄭人侵許」，著陵暴之罪也。

秋，有蜚。

正傳曰：蜚，介蟲之孽。書「有蜚」，紀災異也。

冬十有二月，紀叔姬卒。

正傳曰：叔姬者，伯姬之娣，桓公之女，莊公之姑也，莊公所宜爲服大功者也。書「紀叔姬卒」，紀國姑之大故也。叔姬於紀亡，不歸宗國而歸于酅，爲紀守節執義，至此卒于酅也。然此乃史氏書之之詞耳，而聖人竊取之義存焉。若使聖人肯改書之，必曰卒于酅，義益明矣。

城諸及防。

正傳曰：諸、防，二邑名。書「城諸及防」，著興作之頻煩，雖時猶不利也。左氏曰：「書，時也。凡土功，龍見而畢務，戒事也；火見而致用，水昏正而栽，日至而畢。」愚謂左氏之言，道其常也，春新延廄，冬城二邑，且繼於凶年告糴之後，民食困矣，民力竭矣，而妄興作不已焉，故書之，聖人節用愛民之義可見矣。

三十年齊桓二十二年、晉獻十三年、衛懿五年、蔡穆十一年、鄭文九年、曹僖七年、陳宣二十九年、杞惠九年、宋桓十八年、秦宣十二年、楚成八年。惠王十三年。

春王正月。

正傳曰：無事亦書，義見于前。

夏，師次于成。

正傳曰：成，魯地。次者，止也。書「師次于成」，著妄動之兵也。夫兵出必有名，名則必行。令出矣，而次于成，非妄動而何？穀梁曰：「有畏也。欲救鄣而不能也。不言公，恥不能救鄣也。」愚謂不言公，公在其中矣，何足以諱恥耶？夫鄣，紀之遺邑也。公念伯姬之親、叔姬之賢，欲存之以爲紀後，則當請之於齊。不獲，則聲義、決戰以存之可也。欲救鄣而兵出，畏齊而不前，次于成焉，非妄動而何？

秋七月，齊人降鄣。

正傳曰：書「齊人降鄣」，著齊人擅取之罪，而齊桓於是乎不足爲霸矣。夫五霸，假之也，猶將假仁義而爲之，恤小尊王皆其事。今鄣無罪，以勢降取之，是强陵弱、衆暴寡，利人之有，下負恤小之義，上冒無王之罪，何仁義之假乎？胡氏曰：「降者，脅服之詞。前書『郱降于齊師』，意責魯也；此言『齊人降鄣』，專罪齊也。鄣者，紀之附庸，微乎微者也。齊人不道，肆其强力，脅使降附。不書『鄣降』，而曰『降鄣』者，以齊之强，故罪之深；以鄣之微，故責之薄。春秋之法，扶弱抑强，明道義也。霸者之政，以强陵弱，急事功也。故曰：五霸，三王之罪人，仲尼之徒無道桓、文之事者。」愚謂齊桓於是乎失霸而强矣。

八月癸亥，葬紀叔姬。

正傳曰：書「癸亥，葬紀叔姬」，志公葬國姑之禮也。公葬之，焉得而不書？況其賢乎！胡氏曰：「紀侯既卒，不歸宗國而歸于酅，所謂秉節守義，不以亡故而睽婦道者也，故繫之於紀而録其卒葬，先儒謂『賢而得書』是也。賢而得書，所以爲後世勸也。」愚謂不日卒而日葬，史有詳畧耳。穀梁以爲「閔紀之亡」，非也。

九月庚午朔，日有食之。鼓，用牲于社。

正傳曰：書「庚午朔，日有食之。鼓，用牲于社」，著非禮也。餘義見前。

冬，公及齊侯遇于魯濟。

正傳曰：魯濟，魯地。穀梁謂「遇者，志相得也」。書「公及齊侯遇于魯濟」，著其遇之非也。齊、魯之志相得，相得於謀山戎也。左氏曰：「冬遇于魯濟，謀山戎也。以其病燕故也。」然則豈非道義之遇乎？

齊人伐山戎。

正傳曰：山戎，杜氏以爲北狄。人者，衆稱之詞。齊人即齊侯也，觀上文可見。公羊、胡氏以爲貶、以爲譏，穀梁以爲愛齊侯、以爲善，皆非也。書「齊人伐山戎」，著攘夷安華之義也。燕者，周之分子也。山戎病燕久矣，桓公仗義伐戎以安燕，是霸者之事也。伐之者何？公羊曰：「桓公之與戎狄，驅之爾。」胡氏乃謂「桓不務德，勤兵遠伐」，過矣。

三十有一年齊桓二十三年、晋獻十四年、衛懿六年、蔡穆十二年、鄭文十年、曹僖八年、陳宣三十年、杞惠王十四年。十年、宋桓十九年、秦成公元年、楚成九年。

春，築臺于郎。

正傳曰：郎，魯邑。書「春，築臺于郎」，則妨時勞民之非見矣。於春爲妨時，於郎非所宜臺而臺爲勞民，二者皆非聖人節用愛人、使民以時之道矣。胡氏曰：「天子有靈臺以候天地，諸侯有時臺以候四時，去國築臺于遠而不緣占候，是爲游觀之所，厲民以自樂也。厲民自樂，而不與民同樂，則民欲與之偕亡，雖有臺，豈能獨樂乎？」

夏四月，薛伯卒。

正傳曰：書「薛伯卒」，紀小國之大故也。聖人存而不削，寓恤小之義耳。薛伯不名，史畧之也。

築臺于薛。

正傳曰：薛，杜氏以爲魯地，是也。書「築臺于薛」，義與築臺于郎同。春築于郎，夏築于薛，失時以妨農，煩役以害民，又益甚焉者也。公羊曰：「何以書？譏。何譏爾？遠也。」

六月，齊侯來獻戎捷。

正傳曰：捷者，穀梁以爲軍獲之名。書「齊侯來獻戎捷」，紀非禮也。於上爲慢，於下爲驕。左氏曰：「凡諸侯有四夷之功，則獻于王，王以警于夷。中國則否。」愚謂今戎捷不以獻于王，是之謂慢上。又曰：「諸侯不相遺俘。」公羊亦曰：「來獻戎捷，威我也。其威我奈何？旗獲而過我也。」愚謂是之謂驕下。胡氏曰：「獻者，下奉上之辭。齊伐山戎，以其所得躬來誇示。書『來獻』者，國史之詞，蓋抑之也。」

秋，築臺于秦。

正傳曰：秦，魯地。書「秋築臺于秦」，譏失時厲民之甚也。春築于郎，夏築于薛，秋築于秦，三時役民，民力竭矣，民時妨矣。魯莊之棄其民，至此極矣。其不亡者，幸耳！

冬，不雨。

正傳曰：書「冬不雨」，紀災也。程子曰：「一歲三築臺，明年春城小穀，故冬書不雨，閔之深也。」愚謂：書「冬無雨」于三時築臺之後、明春城小穀之前，春秋之意可見矣。

三十有二年齊桓二十四年、晉獻十五年、衛懿七年、蔡穆十三年、鄭文十一年、曹僖九年、陳宣三十一年、惠王十五年。杞惠十一年、宋桓二十年、秦成二年、楚成十年。

春，城小穀。

正傳曰：小穀，魯地。書「春，城小穀」，紀失時也。

夏，宋公、齊侯遇于梁丘。

正傳曰：志相得爲遇。梁丘者，穀梁以爲「在曹、邾之間，去齊八百里」。書「宋公、齊侯遇于梁丘」，譏私遇也。左氏曰：「齊侯爲楚伐鄭之故，請會于諸侯。宋公請先見于齊侯。

夏，遇于梁丘。」愚謂既非會同之正，而又請先見焉，非私乎？

秋七月癸巳，公子牙卒。

正傳曰：牙，即叔牙，僖叔也，是爲叔孫氏，慶父同母弟，季友母兄也。書公子牙卒，紀正義以存恩也。左氏：「莊公築臺，臨黨氏，見孟任，從之。生子般，爲太子。公疾，問後於叔牙。對曰：『慶父材。』問於季友。對曰：『臣以死奉般。』公曰：『鄉者牙曰慶父材。』成季使以君命命僖叔待于鍼巫氏，使鍼季酖之，曰：『飲此，則有後於魯國；不然，死且無後。』飲之，歸，及逵泉而卒。立叔孫氏。」公羊亦曰：「莊公病，將死，以病召季子。季子至而授之以國政，曰：『寡人即不起此病，吾將焉致乎魯國？』季子曰：『般也存，君何憂焉？』公曰：『庸得若是乎？牙謂我曰：「魯一生一及，君已知之矣。慶父也存。」』季子曰：『夫何敢？是將爲亂乎？夫何敢？』俄而牙弒械成，季子和藥而飲之，曰：『公子從吾言而飲此，則必可以無爲天下戮笑，必有後乎魯國。不從吾言而不飲此，則必爲天下戮笑，必無後乎魯國。』於是從其言而飲之。」又曰：「君親無將，將而誅焉。季子殺母兄，誅不得辟兄，君臣之義也。然則曷爲不直誅而酖之？行誅乎兄，隱而逃之，使托若以疾死然，親親之道也。」愚謂此皆實録也。然則季友殺之也，何以不言殺而言卒？季友誅牙以存世子，以安國家，與周公之誅管、蔡同。周公之誅也顯，季友之誅也隱。隱則國人不知，國史不知而卒之，權而得中，隱於無跡，尊尊親親之道盡矣。胡氏謂「陸淳曰：季子恩義俱立，變而得中」，是也。然又謂「夫子書其自卒，以示無譏」，則出於有意，非聖人之心矣。

八月癸亥，公薨于路寢。

正傳曰：路寢，正寢也。書「公薨于路寢」，紀國君之大故也，而正終之義見矣。穀梁曰：「寢疾居正寢，正也。男子不絕于婦人之手，以齊終也。」左氏曰：「子般即位，次于黨氏。」胡氏謂：「趙匡曰：『君終必於正寢，就公卿也。大位，姦之窺也。危病，邪之伺也。若蔽於隱，是女子小人得行其志矣。』然則莊公以世適承國，不爲不貴；周公之後，奄有龜蒙，不爲不强；即位三十有二年，不爲不久；薨于路寢，不爲不正。而嗣子受禍，幾至亡國，何也？大倫不明而宗嗣不定，兵柄不分而主威不立，得免其身，幸矣。」

冬十月己未，子般卒。

正傳曰：書「子般卒」，紀國之大變也。此慶父弑之也，而稱卒，不稱曰慶父弑者何？史不得其書也。不曰君而曰「子般」者何？未成君也。公羊曰：「君存稱世子，君薨稱子某，既葬稱子，踰年稱公。」胡氏曰：「初，公築臺臨黨氏，見孟任，生子般焉。般嘗鞭圉人犖。公薨，即位，次于黨氏。慶父使犖賊般，成季奔陳，立閔公。昔舜不告而娶，恐廢人之大倫以懟父母，君子以爲猶告也。莊公過時越禮，謬於易基乾、坤，詩始關雎，大舜不告而娶之義甚矣。而子般乃孟任之所出也，胡能有定乎？雖享國日久，獲終路寢，而嗣子見殺，幾至亡國，有國者可不以爲戒哉？」

公子慶父如齊。

正傳曰：如齊者，奔齊也。書「公子慶父如齊」，紀逆賊也。慶父，弑逆之賊也，而猶稱公子者，史之詞也，然而不必去公子而已見其惡矣。胡氏曰：「莊公幼年即位，專以兵權授之慶父，歲月既久，威行中外，其流至此，故於餘丘法不當書，而聖人特書『慶父帥師』，以志得兵之始。而卒書『公薨』、『子般卒』、『慶父如齊』，以見其出入自如，無敢討之者。」愚謂慶父弑逆大惡，史宜去其公子而不去，實奔齊也而曰如齊，亦以見慶父掌兵專而且久，積威行於中外，國人莫知其非，或敢怒而不敢言，是以史以此書之，聖人因存之而不改，以其惡之極不係於此而後見也。愚故曰史不得其書也。

校記：

〔一〕「制」，原作「致」，據嘉靖本改。

春秋正傳卷之十一

閔公

名啓方。史記：名開。年九歲即位，在位二年。

惠王十六年。元年齊桓二十五年、晉獻十六年、衛懿八年、蔡穆十四年、鄭文十二年、曹昭公班元年、陳宣三十二年、杞惠十二年、宋桓二十一年、秦成三年、楚成十一年。

春王正月。

正傳曰：無事亦書，義見于前。此宜書閔公即位而不書者，左氏曰「亂故也」，胡氏謂「不書即位，内無所承，上不請命」，信如此説，則亦不當即位也。不當即位，則亦不當有元年矣。元年者，即位之始年也，書元年而不書即位，或史以亂故而失之耳，未可知也。疑以傳疑，史之闕文，聖人之意也。

齊人救邢。

正傳曰：書「齊人救邢」，穀梁曰：「善救邢也。」左氏曰：「狄人伐邢，管敬仲言於齊侯曰：『戎狄豺狼，不可厭也。諸夏親暱，不可棄也。宴安酖毒，不可懷也。詩云：「豈不懷歸？畏此簡書。」簡書，同惡相恤之謂也。請救邢以從簡書。』齊人救邢。」此其實傳也。愚謂邢者，中國也。狄者，夷狄也。詩云：「戎狄是膺，荆舒是懲。」狄人伐邢，齊桓救之。攘夷狄以尊中國，桓之霸業於此乎見矣。此春秋所以書而善之。然則以稱人爲將卑師少之説，豈其然乎？

夏六月辛酉，葬我君莊公。

正傳曰：書「葬我君莊公」，紀國之大事也，而其葬之後時自可見矣。莊公之薨至是十一月矣，而始克葬。左氏曰：「夏六月，葬莊公。亂故，是以緩。」汪氏曰：「國亂子弑，嗣君幼弱，危不得葬。」是也。

秋八月，公及齊侯盟于落姑。

正傳曰：落姑，齊地。公往就齊地而盟也。書「公及齊侯盟于落姑」，紀會盟之善也。左氏曰：「請復季友也。齊人許之，使召諸陳，公次于郎以待之。」愚謂：季友，魯之忠臣，以子般見弑而奔于陳，魯人賢之，故與齊盟而復之。春秋書之，以與其善也。

季子來歸。

正傳曰：季子，即季友也。季子來歸，齊、魯賢而召之也。書「季子來歸」，左氏曰「嘉之也」。公羊曰：「其稱季子何？賢也。其言來歸何？喜之也。」程子曰：「書曰季子而不名，異其文以嘉之也。」胡氏曰：「自外至者爲歸，是嘗出奔矣。莊公薨，子般弑，慶父主兵，勢傾公室，季子力不能支，避難而出奔。魯國方危，内賊未討，國人思得季子以安社稷，而公爲落姑之盟以請於齊，則是賢也。」又曰：「其不稱公子，見季友自以賢德爲國人所與，不緣宗親之故也。」其季子不書奔者，或爲亂，或在黨氏逃難以圖全，史逸書之耳。以爲没其恥，以爲旌其賢者，皆非也。

冬，齊仲孫來。

正傳曰：齊仲孫，名湫，齊大夫也。公、穀皆以爲慶父者，非也。書「冬，齊仲孫來」者，紀齊侯省難之義也。左氏曰：「齊仲孫湫來省難。仲孫歸，曰：『不去慶父，魯難未已。』公曰：『若之何而去之？』對曰：『難不已，將自斃，君其待之。』公曰：『魯可取乎？』對曰：『不可。猶秉周禮。周禮，所以本也。臣聞之：國將亡，本必先顛，而後枝葉從之。魯不棄周禮，未可動也。君其務寧魯難而親之。親有禮，因重固，間攜貳，覆昏亂，霸王之器也。』」愚謂此實傳也。然而省難恤鄰之義，善矣。桓公因是乘魯難而有窺取之心，仲孫答問而有未可動之説，是猶欲紾兄之臂者，謂之姑徐徐云爾，烏得爲善？故曰：五霸假之也，仲尼之徒無道桓、文之事者。

惠王十七年。二年齊桓二十六年、晉獻十七年、衛懿九年、蔡穆十五年、鄭文十三年、曹昭二年、陳宣三十三年、杞惠十三年、宋桓二十二年、秦成四年、楚成十二年。

春王正月，齊人遷陽。

正傳曰：陽，國名。書「齊人遷陽」，著陵弱之罪也。啖氏曰：「移其國於中國而爲附庸，蓋桓公之强力施於可取者如此，非有興滅繼絶之心也。」

夏五月乙酉，吉禘于莊公。

正傳曰：書「夏五月乙酉，吉禘于莊公」，著祭禮之非也。胡氏謂：「程子曰：『天子曰禘，諸侯曰祫，其禮皆合祭也。禘者，禘其所自出之帝，爲東向之尊，其餘皆合食於前，此之謂禘。諸侯無所出之帝，則止於太祖之廟，合羣廟之主以食，此之謂祫。』天子禘，諸侯祫，大夫享，庶人薦，上下之殺也。魯諸侯爾，何以有禘？成王追念周公有大勳勞於天下，賜魯公以天子禮樂，使用諸太廟，以上祀周公，魯於是乎有禘祭，春秋之中所以言禘不言祫也。然則可乎？孔子曰：『魯之郊禘，非禮也，周公其衰矣。』禘曰吉者，喪未三年，行之太早也。于莊公者，方祀于寢，非宫廟也。一舉而三失禮焉，春秋之所謹也。四時之祭有禘之名，蓋禮文交錯之失。」

秋八月辛丑，公薨。

正傳曰：書「八月辛丑，公薨」，據傳而觀，則弑逆之罪自不可掩矣。不在乎地不地、言弑不言弑也。左氏曰：「初，公傅奪卜齮田，公不禁。秋八月辛丑，共仲使卜齮賊公于武闈。」愚謂據此則慶父弑君之罪不容誅矣。或以爲爲親者諱，故不言弑，非也。夫以弑君之賊，人人得而誅之。臣弑君，凡在官者，殺無赦。子弑父，凡在官者，殺無赦。君父之讎，不共戴天，豈復有爲諱之理乎？夫弑而言薨，則諸儒春秋書法之義例可據信乎？

九月，夫人姜氏孫于邾。

正傳曰：孫，猶避也。姜氏，哀姜，莊公之夫人，閔公之嫡母也。書「九月，夫人孫于邾」，紀人倫之大變也。哀姜以母而與聞乎弑，天理人心之所不容，遂不自安，孫于邾，可謂人倫之大變矣。胡氏曰：「莊公忘親釋怨，無志於復讎，春秋深加貶絶，一書再書又再書，屢書而不諱者，以謂三綱人道所由立也。忘父子之恩，絶君臣之義，國人習而不察，將以是爲常事，則亦不知有君之尊、有父之親矣。莊公行之而不疑，大臣順之而不諫，百姓安之而無憤疾之心也，則人欲必肆，天理必滅。故叔牙之弑械成於前，慶父之無君動於後，圉人犖、卜齮之刃交發于黨氏、武闈之間，哀姜以國君母，與聞乎故而不忌也。當是時，魯君再弑，幾至亡國，其應不亦憯乎？春秋以復讎爲重，而書法如此，所謂治之於未亂，保之於未危，不可不察。」愚謂此言是也。其謂「夫人稱孫，與聞乎故，不去姓氏，降文姜也」，則皆泥於文義之病矣。

公子慶父出奔莒。

正傳曰：慶父即共仲。書「公子慶父出奔莒」，紀逸賊也。左氏曰：「成季以僖公適邾。共仲奔莒。乃入，立之。以賂求共仲于莒，莒人歸之。及密，使公子魚請。不許，哭而往。共仲曰：『奚斯之聲也。』乃縊。閔公，哀姜之娣叔姜之子也，故齊人立之。共仲通於哀姜，哀姜欲立之。閔公之死也，哀姜與知之，故孫于邾。齊人取而殺之于夷，以其尸歸，僖公請而葬之。」愚謂此實傳也。穀梁以出爲絶之者，非也。弑君之賊，又何足絶乎？

冬，齊高子來盟。

正傳曰：高子，齊大夫。盟者，穀梁曰：「盟立僖公也。」書「齊高子來盟」，善高子之恤鄰難也。程子曰：「高子來省難，然後盟。」穀梁曰：「其曰來，喜之也。」公羊曰：「何以不名？喜之也。何喜爾？正我也。其正我奈何？莊公死，子般弑，閔公弑，比三君死，曠年無君。設以齊取魯，曾不興師，徒以言而已矣。桓公使高子將南陽之甲，立僖公而城魯。或曰：自鹿門至于争門者是也，或曰自争門至于吏門者是也。魯人至今以爲美談，曰：猶望高子也。」愚謂此實傳也。故春秋書之，善高子之恤魯也。

十有二月，狄入衛。

正傳曰：書「狄入衛」，紀夷狄之犯中國也。左氏曰：「冬十二月，狄人伐衛。衛懿公好鶴，鶴有乘軒者。將戰，國人受甲者皆曰：『使鶴，鶴實有祿位，余焉能戰？』公與石祁子玦，與甯莊子矢，使守，曰：『以此贊國，擇利而爲之。』與夫人繡衣，曰：『聽於二子。』渠孔御戎，子伯爲右，黄夷前驅，孔嬰齊殿。戰于熒澤，衛師敗績，遂滅衛。衛侯不去其旗，是以甚敗。狄人囚史華龍滑與禮孔，以逐衛人。二人曰：『我，太史也，實掌其祭。不先，國不可得也。』乃先之。至，則告守曰：『不可待也。』夜與國人出。狄入衛，遂從之，又敗諸河。初，惠公之即位也少，齊人使昭伯烝於宣姜。不可，强之。生齊子、戴公、文公、宋桓夫人、許穆夫人。文公爲衛之多患也，先適齊。及敗，宋桓公逆諸河，宵濟。衛之遺民男女七百有三十人，益之以共、滕之民爲五千人，立戴公以廬于曹。許穆夫人賦載馳。齊侯使公子無虧帥車三百乘、甲士三千人以戍曹。歸公乘馬，祭服五稱，牛、羊、豕、雞、犬皆三百與門材。歸夫人魚軒，重錦三十兩。」愚謂此實傳也。

鄭棄其師。

正傳曰：書「鄭棄其師」，譏文公失馭衆之道也。文公惡高克，棄高克可也，而使之帥師，是棄高克所以棄其師也。左氏曰：「鄭人惡高克，使帥師次于河上，久而弗召，師潰而歸，高克奔陳。鄭人爲之賦清人。」公羊曰：「鄭伯惡高克，使之將，逐而不納，棄師之道也。」胡氏曰：「按鄭詩清人：『刺文公也。高克好利而不顧其君，文公惡之而不能遠，使克將兵，禦狄於境，陳其師旅，翱翔河上，久而不召，衆散而歸，高克奔陳。公子素惡高克進之不以禮，文公退之不以道，危國亡師之本，故作是詩。』觀此則鄭棄其師可知矣。或曰：高克進不以禮，曷不書其出奔以貶克爲人臣之戒？而獨咎鄭伯，何也？曰：人君擅一國之名寵，殺生予奪，惟我所制爾。使克不臣之罪已著，按而誅之可也。情狀未明，黜而遠之可也。愛惜其才，以禮馭之可也。烏有假以兵權，委諸境上，坐視其失伍離散而莫之恤乎？」愚謂此論是矣，然又謂「棄師者鄭伯，乃以國稱」，以歸於「二三執政，不能進謀於君，黜逐小人，而國事至此」，則又泥於一字之文，而不知舉鄭者，魯史紀他國之詞耳，不在乎一字之義矣。

春秋正傳卷之十二

僖公

名申，莊公子，閔公兄，母成風，夫人聲姜，在位三十三年。

惠王十八年。元年齊桓二十七年、晉獻十八年、衛文公燬元年、蔡穆十六年、鄭文十四年、曹昭三年、陳宣三十四年、杞惠十四年、宋桓二十三年、秦穆公任好元年、楚成十三年。

春王正月。

正傳曰：書「元年」，書「春王正月」，而不書即位，義見前。左氏曰：「不稱即位，公出故也。公出復入，不書，諱之也。」理或然也。

齊師、宋師、曹師次于聶北，救邢。

正傳曰：聶北，邢地。次者，止也。書，乃止齊焉，頓兵整旅之意。書「齊師、宋師、曹師次于聶北，救邢」，著霸主攘夷崇華之義也。邢雖小，中國也。狄人滅之，是夷狄陵中國，冠屨之反易矣。桓公爲盟主，帥與國之師而往救之，緩而不及，邢人出奔，乃爲之城邢焉。然其始終仗義，亦可見矣。而以爲書次以譏之者，非也。

夏六月，邢遷于夷儀。

正傳曰：夷儀，杜氏以爲邢地。書「邢遷于夷儀」，紀避狄也。左氏曰：「諸侯救邢。邢人潰，出奔師。師遂逐狄人，具邢器用而遷之，師無私焉。夏，邢遷于夷儀。」愚謂此實傳也。穀梁曰：「遷者，猶得其國家以往者也。其地，邢復見也。」

齊師、宋師、曹師城邢。

正傳曰：城邢者，邢城爲狄所壞，故爲之脩而築之也。復書「齊師、宋師、曹師城邢」，著霸主恤小全華之義也。此猶是初次于聶北之師，會邢潰，遂爲之逐狄人。今又爲之城邢，故國也。左氏曰：「諸侯城之，救患也。凡侯伯，救患、分災、討罪，禮也。」公羊曰：「此一事也，不復言師則無以知其爲一事也。」穀梁曰：「美齊侯之功也。」胡氏曰：「再書齊師、宋師、曹師城邢者，美桓公志義，卒有救患之功也。不以王命興師，亦聖人之所與乎？中國衰微，夷狄猾夏，天子不能正，至於遷徙奔亡，諸侯有能救而存之，則救而存之可也。以王命興師者正，能救而與之者權。」

秋七月戊辰，夫人姜氏薨于夷，齊人以歸。

正傳曰：夷，齊地。姜氏，哀姜，齊女也。閔公，哀姜之娣所生。哀姜通于慶父，與聞弑閔公，奔於齊地以薨。或自死，或人死之，無所據，不敢質疑。公羊以爲桓公召而縊殺之者，無此理。穀梁、胡氏遂宗之，非也。夫桓公於哀姜爲親，獨無議親之義乎？縊殺之爲擅殺，獨不顧無王之義乎？何以爲霸主乎？既在齊地，齊侯宜嚴加兵衛以防守之，待其自盡，恩義之兩得也。以歸者，以喪歸于魯也。生既嫁魯，死當歸魯。哀姜雖與殺子之罪，子無出母之義，葬以小君之禮，夫誰曰不宜？觀不去其夫人可知矣。書「夫人姜氏薨于夷，齊人以歸」，紀國之大事也。其曰地不地，皆後儒臆説私例也。

楚人伐鄭。

正傳曰：書「楚人伐鄭」，紀夷狄之犯中國也。有報則史書之，聖人筆之而不削，以著其罪也。胡氏以此稱人爲楚浸强。夫中國之於楚，以夷狄視之，豈以其强弱而異其稱耶？其他稱人，又以爲貶、爲師少者何？其義例之不一矣。

八月，公會齊侯、宋公、鄭伯、曹伯、邾人于檉。

正傳曰：檉，杜氏以爲宋地。書「公會齊侯、宋公、鄭伯、曹伯、邾人于檉」，著善會也。何以爲會之善？善其同謀救鄭也。左氏曰「盟于犖，謀救鄭」，是也。犖即檉也。楚人伐鄭，桓公合諸侯而救之，崇中國攘夷狄，霸者之義也。

九月，公敗邾師于偃。

正傳曰：偃，邾地。敗者，勝之之詞也。書「公敗邾師于偃」，著非義也。左氏曰：「虚丘之戍將歸者也。」胡氏曰：「檉之會，謀救鄭，而公與邾人咸與焉，則是志同而謀協也。今既會邾人于檉，又敗邾師于偃，於此責公無攘夷狄、安中國之誠矣。凡此類，皆直書其事而義自見矣。」

冬十月壬午，公子友帥師敗莒師于酈，獲莒挐。

正傳曰：酈，杜氏以爲魯地。敗者，勝之之名。莒挐，莒大夫也。公子友，即季友也。書「公子友帥師敗莒師于酈，獲莒挐」，著公子應敵取勝之善也。春秋無義戰，莒師臨魯地而與之戰，戰而能勝，則善矣。公羊曰：「慶父弒閔公，走而之莒，莒人逐之。將由乎齊，齊人不納。卻反舍于汶水之上，使公子奚斯入請。季子曰：『公子不可以入。入則殺矣。』奚斯不忍反命于慶父，自南涘北面而哭。慶父聞之，曰：『嘻！此奚斯之聲也。』諾已。曰：『吾不得入矣。』於是抗輈經而死。莒人聞之，曰：『吾已得子之賊矣。』以求賂乎魯，魯人不與，爲是興師而伐魯。」左氏曰：「冬，莒人來求賂，公子友敗諸酈，獲莒子之弟挐。非卿也，嘉獲之也。公賜季友汶陽之田及費。」此實傳也。以爲責之者，非也。

十有二月丁巳，夫人氏之喪至自齊。

正傳曰：稱夫人、稱氏，不稱姜者，史闕文耳。公、穀、胡氏皆以爲貶者，非也。若以爲貶，何以又書氏字乎？夫人預殺二子，幾於亡國，其罪不待乎不姜而自見矣。書「夫人氏之喪至自齊」，則夫人不母之罪、子無絶母之義並見矣。其至自齊，左氏曰「女子，從人者也」，故義不得不歸。夫人預殺二子而竄死于外，可謂不母矣。胡氏以爲：「大義已絶，不可復入宗廟矣。書『孫于邾』、『薨于夷』者，絶哀姜也。」而云子無絶母之義者何？禮曰：「爲伋也妻，則爲白也母。」「不爲伋也妻，則不爲白也母。」今哀姜雖身犯大惡，而莊公生時未出之也，是猶爲魯君母也，義當從人，則齊人當歸之，魯侯當受之，葬以小君之禮也。蓋名分未絶，則義亦未絶也。

惠王十九年。二年齊桓二十八年、晋獻十九年、衛文二年、蔡穆十七年、鄭文十五年、曹昭四年、陳宣三十五年、杞惠十五年、宋桓二十四年、秦穆二年、楚成十四年。

春王正月，城楚丘。

正傳曰：楚丘，衛邑也。城者，築城也。書「城楚丘」，著霸主興滅之義也。衛爲狄所滅，桓公合諸侯與之城楚丘，以避狄而存衛也。左氏、公、穀皆以爲封衛，而責其專封之非，胡氏從之，皆非也。衛之服命名爵如故也，特徙城于楚丘耳。地不同而爵同，何事於封乎？然則邢遷于夷儀，亦可謂之自封乎？胡氏曰：「衛人渡河，野處曹邑，許穆夫人閔其亡而載馳賦，文公徙居楚丘而後百姓說。」夫如是，則徙居楚丘耳，焉得謂之封？此與古公亶父避狄遷于岐山之下正同，未聞謂周亡於狄而再自封也。

夏五月辛巳，葬我小君哀姜。

正傳曰：邦君之妻稱諸異邦曰寡小君。哀姜者，莊公之夫人也，有小君之道焉。書「辛巳葬我小君哀姜」，紀國母喪葬之大事也。哀姜雖徙死于夷，然而未有君父與夫出之者，則小君之名猶在，葬當以小君之禮也。此猶稱小君，猶書哀姜，則上「夫人氏之喪歸自齊」，諸儒以爲去其姜姓而絕之者，妄矣。凡觀春秋者，當以此知義例之非。

虞師、晉師滅下陽。

正傳曰：下陽，虢之邑也。書「虞師、晉師滅下陽」，著陵暴之罪也。左氏曰：「晉荀息請以屈産之乘與垂棘之璧假道於虞以伐虢。公曰：『是吾寶也。』對曰：『若得道於虞，猶外府也。』公曰：『宫之奇存焉。』對曰：『宫之奇之爲人也，懦而不能强諫。且少長於君，君暱之，雖諫，將不聽。』乃使荀息假道於虞，曰：『冀爲不道，入自顛軨，伐鄍三門。冀之既病，則亦唯君故。今虢爲不道，保於逆旅，以侵敝邑之南鄙。敢請假道以請罪于虢。』虞公許之，且請先伐虢。宫之奇諫，不聽，遂起師。夏，晉里克、荀息帥師會虞師，伐虢，滅下陽。先書虞，賄故也。」愚謂此實傳也。程子曰：「虞假道而助晉伐虢，虢之亡，虞實致之，故以虞爲主。下陽，邑也，虢之亡由此，故即書滅。」胡氏曰：「孟子：『晋人以垂棘之璧與屈産之乘，假道於虞以伐虢，宫之奇諫，百里奚不諫。』然則晋人造意，以虞首惡，何也？貪得重賂，遂其强暴，滅兄弟之國以及其身，而亡其社稷，所以爲首乎！」

秋九月，齊侯、宋公、江人、黄人盟于貫。

正傳曰：貫，宋地。書「齊侯、宋公、江人、黄人盟于貫」，著盟會之善也。春秋無善盟，何以善貫之盟？善其威夷以尊華也。穀梁曰：「貫之盟不期而至者，江人、黄人也。江人、黄人者，遠國之辭也。中國稱齊、宋，遠國稱江、黄，以爲諸侯皆來至也。」胡氏曰：「按左氏：『盟于貫，服江、黄也。』荆楚天下莫强焉，江、黄者，其東方之與國也。二國來定盟，則楚人失其右臂矣。樂毅破齊，先結韓、趙。孔明伐魏，申好江東。雖武王牧野之師，亦誓友邦，遠及庸、蜀、彭、濮八國之人，共爲犄角之勢也。桓公此盟，其服荆楚之慮周矣，其攘夷狄免民於左衽之義著矣。盟雖春秋所惡，然諸侯皆在，獨言遠國者，許是盟也。」

冬十月，不雨。

正傳曰：書「冬十月，不雨」，紀災異也。周冬十月，夏之八月，用雨之時也。冬不雨，則春無麥禾可知矣。無麥禾，則民饑可知矣。

楚人侵鄭。

正傳曰：書「楚人侵鄭」，著夷狄陵中國之患也。左氏曰：「楚人伐鄭，鬬章囚鄭聃伯。」

惠王二十年。三年齊桓二十九年、晉獻二十年、衛文三年、蔡穆十八年、鄭文十六年、曹昭五年、陳宣三十六年、杞惠十六年、宋桓二十五年、秦穆三年、楚成十五年。

春王正月，不雨。夏四月，不雨。

正傳曰：二年既書「冬十月，不雨」，今又書「春正月，不雨。夏四月，不雨」，連三時而不雨，紀大災也。聖人筆之，憂民之情見矣。胡氏因穀梁「一時言不雨者，閔雨，有志乎民」之説，而遂以爲：「冬不雨而書，春不雨而書，夏不雨而書，以著僖公之勤」，謬矣。夫史者，直書以示後世。雨暘不時，以爲咎徵之戒可也，豈可因其勤慢以爲書之疎數耶？愚故曰聖人憂民之情見矣。

徐人取舒。

正傳曰：書「徐人取舒」，著兼并之罪也。舒，附楚國。家氏曰「荆舒是懲」。舒與荆比而爲中國患，其來久矣。徐伐舒，爲中國撓楚也。春秋書此，蓋與其伐，而不與其取也。

六月，雨。

正傳曰：書「六月，雨」，誌喜也。上書三時不雨，誌憂也。五事脩則休徵應，五事不脩則咎徵應。聖人誌天時以爲人事之勸懲，其憂喜之情見矣。

秋，齊侯、宋公、江人、黄人會于陽穀。

正傳曰：陽穀，齊地。書「齊侯、宋公、江人、黄人會于陽穀」，著諸侯同會攘夷之善也。言齊、宋不言公者，舉齊、宋則公與諸侯皆在矣。言江、黄不言諸國者，舉江、黄則諸國皆在矣。左氏曰：「謀伐楚也。」胡氏曰：「次陘之師，諸侯皆在，江、黄獨不與焉，則安知其爲謀伐楚乎？曰：兵有聚而爲正，亦有分而爲奇。諸侯之師同次乎陘，所謂聚而爲正也。江人、黄人各守其地，所謂分而爲奇也。次陘，大衆厚集其陣，聲罪致討，以震中國之威。江人、黄人各守其境，按兵不動，以爲八國之援，此克敵制勝之謀也。退于召陵而盟禮定，循海以歸而濤塗執，然後及江人、黄人伐陳，則知侵蔡、次陘而二國不會，自爲犄角之勢明矣。此大會而末言者，善是謀也。」

冬，公子友如齊涖盟。

正傳曰：涖，猶臨也，就彼而盟之謂。書「公子友如齊涖盟」，著尋盟之非也。陽穀之會，不言盟。葵丘之會，載書而不歃血，不貴盟也。盟者，忠信之薄也。左氏曰：「齊侯爲陽穀之會來尋盟。冬，公子友如齊涖盟。」愚謂陽穀之會，天下諸侯大會也。大會者，大公也。天下諸侯大會，聲大公之道以伐楚，攘夷狄以尊中國，則善矣。不踰時，又如齊以尋盟，則私小之道也。夫盟可尋也，亦可寒也，非霸者之道矣，故春秋書而非之。

楚人伐鄭。

正傳曰：書「楚人伐鄭」，見夷狄屢犯中國也。左氏曰：「鄭伯欲成。孔叔不可，曰：『齊方勤我，棄德不祥。』」

惠王二十一年。四年齊桓三十年、晉獻二十一年、衛文四年、蔡穆十九年、鄭文十七年、曹昭六年、陳宣三十七年、杞惠十七年、宋桓二十六年、秦穆四年、楚成十六年。

春王正月，公會齊侯、宋公、陳侯、衛侯、鄭伯、許男、曹伯侵蔡。蔡潰，遂伐楚，次于陘。

正傳曰：陘，楚地。書「公會齊侯、宋公、陳侯、衛侯、鄭伯、許男、曹伯侵蔡，蔡潰。遂伐楚，次于陘」，著霸者仁義之師也。侵蔡伐楚，義也。蔡潰，不土其地，不分其民，於楚次陘以問罪，不肆强深入，皆仁也。何以侵蔡遂伐楚？張氏曰：「蔡自獻舞以來，屈服于楚。桓公欲討楚而加兵于附楚之蔡，先責其以文王之胄而甘心於僭竊之夷，所謂中國而夷狄，則夷狄之也。」左氏曰：「春，齊侯會諸侯之師侵蔡，蔡潰，遂伐楚。楚子使與師言曰：『君處北海，寡人處南海，唯是風馬牛不相及也，不虞君之涉吾地也，何故？』管仲對曰：『昔召康公命我先君太公曰：「五侯九伯，女實征之，以夾輔周室。」賜我先君履，東至于海，西至于河，南至于穆陵，北至于無棣。爾貢包茅不入，王祭不共，無以縮酒，寡人是徵。昭王南征而不復，寡人是問。』對曰：『貢之不入，寡君之罪也，敢不共給？昭王之不復，君其問諸水濱。』師進，次于陘。」愚謂此見仗義執言之事，乃實傳也。胡氏曰：「潛師掠境曰侵，侵蔡者，奇也；聲罪致討曰伐，伐楚者，正也。遂者，繼事之詞而有專意。次，止也。楚貢包茅不入，王祭不共，無以縮酒，桓公是徵，而楚人服罪，師則有名矣。孟子何以獨言春秋無義戰也？譬之殺人者，或曰：『人可殺歟？』曰：『可。』『孰可以殺之？』曰：『爲士師則可以殺之矣。』『國可伐歟？』曰：『可。』『孰可以伐之？』曰：『爲天吏則可以伐之矣。』楚雖暴横，憑陵上國，齊不請命，擅合諸侯，豈可謂爲天吏以伐之乎？」愚謂此又不可不知也。

夏，許男新臣卒。

正傳曰：新臣，許男名。書「許男新臣卒」，紀同盟之大故也，而其卒之非正，自見矣。夫既許諸侯以盟，則死生以之。在國則死于國，在師則死于師，正也。許男病則復歸于國而死，故春秋書以非之。胡氏曰：「劉敞曰：『諸侯卒于外者，在師則稱師，在會則稱會。今許男一無稱者，此去師與會而復歸其國之驗也。召陵，地在潁川，是以許男復焉。古者國君即位而爲椑，歲一漆之，出疆必載椑。卒于師曰師，卒于會曰會，正也。許男新臣卒，非正也，其爲人君不知命者也，不知命則必畏死，畏死則必貪生，貪生則必亂於禮矣。而後有容身苟免之恥，而後有淫祀非望之惑。』此說是也。夫知生死之說，通晝夜之道者，亦豈有以異於人哉？苟得正而斃焉，則無求矣。」

楚屈完來盟于師，盟于召陵。

正傳曰：屈完，楚大夫。召陵在潁川縣，楚地也。書「楚屈完來盟于師，盟于召陵」，則楚之服義、齊之仗義，而攘夷尊王之義並見矣。左氏曰：「夏，楚子使屈完如師。師退，次于召陵。齊侯陳諸侯之師，與屈完乘而觀之。齊侯曰：『豈不穀是爲？先君之好是繼，與不穀同好如何？』對曰：『君惠徼福於敝邑之社稷，辱收寡君，寡君之願也。』齊侯曰：『以此衆戰，誰能禦之？以此攻城，何城不克？』對曰：『君若以德綏諸侯，誰敢不服？君若以力，楚國方城以爲城，漢水以爲池，雖衆，無所用之。』屈完及諸侯盟。」公羊曰：「其言盟于師、盟于召陵何？師在召陵也。師在召陵，則曷爲再言盟？喜服楚也。楚，夷狄也，而亟病中國。南夷與北狄交，中國不絕若綫。桓公救中國而攘夷狄，卒怗荆，以此爲王者之事也。」胡氏亦曰：「來盟于師，嘉服義也。盟于召陵，序桓績也。桓公帥八國之師侵蔡而蔡潰，伐楚而楚人震恐，兵力强矣。責包茅之不貢則諾，問昭王之不復則辭，儌與同好則承以寡君之願，語其戰勝攻克則對以用力之難。然而桓公退師召陵以禮楚使，卒與之盟而不遂也。於此見齊師雖强，桓公能以律用之而不暴；楚人已服，桓公能以禮下之而不驕，庶幾乎王者之事矣。故春秋之盟，於斯爲盛，而楊子稱之曰：『齊桓之時緼，而春秋美召陵。』是也。」

齊人執陳轅濤塗。

正傳曰：轅濤塗，陳大夫。書「齊人執陳轅濤塗」，著其執之非正也。左氏曰：「陳轅濤塗謂鄭申侯曰：『師出於陳、鄭之間，國必甚病。若出於東方，觀兵於東夷，循海而歸，其可也。』申侯曰：『善。』濤塗以告齊侯，許之。申侯見曰：『師老矣。若出於東方而遇敵，懼不可用也。若出於陳、鄭之間，共其資糧、屝屨，其可也。』齊侯説，與之虎牢。執轅濤塗。」愚謂此實傳也。據左氏之説，乃因轅濤塗一言之誤，而遂以爲不忠而執之也。然陳與諸侯同盟以伐楚，楚服而歸，雖宥之可也。濤塗非有逆上之罪，而乃因小故，越國而執之，非霸討之正矣。故家氏以爲不與其執，是也。

秋，及江人、黄人伐陳。

正傳曰：及者，承上文，齊及之也。何以知爲非魯公及之？以下書「公至自伐楚」而知之也。夏執轅濤塗，秋即及江、黄以伐陳，若一事然也。左氏曰：「秋，伐陳，討不忠也。」愚謂所謂不忠者，未有所見，必因轅濤塗之誤師以爲不忠也。既執其大夫，又伐其國，豈奉詞討罪霸者之師乎？春秋書之，著其伐之非也。桓公於是乎霸業衰矣。

八月，公至自伐楚。

正傳曰：書「公至自伐楚」者，君舉必書也。況征戰大事，久勞于外乎？且歸必有反面、告至之禮焉。公羊曰：「楚已服矣，何以致伐？楚叛盟也。」愚謂楚非叛盟也，公始以伐楚行，安得不以伐楚至乎？

葬許穆公。

正傳曰：書「葬許穆公」，紀同盟之大事也。有來赴則史書之，聖人筆之，致同盟恤患之義耳。

冬十有二月，公孫茲帥師會齊人、宋人、衛人、鄭人、許人、曹人侵陳。

正傳曰：茲，叔牙子。書「公孫茲帥師會齊人、宋人、衛人、鄭人、許人、曹人侵陳」，著其侵之不正也。遷怒也，非王者大公至正、一怒而安天下之心也。左氏曰：「叔孫戴伯帥師會諸侯之師侵陳。陳成，歸轅濤塗。」胡氏曰：「揚子法言：『或問：爲政有幾？曰：思斁。昔在周公，征于東方，四國是王，其思矣夫。齊桓公欲徑陳，陳不果納，執轅濤塗，其斁矣夫。』桓公識明而量淺，管仲器不足而才有餘，方楚人未帖，而齊以爲憂也。致勤於鄭，振中夏之威。會于陽穀，惇遠國之信。按兵于陘，脩文告之辭。退舍召陵，結會盟之禮，何其念之深，禮之謹也！存此心以進善，則桓有王德而管氏爲王佐矣。堯、舜性之也，湯、武身之也，五霸假之也。久假而不歸，惡知其非有惜乎！桓公假之不久而遽歸也。楚方受盟，志已驕溢，陳大夫一謀不協，其身見執，其國見伐見侵，而怒猶未怠也，桓德於是乎衰矣。愛人不親反其仁，治人不治反其智，禮人不答反其敬。行有不得者，皆反求諸己，其身正而天下歸之，曾可厚以責人不自反乎？原其失在於量淺而器不宏也。魏武纔得荆州，而張松見忽；唐莊宗自矜取汴，而高氏不朝；成湯勝夏，撫有萬方，乃曰：『兹朕未知獲戾于上下，慄慄危懼，若將隕于深淵。其爾萬方有罪，在予一人。予一人有罪，無以爾萬方。』人之度量相越，豈不遠哉？」愚謂胡氏此論是矣。又謂：「春秋稱人以執，罪齊侯」，則鑿矣。

惠王二十二年。五年齊桓三十一年、晋獻二十二年、衛文五年、蔡穆二十年、鄭文十八年、曹昭七年、陳宣三十八年、杞惠十八年、宋桓二十七年、秦穆五年、楚成十七年。

春，

正傳曰：五年春不書「王正月」者，史逸之耳，可見春秋不可以一字起義矣。按正月，左氏曰：「正月辛亥朔，日南至。公既視朔，遂登觀臺以望，而書，禮也。凡分、至、啓、閉，必書雲物，爲備故也。」愚謂左氏志正月於春之下，志辛亥日南至於正月之下，蓋至日在子月，由是觀之，則知子月爲至日，爲周之春，爲周之正月無疑矣。

晉侯殺其世子申生。

正傳曰：書「晉侯殺其世子申生」，紀人倫之大變也。左氏曰：「晉侯使以殺太子申生之故來告。」愚謂：來告，故史氏因其告而書之，聖人筆之而爲天下後世戒也。穀梁曰：「目晉侯，斥殺，惡晉侯也。」胡氏謂：「公羊子曰：『殺世子母弟，直稱君者，甚之也。』申生進不能自明，退不能違難，愛父以姑息而陷之不義，讒人得志，幾至亡國，先儒以爲大仁之賊也。而目晉侯斥殺，專罪獻公，何也？春秋，端本清源之書也。内寵並后，嬖子配適，亂之本也。驪姬寵，奚齊、卓子嬖，亂本成矣。尸此者其誰乎？是故目晉侯斥殺，專罪獻公，使後世有欲紊妃妾之名，亂適庶之位，縱人欲、滅天理以敗其家國者，知所戒焉。以此防民，猶有以『堯母』名門，使姦臣逆探其意，有危皇后太子之心，以成巫蠱之禍者。」

杞伯姬來朝其子。

正傳曰：云「來朝其子」者，以其子來朝也。書「杞伯姬來朝其子」，著三失禮也。婦人越國，一失禮也。杞伯從其母來朝，二失禮也。僖公受之，三失禮也。穀梁曰：「婦人既嫁不踰竟，踰竟非正也。諸侯相見曰朝，伯姬爲志乎朝其子也。伯姬爲志乎朝其子，則是杞伯失夫之道矣。諸侯相見曰朝，以待人父之道待人之子，非正也。故曰杞伯姬來朝其子，參譏也。」

夏，公孫茲如牟。

正傳曰：牟，小國。書「夏，公孫茲如牟」，著非禮也。左氏曰：「公孫茲如牟，娶焉。」愚謂大夫非君命公事不越境，公孫茲因娶而往牟焉，則是以私事越國，非禮也。或曰：茲如牟親迎，何以爲非禮？娶，私事也，如爲館于境内，行親迎焉，又何不可之有？

公及齊侯、宋公、陳侯、衛侯、鄭伯、許男、曹伯會王世子于首止。

正傳曰：首止，衛地。及，猶與也。書「公及齊侯、宋公、陳侯、衛侯、鄭伯、許男、曹伯會王世子于首止」，善其會也，善寧周尊王之義也。左氏曰：「會于首止，會王大子鄭，謀寧周也。」此其實傳也。程子曰：「世子，王之貳，不可與諸侯列。世子出，諸侯會之，故其辭異。」是也，而其義自明。胡氏又泥「特書『及』以『會』」之説，則鑿矣。

秋八月，諸侯盟于首止。

正傳曰：諸侯，即上列國也。書「秋八月，諸侯盟于首止」，著善盟也。春秋無善盟，此何以善盟？夏，諸侯會王世子于首止，而不敢與盟。秋，諸侯盟于首止，而世子不與，尊王世子也。尊王世子，所以尊王也，所以定王世子也。穀梁曰：「無中事而復舉諸侯何也？尊王世子而不敢與盟也。尊則其不敢與盟何也？盟者不相信也，故謹信也，不敢以所不信而加之尊者。」桓，諸侯也，不能朝天子，是不臣也。王世子，子也，塊然受諸侯之尊己而立乎其位，是不子也。桓不臣，王世子不子，則其所善焉何也？是則變之正也。天子微，諸侯不享覲。桓控大國，扶小國，統諸侯，不能以朝天子，亦不敢致天王。尊王世子于首戴，乃所以尊天王之命也。世子含王命會齊桓，亦所以尊天王之命也。世子受之可乎？是亦變之正也。天子微，諸侯不享覲，世子受諸侯之尊己，而天王尊矣，世子受之可也。」胡氏曰：「首止之盟，美之大者也。王將以愛易世子，桓公有憂之，控大國，扶小國，會于首止以定其位，太子踐阼，是爲襄王，一舉而父子君臣之道皆得焉。故夫子稱之曰：『管仲相桓公，一匡天下，民到于今受其賜。微管仲，吾其被髮左衽矣！』中國之爲中國，以有父子君臣之大倫也。一失則爲夷狄矣，故曰：首止之盟，美之大者也。」

鄭伯逃歸不盟。

正傳曰：書「鄭伯逃歸不盟」，罪鄭伯之無信也。諸侯會王世子于首止，左氏以爲「謀寧周也」。今以王非義之命，遂逃歸不盟，吾故曰：春秋書之以罪鄭之無信也。左氏曰：「王使周公召鄭伯曰：『吾撫女以從楚，輔之以晋，可以少安。』鄭伯喜於王命而懼其不朝于齊也，故逃歸不盟。孔叔止之，曰：『國君不可以輕，輕則失親，失親，患必至。病而乞盟，所喪多矣。君必悔之。』弗聽，逃其師而歸。」胡氏曰：「事有惡者不與爲幸，其善者不與爲貶。平丘之盟，惡也。請魯無勤，是以爲幸，故直書曰『公不與盟』。首止之盟，善也。犯衆不盟，是以爲貶，故特書曰『鄭伯逃歸』。逃者，匹夫之事，以諸侯之尊，下行匹夫之事，雖悔於終，病而乞盟，如所喪何？其書『逃歸不盟』，深貶之也。或曰：首止之會，非王志也，王惡齊侯定世子，而使周公召鄭伯，曰：『吾撫汝以從楚，可以少安。』鄭伯喜于王命而畏齊，故逃歸不盟，然則何罪乎？曰：春秋道名分，尊天王，而以大義爲主。夫義者，權名分之中而當其可之謂也。諸侯會王世子，雖衰世之事，而春秋與之者，是變之中也。鄭伯雖承王命，而制命非義，春秋逃之者，亦變之中也。」

楚人滅弦，弦子奔黄。

正傳曰：弦，小國也。書「楚人滅弦，弦子奔黄」，著夷狄陵暴之罪也。左氏曰：「楚鬭穀於菟圍弦，弦子奔黄。於是江、黄、道、柏方睦〔一〕於齊，皆弦姻也。弦子恃之而不事楚，又不設備，故亡。」愚謂此實傳也。

九月戊申朔，日有食之。

正傳曰：書「日有食之」，紀天變也。聖人筆之，示人君脩省之義耳。

冬，晋人執虞公。

正傳曰：書「晋人執虞公」，交譏之也。晋陰謀假道滅人之國，而執其君；虞沈酣貨寶，自滅其國，而身被執戮，均之爲不義也，故交譏之。左氏曰：「晋侯復假道於虞以伐虢。宫之奇諫曰：『虢，虞之表也。虢亡，虞必從之。晉不可啓，寇不可翫。一之謂甚，其可再乎？諺所謂「輔車相依，脣亡齒寒」者，其虞、虢之謂也。』虞公不聽。冬十二月丙子，朔，晉滅虢。虢公醜奔京師。師還，館于虞，遂襲虞，滅之。執虞公及其大夫井伯，以媵秦穆姬，而脩虞祀，且歸其職貢於王。故書曰『晉人執虞公』，罪虞，且言易也。」胡氏曰：「書『滅夏陽』於始，而記『執虞公』於後，可以見棄義趨利、瀆貨無厭之能亡國敗家，審矣。」

校記：

〔一〕「睦」，原作「陆」，據嘉靖本改。

春秋正傳卷之十三

僖　公

惠王二十三年。六年齊桓三十二年、晉獻二十三年、衛文六年、蔡穆二十一年、鄭文十九年、曹昭八年、陳宣三十九年、杞成公元年、宋桓二十八年、秦穆六年、楚成十八年。

春王正月。

正傳曰：無事亦書，義見于前。

夏，公會齊侯、宋公、陳侯、衛侯、曹伯伐鄭，圍新城。

正傳曰：新城，鄭邑。書「公會齊侯、宋公、陳侯、衛侯、曹伯伐鄭，圍新城」，則鄭伯自致之禍、諸侯擅興之罪並見矣。左氏曰：「夏，諸侯伐鄭，以其逃首止之盟故也。圍新密，鄭所以不時城也。」齊桓倡攘夷尊華之義以寧周室，鄭乃背之，諸侯伐之，乃其自取耳。然齊桓摟諸侯以伐諸侯，不請命於天王，薄乎云耳，烏得無罪？

秋，楚人圍許，諸侯遂救許。

正傳曰：遂者，繼事之詞，承上伐鄭之師也。書「楚人圍許，諸侯遂救許」，著桓公攘夷安華之義也。穀梁曰：「善救許也。」左氏曰：「楚子圍許以救鄭，諸侯救許，乃還。冬，蔡穆侯將許僖公以見楚子于武城。許男面縛，銜璧，大夫衰絰，士輿櫬。楚子問諸逢伯。對曰：『昔武王克殷，微子啓如是。武王親釋其縛，受其璧而祓之，焚其櫬，禮而命之，使復其所。』楚子從之。」

冬，公至自伐鄭。

正傳曰：書「公至自伐鄭」，紀大事也。國之大事在戎，況大舉乎？君舉必書，況遠伐乎？故書「至」則有反面告廟之禮焉。胡氏謂以久而致，非也。穀梁曰：「其不以救許致何也？大伐鄭也。」胡氏曰：「齊自召陵之後，兵服四夷，威動諸夏。今合六國之師，圍新造之邑，宜若振槁，然圍而不舉，有遺力者矣。及楚之攻許，即解新城之圍，移師救許，是又得討罪分災救急之義也，故特書曰：『楚人圍許，諸侯遂救許。』凡書救者，未有不善之也。其曰『遂救許』，善之尤者也。」

七年齊桓三十三年、晉獻二十四年、衛文七年、蔡穆二十二年、鄭文二十年、曹昭九年卒、陳宣四十年、杞成惠王二十四年。

二年、宋桓二十九年、秦穆七年、楚成十九年。

春，齊人伐鄭。

正傳曰：再書「齊人伐鄭」，著已甚之兵也。夫齊桓初以諸侯之師，倡大公以伐逃盟之鄭，而圍新城不遂入，而遂救許，可謂仁義之兵矣。今諸侯之兵既散，乃又自伐鄭焉，其不公無王之心可見矣。左氏曰：「齊人伐鄭。孔叔言於鄭伯曰：『諺有之曰：心則不競，何憚於病？既不能强，又不能弱，所以斃也。國危矣，請下齊以救國。』公曰：『吾知其所由來矣，姑少待我。』對曰：『朝不及夕，何以待君？』」愚謂鄭伯背華即夷，與楚合而未離，又不知事大，鄭之自取，此實傳也。張氏曰：「鄭未服，故復伐。齊力足以制之，不煩諸侯也。」夫鄭既未服，初以諸侯伐之，今復以諸侯之兵次于其郊而問罪焉，可也。乃釋天下之大義，而恃一己之私憤，以自行伐焉，何以示大公之義於天下也？

夏，小邾子來朝。

正傳曰：小邾子者，杜氏云：「郳黎來始得王命而來朝。邾之別封，故曰小邾子。」來朝，志小邦之禮也。

鄭殺其大夫申侯。

正傳曰：申侯，鄭大夫。書「鄭殺其大夫申侯」，罪擅殺也。夫命德討罪，皆天子之事。諸侯之大夫，皆命於天子，有罪則請命以刑之可也。今乃不請而殺之，是無王非義之甚矣。鄭殺申侯，即左氏載鄭伯所謂「吾知所由來」者也。左氏曰：「夏，鄭殺申侯以説于齊，且用陳轅濤塗之譖也。初，申侯，申出也，有寵於楚文王。楚文王將死，與之璧，使行，曰：『唯我知女。女專利而不厭，予取予求，不女疵瑕也。後之人將求多於女，女必不免。我死，女必速行，無適小國，將不女容焉。』既葬，出奔鄭，又有寵于厲公。子文聞其死也，曰：『古人有言曰：知臣莫若君。弗可改也已。』」愚謂此實傳也。濤塗見執於齊，申侯之言爲之也。申侯以言賈禍，幾危國家，罪當殺也。鄭伯不請而專殺之，此春秋所以罪之耳。胡氏曰：「鄭伯不知自反，内忌聽讒，而擅殺其大夫，信失刑矣。如申侯者，其見殺何也？專利而不厭，則足以殺其身而已矣。」

秋七月，公會齊侯、宋公、陳世子款、鄭世子華，盟于甯母。

正傳曰：甯母，魯地。書「公會齊侯、宋公、陳世子款、鄭世子華，盟于甯母」，則霸者之情見矣。霸者，以力服人者也。會諸侯，將以服鄭也。此桓志，何以首言公？内史之詞也。左氏曰：「秋，盟于甯母，謀鄭故也。管仲言於齊侯曰：『臣聞之：「招攜以禮，懷遠以德。德、禮不易，無人不懷。」』齊人脩禮於諸侯，諸侯官受方物。鄭伯使大子華聽命於會，言於齊侯曰：『洩氏、孔氏、子人氏三族，實違君命。若君去之以爲成，我以鄭爲内臣，君亦無所不利焉。』齊侯將許之。管仲曰：『君以禮與信屬諸侯，而以姦終之，無乃不可乎？子父不姦之謂禮，守命共時之謂信，違此二者，姦莫大焉。』公曰：『諸侯有討於鄭，未捷。今苟有釁，從之，不亦可乎？』對曰：『君若綏之以德，加之以訓辭，而帥諸侯以討鄭。鄭將覆亡之不暇，豈敢不懼？若總其罪人以臨之，鄭有辭矣，何懼？且夫合諸侯以崇德也，會而列姦，何以示後嗣？夫諸侯之會，其德、刑、禮、義，無國不記。記姦之位，君盟替矣。作而不記，非盛德也。君其勿許！鄭必受盟。夫子華既爲太子而求介於大國以弱其國，亦必不免。鄭有叔詹、堵叔、師叔三良爲政，未可間也。』齊侯辭焉。子華由是得罪於鄭。冬，鄭伯請盟于齊。」愚謂此實傳也。於此見桓公之所以爲霸，管仲之所以爲霸佐。何謂霸佐？觀管仲之言，有意於服人也。

曹伯班卒。

正傳曰：班，曹伯名。書「曹伯班卒」，紀與國之大故也。諸侯有恤災之義，有赴則史書之。

公子友如齊。

正傳曰：書「公子友如齊」，紀聘禮之不時也。汪氏曰：「甫盟甯母，而又使季友脩聘，所以勤霸國之好也。」愚謂：書曰「禮煩則亂」，其是之謂乎！

冬，葬曹昭公。

正傳曰：書「冬，葬曹昭公」，紀與國之大事也。

惠王二十五年崩。八年齊桓三十四年、晋獻二十五年、衛文八年、蔡穆二十三年、鄭文二十一年、曹共公襄元年、陳宣四十一年、杞成三年、宋桓三十年、秦穆八年、楚成二十年。

春王正月，公會王人、齊侯、宋公、衛侯、許男、曹伯、陳世子款盟于洮。鄭伯乞盟。

正傳曰：洮，曹地。書「公會王人、齊侯、宋公、衛侯、許男、曹伯、陳世子款盟于洮」，見王人來而公與諸侯盟之也。書「鄭伯乞盟」者，著鄭伯之服罪也。首王人者，尊王命也。左氏曰：「春，盟于洮，謀王室也。鄭伯乞盟，請服也。襄王定位而後發喪。」愚謂觀王人之來，必爲王室也，此云謀王室，是有變乃謀也。又云「襄王定位而後發喪」，則惠王崩于去冬，亦畧可知矣。然而至冬，歷三時乃書崩者，豈以諸侯雖以盟定之，大叔帶之餘難未已，如周三監之延禍，然至冬乃底定而告喪，史但因其告時而書之耶？未可知也。始而逃歸，今則乞盟，於此見：舉動，人君之大節，不可不愼也。

夏，狄伐晋。

正傳曰：狄，北狄。書「狄伐晋」，紀夷狄之犯中國也。左氏曰：「晋里克帥師，梁由靡御，虢射爲右，以敗狄于采桑。梁由靡曰：『狄無恥，從之，必大克。』里克曰：『懼之而已，無速衆狄。』虢射曰：『期年狄必至，示之弱矣。』夏，狄伐晋，報采桑之役也。復期月。」愚謂此實傳也。然晋不與齊桓之盟以攘夷狄，故狄人侮之。吴氏曰：「齊桓嘗存邢而未能挫狄師，故狄無所忌而伐晋。春秋傷齊霸之不能攘夷狄也。」

秋七月，禘于太廟，用致夫人。

正傳曰：書「禘于太廟，用致夫人」，著失禮之中又失禮也。魯不宜禘，一失禮也。用致夫人，二失禮也。胡氏曰：「禘，用致夫人。禮，大禘，升歌清廟，下而管象，朱干玉戚以舞大武，八佾以舞大夏。此天子之禮樂也。踐其位，則行其禮，奏其樂，故雖禘太祖，周頌也，而其詩曰：『相維辟公，天子穆穆。』周公人臣，不踐其位，魯侯國而用天子之禮，亂名犯分，莫大乎是，故夫子志之曰：『郊社之禮，所以祀上帝也；宗廟之禮，所以祀乎其先也。』魯侯國而以王禮祀大廟，是誣僞不誠而非所以祀乎其先矣，故夫子傷之曰：『禘自既灌而往者，吾不欲觀之。』夫灌以降神，乃祭之始，而已不欲觀，是自始至終皆非禮矣。」愚謂此「用禘太廟」之非禮也。又曰：「夫人者，風氏也。初，成風聞季友之繇，遂事之而屬僖公焉，故季子立之，公賜季友汾陽之田及費，又生而命之氏，俾世其卿，而私門强矣。於成風，則舉大事於始祖之廟，立以爲夫人，而嫡妾亂矣。以私勞寵其臣而卑公室，以私恩崇其母而輕宗廟，皆越禮之罪。」愚謂此「用致夫人」之非禮也。

冬十有二月丁未，天王崩。

正傳曰：書「天王崩」，紀天下之大變也。天下宜三年如喪考妣，四海遏密八音，諸侯有奔赴之禮焉，是以書之。左氏曰：「冬，王人來告喪，難故也，是以緩。」又按七年冬，左氏曰：「七年閏月，惠王崩。襄王惡大叔之亂，懼不立，不發喪，而告難于齊。」然次年正月，齊與諸侯盟定之矣。越一年，至冬十二月乃告喪，何耶？疑以傳疑可也。

襄王元年。九年齊桓三十五年，晉獻二十六年卒，衛文九年，蔡穆二十四年，鄭文二十二年，曹共二年，陳宣四十二年，杞成四年，宋桓三十一年卒，秦穆九年，楚成二十一年。

春王正月丁丑，宋公御説卒。

正傳曰：御説，宋公名。書「宋公御説卒」，紀與國之大故也。諸侯有恤災之義，故有赴則書之。公羊謂「不書葬，爲襄公諱」，非也。啖氏以爲「魯不會耳」，是也。則凡書葬者，皆會也。

夏，公會宰周公、齊侯、宋子、衛侯、鄭伯、許男、曹伯于葵丘。

正傳曰：宰周公者，猶言宰周之公，以冢宰兼三公，天子之爲政者也，即左氏所謂宰孔也。

宋稱「子」，以在喪未葬也。左氏曰：「夏，會于葵丘，尋盟，且脩好，禮也。王使宰孔賜齊侯胙，曰：『天子有事于文、武，使孔賜伯舅胙。』齊侯將下拜。孔曰：『且有後命。天子使孔曰：以伯舅耋老，加勞，賜一級，無下拜！』對曰：『天威不違顔咫尺，小白余敢貪天子之命，無下拜？恐隕越于下，以遺天子羞。敢不下拜？』下，拜。登，受。」愚謂此實傳也，可以見齊桓尊周之義矣。書「公會宰周公、齊侯、宋子、衛侯、鄭伯、許男、曹伯于葵丘」，大尊周之義也。宰周公來而齊桓帥諸侯會之于葵丘也。

秋七月乙酉，伯姬卒。

正傳曰：伯姬，公女之未適人者。書「伯姬卒」，紀内之大事也。鄉鄰有喪，猶當匍匐吊之，舂不相，不巷歌，同居者猶生緦，況國君之女乎！啖氏曰：「内女爲夫人，書卒。許嫁爲夫人，亦然。禮：諸侯姑、姊妹、女子子嫁爲諸侯夫人，則服大功，是諸侯有大功服也。」汪氏謂：「大功以下則無服，諸侯絶期。」然所謂絶期者，絶傍期也。若夫子女之服父母，三年，父母服之期，乃報服也，正期也。若以爲絶期，則禮何以有服女嫁諸侯以大功之文？況女子出嫁者，宜降室女一等，則未適人又不止大功矣。公、穀曰：「婦人許嫁，字而笄之。死，則以成人之喪治之。」理或然也，惟其喪而服之，是以書之。

九月戊辰，諸侯盟于葵丘。

正傳曰：諸侯者，即上所叙之諸侯也。書「諸侯盟于葵丘」，著桓公之美惡也。何以爲惡？曰：不言宰者，宰不與也。左氏謂：「宰孔先歸，遇晉侯曰：『可無會也。齊侯不務德而勤遠畧，故北伐山戎，南伐楚，西爲此會也。東畧之不知，西則否矣。其在亂乎！君務靖亂，無勤於行。』晉侯乃還。」公羊又曰：「貫澤之會，桓公有憂中國之心，不召而至者，江人、黄人也。葵丘之會，桓公震而矜之，叛者九國。震之者何？猶曰振振然。矜之者何？猶曰莫若我也。」愚謂觀宰周公之不與，理則然也，是之謂惡。何以爲美？曰：穀梁曰：「葵丘之盟，陳牲而不殺，讀書加於牲上，壹明天子之禁。」初命曰：誅不孝，無易樹子，無以妾爲妻。再命曰：尊賢育材，以彰有德。三命曰：敬老慈幼，無忘賓旅。四命曰：士無世官，官事無攝，取士必得，無專殺大夫。五命曰：無曲防，無遏糴，無有封而不告。曰：凡我同盟之人，既盟之後，言歸于好。束牲載書，而不歃血也。尊天子之禁，不歃血以要神，是之謂美。然而徒尊天子之禁，而不能帥諸侯朝天子，以盡臣職，反假以服諸侯使宗己，而肆其專征伐之侈心。必合左氏、公羊之論，與穀梁、孟子之論，然後桓之美惡並見，而功罪兩著也。

甲子，晉侯詭諸卒。

正傳曰：詭諸，晉侯名。書「晉侯詭諸卒」，著恤鄰之義也。左氏曰：「九月，晉獻公卒。

里克、丕鄭欲納文公，故以三公子之徒作亂。初，獻公使荀息傅奚齊。公疾，召之，曰：『以是藐諸孤辱在大夫，其若之何？』稽首而對曰：『臣竭其股肱之力，加之以忠貞。其濟，君之靈也；不濟，則以死繼之。』公曰：『何謂忠貞？』對曰：『公家之利，知無不爲，忠也；送往事居，耦俱無猜，貞也。』及里克將殺奚齊，先告荀息曰：『三怨將作，秦、晉輔之，子將何如？』荀息曰：『將死之。』里克曰：『無益也。』荀息曰：『吾與先君言矣，不可以貳。能欲復言而愛身乎？雖無益也，將焉辟之？且人之欲善，誰不如我？我欲無貳，而能謂人已乎？』」愚謂此實傳也。

冬，晉里克殺其君之子奚齊。

正傳曰：里克，晉大夫。書「里克殺其君之子奚齊」，紀鄰國之大變也。稱君之子，穀梁以爲「國人不子」，非也。是猶朝覲訟獄謳歌，不之益而之啓，曰吾君之子云耳。夫君之子，即有君道焉。里克殺奚齊，以臣弑君，人倫之大變，故聖人因史之文，筆之以示戒。左氏曰：「冬十月，里克殺奚齊于次。書曰『殺其君之子』，未葬也。荀息將死之，人曰：『不如立卓子而輔之。』荀息立公子卓以葬。十一月，里克殺公子卓于朝，荀息死之。君子曰：詩所謂『白圭之玷，尚可磨也。斯言之玷，不可爲也』，荀息有焉。」

襄王二年。

十年

齊桓三十六年、晉惠公夷吾元年、衛文十年、蔡穆二十五年、鄭文二十三年、曹共三年、陳宣四十三年、杞成五年，宋襄公茲父元年，秦穆十年，楚成二十二年。

春王正月，公如齊。

正傳曰：書「公如齊」，譏始朝齊也。諸侯見天子曰朝，五年一朝。諸侯使大夫來相見曰聘。今魯僖忘讎畏勢，不朝天子而朝齊，故春秋書以譏之。

狄滅温，温子奔衛。

正傳曰：温即司寇蘇公之後，國于温，故謂之温。書「狄滅温，温子奔衛」，紀夷狄陵中國也。左氏曰：「春，狄滅温，蘇子無信也。蘇子叛王即狄，又不能於狄，狄人伐之，王不救，故滅。蘇子奔衛。」愚謂齊與諸侯不能攘夷尊華，此王道之所以衰，而霸圖之所以不競也。

晉里克弑其君卓，

正傳曰：卓稱君，荀息已立之也。觀左傳言里克殺之于朝可見。書「晉里克弑其君卓」，誅弑逆之賊也。克者，世子申生之傅也。奚齊、卓則克之讎也。其連弑二君，豈不曰復吾君之讎也？殊不知立之爲君則君矣，將欲復讎，乃弑君也。當驪姬將殺世子而難里克，使優施飲之酒，而以告其故，里克聽其謀，乃欲以中立自免，稱疾不朝。居三旬而難作，是謂持禄容身，速獻公殺適立庶之禍者，里克也。趙盾出不越境，入不討賊，春秋猶書「弑其君」，若里克者，實與知殺太子申生之謀，雖書曰「弑其太子申生」可也，而可以自免乎？其後乃又弑奚齊、卓子，是弑三君矣。胡氏曰：「使克明於大臣之義，據經廷諍以動其君，執節不貳，固太子以携其黨，多爲之故以變其志，其濟則國之福也，其不濟而死於其職，亦無歉矣。人臣所明者義，於功不貴幸而成。所立者節，於死不貴幸而免。克欲以中立祈免，自謂智矣，而終亦不能免。等死耳，不死於世子而死於弑君〔一〕，其亦不知命之蔽哉！語曰：『不知命，無以爲君子也。』爲人臣而不知春秋之義者，必陷於篡弑誅死之罪，克之謂也。」愚謂克連弑三君，天下之大惡而不以赦者，胡氏以此責之，豈其倫耶？

及其大夫荀息。

正傳曰：及者，猶并殺之也。書「及其大夫荀息」，著里克之逆暴、荀息之死忠也。公羊曰：「荀息可謂不食其言矣。其不食其言奈何？奚齊、卓子者，驪姬之子也，荀息傅焉。驪姬者，國色也，獻公愛之甚，欲立其子，於是殺世子申生。申生者，里克傅之。獻公病，將死，謂荀息曰：『士何如則可謂之信矣？』荀息對曰：『使死者反生，生者不愧乎其言，則可謂信矣。』獻公死，奚齊立。里克謂荀息曰：『君殺正而立不正，廢長而立幼，如之何？願與子慮之。』荀息曰：『君常訊臣矣，臣對曰：使死者反生，生者不愧乎其言，則可謂信矣。』里克知其不可與謀，退，弑奚齊。荀息立卓子，里克弑卓子，荀息死之。荀息可謂不食其言矣！」愚謂此實傳也。胡氏曰：「孰有可托六尺之孤，寄百里之命，臨死節不可奪如息者哉？自古皆有死，民無信不立，故聖人以信易食，而君子以信易生。息不食言，其可少乎？」愚謂如公羊、胡氏之言，荀息誠信矣，然而仁則吾不知也。以荀息之忠信以傅奚齊、卓子，當獻公之蠱惑，宜引之以當道而志於仁，使嫡庶之分明而上下之義定，獻公不陷於殺嫡立庶之惡，而後遂免奚齊、卓子見殺之慘，則君豈不爲仁君，臣豈不爲仁德之臣？保其三子，諭之德義，安其身以安社稷，萬世稱賢可也。不知出此，而從君於邪，乃以不食言爲信、爲忠，是匹夫匹婦之爲諒也。君子貞而不諒，天下大信其可得乎？里克雖陷於大逆，吾猶憫其志焉耳。

夏，齊侯、許男伐北戎。

正傳曰：書「齊侯、許男伐北戎〔二〕」，著窮兵黷武之罪也。聖人之治夷狄，以夷狄治之，來則驅之，去則不逐，是以謂攘夷狄。今許方患楚而毆之，遠伐北戎，勝之不足以爲武，一失利則反爲中華之恥。非以全取勝，攘夷尊華之畧也。宰孔謂其不務德而勤遠畧，不亦宜乎！

晉殺其大夫里克。

正傳曰：書「晉殺其大夫里克」，則討罪之義隱矣。何以隱？若里克者，志在重耳撥亂反正以報太子申生也。其大夫云者，重耳之大夫，忠於重耳太子者也。然而克實申生、奚齊、卓子之弑賊矣，是可殺也。何謂可以殺？里克聽驪姬之邪謀而中立，稱疾不朝，以成太子之禍，又不死難，遂弑二君，則可以殺矣。左氏曰：「夏四月，周公忌父、王子黨會齊隰朋立晉侯。晉侯殺里克以説。將殺里克，公使謂之曰：『微子，則不及此。雖然，子弑二君與一大夫，爲子君者，不亦難乎？』對曰：『不有廢也，君何以興？欲加之罪，其無辭乎？臣聞命矣。』伏劍而死。」愚謂里克連弑三君，宜尸諸市朝以正其罪，而乃止如此，故曰討罪之義隱矣。穀梁曰：「獻公伐虢，得驪姬，獻公私之。有二子，長曰奚齊，稚曰卓子。驪姬欲爲亂，故謂君曰：『吾夜者夢夫人趨而來，曰：「吾苦畏！」胡不使大夫將衛士而衛冢乎？』公曰：『孰可使？』曰：『臣莫尊於世子，則世子可。』故君謂世子曰：『驪姬夢夫人趨而來，曰：「吾苦畏！」女其將衛士而往衛冢乎！』世子曰：『敬諾。』築宮，宮成。驪姬又曰：『吾夜者夢夫人趨而來，曰：「吾苦饑！」世子之宮已成，則何爲不使祠也？』故獻公謂世子曰：『其祠！』世子祠。已祠，致福於君。君田而不在。驪姬以酖爲酒，藥脯以毒。獻公田來，驪姬曰：『世子已祠，故致福於君。』君將食，驪姬跪曰：『食自外來者，不可不試也。』覆酒於地而地賁。以脯與犬，犬死。驪姬下堂而啼呼，曰：『天乎天乎！國，子之國也，子何遲於爲君？』君喟然嘆曰：『吾與女未有過切，是何與我之深也！』使人謂世子曰：『爾其圖之！』世子之傅里克謂世子曰：『入自明，則可以生。』世子曰：『吾君已老矣，已昏矣。〔吾〕〔三〕若此而入自明，則驪姬必死。驪姬死，則吾君不安。所以使吾君不安者，吾不若自死。吾寧自殺以安吾君，以重耳爲寄矣。』刎脰而死。故里克所爲弒者，爲重耳也。夷吾曰：『是又將殺我』也。」胡氏曰：「若惠公既立，而謂克曰：『先君命大夫爲世子傅，世子死非其罪，而大夫不之恤。若奚齊者，既有先君之命矣，而大夫又殺之，以及卓，大夫雖殺之，獨不念先君之命乎？』則克必再拜而死，不復有言矣。」

秋七月。

正傳曰：無事亦書，義見于前。

冬，大雨雪。

正傳曰：雨者，從天而下，如雨然也。書「冬，大雨雪」者，公羊以爲「記異也」。何以爲異也？周之冬酉、戌、亥月，即夏之八、九、十月也。是時陰結而未凝，故唐氏曰：「此以時書酉、戌、亥月，皆非大雨雪之時也。故此尤爲異。」愚謂於此亦見周時之不同矣。若夏之冬正雨雪之時，何以爲異？

襄王三年。十有一年齊桓三十七年、晉惠二年、衛文十一年、蔡穆二十六年、鄭文二十四年、曹共四年、陳宣四十四年、杞成六年、宋襄二年、秦穆十一年、楚成二十三年。

春，晋殺其大夫丕鄭父。

正傳曰：丕鄭父，晋大夫也。書「晋殺其大夫丕鄭父」，則討罪之義隱矣。曰「其大夫」云者，猶言重耳之大夫也。丕鄭者，重耳、申生之忠臣也。左氏曰：「春，晋侯使以丕鄭之亂來告。」故紀之。太子申生，賢子也，孝子也。獻公蠱惑於驪姬，用其譖而殺之，立其子奚齊。里克，太子申生之傅，而丕鄭，其大夫也。太子死，二人有撥亂反正之志，故克殺奚齊、卓子，丕鄭告秦，蓋欲爲重耳也。左氏曰：「丕鄭之如秦也，言於秦伯曰：『吕甥、郤稱、冀芮實爲不從，若重問以召之，臣出晋君，君納重耳，蔑不濟矣。』」以此觀之，二人爲重耳也。爲重耳者，奚齊、卓子之賊臣，乃重耳之忠臣也，申生之忠臣也。二人欲立重耳，將撥亂反正以報太子申生，然而不知春秋之義，自陷弑逆之罪而不自知矣。

夏，公及夫人姜氏會齊侯于陽穀。

正傳曰：書「公及夫人姜氏會齊侯于陽穀」，著非禮也。諸侯相會好猶有禮節，況婦人乎！故陽穀之會有二失禮焉。婦人不出梱閾，父母在則歲歸寧，爲父母也。而與公及齊侯會于野，一失禮也。公與齊侯會之非時，而以婦人參焉。無内外、男女之别，則二失禮也。許氏曰：「以公、夫人陽穀之會觀之，齊桓霸業怠矣。」愚謂久假而不歸，齊桓末之有焉。

秋八月，大雩。

正傳曰：雩者，旱而禱雨之祀。大雩者，天子禱雨之名。書「秋八月，大雩」，著非禮也。臨川吴氏曰：「諸侯旱而雩，禮也。大雩，祀及上帝，非禮也。」愚謂天子祭天地，諸侯祭山川。魯以諸侯而雩于天，則僭矣。周之秋午、未、申月，即夏之五、六、七月，正憂旱之時，故穀梁以爲「雩，月，正也。」於此亦可以見周之改時矣。

冬，楚人伐黄。

正傳曰：黄，小國，近楚者。書「楚人伐黄」，著夷狄之犯中國也。左氏曰：「黄人不歸楚貢。冬，楚人伐黄。」胡氏曰：「按穀梁子曰：『貫之盟，管敬仲言於桓公：「江、黄遠齊而近楚，楚爲利之國也，若伐而不能救，則無以宗諸侯矣！」桓公不聽，遂與之盟。管仲死，楚伐江滅黄，桓公不能救，故君子閔之也。』遠國慕義，背夷即華，所謂『出自幽谷，遷于喬木』，春秋之所取也。被兵城守，更歷三時，告命已至，而援師不出，則失救患分災、攘夷狄、安與國之義矣。滅弦滅温皆不書『伐』，滅黄而書『伐』者，罪桓公既與會盟而又不能救也。」愚謂初江人、黄人與盟于貫，已爲楚人所疾矣。今被兵而齊不能救，桓公之霸業衰矣。

十有二年齊桓三十八年、晋惠三年、衛文十二年、蔡穆二十七年、鄭文二十五年、曹共五年、陳宣四十五年卒、襄王四年。

杞成七年、宋襄三年、秦穆十二年、楚成二十四年。

春王三月庚午，日有食之。

正傳曰：書「日有食之」，紀天變也。

夏，楚人滅黄。

正傳曰：書「楚人滅黄」，罪夷狄之暴横而霸主之不能救也。前十一年冬，楚人伐黄矣，歷三時，報久至而諸侯之救援不至，此黄之所以滅也。左氏曰：「黄人恃諸侯之睦于齊也，不共楚職，曰：『自郢及我九百里，焉能害我？』夏，楚滅黄。」穀梁曰：「貫之盟，管仲曰：『江、黄遠齊而近楚，楚爲利之國也。若伐而不能救，則無以宗諸侯矣。』桓公不聽，遂與之盟。管仲死，楚伐江滅黄，桓公不能救，故君子閔之也。」胡氏曰：「於禮爲合，於時爲不幸，若江、黄二國是也。其書滅者，見夷狄之强，罪諸夏之弱，責方伯連帥之不脩其職，使小國賢君困於强暴，不得其所。」是也。其又謂「公羊子所謂『亡國之善詞，上下之同力』者」，則泥矣。

秋七月。

正傳曰：無事亦書，義見于前。

冬十有二月丁丑，陳侯杵臼卒。

正傳曰：杵臼，陳侯名。書「陳侯杵臼卒」，紀與國之大故也，著恤災也。

十有三年齊桓三十九年、晉惠四年、衛文十三年、蔡穆二十八年、鄭文二十六年、曹共六年、陳穆公款元年、杞成八年、宋襄四年、秦穆十三年、楚成二十五年。襄王五年。

春，狄侵衛。

正傳曰：書「狄侵衛」，著華夏之見陵、霸圖之不競也。胡氏曰：「齊桓公爲陽穀之會，是肆于寵樂，其行荒矣。楚人伐黄而救兵不起，是怠于簡書，其業怠矣。然後狄人窺伺中國，今年侵衛，明年侵鄭，近在王都之側，淮夷亦來病杞而不忌也。伯益戒于舜曰：『無怠無荒，四夷來王。』此至誠無息，帝王之道，春秋之法也。齊桓、晉文若此類者，其事則直書于策，其義則游聖門者默識於言意之表矣。」愚謂此正吾今之説，而孔子所以謂其義則丘竊取之者也，何嘗顯然改其文耶？惜乎明于此而昧于其他。

夏四月，葬陳宣公。

正傳曰：書「夏四月，葬陳宣公」，紀恤鄰之大義也，而其葬之得禮見矣。宣公卒於十一年冬十二月，至是五月矣，諸侯五月而葬，禮也。葬則有赴有會，葬之禮焉，故書之。

公會齊侯、宋公、陳侯、衛侯、鄭伯、許男、曹伯于鹹。

正傳曰：書「會于鹹」，著勤王之義也。穀梁曰：「兵車之會也。」左氏曰：「夏，會于鹹，淮夷病杞故，且謀王室也。秋，爲戎難故，諸侯戍周。齊仲孫湫致之。」

秋九月，大雩。

正傳曰：周之季秋九月，即夏之孟秋七月，正農人憂旱之時。若以九月爲夏之九月，則五穀成熟，非用雨之時矣。書「秋九月，大雩」，著禮之非也。大雩者，祀上帝，天子行之，諸侯僭用，非禮也。

冬，公子友如齊。

正傳曰：書「公子友如齊」，紀大夫之出境也。禮：大夫非君命不出境。出境，史必書之，是疑於非禮矣。然繼是即有諸侯城緣陵之事，殆爲是乎？則又疑於得禮矣。諸儒謂春秋凡於書，必有一字褒貶善惡，若此一節，於經何所據以見善惡耶？

襄王六年。

十有四年

齊桓四十年、晉惠五年、衛文十四年、蔡穆二十九年卒、鄭文二十七年、曹共七年、陳穆二年、杞成九年、宋襄五年、秦穆十四年、楚成二十六年。

春，諸侯城緣陵。

正傳曰：書「諸侯城緣陵」，著霸者恤鄰之義也。左氏曰：「春，諸侯城緣陵而遷杞焉」，蓋淮夷病杞，諸侯會于鹹，城緣陵以遷杞避之也。以諸侯之力，非不能救，以杞不幸與淮夷爲鄰，所謂切近災者也。故合謀遷其城以避之，其恤小之義見矣。而公羊乃起「專封」之説，胡氏從之，誤矣。夫所謂封者，必分之茅而胙之土，命之誥而錫之車服焉也，此與太王避狄遷岐之事何以異？乃以爲專封之罪乎？然而不告于天子而擅與諸侯遷之，以此責之，必無詞矣。

夏六月，季姬及鄫子遇于防，使鄫子來朝。

正傳曰：季姬，僖公之季女，未適人。及，猶與也。防，魯地。書「季姬及鄫子遇于防，使鄫子來朝」，則三失禮可見矣。來朝者，公、穀皆以爲「來請己也」。胡氏又有「春秋内女適人」、「繫諸國」之説；其「未適人」、「書其字」之説；「季姬書字而未繫諸國，明其女而非婦」之説；「及者，内爲志」之説；「朝不言『使』，言『使』非正」之説；「季姬使之朝，病鄫」之説，則皆陷於義例之蔽，而非春秋直書見義之道矣。愚謂：斯舉也，於是乎見三綱之絶矣。夫父之於子，有君道焉，故曰家有嚴君父之謂也。僖公溺愛其季女，不能教以内外之别，使自擇配，又使之肆其欲，出遇諸侯于外，失君道、父道矣。鄫子以國君丈夫而爲婦人所使，朝魯以定昏，失夫道矣。愚故曰：於是乎見三綱之絶矣。

秋八月辛卯，沙鹿崩。

正傳曰：沙鹿，杜氏以爲山名，平陽元城縣有沙鹿土山，在晋地。書「沙鹿崩」，紀異也。公羊曰：「外異不書，此何以書？爲天下記異也。」左傳：「卜偃曰：期年將有大咎，幾亡國。」愚謂地道静也，載華嶽而不重，今沙鹿崩，是大異也。夫天地者，繫天下之事也。今地道虧，非小咎，故書。胡氏曰：「詩稱『百川沸騰，山冢崒崩』，言西周之將亡也。書『沙鹿崩』於前，書『獲晋侯』於後，雖不指其事應而事應具存，此春秋畏物之反常爲異，使人恐懼脩省之意也，其垂戒明矣。」

狄侵鄭。

正傳曰：書「狄侵鄭」，著夷狄犯中國而霸圖之衰也。張氏曰：「狄數犯畿内之諸侯，而齊桓不能治。自入衛伐邢滅温而至此，霸圖弱而王室卑，諸侯受禍者，桓公之怠也。」

冬，蔡侯肸卒。

正傳曰：書「蔡侯肸卒」，紀鄰國之大故，有赴則史書之，聖人筆之，著恤鄰之義耳。穀梁謂「諸侯時卒，惡之」，是義例之非也。

十有五年齊桓四十一年、晋惠六年、衛文十五年、蔡莊公甲午元年、鄭文二十八年、曹共八年、陳穆三年、杞成十年、宋襄六年、秦穆十五年、楚成二十七年。襄王七年。

春王正月，公如齊。

正傳曰：如齊者，朝齊也。周禮，諸侯世相朝也。諸侯於天子五年一朝，禮也。魯僖公十年朝齊，今十有五年又朝齊，是以朝天子之禮事齊，而非諸侯相朝之禮矣。故書「十有五年春王正月，公如齊」。譏失禮也。

楚人伐徐。

正傳曰：書「楚人伐徐」，紀夷狄犯中國也，而霸圖之衰亦可見矣。左氏曰：「徐即諸夏故也。」吴氏曰：「徐、楚僭王，同惡者也。因齊桓之合諸侯，匡天下，徐亦革面而即諸夏。以即諸夏，爲楚所伐。」愚謂徐背夷而向華，見伐於楚，而齊桓不能帥中國之諸侯以救之，故曰見霸圖之衰也。

三月，公會齊侯、宋公、陳侯、衛侯、鄭伯、許男、曹伯盟于牡丘，

正傳曰：書「公會齊侯、宋公、陳侯、衛侯、鄭伯、許男、曹伯盟于牡丘」，著會盟之非禮也。易曰：「初筮，告。再三，瀆。」瀆則不告，人神之理一也。左氏曰：「盟于牡丘，尋葵丘之盟，且救徐也。」夫葵丘之盟，所謂初筮也。又會牡丘以尋前盟，則可以見人心之離怠矣。尋而盟之，其可以復結乎？以是心而救徐，其可克乎？故誠者，感人心之本也。盟者，不誠之幾也。故曰：盟于牡丘，著會盟之非禮也。是以春秋無善盟。

遂次于匡。

正傳曰：書「遂次于匡」，著救徐之不力也。穀梁曰：「遂，繼事也。次，止也，有畏也。」愚謂以齊桓之强，帥列國之衆，何畏於楚？桓公之心既蠱，是先不誠矣，則列國之

人心感之，是以亦不誠焉，於是乎解體矣，是以有尋盟焉。惟尋盟而不信，是以有次焉，其勢使之然也。孟子曰：「壯者以暇日脩其孝弟忠信，入以事其父兄，出以事其長上，可使制梃以撻秦楚之堅甲利兵矣。」苟仗其忠信而往，雖匹夫可也，而況以齊之强、列國之衆乎？

公孫敖帥師及諸侯之大夫救徐。

正傳曰：敖，慶父之子，魯大夫也。書「公孫敖帥師及諸侯之大夫救徐」，善其救患而憾其不力也。夫救徐，善也。而使大夫行，其不力甚矣。左氏曰：「孟穆伯帥師及諸侯之師救徐，諸侯次于匡以待之。」愚謂桓公攘夷安夏之心怠而霸業衰矣。夫惟心之蠱，是以不誠。不誠則不信，不信則尋盟，尋盟則次于匡，次于匡而使大夫以往救，其勢使之然也。故胡氏曰：「楚都于郢，距徐亦遠，而舉兵伐徐，暴横憑陵之罪著矣。徐在山東，與齊密邇，以封境言之，不可以不速救；以形勢言之，非有餽糧越險之難也。今書『盟于牡丘』，見諸侯救患之不協矣。書『次于匡』，見霸主號令之不嚴矣。書大夫帥師而諸侯不行，見桓德益衰，而禦夷狄安中國之志怠矣。凡兵而書救，未有不善之也。救而書次，則尤罪其當速而故緩，失用師之義矣。中庸曰：『至誠無息，不息則久。』春秋謹始卒，欲有國者敦不息之誠也。始勤而終怠，則不能久，而無以固其國矣。」

夏五月，日有食之。

正傳曰：書「日有食之」，紀天變也。迅雷風烈必變，聖人之心也，所以致脩省之意，以爲後世人君警也。左氏曰：「不書朔與日，官失之也。」愚謂然則史氏亦有失之者多矣，諸儒以一字取義者，不亦侮聖經矣乎！

秋七月，齊師、曹師伐厲。

正傳曰：厲在徐、揚之間，義陽、隨縣北有厲鄉。書「齊師、曹師伐厲」，善之也，善救徐也。左氏曰：「秋，伐厲，以救徐也。」愚謂左氏必有所據。兵法曰：攻所必救。杜氏曰：「厲，楚之與國。伐厲者，致楚之必救，所以解徐也。故春秋善之。」

八月，螽。

正傳曰：螽，穀梁曰「蟲災也」，蟲之害禾者。周之八月即夏之六月，正苗長之時而有螽，則害苗也。書「八月，螽」，紀災異也，所以憂民食也。

九月，公至自會。

正傳曰：書「公至自會」，紀反面也。君舉必書，況兵車大事乎、危事乎？況出告則有反面之禮乎？

季姬歸于鄫。

正傳曰：婦人謂嫁爲歸。書「季姬歸于鄫」，終始乎昏禮之非也。夫昏禮有納采、問名、納幣、請期，所以遠嫌而致重也。季姬始遇鄫子于防，以自擇配，則所謂納采、問名諸禮皆廢，無乃苟合乎？此又書其歸，所以終其禮之非也。

己卯晦，震夷伯之廟。

正傳曰：己卯者，日也。晦者，日之晦冥也。夷伯者，魯大夫展氏之祖父，夷其謚，伯其字。書「己卯晦，震夷伯之廟」，紀異也，爲展氏紀也。左氏：「震夷伯之廟，罪之也，於是展氏有隱慝焉。」穀梁曰：「因此以見天子至于士皆有廟：天子七廟，諸侯五，大夫三，士二。故德厚者流光，德薄者流卑。是以貴始，德之本也。始封必爲祖。」胡氏謂曰：「震夷伯之廟者，天應之也，天人相感之際微矣。」愚謂君子之澤，五世而斬，故自天子至於士、庶人，五等之服同。記曰：祭，繼養也。五世而上，則親盡而服窮。五世而下，親未盡而服未窮，則繼養之恩未絶，故高、曾、祖、考四代有服，則亦四代有祭，蓋親親之義無貴賤一也。天子亦四親廟，與始祖之廟而五，有功德則不祧，故加二而七，書曰「七世之廟，可以觀德」是也。諸侯亦四親廟，與始封之廟而五。諸侯無功德之祖，故止於五。大夫士亦四親祭，與始分之祖而五，大夫富於士，故大夫三廟，士二廟，官師一廟，以其貧富爲差而制其廟之數，故禮有曰祖禰同廟。夫祖者，高、曾、祖也。禰者，考也。其實四代之供養皆同，若云一廟一代，則親未盡而可以不服乎？夫祭由服生者也。官師一，則知父而不知祖，爲禽道矣，豈理也哉？

冬，宋人伐曹。

正傳曰：書「宋人伐曹」，著霸圖之衰也。左氏曰：「討舊怨也。」夫宋與曹同盟而云：凡我同盟之人，既盟之後，言歸于好。今乃擅興以伐同盟之人，尚可謂之霸乎？

楚人敗徐于婁林。

正傳曰：婁林，徐地。書「楚人敗徐于婁林」，罪諸侯之不克救也。左氏曰：「楚敗徐于婁林，徐恃救也。」愚謂待救而救不至，春秋記之，以見上無王法，下無霸圖也。

十有一月壬戌，晋侯及秦伯戰于韓，獲晋侯。

正傳曰：韓，地名。書「晋侯及秦伯戰于韓，獲晋侯」，則秦君之仗義而晋君之背德，皆可見矣。左氏曰：「晋侯之入也，秦穆姬屬賈君焉，且曰：『盡納羣公子。』晋侯烝於賈君，又不納羣公子，是以穆姬怨之。晋侯許賂中大夫，既而皆背之。賂秦伯以河外列城五，東盡虢略，南及華山，内及解梁城，既而不與。晋饑，秦輸之粟。秦饑，晋閉之糴，故秦伯伐晋。三敗及韓。秦伯獲晋侯以歸。晋大夫反首拔舍從之。秦伯使辭焉，曰：『二三子何其慼也！寡人之從君而西也，亦晉之妖夢是踐，豈敢以至？』晉大夫三拜稽首曰：『君履后土而戴皇天，皇天后土實聞君之言，羣臣敢在下風。』穆姬聞晉侯將至，以太子罃、弘與女簡璧登臺而履薪焉。使以免服衰絰逆，且告曰：『上天降災，使我兩君匪以玉帛相見，而以興戎。若晉君朝以入，則婢子夕以死；夕以入，則朝以死。唯君裁之！』乃舍諸靈臺。大夫請以入。公曰：『獲晉侯，以厚歸也。既而喪歸，焉用之？大夫其何有焉？且晉人慼憂以重我，天地以要我。不圖晉憂，重其怒也。我食吾言，背天地也。重怒，難任；背天，不祥，必歸晉君。』十月，晉陰飴甥會秦伯，盟于王城。對秦伯曰：『小人曰：「我毒秦，秦豈歸君？」君子曰：「我知罪矣，秦必歸君。貳而執之，服而舍之，德莫厚焉，刑莫威焉。服者懷德，貳者畏刑，此一役也，秦可以霸。納而不定，廢而不立，以德爲怨，秦不其然。」』秦伯曰：『是吾心也。』改館晉侯，饋七牢焉。蛾析謂慶鄭曰：『盍行乎？』對曰：『陷君於敗，敗而不死，又使失刑，非人臣也。臣而不臣，行將焉入？』十一月，晉侯歸。丁丑，殺慶鄭而後入。是歲，晉又饑，秦伯又餼之粟，曰：『吾怨其君，而矜其民。且吾聞唐叔之封也，箕子曰：「其後必大。」』愚謂此其實傳也。於此可以見秦、晉之得失矣。按此傳，則晉侯忝於賈君，一不德也。負約而不納羣公子，許賂以地而不信，二不德也。忘秦輸粟恤災之義，而閉之糴，三不德也。秦伐之，仗此義矣。及秦獲晉侯以歸，改館饋牢以德，禮而還之。又從而饋其饑、恤其災而矜其民，不忘唐叔之舊焉。秦伯可謂善補過矣。

校記：

〔一〕「君」，原作「者」，據嘉靖本改。

〔二〕「戎」，原作「狄」，據經文改，下同。

〔三〕「吾」，據嘉靖本補。

春秋正傳卷之十四

僖公

襄王八年。十有六年齊桓四十二年、晉惠七年、衛文十六年、蔡莊二年、鄭文二十九年、曹共九年、陳穆四年、杞成十一年、宋襄七年、秦穆十六年、楚成二十八年。

春王正月戊申朔，隕石于宋五。

正傳曰：隕者，自上而下。五者，石之數。左氏曰：「隕星也。」穀梁曰：「隕而後石也。于宋四境之内曰宋。」書隕石于宋五，紀異也。在天爲星，在地爲石，事之大異者也。

是月，六鷁退飛，過宋都。

正傳曰：鷁，水鳥。民所聚曰都。書「六鷁退飛，過宋都」，紀異也。順飛者，其常。退飛者，其異也。物之反常而異則爲災，此過宋者，宋災也。何以魯史書之？有報則史書之，以紀天下之異也。其在天者，天下之異也。公羊以「爲王者之後記異」。非也。退飛，左氏以爲風，非也。程子曰：「倒逆飛，必有氣驅之也。」春秋所書災異，皆天人響應，有致之之道，故石隕于宋而言隕石，夷伯之廟震而言震夷伯之廟，此天應之也。人以淺狹之見，以爲無應，其實皆應之。然漢儒言災異，皆牽合不足信，儒者見此，因盡廢之。胡氏曰：「宋異書于魯史，亦見當時諸侯有非所當告而告者矣。何以不削乎〔一〕？聖人因災異以明天人感應之理，而著之於經，垂戒後世。如石隕于宋而書曰隕石，此天應之也。和氣致祥，乖氣致異，人事感于下，則天變應於上。苟知其故，恐懼脩省，變可消矣。宋襄公以亡國之餘，欲圖霸業。五石隕，六鷁退飛，不自省其德也。後五年有盂之執。又明年，有泓之敗。天之示人顯矣，聖人所書之義明矣，可不察哉！」

三月壬申，公子季友卒。

正傳曰：季者其字，友者其名，魯之賢大夫也。書「公子季友卒」，紀國大夫之大故也。公羊曰：「其稱季友何？賢也。」季子忠賢，在僖公有翼戴之勤。國君於大夫有臨吊之禮，有賵賻之禮。故史書之，聖人存之，以著腹心手足之義。

夏四月丙申，鄫季姬卒。

正傳曰：書「鄫季姬卒」，著親親之義也。禮，諸侯之女嫁爲諸侯夫人者，有大功之服焉，故赴其卒，則史書之，聖人存之，以致親親之義耳。其書葬不書葬，有謚無謚，史有詳畧耳，非以其賢否爲親疏也。何也？不以義掩恩也。

秋七月甲子，公孫兹卒。

正傳曰：兹，公孫名，乃叔牙之子，叔孫戴伯也。書「公孫兹卒」，紀國大夫之變也。

冬十有二月，公會齊侯、宋公、陳侯、衛侯、鄭伯、許男、邢侯、曹伯于淮。

正傳曰：書「會于淮」，紀恤小之義也。鄫爲淮夷所病，故會以謀之。左氏曰：「十二月會于淮，謀鄫，且東畧也。城鄫，役人病，有夜登丘而呼曰『齊有亂』，不果城而還。」

十有七年齊桓四十三年卒、晉惠八年、衛文十七年、蔡莊三年、鄭文三十年、曹共十年、陳穆五年、杞成十二年、宋襄八年、秦穆十七年、楚成二十九年。襄王九年。

春，齊人、徐人伐英氏。

正傳曰：英氏，小國，楚之與也。書「齊人、徐人伐英氏」，見桓公霸圖之不競也。左氏曰：「春，齊人爲徐伐英氏，以報婁林之役。」徐人舍楚歸華，爲楚所病。桓爲霸主，宜約與國告于天王，聲大義以討之，則攘夷尊華之義著矣。乃舍楚之大惡而伐區區之英氏，所謂不能三年之喪而緦小功之察，不足以語霸矣。

夏，滅項。

正傳曰：項，小國名。書「夏滅項」，則魯僖併呑之罪見矣。左氏曰：「師滅項。淮之會，公有諸侯之事，未歸，而取項。齊人以爲討，而止公。」愚謂存亡繼絶，大國所以字小也。魯僖存鄫之謀未遂，而先有滅項之惡，魯於是乎不競矣！

秋，夫人姜氏會齊侯于卞。

正傳曰：卞，魯邑。書「夫人姜氏會齊侯于卞」，譏失禮也。左氏曰：「聲姜以公故，會齊侯于卞。」齊桓因魯侯滅項，以爲討而止公。聲姜出會以解之，雖爲有故而出，然禮：婦人不外出，外出非正也；婦人無外事，外事非正也。魯之諸姜，聲姜爲賢，其失禮如此，況其他乎！

九月，公至自會。

正傳曰：書「公至自會」，紀反面之禮也。公猶有諸侯之事也，而專云自會者，始以會而出，故不得不以會而至也。

冬十有二月乙亥，齊侯小白卒。

正傳曰：小白，齊侯名。桓公霸主，名之，亦無他義可知。書「齊侯小白卒」，紀霸主之大故也。赴至則書之。左氏曰：「齊侯之夫人三，王姬、徐嬴、蔡姬，皆無子。齊侯好內，多內寵，內嬖如夫人者六人：長衛姬，生武孟；少衛姬，生惠公；鄭姬，生孝公；葛嬴，生昭公；密姬，生懿公；宋華子，生公子雍。公與管仲屬孝公於宋襄公，以爲太子。雍巫有寵於衛共姬，因寺人貂以薦羞於公，亦有寵。公許之立武孟。管仲卒，五公子皆求立。冬十月乙亥，齊桓公卒。易牙入，與寺人貂因内寵以殺羣吏，而立公子無虧。孝公奔宋。十二月乙亥，赴。辛巳，夜殯。」

襄王十年。十有八年宋襄九年、齊孝公昭元年、晉惠九年、衛文十八年、蔡莊四年、鄭文三十一年、曹共十一年、陳穆六年、杞成十三年、秦穆十八年、楚成三十年。

春王正月，宋公、曹伯、衛人、邾人伐齊。

正傳曰：書宋公、曹伯、衛人、邾人伐齊，穀梁以爲譏伐喪，是也。左氏曰：「宋襄公以諸侯伐齊。三月，齊人殺無虧。」愚謂無虧爲易牙、豎貂所爲，殺羣吏以立，立之不正，故羣國討之也。討之誠是也，伐喪何爲焉？齊之民何罪焉？

夏，師救齊。

正傳曰：書「師救齊」，紀救患之義也。故穀梁曰：「善救齊也。」杜氏曰：「傳言三月齊人殺無虧，則無虧已殺矣。今魯以師救之，誌緩也。」愚謂救定其亂，亦義也。

五月戊寅，宋師及齊師戰于甗，齊師敗績。

正傳曰：書「宋師及齊師戰于甗，齊師敗績」，紀定亂擅立之師也。左氏曰：「齊人將立孝公，不勝四公子之徒，遂與宋人戰。夏五月，宋敗齊師于甗，立孝公而還。」愚謂按左傳前後，則或無虧爲易牙、豎貂所立，國人不與無虧，乃將立孝公。四公子爭亂，殺無虧，故宋人伐之，討其亂而立孝公歟？公羊以爲與宋伐不葬，穀梁以爲惡宋，皆非也。然而伐之以定亂，是也；其立孝公，非也。程子曰：「曲在宋也。奉少以奪長，其罪大矣。」愚謂孝公雖桓公、管仲屬之於宋，爲有父命，然此乃管仲從君之欲亂命也。

狄救齊。

正傳曰：書「狄救齊」，何也？穀梁曰：「善救齊也。」愚謂夷狄而中國則中國之，聖人與人爲善之心也。胡氏曰：「伐齊之喪，奉少奪長，其罪大，故其責詳。書師救齊者，善魯也。救者善，則伐者惡矣。凡書救者，未有不善之也。書『狄救齊』者，許狄也。許夷狄則罪諸夏矣。許之曷爲不稱『人』？深著中國諸侯之罪也。或曰桓公、管仲嘗屬孝公於宋襄公，以爲世子矣，則何以不可立乎？曰：不能制命，雖天王欲撫鄭伯以從楚，春秋猶以大義裁之而不與也。桓公君臣乃欲以私愛亂長幼之節，其可哉？獨不見宣王與仲山甫爭魯侯戲、括之事，其後如之何也？春秋深罪宋公，大義明矣。」愚謂胡氏以此許狄也，而不稱人，則凡稱人者，未必爲貶矣。以此爲義例，豈爲能充其類也乎？

秋八月丁亥，葬齊桓公。

正傳曰：書「葬齊桓公」，則恤喪之爲義、後葬之非禮並見矣。夫諸侯五月而葬，禮也。桓公之卒，至此九月，以生時不勝其嬖愛之私，遺命不正，遂致五公子爭立而齊大亂，幾不能葬，僅乃葬之，其失禮甚矣。胡氏曰：「桓公九合諸侯，不以兵車，威令加乎四海，幾於改物，雖名方伯，實行天子之事。然而不能慎終如始，付托非人，柩方在殯，四鄰謀動其國家而莫之恤，至於九月而後葬，以此見功利之在人淺矣。春秋明道正義，不急近功，不規小利，於齊桓、晉文之事，有所貶而無過褒如此。」

冬，邢人、狄人伐衛。

正傳曰：書「邢人、狄人伐衛」，紀其伐之善也。夫衛人不念桓之舊德，嘗同宋、曹、邾人伐之矣。今邢、狄伐衛，所以救齊也，故春秋善之。左氏曰：「冬，邢人、狄人伐衛，圍菟圃。衛侯以國讓其父兄子弟，及朝衆曰：『苟能治之，燬請從焉。』衆不可，而後師于訾婁。狄師還。」穀梁曰：「稱人，善累而後進之。伐衛，所以救齊也，功近而德遠矣。」胡氏曰：「衛嘗亡滅，東徙渡河，無所控告，齊桓公攘夷狄而封之，使衛國忘亡，誰之賜也？桓公方没，不念舊德，欲厚報之，遽伐其喪，亦太甚矣。以直報怨，聖人之公也；以怨報怨，天下之私也；以德報怨，寬身之仁也；以怨報德，刑戮之民也，至是人理亡矣。桓公攘夷狄，安中國，免民於左衽，諸侯不念其賜，而於衛爲尤。先書『狄救齊』，以著中國諸侯之罪；再書

『狄人伐衛』，所以見救齊之善，功近而德遠矣。」愚謂穀梁稱人之説，義見前。

襄王十一年。十有九年宋襄十年、齊孝二年、晉惠十年、衛文十九年、蔡莊五年、鄭文三十二年、曹共十二年、陳穆七年、杞成十四年、秦穆十九年、楚成三十一年。

春王三月，宋人執滕子嬰齊。

正傳曰：嬰齊，滕子名。名之無他義，胡氏以爲名之有罪者，非也。他國之史之稱必書名，然後天下後世知其爲滕子某也。獨稱滕子，則孰知其爲誰乎？稱宋人者，亦他國之史之詞耳。書「宋人執滕子嬰齊」，罪宋之擅執也。諸侯有罪，則方伯連帥上告於天子，然後執之以歸京師，問其罪焉，義也。今宋人無故執之，是擅專也。擅專者無王，輕執者無義，二者皆非也。胡氏曰：「是亦有罪焉爾。夫以齊桓之盛，九合諸侯，不以兵車，雖江、黄遠國，猶相繼來盟。而滕介齊、宋之間，不與衣裳之會者三十有七年，及宋襄繼起，又不尊事大國，其見執則有由矣。」愚謂以此執之，亦不足以服之也。夫犯上殃民，罪之可也，猶當請命于天子，以示不專，況以私乎？今春秋之諸侯，上不朝王，下不保民，而專事糾黨，動兵戈以立威而陵下，皆犯上殃民之君也，則又何以獨責滕乎？孟子曰：「惟天吏則可以伐之。」「春秋無義戰。」

夏六月，宋公、曹人、邾人盟于曹南。鄫子會盟于邾。

正傳曰：曹南，曹之南鄙。書「宋公、曹人、邾人盟于曹南」，紀非盟也。書「鄫子會盟于邾」，非後盟也。春秋無善盟，盟者，忠信之薄也。然而盟必以結忠信之事，今觀曹南既盟之後，未見其有忠信之事，故曰非盟也。若夫鄫子之會盟，則又怠矣。公羊曰：「言會盟，後會也。」杜氏曰「不及曹南之盟。諸侯既罷，鄫子乃會之于邾」，是後時也，是以取罪焉。

己酉，邾人執鄫子，用之。

正傳曰：用之者，以之祭社。書「邾人執鄫子，用之」，見宋襄之暴盟也。夫要盟且不可，況暴盟乎！鄫子非不赴盟也，乃後時而至。宋襄怒，使邾子執而用之於社，其暴虐極矣，何以爲霸主乎？左氏曰：「宋公使邾文公用鄫子于次睢之社，欲以屬東夷。司馬子魚曰：『古者六畜不相爲用，小事不用大牲，而況敢用人乎？祭祀以爲人也。民，神之主也。用人，其誰饗之？齊桓公存三亡國以屬諸侯，義士猶曰薄德，今一會而虐二國之君，又用諸淫昏之鬼，將以求霸，不亦難乎？得死爲幸。』」穀梁曰：「微國之君，因邾以求與之盟。人因己以求與之盟，己迎而執之。惡之，故謹而日之也。『用之』者，叩其鼻以衈社也。」愚謂宋、邾之惡極矣，不待乎日之而後知惡之也，蓋史日之以別於會盟之日耳。

秋，宋人圍曹。

正傳曰：書「宋人圍曹」，譏妄動也。未有罪而伐之者，無名；於與盟而伐之者，無義。無義、無名，皆妄動也。左氏曰：「討不服也。子魚言於宋公曰：『文王聞崇德亂而伐之，軍三旬而不降，退脩教而復伐之，因壘而降。詩曰：「刑于寡妻，至于兄弟，以御于家邦。」今君德無乃猶有所闕，而以伐人，若之何？盍姑内省德乎！無闕而後動。』」愚謂曹屢與盟，則非不服矣。無義無名，是之謂有闕而妄動，何以服人？胡氏曰：「盟于曹南，口血未乾，今復圍曹，愛人不親反其仁，治人不治反其智。襄公不能内自省德，而急於合諸侯。執嬰齊非霸討，不足以示威；盟曹南非同志，不足以示信。卒於兵敗身傷，不知反求諸己，欲速、見小利之過也。欲速則不達，見小利則大事不成。經書襄公不越數端，而知其操心之若此者。仲尼筆削，推見至隱，如化工賦像，并其情不得遯焉，非特畫筆之肖其形耳。故春秋者，化工也，非畫筆也。」愚謂仲尼之作春秋，如化工之妙物，各付物而物之妍蚩自見，豈物物而雕刻之哉！今之治春秋者，皆物物而雕刻之之類也，何足以知天地造化之心哉！

衛人伐邢。

正傳曰：書「衛人伐邢」，著搆怨之罪也。夫智者爲能以小事大，仁者爲能以大字小，此侯度也，王法也。舍此不爲，互相搆怨，謀動干戈，擅興、無王之罪均矣。然伐人者爲曲，故春秋書之，罪衛也。左氏曰：「秋，衛人伐邢，以報菟圃之役。於是衛大旱，卜有事於山川，不吉。甯莊子曰：『昔周饑，克殷而年豐。今邢方無道，諸侯無伯，天其或者欲使衛討邢乎？』從之。師興而雨。」愚謂此甯莊子之妄陷其君於惡也，是又以見衛君之罪，其臣成之也。故曰：逢君之惡其罪大。

冬，會陳人、蔡人、楚人、鄭人盟于齊。

正傳曰：齊者，齊地也。地以齊，齊亦與會。公會不言公，義自見。胡氏謂「諱之」，非也。既言會，則公矣。書「會陳人、蔡人、楚人、鄭人盟于齊」，著脩好之盟也。左氏曰：「陳穆公請脩好於諸侯，以無忘齊桓之德。冬，盟于齊，脩桓公之好也。」愚謂此其實傳也，蓋與之也。胡氏又以爲「人諸侯與其大夫，諱是盟也。楚之得與中國會盟，自此始也。莊公十年，荆敗蔡師，其後入蔡伐鄭，皆以號舉，夷狄之也。僖公元年，改而稱楚，桓公世皆止稱人，而不得與中國盟會。桓公既没，中國無伯，鄭首朝于楚，遂爲此盟。故春秋没公，人陳、蔡諸侯，而以鄭列其下，蓋深罪之也。又二年，復盟于鹿上，至會于盂，遂執宋公以伐宋，而書爵矣。」愚謂中國之同盟，亦有口血未乾，伐之滅之如宋之於曹與鄫者矣，何獨以罪楚？聖人與人爲善，不念舊惡，不逆來善，即時即事，而是非皆其自取，聖人無與焉。此聖人之心也。故夷狄而中國，則中國之。前日敗蔡、入蔡、伐鄭，此一楚也。今日向義而與盟會，此一楚也。及會于盂，執宋公以伐宋，此又一楚也。聖人物各付物之心，過化存神之妙，豈保其往哉？豈與其退哉？至於鄭之朝楚，固爲中國而夷狄，不能無罪，然亦中國霸主不能以相安，故畏楚之强而朝之也。原情定罪，則亦有分之者矣，而可以全罪之乎？故春秋之於此會書之，見聖人大公與善之心，蓋與之也，彼善於此者也。春秋無善盟，彼善於此則有之矣。

梁亡。

正傳曰：書「梁亡」，交罪之也。是亦秦有罪焉。左氏曰：「初，梁伯好土功，亟城而弗處。民罷而弗堪，則曰：『某寇將至。』乃溝公宫，曰：『秦將襲我。』民懼而潰，秦遂取梁。」穀梁曰：「自亡也：湎於酒，淫於色，心昏耳目塞，上無正長之治，大臣背叛，民爲寇盗。梁亡，自亡也。如加力役焉，湎不足道也。梁亡，鄭棄其師，我無加損焉，正名而已矣。梁亡，出惡政也。鄭棄其師，惡其長也。」胡氏曰：「陸淳曰：『秦肆其暴，取人之國，没而不書，其義安在？曰：乘人之危，惡易見也；滅人之國，罪易知也。自取亡滅者，其事微矣。春秋之作，聖人所以明微也。』梁本侯國，魚爛而亡，何也？易曰：『天行健，君子以自强不息。』古者諸侯朝脩其業〔二〕令，晝考其國職，夕省其典刑，夜儆百工，無使慆淫，而後即安。故克勤于邦，荒度土功者，禹也；慄慄危懼，檢身若不及者，湯也；自朝至于日中昃，不遑暇食，用咸和萬民者，文王也。凡有國家者，土地雖廣，人民雖衆，兵甲雖多，城郭雖固，而不能自强於政治，則日危月削，如火消膏，以至〔三〕滅亡而莫覺也，而況好土功、輕民力、湎於酒、淫於色、心昏而出惡政者乎？其亡可立而待矣。」愚謂使秦於此無并吞〔四〕諸侯之心，有繼滅存亡之義，行以大事小之仁，則必濟弱而扶其傾，爲立明主，梁爲不亡矣。秦乃因其昏亂而取之，以滅其國，罪與梁均耳。春秋書「梁亡」，則自亡者與亡之者，交罪之矣。

襄王十二年。

二十年宋襄十一年、齊孝三年、晉惠十一年、衛文二十年、蔡莊六年、鄭文三十三年、曹共十三年、陳穆八年、杞成十五年、秦穆二十年、楚成三十二年。

春，新作南門。

正傳曰：書「春，新作南門」，著其作之非也。孔子曰：「節用而愛人，使民以時。」於春爲不時，於作爲不節，而其非自見矣。左氏曰：「書不時也。凡啓塞，從時。」公羊曰：「門有古常也。」則不時、不節之義可見矣。胡氏曰：「言新者，有故也。言作者，創始也。其曰南門者，南非一門也。庫門，天子皋門。雉門，天子應門。書『新作南門』，譏用民力於所不當爲也。魯人爲長府，閔子騫曰：『仍舊貫，如之何？何必改作？』孔子曰：『夫人不言，言必有中。』春秋凡用民力，得其時制者，猶書于策，以見勞民爲重事，而況輕用於所不當爲者乎？然僖公嘗脩泮宮，復閟宮矣，奚斯董其役，史克頌其事，而經不書者，宮廟以事其祖考，學校以教國之子弟，二者爲國之先務，雖用民力，不可廢也，其垂教之意深矣。」

夏，郜子來朝。

正傳曰：郜者，杜氏以爲姬姓國。書「郜子來朝」，著事大之義也。

五月乙巳，西宮災。

正傳曰：書「西宮災」，紀國之變異也。書之，以警人君失德之感應也。公羊曰：「西宮者何？小寢也。小寢則曷爲謂之西宮？有西宮則有東宮矣。魯子曰：『以有西宮，亦知諸侯之有三宮也。』西宮災何以書？紀災也。」

鄭人入滑。

正傳曰：入者，入其境也。鄭人入滑，著陵弱之罪也。左氏曰：「滑人叛鄭，而服於衛。夏，鄭公子士、洩堵寇帥師入滑。」愚謂春秋之時，王道不行，而德義泯滅，人欲横流，大國惟肆陵暴以爲强。滑，微小之國，介於衛、鄭之間。歸鄭則衛怒，歸衛則鄭怒。左右皆受兵也。爲小國者，何以自存耶？爲大國者，豈復有天理人心耶？

秋，齊人、狄人盟于邢。

正傳曰：邢者，邢地也。邢亦與盟。書「齊人、狄人盟于邢」，譏失盟也。夫狄，犬羊之性，喜怒向背無常，豈復可與講信脩好乎？故曰譏失盟也。左氏曰：「齊狄盟于邢，爲邢謀衛難也。於是衛方病邢。」愚謂以狄而謀邢，如以毒藥而攻病，病去而病益加矣。

冬，楚人伐隨。

正傳曰：隨，漢東諸國之大者，姬姓。書「楚人伐隨」，罪夷狄之憑陵，傷中國之不競也。左氏曰：「隨以漢東諸侯叛楚。冬，楚鬭穀於菟帥師伐隨，取成而還。君子曰：『隨之見伐，不量力也。量力而動，其過鮮矣。善敗由己，而由人乎哉？詩曰：豈不夙夜，謂行多露。』」愚按：桓公六年，楚武王侵隨。鬭伯比曰：「漢東之國，隨爲大。吾不得志於漢東也，我則使然。我張吾三軍，而被吾甲兵，以武臨之，彼則懼而協以謀我，故難間也。」由此觀之，則隨率漢陽諸姬以拒楚。今欲復漢東諸侯于中國，而力不足以勝之，故見伐也。

二十有一年宋襄十二年、齊孝四年、晋惠十二年、衛文二十一年、蔡莊七年、鄭文三十四年、曹共十四年、陳穆九年、杞成十六年、秦穆二十一年、楚成三十三年。襄王十三年。

春，狄侵衛。

正傳曰：書「狄侵衛」，著夷狄之陵中國也。桓公既没，中國無伯，而宋襄不義，故狄人窺間隙而肆其虐也。

宋人、齊人、楚人盟于鹿上。

正傳曰：書「盟于鹿上」，譏要盟也。盟者，聖人所不與也。同心而盟，猶恐寒之，況要盟乎？左氏曰：「宋人爲鹿上之盟，以求諸侯於楚，楚人許之。公子目夷曰：『小國争盟，禍也。宋其亡乎！幸而後敗。』」愚謂楚不自來而宋求于楚，是亦要盟矣，宜乎其見執也。宋襄欲合諸侯，臧文仲聞之曰：「以欲從人，則可；以人從欲，鮮濟。」可謂知言矣。

夏，大旱。

正傳曰：周之夏，即夏二、三、四月之間，正農務憂旱之時也。故穀梁曰：「旱，時，正也。」言大者，久且遠詞。書「夏，大旱」，紀災也。農務之時而大旱，則無年矣。無年則民人飢困，而盗賊將起，故聖人憂之。左氏曰：「公欲焚巫、尪。臧文仲曰：『非旱備也。脩城郭、貶食、省用、務穡、勸分，此其務也。巫、尪何爲？天欲殺之，則如勿生；若能爲旱，焚之滋甚。』公從之。是歲也，饑而不害。」

秋，宋公、楚子、陳侯、蔡侯、鄭伯、許男、曹伯會于盂。執宋公以伐宋。

正傳曰：書「會于盂，執宋公以伐宋」，交譏之也。夫宋公不知夷狄之楚不足以講信，而要之盟，爲不智。楚不念宋公之爲會主，而執之於會，爲不義。五國之君斂手傍觀，而不爲之謀，爲不勇。故曰交譏之也。左氏曰：「諸侯會宋公于盂。子魚曰：『禍其在此乎！君欲已甚，其何以堪之？』於是楚執宋公以伐宋。」程子曰：「宋率諸侯爲會，而蠻夷執會主，諸侯莫違，故以執書之。」胡氏曰：「夫以楚之强，莫能勝秦。五國之衆，何弱於趙？然澠池之會，藺相如一奮其氣，威信列國，秦雖虎狼，猶不敢動，況以五國之君而不能得志於荆楚乎？宋以乘車之會往，而楚伏兵車以執之，則宋直楚曲，其義已明。雖以匹夫自反而縮，猶不可恥，矧南面之君也哉！然春秋爲賢者諱，宋公見執，不少隱之，何也？夫盟主者，所以合天下之諸侯，攘戎狄、尊王室者也。宋公欲繼齊桓之烈，而與楚盟會，豈攘戎狄、尊王室之義乎？」

冬，公伐邾。

正傳曰：書「公伐邾」，譏不義也。春秋無義戰，況無名輕動乎？左氏曰：「任、宿、須句、顓臾，風姓也，實司太皞與有濟之祀，以服事諸夏。邾人滅須句。須句子來奔，因成風也。成風爲之言於公曰：『崇明祀，保小寡，周禮也；蠻夷猾夏，周禍也。若封須句，是崇皞、濟而脩祀、紓禍也。』」愚謂由是觀之，則爲成風報滅須句之私怨耳，烏得爲義？夫兵以奉詞伐罪爲義，敵加於己，不得已而應之爲義也。公之此舉，無名輕動矣。

楚人使宜申來獻捷。

正傳曰：軍獲曰捷。獻捷，獻宋捷也。書「楚人使宜申來獻捷」，著楚無道之甚也。公羊曰：「宋公與楚子期以乘車之會，公子目夷諫曰：『楚，夷國也，强而無義，請君以兵車之會往。』宋公曰：『不可！吾與之約以乘車之會，自我爲之，自我墮之不可。』終以乘車之會往。楚人果伏兵車，執宋公以伐宋。宋公謂公子目夷曰：『子歸守國矣。國，子之國也。吾不從子之言，以至乎此。』公子目夷復曰：『君雖不言國，國固臣之國也。』於是歸，設守械而守國。楚人謂宋人曰：『子不與我國，吾將殺子君矣！』宋人應之曰：『吾賴社稷之神靈，吾國已有君矣。』楚人知雖殺宋公，猶不得宋國，於是釋宋公。宋公釋乎執，走之衛。公子目夷復曰：『國爲君守之，君曷爲不入？』然後逆襄公歸。」胡氏曰：「諸侯從楚伐宋，而魯獨不與，故楚來獻捷以脅魯。爲魯計者，拒其使而不受可也，請於天王而討之可也。宋公先代之後，作賓王家，方脩盟會，而伏兵車執之於壇坫之上，又以軍獲遺獻諸侯，其横逆甚矣。拒其使而不受，聲其罪而致討，不患無詞。魯於是時，曾不能申大義以攘荆楚、尊中國，故不曰『宋捷』，特爲魯諱之也。」愚謂楚本夷也，穀梁前既以狄稱人，爲善累而後進之；今公羊又以稱人爲貶之，二子之言相矛盾矣，何取於義例乎？且楚之夷何待於稱人乎？言獻捷則宋捷也，不言宋捷，公羊以爲爲宋襄諱，胡氏以爲爲僖公諱，皆非也。

十有二月癸丑，公會諸侯盟于薄，釋宋公。

正傳曰：諸侯即上五國與楚也。書「公會諸侯盟于薄，釋宋公」，著魯僖非義之舉也。夫見大義者，不見小惠。方楚以宋捷來獻，是已無中國、無天王、無魯矣。爲魯僖者，當上告天王，下連諸侯，聲大義以王命討之，舍一宋以尊中國可也。而乃爲婦人之仁，會諸侯以求釋于楚，尚爲中國有人乎？左氏曰：「冬，會于薄以釋之。子魚曰：禍猶未也，未足以懲君。」胡氏曰：「盟不書所爲盟，于薄言『釋宋公』者，宋方主會，而蠻夷執而伐之，以其俘獲來遺，是夷狄反爲中國主，禽獸將逼人而食之矣，此正天下大變，春秋之所謹也。魯既不能申大義以抑其强暴，使宋公見釋出自天王與中國，而顧與歃血要言，求楚子以釋之，是操縱大權自蠻夷出，其事已傎甚矣，故書會、書盟、書釋，皆不言楚子，爲魯諱以深貶之也。」穀梁謂『不與楚專釋』是已。或以爲嘉我公之救患，誤矣。」愚謂此論是也。至謂不言楚子，爲魯諱，以深貶之，非也。楚不待貶，魯亦豈能諱聖人之心無意、必、固、我之私？

襄王十四年。

二十有二年

宋襄十三年、齊孝五年、晋惠十三年、衛文二十二年、蔡莊八年、鄭文三十五年、曹共十五年、陳穆十年、杞成十七年、秦穆二十二年、楚成三十四年。

春，公伐邾，取須句。

正傳曰：須句，見前。書「公伐邾，取須句」，則僖公之義與不義並見矣。曷爲義？曰伐邾以還須句，反其君，而奉太皞、有濟之祀，得存亡繼絶之義，故左氏曰「伐邾，取須句，反其君焉，禮也」是已。曷爲不義？曰：春秋無義戰，以其不奉天子之命而擅伐，是雖義猶不義，故胡氏曰「不請於王命，而專爲母家報怨，謀動干戈於邦内」是已。然胡氏又以爲「擅取人國而反其君，是以亂易亂，非所以爲禮也，與收奪者無以異矣。」愚謂所謂反其君，反須句之君，不絶其祀，禮也，非擅取人國也，非收奪之取以爲己有者也，非以亂易亂也。

夏，宋公、衛侯、許男、滕子伐鄭。

正傳曰：書「宋公、衛侯、許男、滕子伐鄭」，著非義之兵也。左氏曰：「三月，鄭伯如楚。夏，宋公伐鄭。子魚曰：所謂禍在此矣。」愚謂兵以義舉，非義而舉，輕舉也。宋公非有王命奉義之舉，徒以不勝其怒鄭歸楚之私，遂率諸侯之兵以伐之，所以兆楚釁而致泓之敗也。子魚謂禍在此，蓋先知之矣。

秋八月丁未，及邾人戰于升陘。

正傳曰：升陘，魯地。及者，公及也。言及不言公，公自見矣。穀梁、胡氏皆以爲諱公，非也。書「及邾人戰于升陘」，善應敵之兵也。邾人來魯地，魯禦之，與之戰，是爲應敵之兵，未爲不義。胡氏曰：「邾人以須句故出師。公卑邾，不設備而禦之。臧文仲曰：『國無小，不可易也。無備，雖衆不可恃也。詩曰：「戰戰兢兢，如臨深淵，如履薄冰。」又曰：「敬之敬之！天維顯思，命不易哉。」先王之明德，猶無不難也，無不懼也，況我小國乎！君其無謂邾小，蠭蠆有毒，而況國乎！』弗聽。八月丁未，公及邾師戰于升陘，我師敗績。邾人獲公冑，縣諸魚門。記稱：『邾婁復之以矢，蓋自戰於升陘始也。』」愚謂魯雖敗績，然邾兵來魯，不得已而應之。但是年魯先伐邾，則其釁蓋自魯啓之，彼此得失，互相半矣。

冬十有一月己巳朔，宋公及楚人戰于泓，宋師敗績。

正傳曰：泓，水名。及，與也。胡氏以書「及」爲深貶宋公者，非也。書「宋公及楚人戰于泓，宋師敗績」，著召釁玩敵之罪也。夫宋不自知其德不足以服鄭，鄭歸于楚，乃伐鄭以致楚兵，是之謂召釁。又不知好謀而成，乃執「不重傷，不禽二毛」，以致敗，是之謂玩敵。召釁者不智，玩敵者不義。孟子曰：「夫人必自侮，然後人侮之；國必自伐，然後人伐之。」此之謂也。左氏曰：「楚人伐宋以救鄭。宋公將戰，大司馬固諫曰：『天之棄商久矣，君將興之，弗可赦也已。』弗聽。冬十一月己巳朔，宋公及楚人戰于泓。宋人既成列，楚人未既濟。司馬曰：『彼衆我寡，及其未既濟也，請擊之。』公曰：『不可。』既濟而未成列，又以告。公曰：『未可。』既陳而後擊之，宋師敗績。公傷股，門官殲焉。國人皆咎公。公曰：『君子不重傷，不禽二毛。古之爲軍也，不以阻隘也。寡人雖亡國之餘，不鼓不成列。』子魚曰：『君未知戰。勍敵之人，隘而不列，天贊我也；阻而鼓之，不亦可乎？猶有懼焉。且今之勍者，皆吾敵也。雖及胡耉，獲則取之，何有於二毛？明恥、教戰，求殺敵也。傷未及死，如何勿重？若愛重傷，則如勿傷；愛其二毛，則如服焉。三軍以利用也，金鼓以聲氣也。利而用之，阻隘可也；聲盛致志，鼓儳可也。』」愚謂此實傳也。胡氏又曰：「泓之戰，宋襄公不阨人於險，不鼓不成列，先儒以爲『至仁大義，雖文王之戰，不能過也。』而春秋不與，何哉？物有本末，事有終始，順事恕施者，王政之本也。襄公伐齊之喪，奉少奪長，使齊人有殺無虧之惡，有敗績之傷，此晉獻公之所以亂其國者，罪一也；桓公存三亡國以屬諸侯，義士猶曰薄德，而一會虐二國之君，罪二也；曹人不服，盍姑省德無闕然後動，而興師圍之，罪三也。凡此三者，不仁非義，襄公敢行，而獨愛重傷與二毛，則亦何異盜跖之以分均出後爲仁義，陳仲子以避兄離母居於陵爲廉乎？夫計末遺本，飾小名防大德者，春秋之所惡也。」愚謂此又經外之意也。

襄王十五年。二十有三年 宋襄十四年卒、齊孝六年、晉惠十四年、衛文二十三年、蔡莊九年、鄭文三十六年、曹共十六年、陳穆十一年、杞成十八年卒、秦穆二十三年、楚成三十五年。

春，齊侯伐宋，圍緡。

正傳曰：緡，宋邑。書「齊侯伐宋，圍緡」，著其伐之非也，乘人之敗也。宋，王者之後，一敗於楚，齊有霸者之餘業，輔宋以抑楚，尊華攘夷之義得矣。乃因宋之敗而伐之，是輔桀也。故春秋書以譏之。左氏曰：「以討其不與盟于齊也。」愚謂齊不仗大義，而恣小忿以伐宋，其惡大矣。胡氏曰：「齊，霸國之餘業也。宋襄公既敗於泓，荆楚之勢益張矣。齊侯既無尊中國、攘夷狄、恤災患、畏簡書之意，又乘其約而伐之，此尤義之所不得爲者也。故書伐國而言圍邑，以著其罪。然則桓公伐鄭圍新城，何以不爲貶乎？鄭與楚合，憑陵中國，桓公伐之，攘夷狄也。宋與楚戰，兵敗身傷，齊侯伐之，殘中夏也。其事異矣，美惡不嫌同詞。」愚謂：觀此，義例之説窮矣。及至書同而美惡不同，則云美惡不嫌同詞，乃不得其説而爲遁詞也。夫既云美惡不嫌同詞，則美惡不係於詞而係於事，是取義在詞之外矣，則又何取於義例、拘拘於一詞之求乎！

夏五月庚寅，宋公茲父卒。

正傳曰：茲父，宋襄公名。書「夏五月庚寅，宋公茲父卒」，紀霸國之大故也。左氏曰：「宋襄公卒，傷於泓故也。」愚謂：書之，亦以見公不得其死焉，乃自取也。

秋，楚人伐陳。

正傳曰：書「楚人伐陳」，著蠻夷猾夏之罪也。左氏曰：「秋，楚成得臣帥師伐陳，討其貳於宋也。遂取焦、夷，城頓而還。子文以爲之功，使爲令尹。叔伯曰：『子若國何？』對曰：『吾以靖國也。夫有大功而無貴仕，其人能靖者與有幾？』」愚謂此實傳也。若得臣者，有王者起，必服上刑，不以爲罪而以爲功，何其謬也！

冬十有一月，杞子卒。

正傳曰：書「杞子卒」，紀小國之大故，有赴則書之也。有赴則書，何以不名？高氏曰「史佚之」，是也。左氏謂：「杞成公卒。書曰子，杞，夷也。」胡氏從之，非也。程子曰：「杞，二王後而伯爵，疑前世黜之也。中間從夷，故子之，後復稱伯。」胡氏又引杜預謂「杞實稱伯而書曰『子』者，成公始行夷禮終其身，故仲尼於其卒以文貶之」以爲是。愚謂此誤矣。若杞從夷，則其卒也無赴，無赴則不書。魯書之，則其赴中國諸侯而未必從夷矣。杜氏因左氏之説誤之耳。且鄭伯曾朝楚矣，何以不子之乎？且據程子之言，或伯或子，或子或伯，隨時而易稱，史之文耳，焉得謂聖人黜伯而子之，又升子而伯之耶？信斯言也，是孔子變亂名實，專擅爵賞，得罪於天王矣，何以爲孔子？

襄王十六年。**二十有四年**齊孝七年、晋惠十五年卒、衛文二十四年、蔡莊十年、鄭文三十七年、曹共十七年、陳穆十二年、杞桓公姑容元年、宋成公王臣元年、秦穆二十四年、楚成三十六年。

春王正月。

正傳曰：義見前。

夏，狄伐鄭。

正傳曰：書「狄伐鄭」，著夷狄之亂中國也，見中國之亂，天王亂之也。左氏曰：「鄭之入滑也，滑人聽命。師還，又即衛。鄭公子士、洩堵俞彌帥師伐滑。王使伯服、游孫伯如鄭請滑。鄭伯怨惠王之入而不與厲公爵也，又怨襄王之與衛滑也。故不聽王命，而執二子。王怒，將以狄伐鄭。富辰諫曰：『不可。臣聞之：太上以德撫民，其次親親，以相及也。

昔周公吊二叔之不咸，故封建親戚以蕃屏周。管、蔡、郕、霍、魯、衛、毛、聃、郜、雍、曹、滕、畢、原、酆、郇，文之昭也。邘、晋、應、韓，武之穆也。凡、蔣、邢、茅、胙、祭，周公之胤也。召穆公思周德之不類，故糾合宗族于成周而作詩，曰：「常棣之華，鄂不韡韡。凡今之人，莫如兄弟。」其四章曰：「兄弟鬩于墻，外禦其侮。」如是，則兄弟雖有小忿，不廢懿親。今天子不忍小忿以棄鄭親，其若之何？庸勳、親親、暱近、尊賢，德之大者也。即聾、從昧、與頑、用嚚，姦之大者也。棄德崇姦，禍之大者也。鄭有平、惠之勳，又有厲、宣之親，棄嬖寵而用三良，於諸姬爲近，四德具矣。耳不聽五聲之和爲聾，目不别五色之章爲昧，心不則德義之經爲頑，口不道忠信之言爲嚚，狄皆則之，四姦具矣。周之有懿德也，猶曰莫如兄弟，故封建之。其懷柔天下也，猶懼有外侮。扞禦侮者，莫如親親，故以親屏周。召穆公亦云。今周德既衰，於是乎又渝周、召以從諸姦，無乃不可乎？民未忘禍，王又興之，其若文、武何？』王弗聽，使頹叔、桃子出狄師。夏，狄伐鄭，取櫟。王德狄人，將以其女爲后。富辰諫曰：『不可。臣聞之曰：「報者倦矣，施者未厭。」狄固貪惏，王又啓之。女德無極，婦怨無終，狄必爲患。』王又弗聽。初，甘昭公有寵於惠后，惠后將立之，未及而卒。昭公奔齊，王復之，又通於隗氏。王替隗氏。頹叔、桃子曰：『我實使狄，狄其怨我。』遂奉大叔以狄師攻王。王御士將禦之，王曰：『先后其謂我何？寧使諸侯圖之。』王遂出，及坎欿，國人納之。秋，頹叔、桃子奉大叔以狄師伐周，大敗周師，獲周公忌父、原伯、毛伯、富辰。王出適鄭，處于氾。大叔以隗氏居于温。」愚謂此實傳也。故曰夷狄之亂中國，王亂之也。許氏曰：「鄭執王使，是無王也。王啓夷狄，是無中國也。天下何恃不亂？」

秋七月。

正傳曰：無事亦書，義見于前。

冬，天王出居于鄭。

正傳曰：書「天王出居于鄭」，紀天下之大變也。左氏曰：「冬，王使來告難，曰：『不穀不德，得罪於母弟之寵子帶，鄙在鄭地氾，敢告叔父。』臧文仲對曰：『天子蒙塵於外，敢不奔問官守？』王使簡師父告于晋，使左鄢父告于秦。天子無出，書曰『天王出居于鄭』，避母弟之難也。天子凶服、降名，禮也。鄭伯與孔將鉏、石甲父、侯宣多省視官具于氾，而後聽其私政，禮也。」胡氏曰：「夫鄭伯不王，固有罪矣，襄王不知自反，念其制命之未順也。忍小忿，暱懿親，以扞外侮，而棄德崇姦，遂出狄師，是用夷制夏，如木之植，拔其本也，不亦慎乎！王者以天下爲家，京師爲室，而四方歸往，猶天之無不覆也。東周降于列國，既不能家天下矣，又毁其室而不保，則是寄生之君耳，貶而書出，以爲後戒。唐資突厥之兵以伐隋，而世有戎狄之禍；晋藉契丹之力以取唐，而卒有播遷之辱。許翰以謂『不講於春

〉秋，戒襄王之所以出』，其言信矣，而華夷之辨可不謹乎？居者，宅其所有之稱。出而曰居者，若曰普天之下莫非王土，撥亂反正，存天理之意也。」愚謂云出居者，實出居所，謂天子蒙塵，乃奔難也。胡氏又謂「貶而書出」「居者，宅其所有之稱」云云，則支離於文義，而非直書見義之旨矣。

晉侯夷吾卒。

正傳曰：書「晉侯夷吾卒」，紀霸國之大故也。餘義見前。

校記：

〔一〕「乎」，原作「子」，據嘉靖本改。

〔二〕「業」，原作「禁」，據嘉靖本改。

〔三〕「至」，原作「自」，據嘉靖本改。

〔四〕「呑」，原作「合」，據嘉靖本改。

春秋正傳卷之十五

僖　公

二十有五年晉文公重耳元年、齊孝八年、衛文二十五年卒、蔡莊十一年、鄭文三十八年、曹共十八年、陳穆十三年、杞桓二年、宋成二年、秦穆二十五年、楚成三十七年。襄王十七年。

春王正月，丙午，衛侯燬滅邢。

正傳曰：書「春王正月，丙午，衛侯燬滅邢」，則滅同姓之罪見矣。邢乃衛之同姓也，同姓者如木同根，相滅是自滅而拔其根也，何以自生？夫存亡繼絶，國君之仁施於凡國者也，而況於同姓之國乎？故書「滅邢」，則其滅同姓之罪不可掩矣，不待乎名之而後見也。經中名之而無所貶者多矣，三傳皆以名燬以罪其滅同姓，胡氏從之。至以晉滅虞，楚滅夔，亦同姓也，而不名，則又引例之常與例之變以爲言，何其支吾也！惟據事直書，而滅同姓之罪自見，爲簡易直截也。義例者，皆先儒、公、穀之徒專門之學爲之，殊不知他或不能充其類，則不免爲支吾之説，以爲之詞，而坐此蔽聖人之本旨，爲累又大也。

夏四月癸酉，衛侯燬卒。

正傳曰：燬，衛侯名。名之，亦無他義。書「癸酉，衛侯燬卒」，紀鄰國之大故，其以曰者，史文之詳也。諸儒謂衛侯滅同姓而名以貶之，則夫此卒而名之又曰之者，何謂耶？

宋蕩伯姬來逆婦。

正傳曰：蕩氏，宋人。伯姬，公之女嫁于蕩氏，故云宋蕩伯姬也。逆婦，逆其子之婦也。書「蕩伯姬來逆婦」，著失禮也。婦人既嫁，不踰境。踰境，惟歸寧父母耳。伯姬來，不以歸寧而以逆婦，一失禮也。自來逆婦，二失禮也。胡氏謂「國君不與大夫敵。魯公下主大夫之昏，是慢宗廟，卑朝廷」，三失禮也。

宋殺其大夫。

正傳曰：書「宋殺其大夫」，罪宋公之擅殺也。其不名者，史佚之耳。然亦不必名，而義自見矣。

秋，楚人圍陳，納頓子于頓。

正傳曰：頓，小國名，在汝陰南頓縣。杜氏曰：「頓迫於陳而出奔楚，故楚圍陳以納頓子。」書「楚人圍陳，納頓子于頓」，紀夷狄正中國，以譏中國之諸侯也。胡氏曰：「陳，先代之後，不能以禮安靖鄰國，保恤寡小，中國諸侯又不能脩方伯連率之職，而使楚人納之，是夷狄仗義正諸夏也，故書曰『楚人圍陳，納頓子于頓。』其責中國深矣，此亦正本自治之意也。」

葬衛文公。

正傳曰：書「葬衛文公」，紀鄰國之大事也，餘義見前。

冬十有二月癸亥，公會衛子、莒慶，盟于洮。

正傳曰：洮，魯地。衛子者，衛成公，稱子，喪未踰年也。莒慶，莒國之臣，名慶也。書「公會衛子、莒慶盟于洮」，著脩好之義也。左氏曰：「衛人平莒于我，十二月，盟于洮，脩衛文公之好，且及莒平也。」愚謂：平者，言歸于好，春秋之義也。

二十有六年晉文二年、齊孝九年、衛成公鄭元年、蔡莊十二年、鄭文三十九年、曹共十九年、陳穆十四年、杞桓三年、宋成三年、秦穆二十六年、楚成三十八年。

春王正月己未，公會莒子、衛甯速，盟于向。

正傳曰：甯速，衛大夫甯莊子也。向，莒地。書「公會莒子、衛甯速盟于向」，著數盟之非也。十二月已盟于洮矣，今正月又盟向，不越月而兩盟者，吴氏曰：「洮盟，莒子不親至，公必欲與莒子盟，故又爲此會也。」愚謂據此則不但數盟，乃要盟矣。盟洮猶可，盟向過矣。張氏曰：「十二月已盟，今又要盟，所以召齊之討也。」左氏曰：「正月，公會莒兹丕公、甯莊子盟于向，尋洮之盟也。」愚謂易：初筮告，再三瀆，瀆則不告，以言乎二三其德也。初盟猶恐不信，況二三乎？況要盟乎？其召釁必矣。

齊人侵我西鄙，公追齊師，至酅，弗及。

正傳曰：潛師入境曰侵，彼兵已退而逐之曰追。西鄙者，魯之邊境也。酅者，齊之地。書「齊人侵我西鄙」，著齊無名之兵也。書「公追齊師至酅，弗及」，著魯窮追之兵也。左氏曰：「齊師伐我西鄙，討是二盟也。」公羊曰：「其言至酅，弗及，侈也。」故胡氏曰：「齊、魯皆私憤之兵，而非正也，故交譏之。」是也。夫魯有罪，齊聲其罪，明以討之可也，乃潛師而來，且入其境，齊爲非正矣。齊來侵魯，備而禦之，去則不追可也，乃窮追而入其境，爲非正矣。故曰交譏之也。

夏，齊人伐我北鄙。

正傳曰：書「齊人伐我北鄙」，甚其非義之罪也。春侵魯西鄙，夏伐魯北鄙，非義甚矣，其悖先君之德甚矣。左氏曰：「公使展喜犒師，使受命于展禽。齊侯未入境，展喜從之，曰：『寡君聞君親舉玉趾，將辱于敝邑，使下臣犒執事。』齊侯曰：『魯人恐乎？』對曰：『小人恐矣，君子則否。』齊侯曰：『室如懸罄，野無青草，何恃而不恐？』對曰：『恃先王之命。昔周公、太公股肱周室，夾輔成王。成王勞之，而賜之盟，曰：「世世子孫無相害也！」載在盟府，大師職之。桓公是以糾合諸侯，而謀其不協，彌縫其闕，而匡救其災，昭舊職也。及君即位，諸侯之望曰：「其率桓之功。」我敝邑用不敢保聚，曰：「豈其嗣世九年，而棄命廢職，其若先君何？君必不然。」恃此以不恐。』齊侯乃還。」

衛人伐齊。

正傳曰：書「衛人伐齊」，罪構怨之兵也。齊桓有德於衛。桓卒而衛伐喪，助少陵長，是以怨報德，而齊與衛有宿怨矣。衛不知自反，乃因爲莒平魯之盟，怒齊伐魯之故，遂興兵以伐齊，是兵出於私怨而非公義矣。故春秋非之。

公子遂如楚乞師。

正傳曰：乞云者，公羊以爲卑詞也。書「公子遂如楚乞師」，著不義也。楚雖强，外夷也。齊、魯雖不和，中國也，比之兄弟也。中國之與外夷，其分限嚴矣。兄弟鬩于墻，外禦其侮。僖公乃不忍齊人侵伐之怨，使遂乞師於楚，是援夷入華，置毒于心腹也，其害義釀禍孰大焉？胡氏曰：「衛人報德以怨，伐齊之喪，助少陵長，又遷怒於邢而滅其國，不義甚矣。公既與其君盟于洮，又與其臣盟于向，是黨衛也。故齊人既侵其西，又伐其北，齊師固亦非義矣，而僖公不能省德自反，深思遠慮，計安社稷，乃乞楚師與齊爲敵，是以蠻夷殘中國也，於義可乎？其書『公子遂如楚乞師』，而惡自見矣。」

秋，楚人滅夔，以夔子歸。

正傳曰：夔，小國。書「楚人滅夔，以夔子歸」，著楚滅同姓之罪也。左氏曰：「夔子不祀祝融與鬻熊，楚人讓之。對曰：『我先王熊摯有疾，鬼神弗赦，而自竄于夔，吾是以失楚，又何祀焉？』秋，楚成得臣、鬬宜申帥師滅夔，以夔子歸。」愚謂此其實傳也。夫楚有三不義焉。楚於夔爲同姓，故夔子有竄夔失楚之説，而滅之，是滅同姓，罪一矣。鬼神不歆非類，非鬼不祭也。夔祖熊摯，止祀熊摯，禮也，楚乃執以不祀祝融、鬻熊，夔有辭焉，而猶滅之，是其罪二矣。夫彼不祀，使人告之祀，如湯於葛伯之爲可也，乃滅之，使絶其祀，又以其君歸，是其罪三矣。故一事書而三罪見焉，豈係乎名不名耶？

冬，楚人伐宋，圍緡。

正傳曰：書「楚伐宋，圍緡」，著私憤之兵也。左氏曰：「宋以其善於晉侯也，叛楚即晉。冬，楚令尹子玉、司馬子西帥師伐宋，圍緡。」愚謂楚師伐宋，而即伐齊，是魯僖召夷以亂華也，其罪大矣。

公以楚師伐齊，取穀。

正傳曰：穀，齊邑。以，猶用也。左氏：「能左右之曰以」，非也。書「公以楚師伐齊，取穀」，著不義也。夫以夷伐華，一不義也。伐之，因而取其地，二不義也。左氏曰：「寘桓公子雍於穀，易牙奉之以爲魯援。楚申公、叔侯戍之。桓公之子七人，爲七大夫於楚。」愚謂事之有無不可考，然亦慘矣。

公至自伐齊。

正傳曰：書「公至自伐齊」，紀戎事也，始終乎不義之舉也。君舉必書，況兵戎大事，故書「至」，有反面告廟之禮焉，然而其不義之非自見矣。胡氏曰：「夫背華即夷，取人之邑爲己有，失正甚矣。患之起，必自此始。」

襄王十九年。二十有七年晉文三年、齊孝十年卒、衛成二年、蔡莊十三年、鄭文四十年、曹共二十年、陳穆十五年、杞桓四年、宋成四年、秦穆二十七年、楚成三十九年。

春，杞子來朝。

正傳曰：書「杞子來朝」，著違禮也。魯秉周禮，朝覲會同，有周公之遺焉。春秋書之，則其不循禮可見矣。左氏曰：「杞桓公來朝，用夷禮，故曰子。公卑杞，杞不共也。」愚謂由是觀之，則其不循周禮可知矣。

夏六月庚寅，齊侯昭卒。

正傳曰：昭，齊侯名。書「齊侯昭卒」，紀鄰國之大故也。餘義見前。左氏曰：「齊孝公卒。有齊怨，不廢喪紀，禮也。」

秋八月乙未，葬齊孝公。

正傳曰：書「葬齊孝公」，紀葬禮也。國君葬，諸侯有會葬之禮焉，不以怨而廢禮也。

乙巳，公子遂帥師入杞。

正傳曰：書「公子遂帥師入杞」，著私怨之師也。杞子於春來朝，於秋伐之，且入焉，何也？左氏曰：「入杞，責無禮也。」愚謂以其無禮，而教之不改，然後誅之可也。而即伐焉，所謂不教而誅之，非恤小之仁也。

冬，楚人、陳侯、蔡侯、鄭伯、許男圍宋。

正傳曰：書「楚人、陳侯、蔡侯、鄭伯、許男圍宋」，罪諸侯援夷狄以伐中國也。宋，中國聖王之後，所以建之，世世象賢也。陳、蔡、鄭、許以中國之諸侯，乃協楚而圍之，中國之禮義於是乎滅矣，冠履之分於是乎紊矣，罪孰大焉！左氏曰：「楚子將圍宋，使子文治兵於睽，終朝而畢，不戮一人。子玉復治兵於蔿，終日而畢，鞭七人，貫三人耳。國老皆賀子文。

子文飲之酒。蔿賈尚幼，後至，不賀。子文問之，對曰：『不知所賀。子之傳政於子玉，曰「以靖國也」。靖諸内而敗諸外，所獲幾何？子玉之敗，子之舉也。舉以敗國，將何賀焉？子玉剛而無禮，不可以治民，過三百乘，其不能以入矣。苟入而賀，何後之有？』冬，楚子及諸侯圍宋。宋公孫固如晉告急。先軫曰：『報施、救患、取威、定霸，於是乎在矣。』狐偃曰：『楚始得曹，而新昏於衛，若伐曹、衛，楚必救之，則齊、宋免矣。』於是乎蒐于被廬，作三軍，謀元帥。趙衰曰：『郤縠可。臣亟聞其言矣，説禮、樂而敦詩、書。詩、書，義之府也；禮、樂，德之則也；德、義，利之本也。』乃使郤縠將中軍，郤溱佐之。使狐偃將上軍，讓於狐毛，而佐之。命趙衰爲卿，讓於欒枝、先軫。使欒枝將下軍，先軫佐之。荀林父御戎，魏犨爲右。晉侯始入而教其民，二年，欲用之。子犯曰：『民未知義，未安其居。』於是乎出定襄王，入務利民，民懷生矣。將用之。子犯曰：『民未知信，未宣其用。』於是乎伐原以示之信。民易資者，不求豐焉，明徵其辭。公曰：『可矣乎？』子犯曰：『民未知禮，未生其共。』於是乎大蒐以示之禮，作執秩以正其官。民聽不惑，而後用之。出穀戍，釋宋圍，一戰而霸，文之教也。」愚謂晉文公於是乎得攘夷尊華之道矣，爲中國之諸侯者，得無愧乎！謂楚稱人爲貶者，非是。穀梁謂：「人楚子，所以人諸侯」，然則何以不并人諸侯乎？

十有二月甲戌，公會諸侯，盟于宋。

正傳曰：諸侯者，即前圍宋之諸侯也。書「公會諸侯，盟于宋」，譏失盟也。宋，先代聖王之後，非有大惡，猶將百世保之，故齊桓之霸，必以首焉。圍宋之舉，魯未與也，乃不勝其區區感楚乞師之恩，就圍之宋地而會盟焉，雖舍曰欲之，其可得乎？雖然，楚之爲中國患，固魯之乞師伐齊啓之矣。胡氏曰：「公與楚結好，故往會盟。其地以宋者，宋方見圍。無嫌於與盟，而公之罪亦著矣。」

襄王二十年。 二十有八年晉文四年、齊昭公潘元年、衛成三年、蔡莊十四年、鄭文四十一年、曹共二十一年、陳穆十六年卒、杞桓五年、宋成五年、秦穆二十八年、楚成四十年。

春，晉侯侵曹。晉侯伐衛。

正傳曰：書「晉侯侵曹。晉侯伐衛」，著貪憤譎謀之兵也。晉文之伐曹、衛，有二意焉。方其爲公子而出亡也，曹、衛皆不禮焉，至是侵伐之者，爲復怨，此其一也，是之謂貪憤之兵。方宋告楚之急于晉也，狐偃曰「楚始得曹而新昏於衛，若伐曹、衛，楚必救之」，故伐曹、衛以致楚師，此其二也，是之謂譎謀之兵。二者皆非春秋所與也。左氏曰：「晉侯將伐曹，假道於衛。衛人弗許。還，自南河濟，侵曹、伐衛。正月戊申，取五鹿。二月，晉郤穀卒。原軫將中軍，胥臣佐下軍，上德也。晉侯、齊侯盟于斂盂。衛侯請盟，晉人弗許。衛侯欲與楚，國人不欲，故出其君，以説于晋。衛侯出居于襄牛。」愚謂此其實傳也。胡氏曰：「春秋之時，用兵者非懷私復怨，則利人土地耳。詩云：『百爾君子，不知德行。不忮不求，何用不臧？』不忮則能懲忿，不求則能窒慾，然後貪憤之兵亡矣。」

公子買戍衛，不卒戍，刺之。

正傳曰：戍衛者，買爲楚以兵守衛也。不卒戍者，魯托言買不卒戍，故殺之，實以説晋也。刺之者，公羊謂殺之也。書「公子買戍衛，不卒戍，刺之」，譏魯君之失刑也。左氏曰：「公子買戍衛，楚人救衛，不克。公懼於晋，殺子叢以説焉。謂楚人曰：『不卒戍也。』」愚謂此其實傳也。魯史并告楚不卒戍之言而書之，可見春秋皆史之文，非聖人之筆矣。既使買戍衛以説楚，又殺買以説晋，非但見魯君之失刑，其無道亦已甚矣，何以立國乎！胡氏曰：「周官有三刺：一刺曰訊羣臣，再刺曰訊羣吏，三刺曰訊萬民。刺未有書其故者，而以不卒戍刺之，則知買爲無罪矣。孟子曰：『無罪而殺士，則大夫可以去；無罪而戮民，則士可以徙。』今乃殺無罪之主將，以苟説於强國，於是乎不君矣，故特書其將以貶之也。」

楚人救衛。

正傳曰：書「楚人救衛」，著善之歸夷也。夫救衛，善事，善事歸夷，則中國病矣。故善楚所以病晋也，文公之霸業於是乎疵矣。衛服罪，請盟，而文公不許，以私怨勝公義，以人欲滅天理，惜矣！

三月丙午，晉侯入曹，執曹伯，畀宋人。

正傳曰：晉、宋或稱侯，或稱人，無他義，穀梁泥之，非也。畀，與也，與宋使聽之也。書「晉侯入曹，執曹伯，畀宋人」，罪晉侯之憤兵也。晉侯怨曹之不禮，又爲宋乞師，遂伐曹以致楚，乃侵而入其境，又執其君以與宋，其肆暴以逞私憤，亦已甚矣！左氏曰：「晉侯圍曹，門焉，多死。曹人尸諸城上，晉侯患之，聽輿人之謀，曰『稱舍於墓』。師遷焉。曹人兇懼，爲其所得者棺而出之。因其兇也而攻之。三月丙午，入曹，數之以其不用僖負羈，而乘軒者三百人也，且曰獻狀。令無入僖負羈之宮，而免其族，報施也。魏犨、顛頡怒，曰：『勞之不圖，報於何有？』爇僖負羈氏。魏犨傷於胷，公欲殺之，而愛其材。使問，且視之。病，將殺之。魏犨束胷見使者，曰：『以君之靈，不有寧也！』距躍三百，曲踊三百。乃舍之，殺顛頡以徇于師，立舟之僑以爲戎右。宋人使門尹般如晉師告急。公曰：『宋人告急，舍之則絶，告楚不許。我欲戰矣，齊、秦未可，若之何？』先軫曰：『使宋舍我而賂齊、秦，藉之告楚。我執曹君，而分曹、衛之田以賜宋人。楚愛曹、衛，必不許也。喜賂、怒頑，能無戰乎？』公說，執曹伯，分曹、衛之田以畀宋人。」胡氏曰：「古者覿文匿武，脩其訓典，序成而不至，於是乎有攻伐之兵，故孟子謂萬章曰：『子以爲有王者作，將比今之諸侯而誅之乎？其教之不改而後誅之乎？』曹伯贏者，未狎晉政，莫知所承，晉文不脩詞令，遽入其國，既執其君，又分其田，暴矣。欲致楚師與之戰，而以曹伯畀宋人，譎矣。雖一戰勝楚，遂主夏盟，舉動不中於禮亦多矣。徒亂人上下之分，無君臣之禮，其功雖多，道不足尚也。故曰：『五霸，三王之罪人，仲尼之徒無道桓、文之事者。』」

夏四月己巳，晉侯、齊師、宋師、秦師及楚人戰于城濮，楚師敗績。

正傳曰：及者，猶言與也。胡氏以爲誅晉之意，非也。書「晉侯、齊師、宋師、秦師及楚人戰于城濮，楚師敗績」，善晉合諸侯以攘夷狄也。楚人圍宋，是以夷陵夏矣。晉爲盟主，合中國諸侯以伐之，得崇夏攘夷之義，其餘在所略矣。左氏曰：「楚子入居于申，使申叔去穀，使子玉去宋，曰：『無從晉師。晉侯在外十九年矣，而果得晉國。險阻艱難，備嘗之矣；民之情僞，盡知之矣。天假之年，而除其害，天之所置，其可廢乎？軍志曰：允當則歸。又曰：知難而退。又曰：有德不可敵。此三志者，晉之謂矣。』子玉使伯棼請戰，曰：『非敢必有功也，願以間執讒慝之口。』王怒，少與之師，唯西廣、東宮與若敖之六卒實從之。子玉使宛春告於晉師曰：『請復衛侯而封曹，臣亦釋宋之圍。』子犯曰：『子玉無禮哉！君取一，臣取二，不可失矣。』先軫曰：『子與之！定人之謂禮，楚一言而定三國，我一言而亡之。我則無禮，何以戰乎？不許楚言，是棄宋也。救而棄之，謂諸侯何？楚有三施，我有三怨〔一〕，怨讎已多，將何以戰？不如私許復曹、衛以攜之，執宛春以怒楚，既戰而後圖之。』公說。乃拘宛春於衛，且私許復曹、衛，曹、衛告絶于楚。子玉怒，從晉師。晉師退。軍吏曰：『以君辟臣，辱也；且楚師老矣，何故退？』子犯曰：『師直爲壯，曲爲老，豈在久乎？微楚之惠不及此，退三舍辟之，所以報也。背惠食言，以亢其讎，我曲楚直，其衆素飽，不可謂老。我退而楚還，我將何求？若其不還，君退、臣犯，曲在彼矣。』退三舍。楚衆欲止，子玉不可。夏四月戊辰，晉侯、宋公、齊國歸父、崔夭、秦小子慭次于城濮。楚師背酅而舍，晉侯患之，聽輿人之誦曰：『原田每每，舍其舊而新是謀。』公疑焉。子犯曰：『戰也！戰而捷，必得諸侯。若其不捷，表裏山河，必無害也。』公曰：『若楚惠何？』欒貞子曰：『漢陽諸姬，楚實盡之。思小惠而忘大恥，不如戰也。』晉侯夢與楚子搏，楚子伏己而盬其腦，是以懼。子犯曰：『吉。我得天，楚伏其罪，吾且柔之矣。』子玉使鬭勃請戰，曰：『請與君之士戲，君馮軾而觀之，得臣與寓目焉。』晉侯使欒枝對曰：『寡君聞命矣。楚君之惠，未之敢忘，是以在此。爲大夫退，其敢當君乎？既不獲命矣，敢煩大夫謂二三子：「戒爾車乘，敬爾君事，詰朝將見。」』晉車七百乘，韅、靷、鞅、靽。晉侯登有莘之虛以觀師，曰：『少長有禮，其可用也。』遂伐其木，以益其兵。己巳，晉師陳于莘北，胥臣以下軍之佐當陳、蔡。子玉以若敖之六卒將中軍，曰：『今日必無晉矣。』子西將左，子上將右。

胥臣蒙馬以虎皮，先犯陳、蔡。陳、蔡奔，楚右師潰。狐毛設二旆而退之。欒枝使輿曳柴而僞遁，楚師馳之，原軫、郤溱以中軍公族橫擊之。狐毛、狐偃以上軍夾攻子西，楚左師潰。楚師敗績。子玉收其卒而止，故不敗。晉師三日館穀，及癸酉而還。」愚謂此其實傳也。其事雖多出於譎，而其攘夷尊華之大義，足以蔽其愆矣。胡氏曰：「荆楚恃强，憑陵諸夏，滅黄而霸主不能恤，敗徐于婁林而諸大夫不能救，執中國盟主而在會者不敢與之爭。今又戍穀逼齊，合兵圍宋，戰勝中國，威動天下，非有城濮之敗，則民其被髮左衽矣。宜有美辭稱揚其績，而春秋所書如此其略，何也？仁人明其道不計其功，正其義不謀其利。文公一戰勝楚，遂主夏盟，以功利言則高矣，語道義則三王之罪人也。知此説則曾西不爲管仲，而仲尼、孟子雖老于行而不悔，其有以夫。」愚謂春秋直書其事而美惡自見，不待詞之稱揚也。仲尼之徒，雖無道桓、文之事者，自王道視之則然也，然而又取管仲之功以爲「如其仁，微管仲吾其被髮左衽矣」，則聖人廣大之心胥可見矣。今楚圍宋，晉侯會諸侯以伐楚而救宋，正得攘夷崇夏之義，而乃以譎詐罪之，是猶奪禦寇之兵以資寇之虐也，以其小者，失其大者，奚可哉？

楚殺其大夫得臣。

正傳曰：書「楚殺其大夫得臣」，譏楚之棄其將也。左氏曰：「楚子玉既敗，楚子使謂之曰：『大夫若入，其若申、息之老何？』子西、孫伯曰：『得臣將死。』二臣止之曰：『君其將以爲戮。』及連穀而死。晉侯聞之而後喜可知也，曰：『莫余毒也已。』蔿吕臣實爲令尹，奉己而已，不在民矣。』」胡氏曰：「按左氏：『晉師既克曹、衛，楚子入居于申，使申叔去穀，使子玉去宋，曰：「晉侯在外十九年，而果得晉國。險阻艱難，備嘗之矣。民之情僞，備知之矣。天假之年，而除其害，其可廢乎？」子玉使伯棼請戰，楚子怒，少與之師，惟西廣、東宮與若敖之六卒實從之，而不止也。子玉從晉師。文公退三舍辟之，楚衆欲止，子玉不可。戰于城濮，楚師敗績。』夫得臣信有罪矣。而楚子知其不可敵，不能使之勿敵，而少與之師，又以一敗殺之，是以師爲重，而棄其將以與之也。是晉再克而楚再敗也。」此説是矣。又謂「稱國以殺而不去其官」，則義例之鑿矣。

衛侯出奔楚。

正傳曰：書「衛侯出奔楚」，著棄華從夷之非也，而晉侯棄義並見矣。衛侯之奔楚，晉逼之也，故書奔楚。苟求其奔楚之故，則晉侯驅中國以歸夷狄，其棄大義可見矣。胡氏曰：「衛侯失守社稷，背華即夷，於文公何罪乎？衛之禍，文公爲之也。初，齊、晉盟于斂盂，衛侯請盟，晉人不許，是塞其向善之心，雖欲自新改轍，而其道無由也。高帝一封雍齒而功臣不競，世祖燒棄文書而反側悉安，使文公釋怨，許衛結盟，南向諸侯，棄楚而歸晉矣。忿不思難，惟怨是圖，必使衛侯竄身無所，奔于荆蠻，歸于京師，兄弟相殘，君臣交訟，誰之咎也？夫心不外者乃能統大衆，智不鑿者乃能處大事。文公欲主夏盟，取威定霸，而舉動煩擾若不勝任者，惟鑿智自私，而心不廣也。春秋於衛侯失國出奔，不以其罪名之，而重文公之咎，蓋端本議刑，責備賢者之意也。」

五月癸丑，公會晉侯、齊侯、宋公、蔡侯、鄭伯、衛子、莒子，盟于踐土。

正傳曰：衛子者，衛叔武也。衛侯出奔楚，故使其弟叔武往會。稱子者，將立以爲君也。書公會晉侯，與諸侯盟于踐土，著晉侯尊王之義也。主盟者晉侯，而云公會者，内史之詞也。據左傳「甲午，至于衡雍，作王宫于踐土。鄉役之三月」，則是晉侯作王宫以俟天子巡狩，而與諸侯先爲此會盟，以尊周室，此時王未會也，蓋諸侯之會盟爲王也，而公、穀諸儒謂王亦會盟，有何義乎？蓋諸侯會盟，此一事也。王以巡狩而出，居于王宫以臨諸侯，享醴，命晉侯爲伯，此又一事也。復兩言公朝于王所者，即此也。但經有諸侯會盟而無天王同會，又不見策命之文，則公、穀、左氏所載策命之事，及晉侯召王、致王、會王之事，則知諸傳皆未可信也，所謂以經證傳之真僞也。

陳侯如會。

正傳曰：書「陳侯如會」，善歸義也，附會于踐土也。公羊曰：「其言如會何？後會也。」穀梁曰：「如會，外乎會也，於會受命也。」

公朝于王所。

正傳曰：王所者，即作王宫于踐土者也。書「公朝于王所」，著尊王之義也。臣之於君，惟其所在而朝覲焉，所以尊尊也。公、穀乃有「非其所」之論，又有「不與致天子」之論，皆非也。胡氏又以爲「朝于廟，禮也；于外，非禮也」，則古之天子巡狩，諸侯各朝于方嶽者，皆非歟？又曰：「古者天子巡狩于四方有常時，諸侯朝于方嶽有常所，其宫室道途可以預脩，故民不勞，其共給調度可以預備，故國不費。今天王下勞晋侯，公朝于王所，則非其時與地矣。」愚謂如胡氏之説，責王巡狩之非時，可也；責魯公以不必朝王所，可乎？必執時與地而不朝，魯受誅矣。又曰：「然則天子在是，其可以不朝乎？天子在是而諸侯就朝，禮之變也。春秋不以諸侯就朝爲非，而以『王所非其所』爲貶，正其本之意也。」愚謂此胡氏之説小變矣。

六月，衛侯鄭自楚復歸于衛。

正傳曰：鄭，衛侯名。書「衛侯鄭自楚復歸于衛」，罪衛侯也。夫國有人民、社稷、宗廟，命于天子，傳之先君，守死而弗去者也。衛侯無道，不能自立，舍其社稷宗廟以奔楚，使其弟叔武受盟踐土，立以爲君矣。又自楚以歸，衛兄弟相戮，君臣相訟，亂國敗倫，鄭之罪大矣，何以容於天地之間乎！

衛元咺出奔晋。

正傳曰：書「衛元咺出奔晋」，著非義也。君臣之義，無所逃於天地之間。元咺既奉衛侯鄭之命以立叔武，叔武立以治反衛侯，則是君臣之義未絶也。聞鄭之將歸，勸叔武遜位以迎之，則君臣之義全矣。不知出此，及鄭既入，殺叔武，乃奔晋以訟其君，可謂義乎？左氏曰：「或訴元咺於衛侯曰：『立叔武矣』，其子角從公，公使殺之。咺不廢命，奉夷叔以入守。六月，晋人復衛侯。甯武子與衛人盟于宛濮，曰：『天禍衛國，君臣不協，以及此憂也。今天誘其衷，使皆降心以相從也。不有居者，誰守社稷？不有行者，誰扞牧圉？不協之故，用昭乞盟于爾大神，以誘天衷。自今日以往，既盟之後，行者無保其力，居者無懼其罪。有渝此盟，以相及也。明神先君，是糾是殛。』國人聞此盟也，而後不貳。衛侯先期入，甯子先，長牂守門，以爲使也，與之乘而入。公子歂犬、華仲前驅，叔武將沐，聞君至，喜，捉髮走出，前驅射而殺之。公知其無罪也，枕之股而哭之。歂犬走出，公使殺之。元咺出奔晋。」愚謂考傳以觀經，則直書奔晋，而義自見矣。胡氏之説，又謂稱名以罪鄭，及稱復不稱復，與易詞之説，皆義例之鑿也。

陳侯款卒。

正傳曰：款，陳侯名，書卒，義見前。

秋，杞伯姬來。

正傳曰：伯姬，杜氏以爲莊公女。歸寧曰來。書「杞伯姬來」，著歸寧之非禮也。禮，女子嫁，父母在，歲一歸寧猶慮不得。伯姬，莊公之女，而歸寧，非禮矣。吴氏曰：「杞桓公，伯姬之次子，繼其兄成公而立，即來朝魯，爲魯所卑。又使卿帥師入其國。魯之待杞可謂無恩矣，故伯姬又來，謝過求平也。」

公子遂如齊。

正傳曰：書「公子遂如齊」，紀平齊也。吴氏曰：「魯以楚師伐齊取穀，幸而孝公遄卒，未及報怨。晋文既霸，齊、魯均爲受盟之國，齊不敢背盟以報魯，故魯因使遂聘，講好釋怨也。」是矣。

冬，公會晋侯、齊侯、宋公、蔡侯、鄭伯、陳子、莒子、邾子、秦人于温。

正傳曰：温，本畿内地，爲狄所滅者。書「公會晋侯、齊侯、宋公、蔡侯、鄭伯、陳子、莒子、邾子、秦人于温」，左氏曰：「討不服也。」愚以文觀之，此書會，在天王狩于河陽之上，則知天王將出狩，諸侯會以朝之，所以尊王也。且議討衛許，所以服有罪也。穀梁曰「諱會天王」，非也。夫會温將以朝王討罪，而天王亦會，有何義乎？若以此會爲諱王會，則下不當又有天王狩河陽之文矣。蓋諸侯會與天王狩各爲一事，且會温無會天王之文，以經證傳之僞不足信矣。但因穀梁兩倡「會天王」之説，公羊遂爲「致天子」之説，而胡氏因之誤矣。何以言之？以兩書公朝于王所，可見諸侯皆朝天王，而非天王下與諸侯之會矣。欲尊周而全晉者，當以此論爲正，而袪公、穀之惑可也。

天王狩于河陽。

正傳曰：河陽，即温也。穀梁曰：「水北爲陽，山南爲陽。」温，在河北也。狩，巡狩也。天子巡狩于河陽，而臨諸侯之朝也。書「天王狩于河陽」，譏非禮也。禮，五載天子一巡狩，羣后四朝。天子巡狩之年，至于方嶽，其方諸侯來朝。今狩非方嶽，天下諸侯畢會而朝王所，非周禮矣，故春秋書以譏之。左氏曰：「是會也，晉侯召王，以諸侯見，且使王狩。仲尼曰：『以臣召君，不可以訓。』故書曰『天王狩于河陽』，言非其地也，且明德也。」愚謂此非孔子之言也。若以爲非其地，則是也。公羊以爲「不與再致天子」。穀梁以爲「爲天王諱」。左氏「召王」與公、穀之説，皆非也。天子自往巡狩，而諸侯適會朝于王所也，蓋當時王以巡狩之名而往，故史亦以狩書，非仲尼特書以尊周全晉也。胡氏引啖助謂「原晉自嫌之心，嘉其尊王之意，則請王之狩，忠亦至矣」。又曰「既爲王諱之，又爲晉解之」，豈聖人大公至正之心哉？

壬申，公朝于王所。

正傳曰：其稱日者，公羊以爲録于内，是也。書「公朝于王所」，著尊王之義也。諸侯會於是，天王來狩，故朝之。穀梁以爲「朝于廟，禮也；於外，非禮也」，愚謂非也。夫禮者，敬而已矣。惟其所在而致敬焉，禮也。故天子巡狩，諸侯各朝于方嶽，何莫非禮乎？言公朝，則非獨公朝也。故穀梁曰：「獨公朝與？諸侯盡朝也。」觀諸侯盡朝，則諸侯尊王之義同也。此晉之所以爲霸也。故穀梁謂「曰公朝而尊天子。會于溫，言小諸侯」。若以爲召王，致天子，則不臣甚矣，何以服天下？何足以爲霸乎？

晉人執衛侯，歸之于京師。

正傳曰：書「晉人執衛侯，歸之于京師」，言執之非義也，罪晉侯聽君臣之訟也。衛侯殺叔武，固有罪矣，然君臣無訟，不思投鼠忌器之義乎？天子之禁無專殺大夫。衛侯專殺叔武，聲大義討之可也，而使與元咺辨曲直，衛侯不勝，遂刑其大夫，乃執其君以歸之于京師，使若斷在京師，然則文公之譎亦可見矣。公羊曰：「衛侯之罪何？殺叔武也。叔武讓國。文公逐衛侯而立叔武，叔武辭立而他人立，則恐衛侯之不得反也，故於是己立；然後爲踐土之會，治反衛侯。衛侯得反，曰：『叔武簒我。』元咺争之，曰：『叔武無罪。』終殺叔武。元咺走而出。」左氏曰：「衛侯與元咺訟，甯武子爲輔，鍼莊子爲坐，士榮爲大士。衛侯不勝。殺士榮，刖鍼莊子，謂甯俞忠而免之。執衛侯，歸之于京師，寘諸深室。甯子職納櫜饘焉。」愚謂：無上之風，漸不可長，討衛侯可也，聽元咺之訟不可也。元咺可以訟衛侯，則文公可以訟天王矣，奚可哉？國語謂「晉侯執衛成公，歸之于周，請殺之。王曰：不可。夫君臣無獄。今元咺雖直，不可聽也。君臣皆獄，父子將獄，是無上下也，而叔父聽之，一逆矣。又爲臣殺其君，而安庸刑，布刑而不庸，再逆矣。一合諸侯而有再逆，故余懼其無後。夫刑必依於人倫，以爲之斷，天下之大義也。」

衛元咺自晉復歸于衛。

正傳曰：自晉復歸者，猶言從晉復歸也。公、穀、胡氏「有力、有奉」之說，求之太深矣。書「衛元咺復歸于衛」，著其歸之非道也。左氏曰：「元咺歸于衛，立公子瑕。」愚謂衛侯不知其弟叔武守國以俟己之歸，而殺之，衛侯有罪矣。元咺爲臣而訴其君於晉，元咺之罪一矣。與其君辨曲直，使之被執，歸之于京師，罪二矣。又歸衛而立公子瑕，不聽命於天王而擅廢立，罪三矣。故春秋書其歸，則其歸之非道見矣。

諸侯遂圍許。

正傳曰：諸侯即上會朝之諸侯也。穀梁曰：「遂，繼事也。」書「諸侯遂圍許」，討許不臣之罪也。胡氏曰：「諸侯比再會，天子再至，皆朝于王所，而許獨不會，以其不臣也，故諸侯圍許。按古者巡狩，諸侯各朝于方嶽。今法天子行幸，三百里內，亦皆問起居。許距河陽、踐土近矣，而可以不會乎？」愚謂觀胡氏巡狩朝嶽之説，則上踐土之盟、温之會、河陽之狩、王所之朝，爲上臨下之禮，下尊君之義，居然可見。胡氏已明之，而又何必惑於左氏、公、穀之論，以傷尊周全晉之義乎？

曹伯襄復歸于曹，遂會諸侯圍許。

正傳曰：穀梁云：「天子免之。其曰復，通王命也。遂，繼事也。」襄，曹伯名也。書「曹伯襄復歸于曹，遂會諸侯圍許」，著晉文之補過也。晉文滅曹，爲滅同姓，其罪過大矣。春秋書其補過，樂與人爲善之義見矣。左氏曰：「丁丑，諸侯圍許。晉侯有疾，曹伯之豎侯獳貨筮史，使曰以曹爲解：『齊桓公爲會而封異姓，今君爲會而滅同姓。曹叔振鐸，文之昭也；先君唐叔，武之穆也。且合諸侯而滅兄弟，非禮也；與衛偕命，而不與偕復，非信也；同罪異罰，非刑也。禮以行義，信以守禮，刑以正邪，舍此三者，君將若之何？』公説，復曹伯，遂會諸侯圍許。」愚謂晉文雖因疾而感於筮史之言，然人之將死，其言也善。至是，其貪憤之心息，而悔過之心生矣。

校記：

〔一〕「怨」，原作「恐」，據嘉靖本改。

[明]湛若水/撰
邢益海/整理

春秋正傳

第二冊

湛若水著作選刊

上海古籍出版社

春秋正傳卷之十六

僖　公

二十九年晉文五年、齊昭二年、衛成四年、蔡莊十五年、鄭文四十二年、曹共二十二年、陳共公朔元年、杞桓六年、宋成六年、秦穆二十九年、楚成四十一年。襄王二十一年。

春，介葛盧來。

正傳曰：介，東夷國也。葛盧，介君名，未爵者。杜氏曰：「不稱朝，不能行朝禮。」書「介葛盧來」，紀夷之歸夏也。左氏曰：「介葛盧來朝，舍于昌衍之上。公在會，饋之芻、米，禮也。」

公至自圍許。

正傳曰：書「公至自圍許」，紀反面之禮也。君舉必書，史之職也。然公初往會盟諸侯，朝王，而遂圍許，則圍許乃遂事。舍正事而書遂事者，遂事在後也。

夏六月，會王人、晋人、宋人、齊人、陳人、蔡人、秦人盟于翟泉。

正傳曰：會者，公會也。翟泉，在洛陽城内。書「會王人、晋人、宋人、齊人、陳人、蔡人、秦人盟于翟泉」，交譏之也，以其失上下之道也。左氏曰：「公會王子虎、晋狐偃、宋公孫固、齊國歸父、陳轅濤塗、秦小子慭盟于翟泉，尋踐土之盟，且謀伐鄭也。」愚謂王子虎，天子之佐也，降而下與諸大夫之盟，周王於是失爲上之道矣。程子曰：「晋文連年會盟，皆在王畿之側，而此盟復迫王城，又與王人盟，强逼甚矣。」愚謂且以大夫上與王人盟，諸侯於是乎失爲下之道矣。胡氏曰：「翟泉，近在洛陽王城之内，而王子虎於此下與列國盟，是謂上替；諸侯大夫入天子之境，雖貴曰士，而於此上盟王子虎，是謂下陵。而無君之心著矣，故以爲大惡。」愚謂此言是也。至謂「諱公不書」，則會之者誰歟？謂「貶諸國之卿稱人」，則王子亦宜稱人貶之耶？誤矣！

秋，大雨雹。

正傳曰：周之秋，即夏之五、六、七月也。書「秋，大雨雹」，左氏以爲災也。胡氏曰：「正蒙曰：『凡陰氣凝聚，陽在内者不得出，則奮擊而爲雷霆。陽在外者不得入，則周旋不舍而爲風。和而散，則爲霜雪雨露。不和而散，則爲戾氣曀霾。陰常散緩，受交於陽，則風雨調，寒暑正。』雹者，戾氣也，陰脅陽、臣侵君之象。當是時，僖公即位日久，季氏世卿，公子遂專權，政在大夫，萌於此矣。」

冬，介葛盧來。

正傳曰：書「介葛盧來」，再紀遠人之歸也。左氏曰：「以未見公故，復來朝。禮之，加燕好。介葛盧聞牛鳴，曰：『是生三犧，皆用之矣。其音云。』問之而信。」愚謂此人聞牛鳴而知其生三犧，又知皆用之，則亦桀驁非常者矣。

襄王二十二年。三十年晋文六年、齊昭三年、衛成五年、蔡莊十六年、鄭文四十三年、曹共二十三年、陳共二年、杞桓七年、宋成七年、秦穆三十年、楚成四十二年。

春王正月。

正傳曰：無事亦書時月，義見于前。

夏，狄侵齊。

正傳曰：書「夏，狄侵齊」，志夷狄之陵中國也，則晋侯霸圖之不競可知矣。左氏曰：「晋人侵鄭，以觀其可攻與否。狄間晋之有鄭虞也，夏，狄侵齊。」由是觀之，狄之侵齊，晋侯啓之也。及狄侵齊，是夷狄陵中國矣。所貴乎霸者，攘夷狄以安中國，今反舍而不討，乃謀秦圍鄭，其無志於霸圖可知矣。胡氏曰：「詩不云乎：『戎狄是膺，荆舒是懲。』四夷交侵，所當攘斥。晉文公若移圍鄭之師以伐之，則方伯連帥之職脩矣。上書『狄侵齊』，下書『圍鄭』，此直書其事而義自見者也。」

秋，衛殺其大夫元咺及公子瑕。

正傳曰：及，猶并也。書「衛殺其大夫元咺及公子瑕」，紀專殺大夫及同氣之罪也。左氏曰：「晉侯使醫衍酖衛侯。甯俞貨醫，使薄其酖，不死。公爲之請，納玉於王與晉侯，皆十瑴，王許之。秋，乃釋衛侯。衛侯使賂周歂、治廑曰：『苟能納我，吾使爾爲卿。』周、治殺元咺及子適、子儀。公入，祀先君，周、治既服，將命，周歂先入，及門，遇疾而死。治廑辭卿。」愚謂此其實傳也。胡氏亦以爲「公子瑕未聞有罪，元咺立以爲君，故衛侯忌而殺之」，是也。夫以無罪而殺之，可謂暴矣。元咺所自爲忠於叔武者也。元咺奉叔武，而治反乎衛君，叔武無罪而衛君殺之。元咺訴於晉，明叔武之無罪，其心皆明白不欺者也。然而訟君則陷於惡。公羊謂其「君出則己入，君入則己出」，以爲不臣」，是矣。然而諸侯無專殺大夫，天子之禁也。衛人不以告于天子，而使周、治殺之，其犯專殺之罪而不可赦矣。至於瑕能辭咺之立也，忌而殺之，傷同氣之大義矣。胡氏又有「衛侯在外，稱國以殺，待殺後入」之說，則求之過矣。

衛侯鄭歸于衛。

正傳曰：書「衛侯鄭歸于衛」，則鄭之罪自見矣。鄭無道，至於失國，是得罪於宗廟社稷矣。叔武不守則鄭不得歸，及一歸而殺叔武，再歸而殺公子瑕，故紀其歸而戕殺同氣之罪著矣。胡氏曰：「末世隆怨薄恩，趨利棄義，有國家者恐公族之軋己，至網羅誅殺，無以芘其本根，而社稷傾覆，如六朝者衆矣。衛侯始歸而殺叔武，再歸而及公子瑕，是葛藟之不若，而春秋之所惡也。」

晉人、秦人圍鄭。

正傳曰：書「晉人、秦人圍鄭」，紀不義之兵也。春秋無義戰，而秦從晉之私忿，假貳楚之言，擅興甲兵以圍鄭，非義舉矣。左氏曰：「九月甲午，晉侯、秦伯圍鄭，以其無禮於晉，且貳於楚也。晉軍函陵，秦軍氾南。佚之狐言於鄭伯，曰：『國危矣。若使燭之武見秦君，師必退。』公從之。辭曰：『臣之壯也，猶不如人；今老矣，無能爲也已。』公曰：『吾不能早用子，今急而求子，是寡人之過也。然鄭亡，子亦有不利焉。』許之。夜，縋而出。見秦伯，曰：『秦、晉圍鄭，鄭既知亡矣。若亡鄭而有益於君，敢以煩執事。越國以鄙遠，君知其難也，焉用亡鄭以陪鄰？鄰之厚，君之薄也。若舍鄭以爲東道主，行李之往來，共其乏困，君亦無所害。且君嘗爲晉君賜矣，許君焦、瑕，朝濟而夕設版焉，君之所知也。夫晉，何厭之有？既東封鄭，又欲肆其西封。若不闕秦，將焉取之？闕秦以利晉，唯君圖之。』秦伯說，與鄭人盟，使杞子、逢孫、揚孫戍之，乃還。子犯請擊之。公曰：『不可。微夫人之力不及此。因人之力而敝之，不仁；失其所與，不知；以亂易整，不武。吾其還也。』亦去之。初，鄭公子蘭出奔晋，從於晋侯。伐鄭，請無與圍鄭。許之，使待命于東。鄭石甲父、侯宣多逆以爲太子，以求成于晋，晋人許之。」此其實傳也。愚謂晋侯初爲公子，出亡過鄭，而鄭文公不禮焉，君子比之睚眦之怨耳。人君以天下爲度，霸者猶當仗仁義以服天下，而可以小怨興大衆乎？既以殘衛，又以圍鄭，非霸圖矣。秦人無義，惟晋威之畏而利是從，隨晋以圍鄭。然以利而合，則亦以利而離。秦聽燭之武一言，兩國解體釋圍而釁生，連兵糜民，禍蓋有所由來矣。故以利而離合者，亦以利而受害，理勢使之然也，爲列國者亦可以鑑矣！

介人侵蕭。

正傳曰：蕭，小國。書「介人侵蕭」，紀夷狄犯中國之罪也。詩云「戎狄是膺，荆舒是懲」。言夷狄之無禮義，不可以納之而召侮也。介人兩朝于魯，亦見遠夷慕華之義矣，乃有侵蕭之舉，然則詩之言豈誣也哉！

冬，天王使宰周公來聘。

正傳曰：宰周公者，周之公爲宰者也。書「天王使宰周公來聘」，則非禮可見矣。禮，比年一小聘，三年一大聘，五年一朝。魯與諸侯未有朝聘之禮，而王乃使宰下聘焉。觀於下文，公子遂如京師可見矣。君先於臣，非禮之正也。左氏曰：「王使周公閱來聘，饗有昌歜、白黑、形鹽。辭曰：『國君，文足昭也，武可畏也，則有備物之饗，以象其德；薦五味，羞嘉穀，鹽虎形，以獻其功。吾何以堪之？』」愚謂此實傳也。觀於此言，亦可以見宰之無王人之度，而辱君命甚矣。

公子遂如京師，遂如晉。

正傳曰：遂者，繼事之詞。書「公子遂如京師，遂如晉」，著魯之貳於敬君也。左氏曰：「東門襄仲將聘于周，遂初聘於晉。」愚謂由是觀之，是貳聘矣。貳聘遂行者，如二君矣，其不敬莫大乎此。夫魯初未行朝聘之禮于周，而使周以宰先下聘焉，公又不親來朝，而使遂以貳行，魯僖不臣之罪不可逭矣。胡氏曰：「大夫出疆，有以二事出者，有以一事出而專繼事者，其書皆曰遂。公子遂如周及晉，與祭公自魯逆王后，皆所謂以二事出者也。公子結往媵而及齊、宋盟，則專繼事者也。是非得失，則存乎其事矣。冢宰上兼三公，其職任爲至重，而來聘于魯，天王之禮意莫厚焉。魯侯既不朝京師，而使公子遂往，又以二事出，夷周室於列國，此大不恭之罪。履霜堅冰之漸，春秋之所誅而不以聽者也，則何以無貶乎？有不待貶絕而罪惡見者，不貶絕以見罪惡。」愚謂不待詞之褒貶而善惡自見，此夫子所謂竊取之義也。

三十有一年晉文七年、齊昭四年、衛成六年、蔡莊十七年、鄭文四十四年、曹共二十四年、陳共三年、杞桓八年、宋成八年、秦穆三十一年、楚成四十三年。襄王二十三年。

春，取濟西田。

正傳曰：書「取濟西田」，著取之非義也。濟西者，曹田也。夫國君之土田，受封乎先王，世守乎宗社。晉侯執曹伯而分其田與諸侯，非義矣。諸侯受之，如小盜之受分其贓于大盜者，其不義之罪均矣，況曹爲同姓，其可滅乎？其可分之田乎？左氏曰：「春，取濟西田，分曹地也。使臧文仲往，宿於重館。重館人告曰：『晉新得諸侯，必親其共。不速行，將無及也。』從之。分曹地，自洮以南，東傅于濟，盡曹地也。」愚謂此實傳也。不言國者，史之省文耳，内史之詞，何待國乎？

公子遂如晉。

正傳曰：書「公子遂如晉」，始終乎非義之取也。左氏曰：「襄仲如晉，拜曹田也。」愚謂既受之，則不得不拜矣。既拜受之，則不得不爲利懾矣。

夏四月，四卜郊。

正傳曰：周之夏四月，即夏之春二月也，於此亦可以見周時與月數皆起於子矣。若謂夏時之四月，則已月矣，豈郊禮之時乎？書「夏四月，四卜郊」，見非禮之非禮也。魯之郊，非也。祀不於至日，而於四月焉，而卜焉，卜不主一，而二焉三焉且四焉，是非禮之中又非禮矣！胡氏曰：「記禮者曰：『祭帝于郊，所以定天位也，禮行于郊，而百神受職焉。』魯，諸侯，何以有郊？成王以周公有大勳勞於天下，命魯公世世祀周公以天子之禮樂，是故魯君孟春乘大輅，載弧韣，旗十有二旒，日月之章，祀帝于郊，配以后稷，天子之禮也。以人臣而用天子之禮，可乎？是成王過賜而魯公伯禽受之非也。楊子曰：『天子之制諸侯，庸節。節莫差於僭，僭莫重於祭，祭莫重於地，地莫重於天。』諸侯而祀天，其僭極矣。聖人於春秋，欲削而不存，則無以志其失而爲後世戒；悉書之乎，則歲事之常，有不勝書者。是故因禮之變而書于策，或以卜，或以時，或以望，或以牲，或以牛，於〔一〕變之中又有變焉者，悉書其事。而謂言偃曰：『魯之郊禘，非禮也。周公其衰矣！杞之郊也，禹也。宋之郊也，契也。是天子之事守也。』言杞、宋、夏、商之後受命于周，作賓王家，統承先王，脩其禮物，其得行郊祀，而配以其祖，非列國諸侯之比也。是故天子祭天地，諸侯祭社稷，祝嘏莫敢易其常古。易則亂名犯分，人道之大經拂矣。故曰：郊社之禮，所以祀上帝也。宗廟之禮，所以祀乎其先也。明乎郊社之禮，禘嘗之義，治國其如視諸掌乎！夫庶人之不得祭五祀，大夫之不得祭社稷，諸侯之不得祭天地，非欲故爲等衰，蓋不易之定理也。知其理之不可易，則安於分守，無欲僭之心矣。爲天下國家乎何有？」

不從，乃免牲。

正傳曰：書「不從」，紀異也。神不歆非類可知矣，乃免牲，紀非禮也。夫牲者，爲祀設也。既不祀，猶免牲焉，豈禮乎？穀梁曰：「免牲者，爲之緇衣熏裳，有司玄端，奉送至於南郊。免牛亦然。」據穀梁之言，此免牲之禮也。杜氏以爲「免，猶縱也」，非也。若云縱放之，則又何必書「乃免」乎？胡氏曰：「古者，大事決於卜。故洪範稽疑獨以龜爲主。卜而不從，則不郊矣，故免牲。」愚謂郊之卜日，非禮也。古者，郊以冬至，以迎陽也。

猶三望。

正傳曰：猶之爲言尚也。穀梁以爲「可以已之詞」，非也。望者，祭名。三望者，望三方也。書「猶三望」，著非禮也。左氏曰：「四卜郊，不從，乃免牲，非禮也。猶三望，亦非禮也。禮，不卜常祀，而卜其牲、日。牛卜日曰牲。牲成而卜郊，上怠慢也。望，郊之細也。不郊，亦無望可也。」公羊曰：「山川有能潤于百里者，天子秩而祭之。觸石而出，膚寸而合，不崇朝而徧雨乎天下者，唯泰山爾。河海潤于千里。何以書？譏不郊而望祭也。」胡氏曰：「有虞氏受終而望因於類，巡狩而望因於柴，皆天子之事也。今魯不郊而望，故特書曰『猶』。其言三望，何也？天子有方望，無所不通，諸侯非名山大川在其封内者則不祭。魯得用重禮，視王室則殺，故望止於三。比諸侯則隆，故河海雖不在其封而亦祭，然非諸侯之所得爲也。」

秋七月。

正傳曰：無事亦書，義見前。

冬，杞伯姬來求婦。

正傳曰：婦者，從姑之稱也。書「杞伯姬來求婦」，著其來之非正也。穀梁曰：「婦人既嫁不踰境，杞伯姬來求婦，非正也。」胡氏曰：「蕩伯姬來逆婦而書者，以公自爲之主，失其班列書也。杞伯姬敵矣，其來求婦，曷爲亦書？見婦人之不可預國事也。王后之詔命不施於天下，夫人之教令不施於境中。昏媾，大事也，杞獨無君乎，而夫人主之也，故特書于策，以爲婦人亂政之戒。爲子求婦，猶曰不可，況於他乎？此義行，無吕、武之禍矣。」

狄圍衛。

正傳曰：書「狄圍衛」，見夷狄之犯中國也，晉文攘夷之志衰矣。

十有二月，衛遷于帝丘。

正傳曰：書「衛遷于帝丘」，記鄰國遷都之大事，可以見霸主之不能安中國也。胡氏曰：

「帝丘，東郡濮陽，顓頊之墟，亦衛地也。狄嘗逼逐黎侯，黎侯寓于衛，而衛不能脩方伯連率之職；戎嘗伐凡伯于楚丘，而衛不能救王臣之患。其後遂爲狄人所滅，東徙渡河矣。齊桓公攘戎狄封之，而衛國忘亡，今又爲狄所圍，其遷于帝丘，避狄難也。而中國衰微，夷狄强盛，衛侯不能自强於政治，晋文無卻四夷、安諸夏之功，莫不見矣。」

襄王二十四年。三十有二年晋文八年卒、齊昭五年、衛成七年、蔡莊十八年、鄭文四十五年卒、曹共二十五年、陳共四年、杞桓九年、宋成九年、秦穆三十二年、楚成四十四年。

春王正月。

正傳曰：無事亦書，義見前。

夏四月己丑，鄭伯捷卒。

正傳曰：捷，鄭伯名，名之亦無他義，可見凡書名者，未必皆係於義也。

衛人侵狄。秋，衛人及狄盟。

正傳曰：及，猶與也。書「衛人侵狄。秋，衛人及狄盟」，著衛人之非義也。左氏曰：「夏，狄有亂，衛人侵狄，狄請平焉。秋，衛人及狄盟。」愚謂衛見圍于狄而遷帝丘，衛侯以不振之德，當新造之時，宜持重養鋭以俟時可也，乃因狄之亂而侵之，而又與之盟。夫盟者，忠信之薄，中國諸侯衰世之事也，施之中國，君子猶不取焉，況夷狄異類，非可以結忠信者乎！胡氏曰：「盟會，中國諸侯之禮，衰世之事，已非春秋之所貴，况與戎狄豺狼，即其廬帳，刑牲歃血以要之哉！」

冬十有二月己卯，晉侯重耳卒。

正傳曰：書「晉侯重耳卒」，紀霸主之大故也，於是乎有相恤之義焉，有賻葬之禮焉。胡氏曰：「按左氏載秦伯納晉文公，及殺懷公于高梁，其事甚詳。而春秋不書者，以爲不告也。徐邈曰：『諸侯有朝聘之禮，赴告之命，所以敦交好，通憂虞。若鄰國相望而情志否隔，存亡禍福不以相關，則他國之史無由得書。魯政雖陵，典刑猶在，史策所録，不失常法，其文足證，仲尼脩之，事仍本史，有可損而不能益也。』」愚謂既云不能益，則亦不能損矣，故曰其事則齊桓、晉文，其文則史，其義則丘竊取之矣。竊取者，不敢顯然取之，況損益乎！

襄王二十五年。

三十有三年

晉襄公驩元年、齊昭六年、衛成八年、蔡莊十九年、鄭穆公蘭元年、曹共二十六年、陳共五年、杞桓十年、宋成十年、秦穆三十三年、楚成四十五年。

春王二月，秦人入滑。

正傳曰：滑者，穀梁以爲國也。書「秦人入滑」，著不義之兵也。秦師之出，本欲圖鄭也。鄭有備，遂移兵以入滑，何義乎？春秋書以罪之也。左氏曰：「秦師過周北門，左右免冑而下，超乘者三百乘。王孫滿尚幼，觀之，言於王曰：『秦師輕而無禮，必敗。輕則寡謀，無禮則脱。入險而脱，又不能謀，能無敗乎？』及滑，鄭商人弦高將市於周，遇之，以乘韋先，牛十二犒師，曰：『寡君聞吾子將步師出於敝邑，敢犒從者。不腆敝邑，爲從者之淹，居則具一日之積，行則備一夕之衛。』且使遽告于鄭。鄭穆公使視客館，則束載、厲兵、秣馬矣。使皇武子辭焉，曰：『吾子淹久於敝邑，唯是脯資、餼牽竭矣，爲吾子之將行也，鄭之有原圃，猶秦之有具囿也，吾子取其麋鹿，以間敝邑，若何？』杞子奔齊，逢孫、揚孫奔宋。孟明曰：『鄭有備矣，不可冀也。攻之不克，圍之不繼，吾其還也。』滅滑而還。」愚謂：觀此傳，則秦之不義亦可見矣。

齊侯使國歸父來聘。

正傳曰：歸父，齊大夫。書「齊侯使國歸父來聘」，紀鄰國之脩好也。左氏曰：「齊國莊子來聘，自郊勞至于贈賄，禮成而加之以敏。臧文仲言於公曰：『國子爲政，齊猶有禮，君其朝焉！臣聞之：服於有禮，社稷之衛也。』」

夏四月辛巳，晋人及姜戎敗秦于殽。

正傳曰：人者，衆人之稱。書「晋人及姜戎敗秦于殽」，著晋不義之兵也。秦人無道，越晋踰周之境以襲鄭，可謂惡矣。晋人敗之于殽，其惡均矣。程子謂：「晋子居喪未葬，不可以從戎。忘親背惠，其惡甚矣。」左氏曰：「晉原軫曰：『秦違蹇叔，而以貪勤民，天奉我也。奉不可失，敵不可縱。縱敵，患生；違天，不祥。必伐秦師！』欒枝曰：『未報秦施，而伐其師，其爲死君乎？』先軫曰：『秦不哀吾喪，而伐吾同姓，秦則無禮，何施之爲？吾聞之：一日縱敵，數世之患也。謀及子孫，可謂死君乎！』遂發命，遽興姜戎。子墨衰絰，梁弘御戎，萊駒爲右。夏四月辛巳，敗秦師于殽，獲百里孟明視、西乞術、白乙丙以歸。遂墨以葬文公。晉於是始墨。文嬴請三帥，曰：『彼實搆吾二君，寡君若得而食之，不厭，君何辱討焉？使歸就戮于秦，以逞寡君之志，若何？』公許之。先軫朝，問秦囚。公曰：『夫人請之，吾舍之矣。』先軫怒，曰：『武夫力而拘諸原，婦人暫而免諸國，墮軍實而長寇讎，亡無日矣！』不顧而唾。公使陽處父追之，及諸河，則在舟中矣。釋左驂，以公命贈孟明。孟明稽首曰：『君之惠，不以纍臣釁鼓，使歸就戮于秦，寡君之以爲戮，死且不朽。若從君惠而免之，三年將拜君賜。』秦伯素服郊次，鄉師而哭，曰：『孤違蹇叔，以辱二三子，孤之罪也。』不替孟明，『孤之過也，大夫何罪？且吾不以一眚掩大德。』」愚謂此實傳也。然居喪未葬，爰及干戈，爲不孝，一惡也。又援姜戎之兵，以猾中國，譬之引外侮以戕兄弟，爲不仁，二惡也。雖舍三帥以爲大德，似德而非德，曾不足以贖其不義之罪也。胡氏曰：「夫杞子、先軫之謀偷，見一時之利，徼倖其成，自以爲功者也。二君皆過聽焉，而貪其利，是使爲人臣者懷利以事其君，爲人子者懷利以事其父。君臣父子去仁義，懷利以相與，利之所在，則從之矣，何有於君父？故一失則夷狄，再失則禽獸，而大倫滅矣。」

癸巳，葬晋文公。

正傳曰：書「葬晋文公」，紀鄰國之大事也。霸主之葬，故赴之詳。赴之詳，故日以詳書之也。諸侯於鄰國有吊喪會葬之禮焉。穀梁謂「日葬，危不得葬」者，非也。

狄侵齊。

正傳曰：書「狄侵齊」，紀夷狄之犯中國也。左氏曰：「因晋喪也。」夫因文公之喪而遂侵齊，則晋之威足以攝狄人矣，而晋不之恤可見。霸者以力服人，身死而隨滅也。夫惟先王之威德没世，爲不亡矣。

公伐邾，取訾婁。秋，公子遂帥師伐邾。

正傳曰：訾婁，邾地。書「公伐邾，取訾婁。秋，公子遂帥師伐邾」，著不義之兵也。夫兵者，所以伐不庭也。外是，則爲貪、爲忿、爲暴，皆不義之兵也。左氏曰：「公伐邾取訾婁，以報升陘之役。邾人不設備。秋，襄仲復伐邾。」夫魯取訾婁則爲貪兵；報升陘之役則爲忿兵；既伐以取之矣，又乘其不備而再伐，凡二時而再伐焉，則爲暴兵，此其不義甚矣。胡氏曰：「此不勝忿欲，報怨貪得，恃强凌弱，不義之兵也，直書其事而罪自見矣。或曰：

取須句、訾婁，有爲爲之也。伐邾至于再三，念母勤矣。夫念母者，必當止乎禮義。平王不撫其民，而遠屯戍于母家，詩子刺之，夫人録焉。僖公以成風之有功於己也，越禮以尊其身，違義以報其怨，殘民動衆，取人之邑，曾是以爲可乎？」

晋人敗狄于箕。

正傳曰：箕者，杜氏曰：「太原陽邑縣南有箕城。」左氏曰：「狄伐晋，及箕。八月戊子，晋侯敗狄于箕。郤缺獲白狄子。先軫曰：『匹夫逞志于君，而無討，敢不自討乎？』免胄入狄師，死焉。狄人歸其元，面如生。」此其實傳也。愚謂書「晋人敗狄于箕」，紀晋侯振復攘夷之功也。狄嘗侵齊、圍衛，陵蔑中國。晋文不能禦之，而霸業衰矣。襄公初立，因狄見伐而敗之于箕，蓋其應敵攘夷之義，雖墨衰從事可也。

冬十月，公如齊。十有二月，公至自齊。

正傳曰：書「公如齊」，「公至自齊」，著非禮也。左氏曰：「公如齊朝，且吊有狄師也。」夫諸侯聘會有常禮，吊則吊，朝則朝，使大夫可也。而遽輕易越境，雜二事行之，非禮也。

乙巳，公薨于小寢。

正傳曰：書「公薨于小寢」，志薨之非正矣。穀梁曰：「小寢，非正也。」胡氏曰：「周制：王宫六寢，路寢一，小寢五。君日出而眂朝，退適路寢聽政，使人眂大夫，退然後適小寢，釋服。是路寢，治事之所也；而小寢，燕息之地也。公羊以西宫爲小寢，魯子以諸侯有三宫，則列國之制蓋降於王，其以路寢爲正則一爾。君終不於路寢，則非正矣。曾子曰：『吾得正而斃焉，又何求哉？』古人貴於得正乃如此，凡此直書而義自見矣。」愚謂此云直書而義自見，爲得春秋之旨。

隕霜不殺草。李梅實。

正傳曰：書「隕霜不殺草。李梅實」，公羊以爲「記異也。何異爾？不時也」。周之冬十二月，即夏之冬十月也。陽氣在内，陰氣在外，正天地肅殺之時也，而隕霜猶不殺草，則陰氣不固，陽氣不藏，故李梅結實，非常之異也。夫君相所職，在燮理陰陽，而化育萬物也。今陰陽不和，則君相失職，而凶咎將至矣，故春秋書以示後世。胡氏曰：「哀公問於仲尼曰：『春秋記隕霜不殺草，何爲記之也？』曰：『此言可殺也。夫宜殺而不殺，則李梅冬實，天失其道，草木猶干犯之，而況君乎？』是故以天道言，四時失其序，則其施必悖，無以統萬象矣；以君道言，五刑失其用，則其權必喪，無以服萬民矣。哀公欲去三桓，張公室，問社於宰我。宰我對以『使民戰慄』，蓋勸之斷也。仲尼則曰：『成事不説，遂事不諫，既往不咎。』其自與哀公言，乃以爲可殺，何也？在聖人則能處變而不失其常，在賢者必有小貞吉、大貞凶之戒矣。其論隕霜不殺草，則李梅冬實，蓋除惡於微，慮患於早之意也。」

晉人、陳人、鄭人伐許。

正傳曰：書「晉人、陳人、鄭人伐許」，著不義之兵也。左氏曰：「晉、陳、鄭伐許，討其貳於楚也。」愚謂許貳於楚，背中國而變夷狄，固有罪矣。晉襄不思父喪之未葬，非有門庭之寇，而從墨衰之例，忘親動衆，會諸侯，以遠伐先世所不致之許，其失道甚矣，豈非不義之兵乎？故春秋書以著其罪焉。

校記：

〔一〕「於」，原作「以」，據嘉靖本改。

春秋正傳卷之十七

文公

名興，僖公子，母聲姜，夫人出姜，在位十八年。

元年晉襄二年、齊昭七年、衛成九年、蔡莊二十年、鄭穆二年、曹共二十七年、陳共六年、杞桓十一年、宋成十一年、秦穆三十四年、楚成四十六年弒。襄王二十六年。

春王正月，公即位。

正傳曰：書「春王正月，公即位」，正始也。胡氏曰：「即位者，告廟臨羣臣也。國君嗣世，定於初喪，必逾年然後改元。書『即位』者，緣始終之義，一年不二君，緣民臣之心，不可曠年無君。按書載舜、禹受終傳位之事，在舜則曰：『月正元日，格于文祖。』在禹則曰：『正月朔旦，受命于神宗，率百官若帝之初。』夫于文祖、神宗，則告廟也；率百官若帝之初，則臨羣臣也。自古通喪三年，其以凶服則不可入宗廟，其以吉服則斬焉在衰絰之中，不可既成而又易之也，如之何而可？子張問於孔子：『高宗諒陰，三年不言，何謂也？』子曰：『何必高宗？古之人皆然。君薨，百官總己以聽於冢宰。』三年，則告廟臨羣臣，固有攝行之禮矣。按商書稱『太甲元年，伊尹祠于先王』，則攝而告廟之證也。『百官總己以聽冢宰』，則攝而臨羣臣之證也。其曰『祗見厥祖』者，言伊尹以奉嗣王之事，祗見太甲之祖也。至『三祀十有二月，伊尹以冕服奉嗣王』，則免喪從吉之證也。然顧命、康誥，紀成王之崩，其君臣皆冕服，何也？當是時，成王方崩就殯，猶未成服，故用麻冕黼裳入受顧命。已受命誥諸侯，而後釋冕反喪服者，於是成服而宅憂也。或以爲『康王釋服離次而即吉』，則誤矣。」愚謂所謂諒陰三年不言，百官總己以聽冢宰，乃言其居喪之禮，非初喪即位時攝行也。以顧命考之，則即位者繼統之大事，而居喪之禮次焉。若於初喪未成服之時，受顧命即廟告祖、臨羣臣，然後行喪禮，明承重也。未明承重則不可以行喪禮也，蓋受命告祖于廟，即臨羣臣于廟，然後行含斂之禮，則三者皆得並行而不相悖矣。古人行大禮，皆於廟故也。

二月癸亥，日有食之。

正傳曰：書「癸亥，日有食之」，紀天變也。迅雷風烈必變，聖人所以敬天也。

天王使叔服來會葬。

正傳曰：書「天王使叔服來會葬」，紀恤下之禮也，而諸侯失禮之罪著矣。左氏曰：「春，王使内史叔服來會葬。」公羊曰：「會葬，禮也。」夫天子之於諸侯，吉凶慶吊之禮，一往一來，無不答也。故五載天子一巡狩，羣后四朝，故上下之間亦有吊葬之禮，所以通上下之情也。春秋之所載，未聞有諸侯朝天王、奔喪、會葬者，而襄王此舉，爲得恤下之義，然而君先乎臣，當時君弱臣强亦可見矣。胡氏曰：「崩、薨、卒、葬，人道始終之大變也，不以得禮爲常事而不書，其或失禮而害於王法之甚者，聖人則有削而不存以示義者矣。」

夏四月丁巳，葬我君僖公。

正傳曰：書「夏四月丁巳，葬我君僖公」，紀禮之正也。諸侯五月而葬，同盟畢至，禮也。葬，送終之大事也，故書之。穀梁曰：「薨稱公，舉上也。葬我君，接上下也。僖公，葬而後舉謚，謚所以成德也，於卒事乎加之矣。」

天王使毛伯來錫公命。

正傳曰：毛，國，伯爵，諸侯入爲天子卿士者。書「天王使毛伯來錫公命」，則其非禮自見矣。公羊曰：「錫者何？賜也。命者何？加我服也。」穀梁曰：「禮有受命，無來錫命，錫命非正也。」胡氏曰：「諸侯終喪入見，則有錫；歲時來朝，則有錫；能敵王所愾，則有錫。黻冕圭璧，因其終喪入見而錫之者也，禮所謂『喪畢以士服見天子，已見，賜之黻冕圭璧然後歸』是已。車馬衮黼，其歲時來朝而錫之者也，詩所謂『君子來朝，何錫予之？雖無予之，路車乘馬。又何予之？玄衮及黼』是已。彤弓玈矢，因其敵愾獻功而錫之者也，詩所謂『彤弓弨兮，受言藏之。我有嘉賓，中心貺之。鐘鼓既設，一朝享之』是已。今文公繼世，喪制未畢，非初見、繼朝而獻功也，何爲來錫命乎？」

晉侯伐衛。

正傳曰：書「晉侯伐衛」，紀伐不庭也，其可伐而不可伐之義見矣。左氏曰：「晉文公之季年，諸侯朝晉，衛成公不朝，使孔達侵鄭，伐緜、訾及匡。晉襄公既祥，使告于諸侯而伐衛，及南陽。先且居曰：『效尤，禍也。請君朝王，臣從師。』晉侯朝王于溫。先且居、胥臣伐衛。五月辛酉朔，晉師圍戚。六月戊戌，取之，獲孫昭子。」愚謂此實傳也。夫以衛侯之不朝而侵鄭伐緜、訾及匡，彼固謂之可伐矣，然惟正己者則可以伐之也。襄公能聽且居之言，先自朝王，而後伐衛之不朝，而伐人，所謂先正己而後正人者也。然其不奉天王之討而伐之，則非所可伐矣。又爲將伐衛而先朝王，則亦非出於敬君之誠焉。所謂五霸，假之也。

叔孫得臣如京師。

正傳曰：叔孫，氏；得臣，名，叔牙之孫也。左氏曰：「王使毛伯衛來錫公命。叔孫得臣如周拜。」何以書？著非禮也。諸侯既畢喪而以繼世見天子，天子錫之命，諸侯拜而受之，禮也。今文公之立未嘗朝王，而王錫之命。又不自朝以拜賜，而使得臣以往，不臣之甚者也。故春秋書以非之。

衛人伐晉。

正傳曰：書「衛人伐晉」，則衛侯之罪見矣。何罪乎？〔不〕〔一〕自反而不縮也。夫衛不朝晉，是背盟主也。晉侯先朝王而後伐之，得正己以正人之義，爲衛君者，宜屈服矣。乃又使孔達帥師伐晉，是不自反而犯盟主，其罪大矣，故春秋非之。

秋，公孫敖會晉侯于戚。

正傳曰：公孫敖，魯大夫。左氏曰：「晉侯疆戚田，故公孫敖會之。」書「公孫敖會晉侯于戚」，見其會之非禮也。禮，卿不得會公侯。敖以大夫會晉侯，非禮也。故春秋書之，而非禮之罪見矣。

冬十月丁未，楚世子商臣弒其君頵。

正傳曰：頵，楚君名。商臣，世子名。書「楚世子商臣弒其君頵」，誅亂賊也。左氏曰：「初楚子將以商臣爲太子，訪諸令尹子上。子上曰：『君之齒未也，而又多愛，黜乃亂也。楚國之舉，恒在少者。且是人也，蠭目而豺聲，忍人也，不可立也。』弗聽。既，又欲立王子職而黜大子商臣。商臣聞之而未察，告其師潘崇曰：『若之何而察之？』潘崇曰：『享江芈而勿敬也。』從之。江芈怒曰：『呼！役夫！宜君王之欲殺汝而立職也。』告潘崇曰：『信矣。』潘崇曰：『能事諸乎？』曰：『不能。』『能行乎？』曰：『不能。』『能行大事乎？』曰：『能。』冬十月，以宫甲圍成王。王請食熊蹯而死，弗聽。丁未，王縊。謚之曰靈，不瞑。曰成，乃瞑。穆王立，以其爲大子之室與潘崇，使爲太師，且掌環列之尹。」胡氏曰：「書世子弑君者，有父之親，有君之尊，而至於弑逆，此天理大變，人情所深駭。春秋詳書其事，欲以起問者察所由，示懲誡也。唐世子弘受左氏春秋至此，廢書嘆曰：『經籍，聖人垂訓，何書此耶？』郭瑜對曰：『春秋義存褒貶，以善惡爲勸〔二〕戒，故商臣千載而惡名不滅。』弘曰：『非惟口不可道，固亦耳不忍聞，願受他書。』瑜請讀禮，世子從之。嗚呼！聖人大訓不明於後世，皆腐儒學經不知其義者之罪耳。夫亂臣賊子，雖陷穽在前，斧鉞加於頸而不避，顧謂身後惡名，足以繫其邪志而懲於爲惡，豈不謬哉！持此曉人，可謂茅塞其心意矣。若語之曰：爲人君父而不通於春秋之義者，必蒙首惡之名；爲臣子而不通於春秋之義者，必陷篡弑誅死之罪。聖人書此者，使天下後世察於人倫，知所以爲君臣父子之道，而免於首惡之名、誅死之罪也。則世子弘而聞此，必將愯然畏懼，知春秋之不可不學矣。學於春秋，必明臣子之義，不至於奏請佛旨而見酖矣。傳者，案也；經者，斷也。考於傳之所載，可以見其所由致之漸，豈隱乎？嫡妾必正，而楚子多愛；立子必長，而楚國之舉常在少者；養世子不可不慎也，而以潘崇爲之師；侍膳問安，世子職也，而多置宮甲。降而不憾、憾而能眕者鮮矣。乃欲黜兄而立其弟，謀及婦人，宜其敗也。而使江芈知其情，是以不仁處其身，而以不孝處其子也，其及宜矣！楚頵僭王，憑陵中國，戰勝諸侯，毒被天下，然昧於君臣父子之道，禍發蕭墻而不之覺也。不善之積，豈可掩哉？君不君，則臣不臣；父不父，則子不子。春秋書世子弒其君，推本所由而著其首惡，爲萬世之大戒也！然則商臣無貶矣？曰：弒父與君之賊，其惡猶待於貶而後著乎？」愚謂商臣猶稱世子而無貶，而云其惡自著，則其他小惡者，何待貶而後著耶？

公孫敖如齊。

正傳曰：書「公孫敖如齊」，著聘禮之非也。居喪讀喪禮，既葬讀祭禮，喪復常，讀樂章，言吉凶不以相襲也。左氏曰：「穆伯如齊，始聘焉，禮也。凡君即位，卿出並聘，踐脩舊好，要結外援，好事鄰國，以衛社稷，忠、信、卑讓之道也。忠，德之正也。信，德之固也。卑讓，德之基也。」愚謂聘禮以居喪而行之，非禮也。故春秋書「如齊」，使人考如齊之故，則行聘禮也，而其居喪行聘之非禮，自可見焉，其旨微矣。

襄王二十七年。二年晉襄三年、齊昭八年、衛成十年、蔡莊二十一年、鄭穆三年、曹共二十八年、陳共七年、杞桓十二年、宋成十二年、秦穆三十五年、楚穆商臣元年。

春王二月甲子，晉侯及秦師戰于彭衙，秦師敗績。

正傳曰：彭衙，秦地。書「晉侯及秦師戰于彭衙，秦師敗績」，罪交忿之兵也。左氏曰：「秦孟明視帥師伐晉以報殽之役。二月，晉侯禦之，先且居將中軍，趙衰佐之。王官無地御戎，狐鞫居爲右。甲子，及秦師戰于彭衙，秦師敗績。晉人謂秦『拜賜之師』。戰於殽也，晉梁弘御戎，萊駒爲右。戰之明日，晉襄公縛秦囚，使萊駒以戈斬之。囚呼，萊駒失戈，狼瞫取戈以斬囚，禽之以從公乘，遂以爲右。箕之役，先軫黜之，而立續簡伯。狼瞫怒。其友曰：『盍死之？』瞫曰：『吾未獲死所。』及彭衙，既陳，以其屬馳秦師，死焉。晉師從之，大敗秦師。」胡氏曰：「夫敵加於己，不得已而起者謂之應兵；爭恨小故，不忍忿怒者謂之忿兵。按左氏『秦孟明帥師伐晉，報殽之役』，此所謂忿兵，疑罪之在秦也，而以晉侯主之，何哉？處己息爭之道，遠怨之方也。然則敵加於己，縱其侵暴，將不得應乎？曰：敵加於己，而己有罪焉，引咎責躬，服其罪則可矣。己則無罪，而不義見加，諭之以辭命，猶不得免焉，亦告於天子方伯可也，若遽然興師而與戰，是謂以桀攻桀，何愈乎？」愚謂此確論矣。據左氏，秦經人之國以襲人，報殽之役，是秦加忿於晉也。晉以居喪自處，謹守以禦，去則勿逐可也，乃追至于彭衙，戰于秦境，是晉加忿於秦也。故曰交忿之兵也。

丁丑，作僖公主。

正傳曰：書「丁丑作僖公主」，左氏曰：「書不時也。」公羊曰：「虞主用桑，練主用栗。用栗者，藏主也。」穀梁曰：「喪主於虞，吉主於練。」胡氏曰：「作主者，造木主也。既葬而反虞，虞主用桑；期年而練祭，練主用栗。用栗者，藏主也，何以書？僖公薨至是十有五月，然後作主，慢而不敬甚矣。夫慢而不敬，積惡之原也。以爲無傷而不去，至於惡積而不可揜，所以謹之也。」愚謂主者所以依神者也。神無二主，其初喪之主，乃所謂重也。既葬而立，曰是憑是依者，乃真主也。武王伐紂，載文王僞主以行，君子以爲非實矣。

三月乙巳，及晋處父盟。

正傳曰：書「及晋處父盟」，著其盟之非也。春秋無善盟，盟者，忠信之薄也，況君與其臣盟乎？況越國乎？其及不言公，處父不稱氏，公、穀、諸儒皆以爲諱，非也。言及，則公可知矣。言處父，則陽氏可知矣。不言地而言晋，則於晋越國可知矣，曾是以爲諱乎？左氏曰：「晋人以公不朝來討，公如晋。夏四月乙巳，晋人使陽處父盟公以恥之。」此實傳也。然則公以己之不朝晋爲失禮，則脩令詞以平之可也，而越國以盟，是失己矣。竟取晋人之恥，使大夫與之盟，以臣抗君於己之地，是失人矣。失己失人，則上下、君臣之倫紊矣。曾是以爲霸乎？

夏六月，公孫敖會宋公、陳侯、鄭伯、晋士縠盟于垂隴。

正傳曰：垂隴，鄭地。書「公孫敖會宋公、陳侯、鄭伯、晋士縠盟于垂隴」，著非禮也。左氏曰：「公未至，六月，穆伯會諸侯及晋司空士縠盟于垂隴，晋討衛故也。書『士縠』，堪其事也。陳侯爲衛請成于晋，執孔達以説。」愚謂此實傳也。夫盟誓非古也，况敖與縠以大夫會諸侯乎！按左氏謂公未至，是及晋處父盟未至也，而敖以大夫擅行盟會之大事，非但見大夫盟諸侯，且以見大夫專執國政矣。春秋書之，以著其彼此上下之罪。

自十有二月不雨，至于秋七月。

正傳曰：云自十有二月者，去歲十有二月，即夏之十月也。自十有二月至秋七月不雨，則不雨者，歷四時八閲月，旱之甚也。何以書？紀災之甚也。

八月丁卯，大事于太廟，躋僖公。

正傳曰：大事者，大合食，祫祭也。五年一祫，毁廟與羣廟之主，皆合祭于太廟之室。太祖東向，其餘皆以南北相向，以爲昭穆。父子異昭穆，兄弟同昭穆。躋僖公者，至合食之時，見僖與閔同昭穆，而僖兄閔弟，遂躋其主於閔公上，蓋於時夏父弗忌爲宗伯主之，且曰：「吾見新鬼大，舊鬼小」，而不知閔雖弟先爲君，而僖雖兄時已爲臣，君臣之義已前定，今升而上之，非禮矣。如僖公者，但當以兄弟相及之義，及于閔之次，昭則同昭，位在昭之左次；穆則同穆，位在穆之右次，可也。三傳皆以閔爲祖，僖爲禰，先禰而後祖爲逆祀，胡氏從之，皆誤矣。若父子相繼異昭穆，乃爲異世，乃稱祖禰。閔、僖兄弟同世，而稱祖禰可乎？若如三傳、胡氏之言，以兄弟爲異世，爲祖爲禰，則殷之兄弟四人相繼，其長兄當爲高祖矣，其名位反易，豈不甚乎！穀梁曰：「君子不以親親害尊尊，故春秋書躋僖公。」三傳皆以爲逆祀，是也。譏以後君先先君也，非禮也。或曰：非是之謂也，紀大事也。蓋前二月作僖公主，既祔而猶在几筵。今乃祭告，升之於太廟。然而亦非時矣。

冬，晉人、宋人、陳人、鄭人伐秦。

正傳曰：書「晉人、宋人、陳人、鄭人伐秦」，譏貪忿之兵也。左氏曰：「冬，晉先且居、宋公子成、陳轅選、鄭公子歸生伐秦，取汪及彭衙而還，以報彭衙之役。」愚謂此實録也。夫彭衙之勝，可以已而不已，非貪忿之兵而何？左氏又曰：「卿不書，爲穆公故，尊秦也，謂之崇德。」愚謂此則妄也。既推尊穆公之意，以及其卿，又何不推穆公之德，以及其民，而勿伐之乎？其稱人者，史畧之也。胡氏曰：「晉人再勝秦師，在常情亦可以已矣，而復興此役，結怨勤民，是全不務德，專欲力争，而報復之無已也，以致濟河焚舟之師，故特貶而稱人。」愚謂胡氏謂「晉報復結怨」，是也；謂「貶而稱人」，非也。

公子遂如齊納幣。

正傳曰：書「公子遂如齊納幣」，紀大禮也。昏，禮之大者，人道之始也。納幣，又昏禮之始也。公、胡皆以爲譏喪昏，非也。按僖公三十三年十二月乙巳薨，至此文公二年十二月，已大祥矣。夫謂之祥，則行納幣之禮未得爲喪娶。左氏曰：「襄仲如齊納幣，禮也。凡君即位，好舅甥，脩昏姻，娶元妃以奉粢盛，孝也。孝，禮之始也。」愚謂奉宗廟以繼先君之統，事之大者也，故曰不孝有三，無後爲大，如之何其勿急乎？公羊、胡氏乃至責文公之志，過矣。

三年晋襄四年、齊昭九年、衛成十一年、蔡莊二十二年、鄭穆四年、曹共二十九年、陳共八年、杞桓十三年、宋成十三年、秦穆三十六年、楚穆二年。

春王正月，叔孫得臣會晋人、宋人、陳人、衛人、鄭人伐沈。沈潰。

正傳曰：得臣，魯大夫。沈，小國，姬姓。稱得臣會諸侯，是主在魯也。書「伐沈」，譏不義之兵也。左氏曰：「莊叔會諸侯之師伐沈，以其服於楚也。沈潰。凡民逃其上曰潰，在上曰逃。」愚謂沈不與中國之盟會，而外服於楚，是變於夷，固有罪矣。然魯於沈爲同姓而伐之，是伐同姓也。沈國微小，動諸侯之兵而伐之，是不能恤小也，其與沈之罪均耳。何以伐人而使其人民逃散？亦可悲夫！胡氏以爲無譏，誤矣。

夏五月，王子虎卒。

正傳曰：王子虎，周大夫。書「王子虎卒」，著非禮也。左氏曰：「夏四月乙亥，王叔文公卒，來赴，吊如同盟，禮也。」愚謂諸侯卒而赴於諸侯，禮也。大夫卒而赴於諸侯，非禮也。胡氏曰：「天子内臣，無外交。或曰：禮，稱情而爲之節文者也。叔服新使乎我，則宜有恩禮矣。仲尼脱驂於舊館，雖卒叔服可也。夫脱驂於舊館，惡夫涕之無從而爲之者，非理之經也。天子内臣無外交，而以新使乎我致恩禮焉，是以私情害公義，失輕重之權矣。」

秦人伐晋。

正傳曰：書「秦人伐晋」，著貪憤之兵也。不待稱人以貶，而其罪自見矣。左氏曰：「秦伯伐晋，濟河焚舟，取王官及郊，晋人不出。自茅津濟，封殽尸而還。遂霸西戎，用孟明也。君子是以知秦穆公之爲君也，舉人之周也，與人之壹也。孟明之臣也，其不解也，能懼思也。子桑之忠也，其知人也，能舉善也。」愚謂此實録也。吾於濟河焚舟，以見其憤矣。於取王官及郊，見其貪矣。貪憤之兵謂之不義。孟子曰：「爲善戰者服上刑」，「長君之惡其罪小，逢君之惡其罪大」。穆公惡能知人？三子惡得爲賢臣？程子曰：「構怨連禍，殘民以逞，晋人畏之而不敢出，秦人極其忿而後悔過，聖人取其終能悔耳。」

秋，楚人圍江。

正傳曰：書「楚人圍江」，紀蠻夷之猾夏也。左氏曰：「楚師圍江，晋先僕伐楚以救江。」

愚謂自齊桓之霸，江、黃以近楚之國而從齊，故既滅黃，今又圍江。晉使先僕救之，此晉所以繼齊桓而霸也。

雨螽于宋。

正傳曰：書「雨螽于宋」，紀災異也。雨者，如雨也。雨于宋，宋有報，則書也。穀梁曰：「外災不志，此何以志也？曰：災甚也。其甚奈何？茅茨盡矣。著於上，見於下，謂之雨。」

冬，公如晉。十有二月己巳，公及晉侯盟。

正傳曰：如晉者，往朝晉也。何以言之？以下公及晉侯盟可知。二事也，故春秋書「公如晉，十有二月己巳，公及晉侯盟」，著其非禮之舉也。夫朝聘於國，盟誓於境，二事不相沿。公如晉以朝聘矣，又爲晉所要而與之盟，不思前年與其臣處父盟于晉國之辱，故春秋書以非之。左氏曰：「晉人懼其無禮於公也，請改盟。公如晉，及晉侯盟。晉侯享公，賦菁菁者莪。莊叔以公降，拜，曰：『小國受命於大國，敢不慎儀？君貺之以大禮，何樂如之？抑小國之樂，大國之惠也。』晉侯降，辭，登，成拜。公賦嘉樂。」愚謂：無禮者，前使陽處父與盟于國外之事也，請改盟者，實欲召公以朝也。公如晉者，實朝之也。既朝乃及晉侯盟，盟已非禮矣，況又二之乎？

晉陽處父帥師伐楚以救江。

正傳曰：書「晉陽處父帥師伐楚以救江」，善其救也。江、黄二小國，遠而逼於楚，而從於齊，與中國之盟會。楚以蠻夷猾夏，欲吞二國。既已滅黄，而又圍江。晉伐楚而救之，可謂攘夷安夏之師矣。故春秋善之。左氏曰：「晉以江故告于周，王叔桓公、晉陽處父伐楚以救江，門于方城，遇息公子朱而還。」愚謂此雖未足盡據，然而能以江故告于周，則是奉王命以行，亦足以聲大義於天下矣。胡氏又曰：「其書『以』何？楚嘗伐鄭矣，齊桓公遠結江、黄，合九國之師於召陵，然後伐鄭之謀罷。又嘗圍宋矣，晉文公許復曹、衛，會四國之師於城濮，然後圍宋之役解。今江國小而弱，非能與宋、鄭比，楚人圍之，必不待徹四境屯戍守禦之衆與宿衛盡行也。當是時，楚有覆載不容之罪，晉主夏盟，宜合諸侯聲罪致討，命秦甲出武關，齊以東兵略陳、蔡而南，處父等軍方城之外，楚必震恐，而江圍自解矣。計不出此，乃獨遣一軍遠攻强國，豈能濟乎？故書『伐楚以救江』，言救江雖善，而所以救之者非其道矣，此春秋紀用兵之法也。」愚謂此亦經外之意也。

襄王二十九年。

四年晉襄五年、齊昭十年、衛成十二年、蔡莊二十三年、鄭穆五年、曹共三十年、陳共九年、杞桓十四年、宋成十四年、秦穆三十七年、楚穆三年。

春，公至自晉。

正傳曰：書「公至自晉」，以始終乎非禮之舉也。君舉必書，至必反面也。

夏，逆婦姜于齊。

正傳曰：書「逆婦姜于齊」，紀大昏之禮也。昏者，人道之始，上承宗廟，而繼先君之統於無窮，可不重乎！左氏曰：「卿不行，非禮也。君子是以知出姜之不允於魯也，曰：『貴聘而賤逆之，君而卑之，立而廢之，棄信而壞其主，在國必亂，在家必亡。不允宜哉！詩曰：「畏天之威，于時保之。」敬主之謂也。』」公羊曰：「其謂之『逆婦姜于齊』何？略之也。高子曰：『娶乎大夫者，略之也。』」程、胡二子皆以稱婦姜爲已成婦，蓋謂其喪中納幣。然以時考之，納幣已在大祥之後，況繼嗣尤爲孝先之大事乎！況娶又在納幣踰年之後乎！君子當於有過中求無過，亦立法嚴而待物恕之意也。諸儒蓋因婦姜之言而起此議耳。

狄侵齊。

正傳曰：書「狄侵齊」，紀夷狄之犯中國也。

秋，楚人滅江。

正傳曰：書「楚人滅江」，罪蠻夷之猾夏也，於是乎見霸圖之衰矣。左氏曰：「楚人滅江，秦伯爲之降服，出次，不舉，過數。大夫諫。公曰：『同盟滅，雖不能救，敢不矜乎？吾自懼也。』君子曰：『詩云「惟彼二國，其政不獲。惟此四國，爰究爰度」，其秦穆之謂矣。』」

愚謂晋人救兵之不力，終不能全江之亡。秦穆公聞江之滅，乃爲之不舉，是晋人千萬之兵，不如秦伯之一念也。惜夫！

晋侯伐秦。

正傳曰：書「晋侯伐秦」，紀報怨之兵也。左氏曰：「圍邧、新城，以報王官之役。」程子曰：「秦逞忿以伐晋，晋畏而避之，其見報，乃常情也。秦至此，能悔過矣，故不復報晋，聖人取其能遷善也。稱晋侯不復加譏，見秦宜得報，而自悔不復脩怨，乃其善也。」愚謂讀春秋者，當就事論事，此書特見晋之報怨。程子又以秦之悔過不復報，而稱晋侯不復加譏而善之，則支矣。

衛侯使甯俞來聘。

正傳曰：俞，甯武子名，衛大夫。書「衛侯使甯俞來聘」，紀邦交之禮也。左氏曰：「衛甯武子來聘，公與之宴，爲賦湛露及彤弓。不辭，又不答賦。使行人私焉。對曰：『臣以爲肄業及之也。昔諸侯朝正於王，王宴樂之，於是乎賦湛露，則天子當陽，諸侯用命也。諸侯敵王所愾，而獻其功，王於是乎賜之彤弓一、彤矢百、玈弓矢千，以覺報宴。今陪臣來繼舊好，君辱貺之，其敢干大禮以自取戾？』」愚謂於是見魯侯之失舉而武子之爲知禮也。交際之間，其可不謹乎！

冬十有一月壬寅，夫人風氏薨。

正傳曰：風氏，成風也，妾母也，而稱夫人者，史從僭號也，然則非孔子之文明矣。後書稱小君，倣此。書「夫人風氏薨」，紀君母之大故也，而其失禮不可掩矣。程子曰：「自成風以後，妾母稱夫人，嫡妾亂矣。仲子始僭，尚未敢同嫡也。」胡氏曰：「風氏，僖公之母，莊公妾也，而稱夫人，自是嫡妾亂矣。語曰：『邦君之妻，邦人稱之曰君夫人，稱諸異邦曰寡小君。』蓋敵體之稱也。若夫妾媵，則非敵矣，其生亦以夫人之名稱號之，其没亦以夫人之禮卒葬之，非所以正其分也。以妾媵爲夫人，徒欲尊寵其所愛，而不虞卑其身；以妾母爲夫人，徒欲崇貴其所生，而不虞賤其父。卑其身則失位，賤其父則無本。越禮至是，不亦悖乎？夫禮，庶子爲君，爲其母無服，不敢貳尊者也。春秋於成風記其卒葬，各以實書，不爲異辭者，謹禮之所由變也。」

襄王三十年。五年晋襄六年、齊昭十一年、衛成十三年、蔡莊二十四年、鄭穆六年、曹共三十一年、陳共十年、杞桓十五年、宋成十五年、秦穆三十八年、楚穆四年。

春王正月，王使榮叔歸含，且賵。

正傳曰：珠玉實於口曰含，車馬以賻其喪曰賵。書「王使榮叔歸含，且賵」，譏非禮也。斯舉也，有非禮四焉：以天子之尊而含、賵諸侯之妾，非禮一也。含者，初斂之禮，而既喪三月矣行之，非禮二也。含、賵兼行，厚禮妾母，非禮三也。遂成妾母爲夫人，亂倫失理，非禮四也。一舉而四失禮焉。直書其事，而其非自見矣。胡氏乃以爲「王不稱天」爲「弗克若天」，則詞贅而意鑿矣。

三月辛亥，葬我小君成風。

正傳曰：成風，莊公之妾，僖公之庶母，文公之庶祖母也。以妾僭嫡，故稱小君。書「葬我小君成風」，則其僭禮之非自見矣。云「葬我小君」，則是以夫人之禮葬之也。以妾僭嫡，以下陵上，天理人倫之大變，故春秋因葬而書，而其罪自見矣。胡氏曰：「仲子雖聘，非惠公之嫡也。春秋之初，尚以爲疑，故別爲立宮，而羽數特異。此雖非禮之正，然不祔于姑，猶有辨焉。至是成風書葬，乃有二夫人祔廟，而亂倫易紀，無復辨矣，故禮之失自成風始也。」

王使召伯來會葬。

正傳曰：召伯，召昭公。書「王使召伯來會葬」，則非禮自見矣。夫會葬之禮，諸侯所以尊天子。天子答施於諸侯，猶之可也，而施於妾母，是成其爲夫人，而教人以妾僭嫡矣。以妾僭嫡，紊名分，逆天理，莫此之甚焉者也。故春秋既書「王使榮叔來歸含且賵」，又書「王使召伯來會葬」，則其禮之非禮，而王之不王，不待去「天」而其過不可掩矣。二傳皆以爲禮，程、胡皆以不稱「天」以謹戒者，鑿矣。

夏，公孫敖如晉。

正傳曰：如晉，行聘也。書「如晉」，譏非所宜如也。天子致含、賵，會葬，而未之拜謝，葬土未乾，即使公孫敖如晉行聘焉，直書其事與時，而其失自見矣。

秦人入鄀。

正傳曰：鄀，小國名。書「秦人入鄀」，譏非霸討也，而其擅興陵虐之罪見矣。左氏曰：「初，鄀叛楚即秦，又貳於楚。夏，秦人入鄀。」愚謂此實傳也。鄀反覆背理，舍夏變於夷，誠有罪矣，然而惟天子得以討之，惟天吏得以伐之。秦不奉王〔三〕命，德非天吏，而擅伐之，可乎？又虐而入之，可乎？交譏並罪，不可逃矣。

秋，楚人滅六。

正傳曰：六，小國，在壽州安豐縣。書「楚人滅六」，著蠻夷之猾夏，而霸業之不競也。左氏曰：「六人叛楚即東夷。秋，楚成大心、仲歸帥師滅六。冬，楚公子燮滅蓼。臧文仲聞六與蓼滅，曰：『皋陶、庭堅不祀忽諸。德之不建，民之無援，哀哉！』」吳氏曰：「晉襄公志氣不能如初年之盛，紹霸之業寖以衰微，故西戎之秦、南蠻之楚敢於肆行中國，吞噬弱小而無所忌。」是矣。

冬十月甲申，許男業卒。

正傳曰：業，許僖公名。書「許男業卒」，紀同盟之大故也。

襄王三十一年。六年晉襄七年卒、齊昭十二年、衛成十四年、蔡莊二十五年、鄭穆七年、曹共三十二年、陳共十一年、杞桓十六年、宋成十六年、秦穆三十九年、楚穆五年。

春，葬許僖公。

正傳曰：書「葬許僖公」，紀同盟相恤之大義也。餘見前。

夏，季孫行父如陳。

正傳曰：書「季孫行父如陳」，著其如之非禮也。左氏曰：「臧文仲以陳、衛之睦也，欲求好於陳。夏，季文子聘于陳，且娶焉。」愚謂此實録也。夫禮主乎一，聘則聘，昏則昏。假聘以成昏，假公以遂私，非禮也。故春秋書之，而其非自見矣。

秋，季孫行父如晉。

正傳曰：如晉，聘也。書「季孫行父如晉」，著其聘之非禮也。古者朝聘以時。五年夏，公孫敖如晉矣，今踰年而行父再聘焉，既爲非禮。又左氏曰：「季文子將聘于晉，使求遭喪之禮以行。其人曰：『將焉用之？』文子曰：『備豫不虞，古之善教也。求而無之，實難。

過求，何害？』」愚謂此又行父之非禮也。汪氏曰：「王制：『諸侯於天子，比年一小聘，三年一大聘，五年一朝。』文公即位六年，自朝於晉者再，而貴卿比年往聘，過於事天子之禮，而京師之朝終其世不見於經，蓋知有霸主而不知有天王也。」

八月乙亥，晉侯驩卒。

正傳曰：驩，晉侯名。書「晉侯驩卒」，紀霸主之大故也。何以書之？於是有會葬之禮焉。左氏曰：「晉襄公卒。靈公少，晉人以難故，欲立長君。趙孟曰：『立公子雍。好善而長，先君愛之，且近於秦。秦，舊好也。置善則固，事長則順，立愛則孝，結舊則安。爲難故，故欲立長君。有此四德者，難必抒矣。』賈季曰：『不如立公子樂。辰嬴嬖於二君，立其子，民必安之。』趙孟曰：『辰嬴賤，班在九人，其子何震之有？且爲二嬖，淫也。爲先君子，不能求大，而出在小國，辟也。母淫子辟，無威。陳小而遠，無援，將何安焉？杜祁以君故，讓偪姞而上之。以狄故，讓季隗而己次之，故班在四。先君是以愛其子，而仕諸秦，爲亞卿焉。秦大而近，足以爲援。母義子愛，足以威民。立之，不亦可乎？』使先蔑、士會如秦逆公子雍。賈季亦使召公子樂于陳，趙孟使殺諸郫。」愚謂：觀此亦足以爲戒矣。晉襄公紹霸業以威諸侯，身死未久，而冢嗣不立，假於權臣之手。六卿分晉，有自來矣。

冬十月，公子遂如晉，葬晉襄公。

正傳曰：書「公子遂如晉，葬晉襄公」，紀會葬之禮也。禮，諸侯五月而葬，同盟至。今晉有亂，故不待期而葬。觀此，則以赴會葬者爲禮，不待期而葬者爲非禮矣。

晉殺其大夫陽處父。晉狐射姑出奔狄。

正傳曰：書「晉殺其大夫陽處父。晉狐射姑出奔狄」，則其賊殺之罪，與逸賊失臣之端，並可考見矣。公羊子曰：「晉殺其大夫陽處父，則狐射姑曷爲出奔？射姑殺也。君將使射姑將，陽處父曰：『民衆不説，不可使將。』於是廢將。君謂射姑曰：『陽處父言曰：「射姑，民衆不説，不可使將。」』射姑怒，出，刺陽處父於朝而走。」愚謂：觀此，則射姑賊殺之罪著矣。然刺於朝而君不正其罪，而縱之出奔，則晉君逸賊之罪又著矣。易曰：「君不密則失臣。」晉君漏處父之言而使殺焉，則其君失臣之罪又著矣。其兩稱晉者，他國之史之詞耳。公、胡二氏乃有稱國、稱君、稱氏之辨，鑿矣。

閏月不告月，猶朝于廟。

正傳曰：書「閏月不告月，猶朝于廟」，紀非禮也。夫朝廟爲告朔也，不告月是不告朔，非禮也。猶朝于廟，亦非禮也。左氏曰：「閏月不告朔，非禮也。閏以正時，時以作事，事以厚生，生民之道於是乎在矣。不告閏朔，棄時政也，何以爲民？」胡氏曰：「不告朔，則曷爲不言朔也？因月之虧盈而置閏，是主乎月而有閏也，故不言朔而言月。占天時則以星，授民事則以節，候寒暑之至則以氣。百官脩其政於朝，庶民服其事於野，則主乎是焉耳矣。閏不可廢乎？曰：迎日推策，則有其數；轉璣觀衡，則有其象。歸奇於扐以象閏，數也；斗指兩辰之間，象也。象數者，天理也，非人之所能爲也。故以定時成歲者，唐典也；以詔王居門終月者，周制也。班告朔於邦國，不以是爲附月之餘，而弗之數也。『猶朝于廟』者，幸其不已之詞。子貢欲去告朔之餼羊，子曰：『爾愛其羊，我愛其禮。』」愚謂：猶朝于廟，乃書實事，胡氏以爲「幸其不已之詞」，鑿矣。

襄王三十二年。**七年**晉靈公夷皋元年、齊昭十三年、衛成十五年、蔡莊二十六年、鄭穆八年、曹共三十三年、陳共十二年、杞桓十七年、宋成十七年卒、秦康公罃元年、楚穆六年。

春，公伐邾。

正傳曰：書「公伐邾」，則陵弱之罪自見矣。左氏曰：「間晋難也。」然則因霸國之有難，肆其侵小之虐，其不義甚矣。

三月甲戌，取須句。

正傳曰：須句，小國。書「取須句」，則文公貪虐之罪自見矣。左氏曰：「寘文公子焉，非禮也。」杜氏曰：「絶太皞之祀，以與鄰國叛臣。僖公反其君之後，邾復滅之。今邾文公子叛邾在魯，故公使爲守須句大夫。」愚謂魯文公斯舉有不義三焉。以大吞小，失字小之義，一也。取非其有，以與叛臣，二也。絶太皥之祀，三也。舉一貪兵，負三不義之名，魯文公何以自立於天下乎？

遂城郚。

正傳曰：郚，魯邑。穀梁曰：「遂，繼事也。」書「遂城郚」，譏不時且非義也。遂因伐邾之師以城郚也。夫文公以邾叛臣守須句之地，又虐用民力城郚以備邾，又違農時而不恤，文公之無道甚矣。

夏四月，宋公王臣卒。

正傳曰：王臣，宋成公名。書「宋公王臣卒」，紀與國之大故也，於是乎有會葬之義焉，故聖人筆之。

宋人殺其大夫。

正傳曰：書「宋人殺其大夫」，著擅殺之罪也。左氏曰：「宋成公卒，於是公子成爲右師，公孫友爲左師，樂豫爲司馬，鱗矔爲司徒，公子蕩爲司城，華御事爲司寇。昭公將去羣公子，樂豫曰：『不可。公族，公室之枝葉也；若去之，則本根無所庇廕矣。葛藟猶能庇其本根，故君子以爲比，況國君乎？此諺所謂「庇焉而縱尋斧焉」者也，必不可，君其圖之！

親之以德，皆股肱也，誰敢攜貳？若之何去之？』不聽。穆、襄之族率國人以攻公，殺公孫固、公孫鄭于公宮。六卿和公室，樂豫舍司馬以讓公子卬。昭公即位而葬。書曰『宋人殺其大夫』，不稱名，衆也，且言非其罪也。」胡氏曰：「書宋人者，國亂無政，非君命而衆人擅殺之也。大夫不名，義繫於殺大夫，而其名不足紀也。」

戊子，晋人及秦人戰於令狐。晋先蔑奔秦。

正傳曰：令狐，晋地。書「晋人及秦人戰於令狐，先蔑奔秦」，則晋大夫仗義之師，而先蔑負義之罪，皆可見矣。按左氏：「襄公卒，太子幼，晋人欲立長君，使先蔑迎公子雍于秦。秦康公多其徒衛，送公子雍于晋。穆嬴日抱太子以啼于朝，曰：『先君何罪？其嗣亦何罪？舍適嗣不立，而外求君，將焉寘此？』出朝，則抱以適趙氏，頓首於宣子，曰：『先君奉此子也而屬諸子，曰：「此子也才，吾受子之賜；不才，吾唯子之怨。」今君雖終，言猶在耳，而棄之，若何？』宣子與諸大夫皆患穆嬴，且畏偪，乃背先蔑而立靈公，以禦秦師。箕鄭居守。趙盾將中軍，先克佐之；荀林父佐上軍；先蔑將下軍，先都佐之。步招御戎，戎津爲右。及堇陰。宣子曰：『我若受秦，秦則賓也；不受，寇也。既不受矣，而復緩師，秦將生心。先人有奪人之心，軍之善謀也。逐寇如追逃，軍之善政也。』訓卒，利兵，秣馬，蓐食，潛師夜起。戊子，敗秦師于令狐，至于刳首。」愚謂此晋大夫悟迎雍之非，而從立嫡之是，故起兵以禦秦人納雍之兵，所謂仗義矣。又按，「己丑，先蔑奔秦，士會從之。先蔑之使也，荀林父止之，曰：『夫人、太子猶在，而外求君，此必不行。子以疾辭，若何？不然，將及。攝卿以往，可也，何必子？同官爲寮，吾嘗同寮，敢不盡心乎？』弗聽。爲賦板之三章，又弗聽。」愚謂此先蔑既不能聽林父之忠告，克己以從善，變逆以爲順，至於身去父母之邦，負不韙之名於天下，所謂背義矣。

狄侵我西鄙。

正傳曰：西鄙，魯西邊之地也。書「狄侵我西鄙」，志警也，見夷狄之陵中國也。晉襄既没，霸業陵替，秦晉交争，狄人窺伺其間，大肆内侵，故侵魯、侵齊、侵宋、侵衛之事漸見矣。

秋八月，公會諸侯、晉大夫盟于扈。

正傳曰：扈，鄭地。書「公會諸侯、晉大夫盟于扈」，則其盟之義而非禮，皆可見矣。左氏曰：「齊侯、宋公、衛侯、陳侯、鄭伯、許男、曹伯會晉趙盾盟于扈，晉侯立故也。」何以謂之義？晉立太子爲君，是立嫡也，而魯與諸侯盟會以定之，定立嫡之義也。何以謂之非禮？諸侯與諸侯會，君與君盟，禮也，而公以諸侯不與晉之新君盟，而與趙盾盟焉，是置立在盾，益盾之强，而紊君臣之分，爲非禮矣。左氏、諸儒皆以不序諸侯、不名大夫爲公後至不與會盟者，非也。不序、不名，蓋史畧之耳。此會繫於公，不繫於諸侯、大夫，故可畧之也。
且書云「公會」，是公至可知矣。

冬，徐伐莒。公孫敖如莒涖盟。

正傳曰：涖，臨之也。書「徐伐莒，公孫敖如莒涖盟」，著其如之非禮也。夫莒，以小弱之國見伐于徐，公孫敖如莒，盟以救之，似禮矣，而敖之意不在於救莒，因盟莒以爲逆娶之地，假公以圖私，濟邪以害正。故左氏曰：「穆伯娶于莒，曰戴己，生文伯；其娣聲己生惠叔。戴己卒，又聘于莒，莒人以聲己辭，則爲襄仲聘焉。冬，徐伐莒，莒人來請盟，穆伯如莒涖盟，且爲仲逆。及鄢陵，登城見之，美，自爲娶之。」夫穆伯所爲如此，其私營邪謀，不道甚矣。故春秋書之，使人考其跡、知其心，而非禮自見矣。

襄王三十三年崩。

八年晉靈二年、齊昭十四年、衛成十六年、蔡莊二十七年、鄭穆九年、曹共三十四年、陳共十三年、杞桓十八年、宋昭公杵臼元年、秦康二年、楚穆七年。

春王正月。○夏四月。

正傳曰：無事並書時月，義見前。

秋八月戊申，天王崩。

正傳曰：書「秋八月戊申，天王崩」，備時月日者何？以紀天下之大變，故詳之也。於是乎天下如喪考妣，爲之服斬衰。諸侯有奔喪、會葬之禮，同軌畢至焉，是故詳書之。

冬十月壬午，公子遂會晋趙盾，盟于衡雍。

正傳曰：衡雍，鄭地。書「公子遂會晋趙盾，盟于衡雍」，譏大夫會盟之非也。左氏曰：「晋人以扈之盟來討。冬，襄仲會晋趙孟盟于衡雍，報扈之盟也。」夫上古不事盟誓，盟誓，後世諸侯之事也。諸侯失道，政在大夫。故大夫會盟自此始矣。高氏曰：「衡雍，晋文公會諸侯、朝王之處也。天王崩，諸侯不奔喪，而盾、遂皆國之正卿，乃自相會盟于王畿之内，惡莫大焉。春秋直書，其罪自見矣。」

乙酉，公子遂會雒戎，盟于暴。

正傳曰：暴，鄭地。書「公子遂會雒戎盟于暴」，譏華夷之雜混也，亂禮也。左氏曰：「遂會伊雒之戎，書曰『公子遂』，珍之也。」愚謂珍之者，重之也。重之，所以責之至也。以公子之貴，而屈下會盟于戎狄之賤，冠屨混矣，罪莫大焉。胡氏曰：「春秋記約而志詳，其書公子遂盟趙盾及雒戎，何詞之贅乎？曰：聖人謹華夷之辨，所以明族類、别内外也。雒邑，天地之中，而戎醜居之，亂華甚矣。自東漢以來，乃與戎雜處而不辨，晋至於神州陸沉，唐亦世有戎狄之亂，許翰以爲『謀國者不知學春秋之過』，信矣。」愚謂：其稱公子，及曰與地與名，史文之詳耳，非以此爲義也。

公孫敖如京師，不至而復。丙戌，奔莒。

正傳曰：書「公孫敖如京師，不至而復，丙戌奔莒」，著非禮〔四〕也，罪敖廢君命而從己欲也。左氏曰：「穆伯如周吊喪，不至，以幣奔莒，從己氏焉。」愚謂天理人欲，繫乎志之向背而已矣。夫志於京師，則有天王之尊，敬莫大焉。志於莒，則有己氏之淫，肆莫大焉。一志於敬，則爲天理；一志於肆，則爲人欲。一念之微，天人判而善惡分焉。胡氏曰：「男女，人之大欲存焉，寡欲者養心之要，欲而不行，可以爲難矣。然欲生於色而縱於淫，色出於性，目之所視，有同美焉，不可掩也。淫出於氣，不持其志，則放僻趨蹶，無不爲矣。敖如〔五〕京師，其書『不至而復』者，言敖無入使于周之意，惟己氏之欲從也。夫以志徇氣，肆行淫欲，而不能爲之帥，至於棄其國家，出奔而不顧，此天下之大戒也。春秋謹書其事，於敖與何誅？使後人爲鑒，必持其志，偹窒欲之方也。」

螽。

正傳曰：書「螽」，紀災異也。

宋人殺其大夫司馬。宋司城來奔。

正傳曰：大夫司馬者，公子卬也。司城者，蕩意諸也。書「宋人殺其大夫司馬，宋司城來奔」，紀宋之亂也。有來報，故書之，以示戒焉。左氏曰：「宋襄夫人，襄王之姊也，昭公不禮焉。夫人因戴氏之族，以殺襄公之孫孔叔、公孫鍾離及大司馬公子卬，皆昭公之黨也。司馬握節以死，故書以官。司城蕩意諸來奔，效節於府人而出。公以其官逆之，皆復之。亦書以官，皆貴之也。」胡氏曰：「初，宋昭公將去羣公子，樂豫以爲不可。遂舍司馬以讓公子卬，則卬固昭公之黨，欲專宋政，而昭公固欲以其弟卬自衛也。夫司馬，掌兵之官，不選衆舉賢，以素有威望爲國人所畏服者，使居其任，乃欲寵其私昵，鮮有不亡者矣。公子卬、蕩意諸皆以官舉者，見主兵者不能其官，至於見殺；守土者不能其官，至於出奔。而其君不免失身見弑之禍，宜矣。」愚謂書以官，乃據實詳記，史之文耳，何繫於義耶？

校記：

〔一〕「不」，據嘉靖本補。
〔二〕「勸」，原作「大」，據嘉靖本改。
〔三〕「王」，原作「天」，據嘉靖本改。
〔四〕「禮」，嘉靖本作「義」。
〔五〕「如」，原作「於」，據嘉靖本、胡傳改。

春秋正傳卷之十八

文公

頃王元年。九年晉靈三年、齊昭十五年、衛成十七年、蔡莊二十八年、鄭穆十年、曹共三十五年卒、陳共十四年、杞桓十九年、宋昭二年、秦康三年、楚穆八年。

春，毛伯來求金。

正傳曰：毛伯，天子之大夫，名衛。書「毛伯來求金」，譏非禮之求也。文王以庶邦惟正之供，王者無求，求之非禮也。左氏曰：「毛伯衛來求金，非禮也。不書王命，未葬也。」愚謂不稱王使，公羊以爲「未踰年即位」，胡氏以爲「當喪，未君，諒陰不言」，則是三年政令皆廢矣，冢宰代言，古有行之者矣。程子曰：「毛伯風魯以求金，故不云王使。」此言是也。

夫人姜氏如齊。

正傳曰：姜氏即出姜，齊昭公之女也。書「夫人姜氏如齊」，紀歸寧之禮也。嫁女，父母在，歲一歸寧，禮也。

二月，叔孫得臣如京師。

正傳曰：叔孫，氏；得臣，名，魯大夫也。書「如京師」，紀會葬之非禮也。天子七月而葬，同軌至，今公不親奔，使臣往焉，非禮也。

辛丑，葬襄王。

正傳曰：書葬襄王，紀天下之大事也。於是乎同〔一〕軌畢至，諸侯有奔喪之禮焉。左氏曰：「莊叔如周葬襄王。」春秋書此，以見公之不往，非禮也。

晉人殺其大夫先都。

正傳曰：先都，晉大夫。書「晉人殺其大夫先都」，著擅殺之罪也，而晉之亂可見矣。夫大夫，受命於天子者也，先都之殺，或晉侯、晉人皆不可考，然晉之亂，無刑政矣，罪之大者也。左氏曰：「王正月己酉，使賊殺先克。乙丑，晉人殺先都、梁益耳。」愚謂若如左氏之言，則又非特專擅而已，非特一先都而已，蓋且行盜賊之計焉。

三月，夫人姜氏至自齊。

正傳曰：夫人之禮與君同，故如齊必書，至自齊必書，出告反面之義也。胡氏曰：「夫人與君敵體，同主宗廟之事，出必告行，反必告至，則書于策。然適他國者，或曰享，或曰會，或曰如，衆矣，未有致之者，則其行非禮，以不致見其罪也。出姜如齊，以寧父母，於禮得行矣。其致者，非特以告廟書耳。夫人初歸，豈其不告？爲文公越禮，故削而不書，示誅意之法矣。今此書至者，又以見小君之重也。夫承祭祀以爲宗廟主，一國之母儀而可以摇動乎？出姜至是蓋不安於魯，故至而特書，以示防微杜漸之意，其爲世慮深矣。」愚謂以不致見其罪，不書爲示誅意之法，則夫致之、書之者，其罪反不可見、不可誅之耶？若此之類，皆鑿矣。

晋人殺其大夫士縠及箕鄭父。

正傳曰：晋人者，衆人也。胡氏曰：「國亂無政，衆人擅殺之稱也。」書之，著擅殺之罪也。左氏曰：「三月甲戌，晋人殺箕鄭父、士縠、蒯得。」胡氏曰：「夫三大夫皆强家也，求專晋不得，挾私怨以作亂，而使賊殺其中軍佐，則固有罪矣。曷爲不去其官？當是時晋靈初立，主幼不君，政在趙盾，而中軍佐者，盾之黨也。若獄有所歸，則此三人者，獨無可議從末減乎？而皆殺之，是大夫專生殺而政不自人主出也，故不稱國討，不去其官。而箕鄭父書及，示後世司賞罰者必本忠恕，無有黨偏之意，其義精矣。」愚謂：直書之，不必稱國討，不必去其官，而專殺之罪自見矣。

楚人伐鄭。公子遂會晉人、宋人、衛人、許人救鄭。

正傳曰：書「楚人伐鄭」，罪其伐也。書「公子遂會晉人、宋人、衛人、許人救鄭」，善其救也。紀蠻夷之猾夏，而諸侯攘夷之兵也。左氏曰：「范山言於楚子曰：『晉君少，不在諸侯，北方可圖也。』楚子師于狼淵以伐鄭。囚公子堅、公子尨及樂耳。鄭及楚平。公子遂會晉趙盾、宋華耦、衛孔達、許大夫救鄭，不及楚師。卿不書，緩也，以懲不恪。」愚謂：觀此，則楚有猾夏貪暴之罪，而諸侯雖有攘夷之名，而緩兵逸賊之罪不能辭矣。

夏，狄侵齊。

正傳曰：書「狄侵齊」，紀夷狄之犯中國也。

秋八月，曹伯襄卒。

正傳曰：襄，曹伯名。書「曹伯襄卒」，紀鄰國之大故也，爲有吊葬之禮焉。

九月癸酉，地震。

正傳曰：地道主静，而震動焉，書之以示戒也。公羊曰：「地震者何？動地也。何以書？記異也。」

冬，楚子使椒來聘。

正傳曰：椒者，越椒，楚大夫也。書「楚子使椒來聘」，與夷狄慕華之善也。朝聘，中國諸侯相交之禮。楚子始使來聘，則必有慕義向華之心也，故善之，所謂夷狄而中國則中國之是也。

秦人來歸僖公成風之襚。

正傳曰：成風者，莊公之妾、僖公之母也，故云僖公成風。秦人來歸其襚，則以夫人之禮禮之矣。故書「秦人來歸僖公成風之襚」，譏非禮也。過時而來，亦非禮也。程子云：「過時始至，故云來歸。」又云：「蓋嫡妾之亂，自茲而始。」是也。胡氏曰：「秦人歸襚而曰『僖公成風』者，非兼襚也，亦猶平王來賵仲子，而謂之『惠公仲子』爾。仲子，惠公之妾也。然則風氏亦莊公之妾，曷不書曰：『來歸莊公成風之襚』乎？曰：寵愛仲子，以妾爲妻者，惠公也，故書『惠公仲子』，所以正後世之爲人夫者，當明夫道，不可亂嫡妾之分，以卑其身。尊崇風氏，立爲夫人者，僖公也，故書『僖公成風』，所以正後世之爲人子者，當明子道，不可行僭亂之禮，以賤其父。聖人垂誡之義明矣。」愚謂此又經外之意也，聖人直書，止明襚之非禮、非時耳。

葬曹共公。

正傳曰：書「葬曹共公」，紀會葬鄰國之義也。禮，諸侯五月而葬，同盟至，禮也。

頃王二年。

十年晉靈四年、齊昭十六年、衛成十八年、蔡莊二十九年、鄭穆十一年、曹文公壽元年、陳共十五年、杞桓二十年、宋昭三年、秦康四年、楚穆九年。

春王三月辛卯，臧孫辰卒。

正傳曰：臧孫，氏；辰，名，魯之名大夫臧文仲也。書「臧孫辰卒」，紀國卿之大故也，而其生平之善惡可考而知矣。文仲自莊公末已與聞國政四十餘年，而魯政益衰，知柳下惠之賢而不與立，夫子以爲竊位，其爲人可見矣。

夏，秦伐晉。

正傳曰：書「秦伐晉」，譏貪憤之兵也。左氏曰：「春，晉人伐秦，取少梁。夏，秦伯伐晉，取北徵。」其彼此報復貪憤之罪可並見矣。

楚殺其大夫宜申。

正傳曰：書「楚殺其大夫宜申」，著楚穆擅殺之罪也。左氏曰：「初，楚范巫矞似謂成王與子玉、子西曰：『三君皆將强死。』城濮之役，王思之，故使止子玉曰：『毋死。』不及。止子西，子西縊而縣絶，王使適至，遂止之，使爲商公。沿漢泝江，將入郢。王在渚宫，下，見之。懼而辭曰：『臣免於死，又有讒言，謂臣將逃，臣歸死於司敗也。』王使爲工尹。又與子家謀弑穆王。穆王聞之，五月，殺鬭宜申及仲歸。」愚謂：據此，則宜申，楚大夫。方楚世子商臣弑其君父以自立，宜申懷報讎之心者久矣，及今乃始與仲歸謀復十年之讎，自以爲成王之忠臣，不知乃商臣之弑賊也。夫既臣之而後謀逞其志，與或人之與豫讓謀者相同，雖陷於弑逆之罪，然其志猶可憫也。故春秋特書「楚殺其大夫宜申」，罪楚穆之專殺而不罪宜申，其意可見矣。

自正月不雨，至于秋七月。

正傳曰：書「自正月不雨，至于秋七月」，紀大災也。周正月，子月也。七月，午月也，正田苗憂旱之時也。

及蘇子盟于女栗。

正傳曰：蘇子，周之卿士。及者，魯公及之也。書「及蘇子盟于女栗」，譏其盟之非禮也。盟者，諸侯之事，相誓以爲信者也。諸侯不以忠信事天王，至王人來盟乃盟之，非禮矣。左氏曰：「頃王立故也。」愚謂頃王立，欲親諸侯，故使蘇子來盟。夫天王崩，頃王立，魯與諸侯皆不聞有往者，而獨與王人盟，是上失天子之尊，下無人臣之禮也。故春秋書此，兩見其非。

冬，狄侵宋。

正傳曰：書「狄侵宋」，紀夷狄之陵中國也。

楚子、蔡侯次于厥貉。

正傳曰：書「楚子、蔡侯次于厥貉」，則蔡從夷楚陵夏之罪並見矣。左氏曰：「陳侯、鄭伯會楚子于息。冬，遂及蔡侯次于厥貉，將以伐宋。宋華御事曰：『楚欲弱我也，先爲之弱乎？何必使誘我？我實不能，民何罪？』乃逆楚子，勞，且聽命。遂道以田孟諸。宋公爲右盂，鄭伯爲左盂。期思公復遂爲右司馬，子朱及文之無畏爲左司馬，命夙駕載燧。宋公違命，無畏抶其僕以徇。或謂子舟曰：『國君不可戮也。』子舟曰：『當官而行，何彊之有？詩曰：「剛亦不吐，柔亦不茹。」「毋縱詭隨，以謹罔極。」是亦非辟彊也。敢愛死以亂官乎？』厥貉之會，麇子逃歸。」愚謂此實傳也。觀此，則厥貉之次，將以伐宋也。夫宋，商王之後，霸國之裔也。上書「狄侵宋」，是夷狄憑陵中國，諸侯當救之而不救，則亦已矣，而蔡與陳、鄭又從楚而謀伐焉。引蠻夷之兵以滅先王之祀，有人心者肯爲之乎？故春秋書于册，以深罪之。

十有一年晉靈五年、齊昭十七年、衛成十九年、蔡莊三十年、鄭穆十二年、曹文二年、陳共十六年、杞桓二十一年、宋昭四年、秦康五年、楚穆十年。頃王三年。

春，楚子伐麇。

正傳曰：麇，小國，近楚。書「楚子伐麇」，則蠻夷陵暴之罪見矣。左傳言：麇子逃歸，故楚伐之，爲其逃也。左氏又曰：「楚子伐麇，成大心敗麇師于防渚。潘崇復伐麇，至于錫穴。」愚謂厥貉之會，諸侯從夷狄以侵中國，本非義也，麇子逃歸，不得爲非，而楚窮伐之，其得罪於王法大矣。春秋書此，其亦攘夷狄、尊中國之義歟！

夏，叔仲彭生會晋郤缺于承匡。

正傳曰：承匡，宋地名。書「叔仲彭生會晋郤缺于承匡」，則其會之善與臣之專、而春秋喜懼之情見矣。左氏曰：「叔仲惠伯會晋郤缺于承匡，謀諸侯之從於楚者。」愚謂諸侯從楚，以中國而爲夷狄矣。惠伯、郤缺會以謀之，蓋必有攘抑之術也，其會善矣，然而魯公不與晋侯會而使卿大夫自爲會，是以謀國大事委之於臣下也，其事勢亦可知矣，此春秋之所以懼也。

秋，曹伯來朝。

正傳曰：曹伯，曹文公也。書「曹伯來朝」，著小國事大之禮也。左氏曰：「曹文公來朝，即位而來見也。」愚謂諸侯即位相朝聘，禮也。孟子曰：「唯智者爲能以小事大」，曹伯有焉，故春秋善之。

公子遂如宋。

正傳曰：公子遂，襄仲也。書「公子遂如宋」，紀聘問鄰國之禮也。左氏曰：「襄仲聘于宋，且言司城蕩意諸而復之。因賀楚師之不害也。」於鄰國相恤之禮得矣。

狄侵齊。

正傳曰：書「狄侵齊」，紀蠻夷之陵中國也。夫齊有霸國之餘烈，而狄侵之，則夷狄强盛而中國浸弱可知矣。

冬十月甲午，叔孫得臣敗狄于鹹。

正傳曰：狄者，三傳皆以爲長狄也。書「叔孫得臣敗狄于鹹」，紀攘夷之兵也。左氏曰：「鄋瞞侵齊，遂伐我。公卜使叔孫得臣追之，吉。侯叔夏御莊叔，緜房甥爲右，富父終甥駟乘。冬十月甲午，敗狄于鹹，獲長狄僑如。富父終甥摏其喉以戈，殺之，埋其首於子駒之門，以命宣伯。」愚謂觀此傳，則得臣此舉有攘夷尊夏之功矣，故春秋與之。然不以聽命于天子，歸於司寇，則亦彼善於此，而未盡善也。

頃王四年。　十有二年晉靈六年、齊昭十八年、衛成二十年、蔡莊三十一年、鄭穆十三年、曹文三年、陳共十七年、杞桓二十二年、宋昭五年、秦康六年、楚穆十一年。

春王正月，郕伯來奔。

正傳曰：書「郕伯來奔」，則失國之罪見矣。左氏曰：「郕伯卒，郕人立君。太子以夫鍾與郕邽來奔。公以諸侯逆之，非禮也。故書曰：『郕伯來奔。』」愚謂史蓋因失稱而稱之也。夫鍾、郕邽皆郕邑也，夫郕伯卒，太子可以繼世爲郕伯，而不能自立，以其邑奔人之國，是自棄其爵而不能守其國矣，故春秋書以譏之。

杞伯來朝。

正傳曰：書「杞伯來朝」，紀非禮也。左氏曰：「杞桓公來朝，始朝公也。且請絶叔姬而無絶昏，公許之。」據此，則杞伯之來則爲絶叔姬而求再昏也，於禮無據矣。古者朝聘以時，非其時，非禮矣。夫朝則朝，昏則昏，以朝爲名而實求再昏，豈得爲禮之正乎？

二月庚子，子叔姬卒。

正傳曰：按左氏：「二月，叔姬卒。不言『杞』，絶也。書『叔姬』，言非女也。」何以書叔姬？見出於夫家，卒於魯而無所歸，則魯喪葬之，是以書焉。

夏，楚人圍巢。

正傳曰：巢，吴、楚間小國。書「楚人圍巢」，紀夷狄之憑陵虐及小國也。左氏曰：「楚令尹大孫伯卒，成嘉爲令尹。羣舒叛楚。夏，子孔執舒子平及宗子，遂圍巢。」愚謂觀此傳，則楚無道之甚，誠蠻夷也。詩云：「戎狄是膺，荆舒是懲。」惡之至矣，宜矣！

秋，滕子來朝。

正傳曰：書「滕子來朝」，紀朝聘之禮也。左氏曰：「秋，滕昭公來朝，亦始朝公也。」愚謂滕子來朝，則善矣。文公即位十二年，受曹、杞、滕君之朝已，而不思己曾不一往朝覲于天王，何耶？强恕而行，何善不可爲？蓋至是天下諸侯不復知有天王，人心死而天理滅矣。

秦伯使術來聘。

正傳曰：術者，西乞術，秦大夫也。書「秦伯使術來聘」，譏之也。何以譏之？以其聘之不專也。左氏曰：「秦伯使西乞術來聘，且言將伐晉。襄仲辭玉，曰：『君不忘先君之好，照臨魯國，鎮撫其社稷，重之以大器，寡君敢辭玉。』對曰：『不腆敝器，不足辭也。』主人三辭。賓答曰：『寡君願徼福于周公、魯公以事君，不腆先君之敝器，使下臣致諸執事，以爲瑞節，要結好命，所以藉寡君之命，結二國之好，是以敢致之。』襄仲曰：『不有君子，其能國乎？國無陋矣。』厚賄之。」愚謂觀此傳，則秦聘之不專，志在言伐晉，而不在脩好也。以貨利相交而不以禮義也，故春秋書以非之。

冬十有二月戊午，晋人、秦人戰于河曲。

正傳曰：河曲，晋地。書「晋人、秦人戰于河曲」，紀憤暴之兵也。左氏曰：「秦爲令狐之役故，冬，秦伯伐晋，取羈馬。晋人禦之。趙盾將中軍，荀林父佐之。郤缺將上軍，臾駢佐之。欒盾將下軍，胥甲佐之。范無恤御戎，以從秦師于河曲。臾駢曰：『秦不能久，請深壘固軍以待之。』從之。秦人欲戰。秦伯謂士會曰：『若何而戰？』對曰：『趙氏新出其屬曰臾駢，必實爲此謀，將以老我師也。趙有側室曰穿，晉君之壻也，有寵而弱，不在軍事；好勇而狂，且惡臾駢之佐上軍也。若使輕者肆焉，其可。』秦伯以璧祈戰于河。十二月戊午，秦軍掩晉上軍。趙穿追之，不及。反，怒曰：『裹糧坐甲，固敵是求，敵至不擊，將何俟焉？』軍吏曰：『將有待也。』穿曰：『我不知謀，將獨出。』乃以其屬出。宣子曰：『秦獲穿也，獲一卿矣。秦以勝歸，我何以報？』乃皆出戰，交綏。秦行人夜戒晉師曰：『兩軍之士皆未憖也，明日請相見也。』臾駢曰：『使者目動而言肆，懼我也，將遁矣。薄諸河，必敗之。』胥甲、趙穿當軍門呼曰：『死傷未收而棄之，不惠也。不待期而薄人於險，無勇也。』乃止。秦師夜遁。復侵晉，入瑕。」愚謂秦人以令狐之役以伐晉，取羈馬，是貪憤之兵也。晉人不薄人於險，則曲在秦矣。聖人書之，使考跡據事，而其是非見矣。

季孫行父帥師城諸及鄆。

正傳曰：諸、鄆，魯二邑。城者，築城也。書「季孫行父帥師城諸及鄆」者，左氏曰：「書，時也。」魯與莒爭，鄆城所以備禦之。且冬時役民，得時以衛民矣，故春秋與之。

頃王五年。**十有三年**晉靈七年、齊昭十九年、衛成二十一年、蔡莊三十二年、鄭穆十四年、曹文四年、陳共十八年卒、杞桓二十三年、宋昭六年、秦康七年、楚穆十二年。

春王正月。

正傳曰：無事亦書時月，義見于前。

夏五月壬午，陳侯朔卒。

正傳曰：朔，陳侯名。書「陳侯朔卒」，紀與國之大故也，見相恤之義焉。

邾子蘧蒢卒。

正傳曰：蘧蒢，邾子名。書「邾子蘧蒢卒」，紀與國之大故也，有赴則史書之，有相恤葬賻之禮焉。左氏曰：「邾文公卜遷于繹。史曰：『利於民而不利於君。』邾子曰：『苟利於民，孤之利也。天生民而樹之君，以利之也。民既利矣，孤必與焉。』左右曰：『命可長也，君何弗爲？』邾子曰：『命在養民。死之短長，時也。民苟利矣，遷也，吉莫如之！』遂遷于繹。五月，邾文公卒。君子曰：知命。」愚謂觀此傳，則邾文公賢君也。春秋書之，雖不爲其賢，然而因所書以考其跡，而其賢可見矣。

自正月不雨，至于秋七月。

正傳曰：書「自正月不雨，至于秋七月」，紀甚災也。春秋乃子正，午月正農務之時，而經三時不雨，則五穀不熟，而生民無育矣。故春秋傷之。

世室屋壞。

正傳曰：書「世室屋壞」，則文公之不致孝乎宗廟可知矣。左氏曰：「秋七月，太室之屋壞，書，不共也。」愚謂自正月不雨，至于秋七月而世室屋壞，則文公不脩宗廟所致也。程子曰：「觀春秋中，文公事宗廟最爲不謹，遂有世室屋壞之變，天人之際可不畏哉！」胡氏曰：「世室，魯公之廟也。周公稱太廟，魯公稱世室，羣公稱宮。書『世室屋壞』，譏久不脩也。何以知久乎？自正月不雨，則無壞道也。不雨凡七月，而先君之廟壞，不恭甚矣！凡此皆志文公怠慢，不謹事宗廟，以致魯國衰削之由，垂戒切矣。」

冬，公如晉。衛侯會公于沓。

正傳曰：沓，地名。書「公如晉，衛侯會公于沓」，著睦鄰解難之義也。吴氏曰：「公往朝晉，衛侯要之於路，而與公會于沓，故因公以請平於晉。夫朝晉，睦鄰之義也，而與衛侯會以平晉，則解難之義矣。故春秋書以與之。」

狄侵衛。

正傳曰：書「狄侵衛」，紀夷狄之陵中國也。

十有二月己丑，公及晉侯盟。公還自晉，鄭伯會公于棐。

正傳曰：書「公及晉侯盟。公還自晉，鄭伯會公于棐」，始終乎睦鄰恤難之義也。左氏曰：「冬，公如晉，朝，且尋盟。衛侯會公于沓，請平于晉。公還，鄭伯會公于棐，亦請平于晉。公皆成之。」愚謂此與前一事也，始終書之，見文公睦鄰恤難之義矣。頃王六年崩，子班嗣位，是爲匡王。

十有四年晉靈八年、齊昭二十年卒、衛成二十二年、蔡莊三十三年、鄭穆十五年、曹文五年、陳靈公平國元年、杞桓二十四年、宋昭七年、秦康八年、楚莊王旅元年。

春王正月，公至自晉。

正傳曰：書「公至自晉」，紀告廟之禮也。凡爲人子，出必告，反必面，禮也。

邾人伐我南鄙，叔彭生帥師伐邾。

正傳曰：書「伐邾」，應敵之兵也，義也。左氏曰：「邾文公之卒也，公使弔焉，不敬。邾人來討，伐我南鄙，故惠伯伐邾。」愚謂魯叔彭生帥師伐邾，蓋以邾伐魯南鄙，所謂不得已而應之，此舉不可謂無名矣。

夏五月乙亥，齊侯潘卒。

正傳曰：潘，齊侯名。名之，亦無他義。書「齊侯潘卒」，以其來赴而書之也。左氏曰：「子叔姬妃齊昭公，生舍。叔姬無寵，舍無威。公子商人驟施於國，而多聚士，盡其家，貸於公有司以繼之。夏五月，昭公卒，舍即位。」

六月，公會宋公、陳侯、衛侯、鄭伯、許男、曹伯、晉趙盾。癸酉，同盟于新城。

正傳曰：新城，宋地。書「會盟于新城」，善其外楚之義也。左氏曰：「從於楚者服，且謀鄫也。」穀梁曰：「同者，有同也，同外楚也。」程子曰：「諸侯始會，議合而後盟，盟者志同，故書同，同懼楚也。」胡氏曰：「同盟于新城，同外楚也。其曰同者，志諸侯同欲，非强之也。」愚謂同外楚者，外其蠻夷猾夏也，外其僭王而陵蔑中華，犯尊號而滅君臣之義也，故春秋善之。

秋七月，有星孛入于北斗。

正傳曰：孛與彗同，光直上如帚者爲彗，光芒四散者爲孛。書「有星孛入于北斗」，紀變異也。天象人事，一氣相符者，故聖人記之，示謹天戒也。左氏曰：「周内史叔服曰：『不出七年，宋、齊、晋之君皆將死亂。』」穀梁曰：「孛之爲言，猶茀也。」胡氏曰：「孛者，惡氣所生，闇亂不明之貌也。入于北斗者，斗有環域，天之三辰，綱紀星也。宋，先代之後；齊、晋，天子方伯，中國紀綱。彗者，所以除舊布新也。禎祥妖孽，隨其所感，先事而著。後三年宋弑昭公，又二年齊弑懿公，又二年晋弑靈公，此三君者，皆違道失德而死于亂，符叔服之言，天之示人顯矣，史之有占明矣。」愚謂雖無三君之應，聖人猶書之示當時君臣，以謹天戒也。

公至自會。

正傳曰：書「公至自會」，謹國君出入告反之義也。

晉人納捷菑于邾，弗克納。

正傳曰：書「晉人納捷菑于邾，弗克納」，紀悔過之義也。左氏曰：「晉趙盾以諸侯之師八百乘納捷菑于邾。邾人辭曰：『齊出貜且長。』宣子曰：『辭順而弗從，不祥。』乃還。」胡氏曰：「邾文公元妃齊姜生定公，二妃晉姬生捷菑。文公卒，邾人立定公，捷菑奔晉。趙盾以諸侯之師八百乘，納捷菑于邾，邾人辭曰：『齊出貜且長。』宣子曰：『非吾力不能納也，義實不爾克也。』引師而去之。故君子善之，而書曰『弗克納』也。在易同人之九四曰：『乘其墉，弗克攻，吉。』象曰：『乘其墉，義弗克也。其吉，則困而反則也。』其趙盾之謂矣。聖人以改過爲大，過而不改，將文過以遂非，則有怙終之刑；過而能悔，不貳過以遠罪，則有遷善之美。其曰『弗克納』，見私欲不行，可以爲難矣。」愚謂改過則善矣，然不知卑且庶之不可奪長，而捷菑之不宜納而納，勤師遠役，至其國徵於色、發於聲而後止，則非所謂不遠復矣。

九月甲申，公孫敖卒于齊。

正傳曰：書「公孫敖卒于齊」，不正其卒也，外之也。左氏曰：「穆伯之從己氏也，魯人立文伯。穆伯生二子於莒，而求復。文伯以爲請。襄仲使無朝，聽命，復而不出，三年而盡室以復適莒。文伯疾，而請曰：『穀之子弱，請立難也。』許之。文伯卒，立惠叔。穆伯請重賂以求復。惠叔以爲請，許之。將來，九月，卒于齊。告喪，請葬，弗許。」愚謂爲魯臣死于魯者葬于魯，不爲魯臣死于齊者不當葬于魯，故書卒于齊，外之也。而其從己氏以客死于他邦，不正終于牖下矣。

齊公子商人弑其君舍。

正傳曰：書「齊公子商人弑其君舍」，誅弑逆之罪也，不必如胡氏以爲「稱公子者，誅止其身」也。齊人立舍，即爲君矣，書弑君，實事也，不必如公、穀、胡氏以爲未踰年稱君，成其爲君，以重商人之弑也。左氏曰：「魯叔姬配齊昭公生舍，叔姬無寵，舍無威。商人心知其孤危寡恃，可以取而代也。」又曰：「齊人定懿公，使來告難，故書以九月。」

宋子哀來奔。

正傳曰：子哀，高子字。書「宋子哀來奔」，義其來也。左氏曰：「宋高哀爲蕭封人，以爲卿，不義宋公而出，遂來奔。書曰『宋子哀來奔』，貴之也。」杜氏曰：「貴其不食污君之禄，避禍速也。」胡氏曰：「宋昭公無道，高哀爲蕭封人，以爲卿，不義宋公而出，遂來奔。書曰『子哀』，貴之也。易曰『幾者動之微，吉之先見者也。君子見幾而作，不俟終日』，宋子哀有焉。昔微子去紂，列爲三仁之首，子哀不立於危亂之邦，而春秋書字，謂能貴愛其身以存道也。若偷生避禍而去國出奔，亦何取之有？」愚謂按左氏、杜氏，則所謂書來奔而貴之者，貴其能辭禄避亂而來也。胡氏又以稱字爲貴之，則與二氏之説異，而又拘於義利之説矣。

冬，單伯如齊。齊人執單伯。

正傳曰：書「單伯如齊。齊人執單伯」，著齊人之不義也。胡氏曰：「齊君舍，魯之甥也。商人弒舍，固忌魯矣。魯使單伯如齊，齊人意欲辱魯，故執單伯并子叔姬，而誣之以罪。不稱行人，公羊所謂『以己執之』也。」愚謂不稱行人，史有詳畧耳。只書「齊人執」而罪已見矣，何必泥公羊「以己執之」之説耶？

齊人執子叔姬。

正傳曰：齊人者，商人之黨與，盡齊之人也。書「齊人執子叔姬」，著逆黨之罪也。左氏曰：「襄仲使告于王，請以王寵求昭姬于齊，曰：『殺其子，焉用其母？請受而罪之。』冬，單伯如齊請子叔姬，齊人執之。又執子叔姬。」愚謂齊人既弒其君，又執君母，罪之極大者也，故既書「執單伯」，又書「執子叔姬」，甚其罪也。高氏曰：「兩書齊人執者，以明單伯、子叔姬之無是事。」愚謂此一事也，別兩書之，詞煩而意益懇至，所以甚齊人黨惡之罪也。程子曰：「商人弒君之惡已顯，而執叔姬之事，聖人不獨罪商人也。齊人不討賊，俱北面事之，又敢執其君母，齊之人均有罪焉，故曰齊人。」胡氏曰：「子叔姬者，齊君舍之母也。弑其君，執其母，皆商人所爲，而以爲齊人執之，何也？商人弑君之罪已顯，而齊人黨賊之惡未彰。商人驟施於國而多聚士，是以財誘齊國之人，而濟其惡也。齊人懷商人之私惠，忘君父之大倫，弑其君而不能討，執其母而莫之救，則是舉國之人皆有不赦之罪也。假有人焉，正色而立於朝，誰敢致難其君與執其母而不之顧乎？故聖人書曰『齊人執子叔姬』，所以窮逆賊之黨與而治之也。其討罪之旨嚴矣，故曰：春秋成而亂臣賊子懼。」

匡王元年。十有五年晉靈九年、齊懿公商人元年、衛成二十三年、蔡莊三十四年卒、鄭穆十六年、曹文六年、陳靈二年、杞桓二十五年、宋昭八年、秦康九年、楚莊二年。

春，季孫行父如晉。

正傳曰：書「季孫行父如晉」，譏其如之非也。左氏曰：「春，季文子如晉，爲單伯與子叔姬故也。」愚謂夫以齊人既弑其君，又執君母與天子之命大夫，其弑逆之罪、暴横之惡極矣，行父以國上卿不能請討于天王，約與國以正其罪惡，反因晉以求釋焉，所謂厥罪惟均〔二〕矣。

三月，宋司馬華孫來盟。

正傳曰：書「宋司馬華孫來盟」，著其盟之非也。諸侯相會以盟好，禮雖非古，亦近世之義也。今司馬華孫特自來盟，又以臣盟君，則非禮義之正矣，故春秋書之，著其非也。左氏曰：「宋華耦來盟，其官皆從之。書曰『宋司馬華孫』，貴之也。公與之宴。辭曰：『君之先臣督得罪於宋殤公，名在諸侯之策。臣承其祀，其敢辱君？請承命於亞旅。』魯人以爲敏。」愚謂此其言雖佞，而其來盟之義不足取也，曾是以爲貴乎？曾是以爲敏乎？胡氏曰：「司馬，主兵之官。稱『華孫』者，自督弑殤公，諸侯受賂，失賊不討，使秉宋政，及其後世，繼掌兵權，春秋之所禁者。故傳載其『承命亞旅』之詞，而經書曰『宋司馬華孫來盟』。其曰『華孫』，猶季孫、叔孫、仲孫、臧孫之類，不書名者，義不繫於名也；不稱使，以是專行爲無君矣。孟子曰：『所謂故國，非謂其有喬木，有世臣之謂也。』春秋此義，其欲後世以賢者之類、功臣之胄爲世臣，然後委之以政乎！」愚謂此非經之本義也。經書此不過著盟之非正耳〔三〕，至於左氏以爲貴之，誤矣。

夏，曹伯來朝。

正傳曰：書「曹伯來朝」，交著其非也。左氏曰：「禮也。諸侯五年再相朝，以脩王命，古之制也。」愚謂左氏知其爲禮，而不知非禮之禮矣。夫曹伯忘君臣之義，不朝天子而朝魯，魯亦不朝天子，而受曹之朝。故春秋書此，兩見其非焉耳矣。

齊人歸公孫敖之喪。

正傳曰：書「齊人歸公孫敖之喪」，善之也，善齊人之不奪人喪也。左氏曰：「齊人或爲孟氏謀曰：『魯，爾親也。飾棺寘諸堂阜，魯必取之。』從之。卞人以告。惠叔猶毁以爲請，立於朝以待命。許之，取而殯之。齊人送之。書曰『齊人歸公孫敖之喪』，爲孟氏，且國故也。」胡氏曰：「公孫敖，慶父之後，行又醜矣，出奔他國，其卒與喪歸，皆書于策者。許翰以謂『文伯、惠叔二子之哀，誠無已也，故魯人從其請，國史記其事。仲尼因而不革者，以敖著教也。』易曰：『有子，考無咎。』周公命蔡仲曰：『爾尚蓋前人之愆。』」

六月辛丑朔，日有食之。鼓，用牲于社。

正傳曰：書「日有食之。鼓，用牲于社」，誌儆戒也，非禮而無應天之誠，皆可見矣。左氏曰：「非禮也。日有食之，天子不舉，伐鼓于社；諸侯用幣于社，伐鼓于朝。以昭事神、訓民、事君，示有等威，古之道也。」愚謂左氏以伐鼓用幣之儀示等威之道爲禮，蓋亦禮之末耳。日有食之，陽道不競，君道不振之象也。先王克謹天戒，臣人克有常憲，百官脩輔，此應天之實而禮之大者也。

單伯至自齊。

正傳曰：書「單伯至自齊」，著齊之罪也。左氏曰：「齊人許單伯請而赦之，使來致命。書曰『單伯至自齊』，貴之也。」愚謂單伯之見執於齊，非單伯之罪也，齊之罪也。故書「至自齊」，則齊人之罪大矣。

晉郤缺帥師伐蔡。戊申，入蔡。

正傳曰：書「晉郤缺帥師伐蔡。戊申，入蔡」，著問罪之師也。左氏曰：「新城之盟，蔡人不與。晉郤缺以上軍、下軍伐蔡，曰：『君弱，不可以怠。』戊申，入蔡，以城下之盟而還。凡勝國，曰滅之；獲大城焉，曰入之。」愚謂雖伐蔡，入其國，止於問罪而無所取，亦春秋之彼善於此者也。左氏既以入蔡盟城下而還，而又云「獲大城曰入」，則其言自相矛盾而不足信矣。

秋，齊人侵我西鄙。

正傳曰：書「齊人侵我西鄙」，志警也，而齊人擅興無名之罪自見矣。

季孫行父如晉。

正傳曰：書「季孫行父如晉」，謹國卿之出也。卿大夫非公事不得出境，出境則書之。左氏曰：「齊人侵我西鄙，故季文子告于晉。」愚謂晉，霸主也，故行父以齊人見侵之事告晉，是爲公事而行，非私出者矣。然行父惟知有霸主，而不知有天子之尊，以告于晉，而不知以告于天王請討之，是蔑君臣上下之義矣。孟子曰：「國必自伐，而後人伐之。」豈不信哉！

冬十有一月，諸侯盟于扈。

正傳曰：書「諸侯盟于扈」，非其盟也，而諸侯盟之不固，而晉侯負盟之罪，可考見矣。左氏曰：「冬十一月，晉侯、宋公、衛侯、蔡侯、陳侯、鄭伯、許男、曹伯盟于扈，尋新城之盟，且謀伐齊也。齊人賂晉侯，故不克而還，於是有齊難，是以公不會。書曰『諸侯盟于扈』，無能爲故也。凡諸侯會，公不與，不書，諱君惡也。與而不書，後也。」程子曰：「此盟爲齊亂也。魯以備齊，不在會，故不序。又稱諸侯者，衆辭，見衆國無能爲也。」愚謂二子之言是矣。而左氏又以「凡公不與會，不書，爲諱；與而不書，爲後」，胡氏又云「不分爵號，爲諸侯等於夷狄，而畧之，以其受賂而不能討齊之罪」，又曰「不言晉會而言諸侯，以爲分惡於諸侯」，則詞皆愈支離，而義愈晦矣。

十有二月，齊人來歸子叔姬。

正傳曰：書「齊人來歸子叔姬」，所以罪齊也，其執其歸皆在齊也。程子曰：「執之書，故來歸不得不書。」胡氏曰：「不言齊子叔姬來歸，而曰齊人來歸子叔姬者，見子叔姬無罪，齊人自絕而歸之爾。春秋深罪齊人以商人爲君，而不知其惡，故其執、其歸與弑其君，商人皆稱齊人，深責之也。」愚謂但書齊人，即商人在其中矣，不必待稱商人爲齊人而後見責之也。餘倣此。

齊侯侵我西鄙，遂伐曹，入其郛。

正傳曰：書「齊侯侵我西鄙，遂伐曹，入其郛」，著齊橫暴之罪也。夫齊商人冒弒君之罪而不自反，乃侵魯，又伐曹，又入其郛，其暴橫極矣。左氏曰：「齊侯侵我西鄙，謂諸侯不能也，遂伐曹，入其郛，討其來朝也。季文子曰：『齊侯其不免乎？己則無禮，而討於有禮者，曰女何故行禮？禮以順天，天之道也。己則反天，而又以討人，難以免矣。詩曰：「胡不相畏，不畏于天？」君子之不虐幼賤，畏于天也。在周頌曰：「畏天之威，于時保之。」不畏于天，將何能保？以亂取國，奉禮以守，猶懼不終，多行無禮，弗能在矣。』」

十有六年晉靈十年、齊懿二年、衛成二十四年、蔡文公申元年、鄭穆十七年、曹文七年、陳靈三年、杞桓二十六年、宋昭九年弒、秦康十年、楚莊三年。匡王二年。

春，季孫行父會齊侯于陽穀，齊侯弗及盟。

正傳曰：此何以書？著會盟之非禮而取辱也。左氏曰：「春王正月，及齊平。公有疾，使季文子會齊侯于陽穀，請盟，齊侯不肯，曰：『請俟〔四〕君間。』」程子曰：「魯、齊既先約盟，而公稱疾不往，及使季孫行父會，故齊侯不及盟。」愚謂諸侯會盟爲兩君脩好睦鄰之道，公既約與齊盟，乃不親往，而使大夫以往會請盟焉，使臣與君盟，非禮矣，宜其見卻於齊而反生釁隙也。記曰「夫人必自侮而後人侮之」，文公之謂矣。故春秋書之，以見其非。

夏五月，公四不視朔。

正傳曰：不視朔者，不告朔也。書「公四不視朔」，則其怠神慢民之罪甚矣。穀梁曰：「天子班朔于諸侯，諸侯受乎禰廟，禮也。公四不視朔，公不臣也。以公爲厭政已甚矣。」胡氏曰：「天子班朔于諸侯，諸侯每月奉以告廟，出視朝政。文公四不視朔，公羊子以爲有疾也。不言疾，自是公無疾不視朔也，此見聖人所書之意。若後復視朔者，必於此書公有疾，與昭公如晉之事比矣。文公厭政，備見於經。閏不告，朔不視，無雨不閔，會同不與，廟壞不脩，作主不時，事神治民之怠也，則其心放而不知求久矣。」

六月戊辰，公子遂及齊侯盟于郪丘。

正傳曰：郪丘，齊地。書「公子遂及齊侯盟于郪丘」，兩譏其失禮也。左氏曰：「公使襄仲納賂于齊侯，故盟于郪丘。」穀梁曰：「復行父之盟也。」愚按此二傳，則魯以齊卻行父之盟，而納賂以釋之，齊以魯之納賂，而復與其臣盟，二者胥失之矣，故春秋書以並著其非。

秋八月辛未，夫人姜氏薨。

正傳曰：姜氏，聲姜，僖公夫人，文公母也。書「夫人姜氏薨」，紀君母之大故也。

毀泉臺。

正傳曰：泉臺者，公羊以爲郎臺也，莊公所築臺于郎者。書「毀泉臺」於「夫人姜氏薨」之後，同時並日，紀遭母之大變而毁先君之所築，爲非禮也。左氏曰：「有蛇自泉宫出，入于國，如先君之數。秋八月辛未，聲姜薨，毁泉臺。」愚按此傳，事雖怪誕，然而或有之，遂因姜氏之薨，以爲不祥，而速毁之也。穀梁曰：「喪不貳事，貳事，緩喪也。」愚謂於母喪爲非常之大變，他不遑恤，而乃同日急於毁臺，哀誠薄矣。先祖所築之臺，一旦惑於怪而毁之，其孝心亡矣。春秋一書，而衆惡並見焉，文公之爲君可知矣。胡氏曰：「先祖爲之，非矣。然臺之存毁，非安危治亂之所繫也，雖勿居可也，而必毁之，是暴揚其失，有輕先祖之心，此履霜之漸，弑父與君之萌，春秋之所謹也，故書。」

楚人、秦人、巴人滅庸。

正傳曰：書「滅庸」，紀報怨之兵也。左氏曰：「楚大饑，戎伐其西南，至于阜山，師於大林。又伐其東南，至于陽丘，以侵訾枝。庸人帥羣蠻以叛楚，麇人帥百濮聚於選，將伐楚。於是申、息之北門不啓。楚人謀徙於阪高。蔿賈曰：『不可。我能往，寇亦能往，不如伐庸。』七遇皆北，唯裨、鯈、魚人實逐之。庸人曰：『楚不足與戰矣。』遂不設備。楚子乘馹，會師于臨品，分爲二隊，子越自石溪，子貝自仞，以伐庸。秦人、巴人從楚師。羣蠻從楚子盟，遂滅庸。」愚謂楚滅人之祀，固爲有罪，亦庸有自取焉耳。胡氏曰：「楚大饑，戎與麇、濮交伐之，而庸人幸其弱，帥羣蠻以叛楚，此取滅之道也。楚人謀徙于阪高，蔿賈曰：『不可。我能往，寇亦能往，不如伐庸。』亦見其謀國之善矣。故列書三國而楚不稱師，滅楚之罪詞也。」愚謂楚不稱師而稱人，與秦、巴等耳，以爲滅楚罪者，非也。

冬十有一月，宋人弑其君杵臼。

正傳曰：宋人者，國之衆也。杵臼，宋昭公名。書「宋人弑其君杵臼」，罪弑逆也。左氏曰：「宋公子鮑禮於國人，宋饑，竭其粟而貸之。年自七十以上，無不饋飴也，時加羞珍異。無日不數於六卿之門。國之材人，無不事也；親自桓以下，無不恤也。公子鮑美而豔，襄夫人欲通之，而不可，乃助之施。昭公無道，國人奉公子鮑以因夫人。於是華元爲右師，公孫友爲左師，華耦爲司馬，鱗矔爲司徒，蕩意諸爲司城，公子朝爲司寇。初，司城蕩卒，公孫壽辭司城，請使意諸爲之。既而告人曰：『君無道，吾官近，懼及焉。棄官，則族無所庇。子，身之貳也，姑紓死焉。雖亡子，猶不亡族。』既，夫人將使公田孟諸而殺之。公知之，盡以寶行。蕩意諸曰：『盍適諸侯？』公曰：『不能其大夫至于君祖母以及國人，諸侯誰納我？且既爲人君，而又爲人臣，不如死。』盡以其寶賜左右而使行。夫人使謂司城去公。對曰：『臣之而逃其難，若後君何？』冬十一月甲寅，宋昭公將田孟諸，未至，夫人王姬使帥甸攻而殺之。蕩意諸死之。書曰『宋人弑其君杵臼』，君無道也。」愚謂君雖無道，國之臣子不可以弑君，國人皆夫人、甸之惡黨也，故書「宋人」，則其首從皆得以誅之矣。胡氏曰：「此襄夫人使甸殺之也，而書宋人者，昭公無道，國人之所欲弒也。君無道而弒之，可乎？諸侯殺其大夫，雖當於罪，若不歸司寇，猶有專殺之嫌，以爲不臣矣，況於北面歸戴奉之以爲君也，故曰：『人臣無將，將而必誅。』昭公無道，聖人以弒君之罪歸宋人者，以明三綱人道之大倫，君臣之義不可廢也。然則有土之君可以肆於民上而無誅乎？諸侯無道，天子方伯在焉，臣子國人其何居？死於其職，而明於去就從違之義，斯可矣。蕩意諸亦死職，春秋削之，不得班於孔父、仇牧、荀息，何也？三子閑其君而見殺，春秋之所取也。意諸知國人將弒其君而不能止，知昭公之將見殺而不能正，坐待其及而死之，所謂『匹夫匹婦自經於溝瀆而莫之知也』，奚得與死於其職者比乎？聖人所以獨取高哀之去，而書字以褒之也。」愚謂此論多是，然他亦書字而非賢之者，而高哀之賢，則不待書字以爲褒矣。

十有七年晉靈十一年、齊懿三年、衛成二十五年、蔡文二年、鄭穆十八年、曹文八年、陳靈四年、杞桓二十七年、宋文公鮑元年、秦康十一年、楚莊四年。匡王三年。

春，晉人、衛人、陳人、鄭人伐宋。

正傳曰：書「晉人、衛人、陳人、鄭人伐宋」，使人考其跡而功罪見矣。何也？諸國之大夫討賊不果，而反成其亂也。愚按：左氏：「晉荀林父、衛孔達、陳公孫寧、鄭石楚伐宋，討曰：『何故弑君？』猶立文公而還。」是討之不果而反成其亂矣。陳恒弑簡公，孔子沐浴而朝，請討。孔子時已致仕且然，而況四子爲國之卿，奉討賊之命，而不果，又立文公以成之乎？夫不果罪矣，而成之罪莫大焉！

夏四月癸亥，葬我小君聲姜。

正傳曰：聲姜，文公之母也。書「葬我小君聲姜」，紀大事也，而其葬之非時自見矣。諸侯五月而葬，聲姜薨至是九月矣，是緩葬而非禮也。左氏以爲「有齊難，是以緩」，亦非也。

齊侯伐我西鄙。六月癸未，公及齊侯盟于穀。

正傳曰：齊來伐，以公不親盟，故來討之也。書「齊侯伐我西鄙，公及齊侯盟于穀」，著其盟之非禮也。夫諸侯會同盟誓，於平時猶之可也，今魯公適有母喪，兩不親往，齊縱有詞來討，何不以母喪爲詞？而乃與盟于穀，蓋非義非禮矣。

諸侯會于扈。

正傳曰：書「諸侯會于扈」，紀其會之非也，而諸侯欲平宋而無功，具可考見矣。左氏曰：「晉侯蒐于黄父，遂復合諸侯于扈，平宋也。公不與會，齊難故也。書曰『諸侯』，無功也。於是晉侯不見鄭伯，以爲貳於楚也。」胡氏曰：「諸侯無討賊之功，則畧而不序。」愚謂宋國之人皆弑君之賊，晉爲盟主，宜以上告天子，下連諸侯，聲大義以討其罪，以爲天下後世戒可也。乃徒會而不伐，反罪鄭伯之不至，其罪之相去能幾何哉？

秋，公至自穀。

正傳曰：書「公至自穀」，紀以出會而反面也，餘見前。

冬，公子遂如齊。

正傳曰：書「公子遂如齊」，紀其聘之非也。夫禮，諸侯使大夫聘於鄰國，必有其時。今魯於齊，秋則君往，冬又臣往，非禮矣。左氏曰：「襄仲如齊，拜穀之盟。」愚謂聘有常禮，襄仲拜穀之盟，已非聘禮之正，卑屈甚矣，此魯所以不競乎！

十有八年晉靈十二年、齊懿四年弒、衛成二十六年、蔡文三年、鄭穆十九年、曹文九年、陳靈五年、杞桓二十八年、宋文二年、秦康十二年卒、楚莊五年。匡王四年。

春王二月丁丑，公薨于臺下。

正傳曰：書「公薨于臺下」，非正終也。穀梁曰：「臺下，非正也。」愚謂君薨于路寢，正終也；于臺下，則以非命而終矣。非命而終，則不能順受其正可知矣。左氏曰：「春，齊侯戒師期，而有疾。醫曰：『不及秋，將死。』公聞之，卜，曰：『尚無及期。』惠伯令龜。卜楚丘占之，曰：『齊侯不及期，非疾也；君亦不聞。令龜有咎。』二月丁丑，公薨。」觀此傳，事雖不經，然必有因隕而暴斃矣。

秦伯罃卒。

正傳曰：罃，秦伯名。書「秦伯罃卒」，紀霸主之大故也，以其有吊賻會葬之禮也。

夏五月戊戌，齊人弒其君商人。

正傳曰：云齊人者，歜與職也。何以書？正弒君之賊也。若二人於其弒舍未成君之初，己未事之爲君而討之，則所謂弒君之賊人人得而誅之，又不書弒矣。左氏曰：「齊懿公之爲公子也，與邴歜之父争田，弗勝。及即位，乃掘而刖之，而使歜僕。納閻職之妻，而使職驂乘。夏五月，公游於申池。二人浴於池。歜以扑抶職。職怒。歜曰：『人奪女妻而不怒，一抶女，庸何傷？』職曰：『與刖其父而弗能病者何如？』乃謀弒懿公，納諸竹中。歸，舍爵而行。齊人立公子元。」愚謂由是觀之，則二人此舉報私怨也，非仗大義爲君報讎者也。且已事之爲君矣，是以書弒。

六月癸酉，葬我君文公。

正傳曰：書「葬我君文公」，紀國之大事也。孟子曰「惟送死足以當大事」，是以史謹書之，又以見葬之合禮以時也。諸侯五月而葬，禮也。

秋，公子遂、叔孫得臣如齊。

正傳曰：書「公子遂、叔孫得臣如齊」，則二子之邪謀可考見矣。夫先君之喪甫葬，二子何爲而如齊乎？爲舍子赤之嫡而謀立宣公之庶長，故請於齊也。左氏曰：「秋，襄仲、莊叔如齊，惠公立故，且拜葬也。文公二妃，敬嬴生宣公。敬嬴嬖，而私事襄仲。宣公長，而屬諸襄仲。襄仲欲立之，叔仲不可。仲見于齊侯而請之。齊侯新立，而欲親魯，許之。」愚謂：觀此傳，則襄仲蓋假齊惠新立與拜葬之故，其實爲請宣公而往也，其邪謀不可掩矣。胡氏曰：「子赤，夫人之子。今卒于弑，不著其實，是爲國諱惡，無以傳信於將來，而春秋之大義隱矣。故上書大夫並使，下書『夫人歸于齊』，中曰『子卒』，則見禍亂邪謀發於奉使之日，而公子遂弑立其君之罪著矣。」

冬十月，子卒。

正傳曰：子即子赤，名惡，夫人姜氏之子。云子者，或曰諸侯在喪之稱，或曰遺子下赤字，未詳孰是。書「子卒」即子赤也，而其卒之故可考，而賊人斯得矣。左氏曰：「冬十月，仲殺惡及視，而立宣公。書曰『子卒』，諱之也。仲以君命召惠伯。其宰公冉務人止之，曰：『入必死。』叔仲曰：『死君命可也。』公冉務人曰：『若君命，可死；非君命，何聽？』弗聽，乃入，殺而埋之馬矢之中。公冉務人奉其帑以奔蔡，既而復叔仲氏。」愚謂諸傳皆以爲諱之、隱之，非也。弑君之賊宜明書之，何以諱乎？蓋襄仲使盜弑之，故史不知其日與地，疑之也。不然，則國人皆其邪黨，而史亦不得以正書弑焉。共隱諱之，蓋襄仲執國命之久而人皆懾從之矣。

夫人姜氏歸于齊。

正傳曰：夫人姜氏，子赤之母也。子赤見弒，故歸于齊。春秋書之，重弒君之罪也。左氏曰：「大歸也。將行，哭而過市，曰：『天乎！仲爲不道，殺適立庶。』市人皆哭。魯人謂之哀姜。」愚謂此實傳也，此天地之大變也，有人心者聞之，得無惻然乎！胡氏曰：「書『夫人』，則知其正；書『姜氏』，則知其非見絶於先君；書『歸于齊』，則知其無罪，異於『孫于邾』者。而魯國臣子殺適立庶，敬嬴、宣公不能事主君、存適母，其罪不書而並見矣。」

季孫行父如齊。

正傳曰：書「季孫行父如齊」，則姦臣逆黨之謀見矣。程氏曰：「遂、得臣、行父三人皆與謀，以其前後如齊知之也。」又宣十八年，行父云：「使我殺適立庶者，仲也。」高氏曰：「前乎子卒，書如齊；後乎子卒，書如齊。齊實聞乎，故所以惡齊也。惡實齊之甥，恐齊人聽夫人之訴來討，於是議納賂而請平焉。行父之罪不可掩矣，不容誅矣！」

莒弒其君庶其。

正傳曰：庶其，莒紀公名。書「莒弒其君庶其」，誅弒逆之罪也。左氏曰：「莒紀公生太子僕，又生季佗，愛季佗而黜僕，且多行無禮於國。僕因國人以弒紀公，以其寶玉來奔，納諸宣公。公命與之邑，曰：『今日必授。』季文子使司寇出諸竟，曰：『今日必達。』公問其故。季文子使大史克對曰：『先大夫臧文仲教行父事君之禮，行父奉以周旋，弗敢失隊，曰：「見有禮於其君者，事之如孝子之養父母也；見無禮於其君者，誅之如鷹鸇之逐鳥雀也。」〔三〕』愚謂行父之言善矣，但其身與遂、得臣同負弒逆之罪，而徒以逐莒弒君之人，豈非所謂所藏乎身不恕而欲喻諸人者耶？

校記：

〔一〕「同」，原作「向」，據嘉靖本改。

〔二〕「均」，原作「鈞」，據嘉靖本改。

〔三〕「耳」，原作「而」，據嘉靖本改。

〔四〕「倏」，嘉靖本及左傳均作「倏」。

春秋正傳卷之十九

宣公

名倭，一名接，文公子，在位十八年。

匡王五年。

元年晉靈十三年、齊惠公元年、衛成二十七年、蔡文四年、鄭穆二十年、曹文十年、陳靈六年、杞桓二十九年、宋文三年、秦共公稻元年、楚莊六年。

春王正月，公即位。

正傳曰：書「春王正月，公即位」，志初立也，而其與聞乎弑之罪可考見矣。公羊謂「繼弑君不言即位」，非也。然則此何以書「即位」耶？其或事出於倉卒，不成乎即位之禮，故不書也。書「即位」，正也，而其罪自不可掩矣。

公子遂如齊逆女。

正傳曰：書「公子遂如齊逆女」，則仲遂陰謀之邪、非昏禮之正，可考見矣。胡氏曰：「魯秉周禮，喪未期年遣卿逆女，何亟乎？太子赤，齊出也。仲遂殺子赤及其母弟而立宣公，懼於見討，故結昏于齊，爲自安計，越典禮以逆之，如此其亟而不顧者，必敬嬴、仲遂請齊立接之始謀也。其後滕文公定爲三年喪，父兄百官皆不欲，曰：『吾宗國魯先君莫之行也。』喪紀浸廢，夫豈一朝一夕之故？自文、宣莫之行矣。此所謂不待貶絕而罪惡見者也。」

三月，遂以夫人婦姜至自齊。

正傳曰：姜不言氏，程子曰「脱氏字」，是也。愚謂既有脱字，則凡諸儒執一字立義例以爲褒貶者，豈其然乎？稱夫人，以國君言之也。稱婦，以敬嬴言之也。稱以，以仲遂言之也。書「三月，遂以夫人婦姜至自齊」，參譏之也，而其昏禮之失，公不當成昏，敬嬴不當主昏，仲遂不當爲邪謀以將命，皆可見矣。夫在喪而娶，娶之非禮矣，非仲遂謀之、敬嬴主之、公從之，何以共成此失哉！故春秋並書而參譏之。

夏，季孫行父如齊。

正傳曰：書「季孫行父如齊」，使人考其所如而知其罪也。左氏曰：「季文子如齊，納賂以請會。」胡氏曰：「經書『行父如齊』，而不言其故，謂『納賂以請會』者，傳也。經有不待傳而著者，比事以觀，斯得矣。下書『公會齊侯于平州』，則知此會，行父請之也。又書『齊人取濟西田』，則知其請蓋以賂也。雖微傳，其事著矣。諸侯立卿爲公室輔，猶屋之有楹也。而謀國如此，亦不待貶絶而惡自見者也。不然，以行父之勤勞恭儉，相三君而無私積，必能以其君顯名，與晏嬰等矣。」

晉放其大夫胥甲父于衛。

正傳曰：書「晉放其大夫胥甲父于衛」，著擅放之罪也。左氏曰：「晉人討不用命者，放胥甲父于衛，而立胥克。先辛奔齊。」胡氏曰：「放，猶羈置毋去其所，比於專殺者，其罪薄乎云爾。或以爲近正，非矣。大夫當官，既不請於天子而自命；以爲有罪，又不告于司寇而擅刑，猶不遠於正乎？秦、晉戰于河曲，撓臾駢之謀者，趙穿也。若討其不用命，則當以穿爲首，止治軍門之呼，偕貶可也。而獨放胥甲父，則以趙盾當國，穿，其族子，而盾庇之也。桃園之罪，其志固形於此矣。」愚謂此言是也。又言「稱國以放，見晉政之在私門而成上侵，爲後戒也」，則鑿矣。

公會齊侯于平州。

正傳曰：書「公會齊侯于平州」，著其會之非也。古者，諸侯相會同，以講信脩睦，非有爲而爲之也。宣公非時有爲，而會齊侯于平州，則非正矣。左氏曰：「會于平州，以定公位。」愚故謂此宣公平州之會有所爲而爲之，非正也。胡氏曰：「魯宣篡立踰年，舉國臣子既從之矣，若之何位猶未定而有待於平州之會也？春秋以來，弑君簒國者已列於諸侯，則不復致討，故曹人以此請負芻于晉。夫簒弑之賊，毁滅天理，無所容於天地之間，身無存没，時無古今，其罪不得赦也。以列於會而不復討，是率中國爲戎夷，棄人類爲禽獸，此仲尼所爲懼，春秋所以作也。」愚謂此説是也。而胡氏又云「魯宣宜稱『及齊』，而曰『會』者，以爲討賊絶黨之法」，則鑿矣。但曰會，則齊黨惡之罪在其中矣。

公子遂如齊。

正傳曰：書「公子遂如齊」，則其如之爲邪謀可考見矣。同時「公會齊侯于平州」而「仲遂如齊」並書，繼之以「齊人取濟西之田」，則魯以田賂齊也。公之會齊以賂，與齊成以定己位也，遂如齊以拜成也，皆可見矣。故左氏曰：「東門襄仲如齊拜成。」是也。則遂之如齊以成，邪謀也。胡氏曰：「宣公簒立之罪，仲遂主謀爲首惡。初請于齊，遂爲上客，而並書介使者，罪叔孫得臣不能爲有無，亦從之也。大夫有以死争者矣，然削而不書者，以叔仲惠伯死非君命，失其所也。遂及行父則一再見于經矣，如齊拜成，雖削之可也。又再書于策者，於以著其始終成就弑立之謀，以戒後世人臣，或内交宫禁以固其寵，或外結藩鎮〔一〕以爲之援，至於殺生廢置皆出其手，而人主不悟者，其慮深矣。凡此皆直書于策而義自見者也。」

六月，齊人取濟西田。

正傳曰：濟西，魯地，書「齊人取濟西田」，則取之者及與之者之罪，並可見矣。夫齊取之，以魯與之也。左氏曰：「齊人取濟西之田，爲立公故，以賂齊也。」愚謂土田乃傳之於先公，受封於天子，非可以私相取與也，況以爲賂乎！公羊曰：「外取邑不書，此何以書？所以賂齊也。曷爲賂齊？爲弑子赤之賂也。」程子曰：「宣公不義得國，賂齊以求助，齊受之以助不義，故書取。不義不能保其土，故不云我。非爲强取，故不諱。不能有而失者，皆諱。」胡氏曰：「魯人致賂以免討，而書『齊人取田』者，所以著齊罪。春秋討賊，尤嚴於利。其爲惡而助之者，所以孤其黨。夫齊，魯鄰國，盟主之餘業也。子惡弑，出姜歸，而宣公立，不能聲罪致討，務寧魯亂，首與之會，是利其爲惡而助之也。弑君篡國，人道所不容，而貨賂公行，免於諸侯之討，則中國胥爲戎夷，人類滅爲禽獸，其禍乃自不知以義爲利，而以利之可以爲利而爲之也。孟子爲梁王極言利國者，必至於弑奪而後饜，蓋得經書『取田』之意。舉法如此，然後人知保義棄利，亂臣賊子孤立無徒，而亂少弭矣。」

秋，邾子來朝。

正傳曰：書「邾子來朝」，則其黨惡之罪自見矣。宣公篡立之罪，人人得而誅之，諸侯列國不能與連率方伯，告于天子，聲罪致討，而邾乃首來朝之，人心死，天理滅矣。故不必加貶，直書之，而其罪自見矣。

楚子、鄭人侵陳，遂侵宋。

正傳曰：書「楚子、鄭人侵陳，遂侵宋」，著黨夷亂華之罪也。並稱楚子、鄭人者，著同惡，夷狄之也。或謂爵楚而人鄭，爲貶之者，非也。左氏曰：「宋人之弒昭公也，晉荀林父以諸侯之師伐宋，宋及晉平，宋文公受盟于晉。又會諸侯于扈，將爲魯討齊，皆取賂而還。鄭穆公曰：『晉不足與也。』遂受盟于楚。陳共公之卒，楚人不禮焉。陳靈公受盟于晉。秋，楚子侵陳，遂侵宋。」胡氏曰：「鄭伯本以宋人弒君，晉不能討，受賂而還，以此罪晉爲不足與也，遂受盟于楚。今乃附楚以亟病中國，何義乎？書『侵陳遂侵宋』者，以見潛師掠境，肆爲侵暴，非能聲宋罪而討之也。既正此師爲不義，然後中國之師可舉矣。」

晉趙盾帥師救陳。

正傳曰：書「晉趙盾帥師救陳」，何也？穀梁曰：「善救陳也。」左氏曰：「晉趙盾帥師救陳、宋。」愚謂此救陳，左氏並云宋，衍文也。胡氏謂「聖人削宋」，非也。又曰：「鄭在王畿之內，而附蠻夷；陳，先代帝王之後，而見侵逼，此門庭之寇，利用禦之者也。晉能救陳，則存諸夏，攘夷狄之師，故特褒而書救。凡書救者，未有不善之也，如解倒懸，如拯民於塗炭之中。知此義，則知春秋用兵之意矣。」

宋公、陳侯、衛侯、曹伯會晉師于棐林，伐鄭。

正傳曰：棐林，鄭地。趙盾之師方救陳也，諸侯遂會之以伐鄭，書之，見其伐之善也，所謂彼善於此者也。故穀梁謂「著其美也」，是也。左氏曰：「會于棐林，以伐鄭也。楚蔿賈救鄭，遇于北林，囚晉解揚。晉人乃還。」愚謂鄭以畿内諸侯而外附於楚，與之同惡，中國而夷狄者也。諸侯會晉師伐之，攘夷狄尊中國之師矣，故春秋書之。

冬，晉趙穿帥師侵崇。

正傳曰：書「晉趙穿帥師侵崇」，著不義之師也。左氏曰：「晉欲求成於秦。趙穿曰：『我侵崇，秦急崇，必救之。吾以求成焉。』冬，趙穿侵崇。秦弗與成。」愚謂：非有大義之舉，而爲是邪謀以動衆，其不義甚矣。胡氏曰：「崇在西土，秦所與也。晉欲求成于秦，不以大義動之，而伐其與國，則爲諼已甚，比諸伐楚以救江異矣。而傳謂設此謀者，趙穿也。意者趙穿已有逆心，欲得兵權，托於伐國以用其衆乎？不然，何謀之迂？而當國者，亦不裁正而從之也。穿之名姓自登史策，弑君于桃園，而上卿以志同受惡，其端又見於此，書侵，以見所以求成者，非其道矣。」

晉人、宋人伐鄭。

正傳曰：書「晉人、宋人伐鄭」，著非義也。左氏曰：「晉人伐鄭，以報北林之役。於是晉侯侈，趙宣子爲政，驟諫而不入，故不競於楚。」愚謂：觀此，則晉之此舉爲憤兵，蓋原於侈以之萌也。穀梁曰：「伐鄭，所以救宋也。」愚謂所以伐鄭者，以鄭以王畿諸侯而從楚，是從夷以叛夏也，則鄭必無詞矣。若夫宋以弒君之賊，罪浮于鄭，晉乃不之問，而反與〔之〕[二]同伐人，所謂助桀伐桀也，我已曲矣，可得爲義兵乎！故春秋並書之，其義可見矣。胡氏亦謂「宋人弒君，既列於會，在春秋衰世，已免諸侯之討矣，論春秋王法，則其罪固在法所不赦也。而晉人與之合兵伐鄭，是謂以燕伐燕」，是也。然又謂書「人」以貶，鑿矣。其罪已著，何假書「人」乎！

匡王六年崩。

二年晉靈十四年弒、齊惠二年、衛成二十八年、蔡文五年、鄭穆二十一年、曹文十一年、陳靈七年、杞桓三十年、宋文四年、秦共二年、楚莊七年。

春王二月壬子，宋華元帥師及鄭公子歸生帥師，戰于大棘。宋師敗績，獲宋華元。

正傳曰：書宋、鄭大棘之戰，華元之獲，著不義也。左氏曰：「春，鄭公子歸生受命于楚伐宋，宋華元、樂呂御之。二月壬子，戰于大棘，宋師敗績，囚華元，獲樂呂，及甲車四百六十乘，俘二百五十人，馘百人。」愚謂宋以弒君之賊而伐鄭之附楚，鄭又負從夷之罪而伐宋，以獲其大夫，是以罪伐罪耳，何以爲義舉乎？若夫宋之罪，唯天吏者則可以伐之，所藏乎身不恕而能伐人者，未之有也。

秦師伐晉。

正傳曰：書「秦師伐晉」，著報怨之師也。左氏曰：「秦師伐晉，以報崇也，遂圍焦。」愚故曰報怨之兵也。胡氏曰：「晉用大師於崇，乃趙穿私意而無名也，故書侵；秦人爲是興師而報晉，則問其無名之罪也，故書伐。世豈有欲求成於强國而侵其所與，可以得成者乎？穿之情見矣。宣子當國，算無遺策，獨懵於此哉？其從之也，而盾之情亦見矣。春秋書事，筆削因革，必有以也。一侵一伐，而不書圍焦，所以誅晉卿上侵之意，其所由來者漸矣。」愚謂：胡氏論書侵、書伐之别，然則春秋書此，爲與秦乎？誤矣。

夏，晉人、宋人、衛人、陳人侵鄭。

正傳曰：書「晉人、宋人、衛人、陳人侵鄭」，著報怨之師也。左氏曰：「夏，晉趙盾救焦，遂自陰地，及諸侯之師侵鄭，以報大棘之役。楚鬭椒救鄭，曰：『能欲諸侯，而惡其難乎？』遂次于鄭，以待晉師。趙盾曰：『彼宗競于楚，殆將斃矣。姑益其疾。』乃去之。」愚謂以晉之强，諸侯之衆，非不足以勝鄭也，而卒不能勝者，蓋宋負弑君之罪，晉與諸侯不能討，又受賂而黨之，此鄭之所以不服也。胡氏謂：「易於訟卦之象曰：『君子作事謀始。』始而不謀，將至於興師動衆，有不能定者矣。晉惟取賂，釋宋而不討，至以中國之大，不能服鄭，不競於楚，可不慎乎！春秋行事必正其本，爲末流之若此也，其垂戒明矣。」

秋九月乙丑，晉趙盾弑其君夷皋。

正傳曰：夷皋，晉侯名。書「晉趙盾弑其君夷皋」，誅首惡也。弑君者穿也，而書盾弑。盾，上卿，與聞乎弑也，此與許止之事，皆是書其實事。蓋弑君父之罪，天下大罪也，若無其實，春秋豈妄以意加以此罪乎！蓋許止進藥於父，而其臣傳之以毒，君死而止奔。趙盾怨君而出，族子弑君而復入，其與弑之迹顯然矣。故皆以弑君加之，誅之，以爲亂臣賊子之戒也。左氏曰：「晉靈公不君，厚斂以雕牆；從臺上彈人，而觀其辟丸也；宰夫胹熊蹯不熟，殺之，寘諸畚，使婦人載以過朝。趙盾、士季見其手，問其故，而患之。將諫，士季曰：『諫而不入，則莫之繼也。會請先，不入，則子繼之。』三進，及溜，而後視之，曰：『吾知所過矣，將改之。』稽首而對曰：『人誰無過？過而能改，善莫大焉。君能有終，則社稷之固也，豈唯羣臣賴之。』猶不改。宣子驟諫，公患之，使鉏麑賊之。晨往，寢門闢矣，盛服將朝。尚早，坐而假寐。麑退，歎而言曰：『不忘恭敬，民之主也。賊民之主，不忠；棄君之命，不信。有一於此，不如死也。』觸槐而死。秋九月，晉侯飲趙盾酒，伏甲，將攻之。其右提彌明知之，趨登，曰：『臣侍君宴，過三爵，非禮也。』遂扶以下。公嗾夫獒焉，明搏而殺之。盾曰：『棄人用犬，雖猛何爲？』鬭且出。提彌明死之。乙丑，趙穿攻靈公于桃園。

宣子未出山而復。太史書曰『趙盾弒其君』，以示於朝。宣子曰：『不然。』對曰：『子爲正卿，亡不越竟，反不討賊，非子而誰？』宣子曰：『嗚呼！「我之懷矣，自貽伊慼。」其我之謂矣。』孔子曰：『董狐，古之良史也，書法不隱。趙宣子，古之良大夫也，爲法受惡。惜也，越竟乃免。』宣子使趙穿逆公子黑臀于周而立之。壬申，朝于武宫。」愚謂此非孔子之言也。春秋之法，臣子弒君父，凡在官、在宫者，殺無赦。觀盾不討穿之罪，乃反使之逆黑臀以立之，其同謀顯然矣，豈越竟可免乎？又觀此經，則書「盾弒」者，晋良史董狐之文，而魯史因之，則孟子所謂其文則史，於此可見矣。他皆魯史之文，而傳莫見，惟此傳最明，因此以例其他，則書人書名與〔三〕否，皆魯史之文而非出於聖人之手，孟子之言爲不我誣矣。

胡氏曰：「趙穿手弒其君，董狐歸獄於盾，其斷盾之獄詞曰『子爲正卿，亡不越竟，反不討賊』，以是書斷，而盾也受其惡而不敢辭，仲尼因其法而不之革，其義云何？曰：正卿，當國任事之臣也。國事莫酷於君見弒，不於其身而誰責乎？亡而越竟，謂去國而不還也，然後君臣之義絶。反而討賊，謂復讎而不釋也，然後臣子之事終。不然，是盾僞出而實聞乎故也。假令不與聞者而縱賊不討，是有今將之心，而意欲穿之成乎弒矣。惡莫慘乎意，今以此罪盾，乃閑臣子之邪心，而謹其漸也。盾雖欲辭而不受，可乎？以高貴鄉公之事觀焉，抽戈者成濟，倡謀者賈充，而當國者司馬昭也。爲天吏者，將原司馬昭之心而誅之乎？亦將致辟成濟而足也？故陳泰曰：『惟斬賈充，可以少謝天下耳。』昭問其次，意在濟也。泰欲進此，直指昭也。然則趙穿弑君，盾爲首惡，春秋之大義明矣。微夫子推見至隱，垂法後世，亂臣賊子皆以詭計獲免，而至愚無知，如史太、鄧扈樂之徒，皆蒙歸獄而受戮焉。君臣父子不相夷以至於禽獸也幾希，故曰：『春秋成而亂臣賊子懼。』

冬十月乙亥，天王崩。

正傳曰：書「冬十月乙亥，天王崩」，紀天下之大變也。聞赴而書於是。諸侯有奔喪之禮焉，魯不見書之史册，則其不奔喪而無君之罪可見矣。

定王元年。三年晉成公黑臀元年、齊惠三年、衛成二十九年、蔡文六年、鄭穆二十二年卒、曹文十二年、陳靈八年、杞桓三十一年、宋文五年、秦共三年、楚莊八年。

春王正月，郊牛之口傷，改卜牛。牛死，乃不郊。

正傳曰：書「春王正月，郊牛之口傷，改卜牛。牛死，乃不郊」，見郊之非禮也。天子祀天地，諸侯祀山川，禮也。魯以諸侯祀天地，非禮也。然則曷爲見郊之非禮也？書之，使人知牛口傷，改卜牛，牛死乃不郊，不然則郊矣，因事而見其非禮也。胡氏曰：「禮，爲天王服斬衰。周人告喪于魯，史策已書而未葬也，祀帝于郊，夫豈其時？而或謂不以王事廢天事，禮乎？春秋以來，喪紀浸廢，有不奔王喪而遠適他國，有不脩吊禮而自相聘問，固將以是爲可舉而不廢也。卒至漢文，以日易月，後世不能復，其所由來漸矣。春秋備書，其義自見。」愚謂：觀此，則春正月爲子月可見而無疑矣。蓋古之郊，卜牲不卜日，日以冬至，迎陽氣也。冬至在子月，此書「郊」在春王正月，則時與月數皆改矣。

猶三望。

正傳曰：書「猶三望」，見非特郊之非禮，而又三望焉，甚非禮也。夫柴望秩于山川，望祭于四方之山川，天子之禮也，天子有四方之山川也。魯既不郊，猶行之，其僭竊之罪亦已太甚矣。胡氏曰：「三望者，公羊曰：『祭太山、河、海。』夫天子有天下，凡宇宙之内名山大川，皆其所主也，故得祭天而有方望，無所不通。諸侯有一國，則竟外之山川，他人所主者，而可以望乎？季氏旅於泰山，冉求不能救，而夫子責之者，爲泰山魯侯所主也，大夫何與焉？季氏不得旅泰山，則河、海非魯之封内，其不得祭亦明矣。」

葬匡王。

正傳曰：書「葬匡王」，紀王室之大事也，而其失禮之非自見矣。禮，天子七月而葬，同軌畢至。今喪始四月而葬，史因魯使奔赴會葬而書之，而非禮自見矣。胡氏曰：「四月而葬，王室不君，其禮畧也。微者往會，魯侯不臣，其情慢也。或曰宣公親之者也，而常事不書，非矣。崩葬，始終之大變，豈以是爲常事而不書也？」

楚子伐陸渾之戎。

正傳曰：書「楚子伐陸渾之戎」，謹蠻夷猾夏之防也。左氏曰：「楚子伐陸渾之戎，遂至于雒，觀兵于周疆。定王使王孫滿勞楚子。楚子問鼎之大小輕重焉。對曰：『在德不在鼎。昔夏之方有德也，遠方圖物，貢金九牧，鑄鼎象物，百物而爲之備，使民知神、姦。故民入川澤、山林，不逢不若。螭魅罔兩，莫能逢之。用能協于上下，以承天休。桀有昏德，鼎遷于商，載祀六百。商紂暴虐，鼎遷于周。德之休明，雖小，重也。其姦回昏亂，雖大，輕也。天祚明德，有所厎止。成王定鼎于郟鄏，卜世三十，卜年七百，天所命也。周德雖衰，天命未改。鼎之輕重，未可問也。』」愚謂此實傳也。觀此，則楚子雖以伐戎，實以觀兵于周，以窺王室，其猾夏之勢可懼矣。故春秋謹書之，防微杜漸之意深矣。胡氏曰：「夷狄相攻不志，此其志何也？爲陸渾在王都之側，戎夏雜處，族類之不分也。楚又至洛，觀兵于周疆，問鼎之大小輕重焉，故特書于策，以謹華夷之辨、禁猾夏之階。」

夏，楚人侵鄭。

正傳曰：書「楚人侵鄭」，則鄭之歸正，楚之犯順，皆可見矣。左氏曰：「鄭即晉故也。」鄭在王畿而前背華從楚，今又背楚即晉，歸于正也、順也。楚人侵之，是醜正也、犯順也。史書于策，所以深著楚之罪而與鄭之善也。胡氏曰：「按左氏：『晉侯伐鄭，鄭及晉平。』而經不書者，仲尼削之也。鄭本以晉靈不君，取賂釋賊爲不足與，似也，而往從楚，非矣。今晉成公初立，背僭竊僞邦而歸諸夏，則是反之正也。春秋大改過，許遷善，書『楚人侵鄭』者，與鄭伯之能反正也，故獨著楚人侵掠諸夏之罪爾。鄭既見侵於楚，則及晉平可知矣。」

秋，赤狄侵齊。

正傳曰：赤狄者，狄之别種。張氏謂：「地譜：洛州，春秋赤狄之地。」書「赤狄侵齊」，紀夷狄之陵中國也。春秋嚴華夷之情見矣。

宋師圍曹。

正傳曰：書「宋師圍曹」，著報復之兵也。據左氏曰：「宋文公即位三年，殺母弟須及昭公子，武氏之謀也。使戴、桓之族攻武氏于司馬子伯之館，盡逐武、穆之族。武、穆之族以曹師伐宋。秋，宋師圍曹，報武氏之亂也。」胡氏曰：「按左氏：『宋文公即位，盡逐武、穆之族，二族以曹師伐宋。』然不書于經者，二族以見逐而舉兵，非討罪也。及宋師圍曹，報武氏之亂，而經書之者，端本清源之意也。武、穆二族與曹之師，奚爲至於宋哉？不能反躬自治，恃衆强以報之，兵革何時而息也？宋惟有不赦之罪，莫之治也，故書法如此。」愚謂：據二傳所言，則二族與曹不能聲討罪之義於宋，徒以見逐而興師，宋不能求悔罪之心於曹，徒以報復而動衆，其爲不義之兵明矣。

冬十月丙戌，鄭伯蘭卒。

正傳曰：書「鄭伯蘭卒」，紀鄰國之大故也。來赴，故書之，是故有相吊賻之禮義焉。左氏曰：「冬，鄭穆公卒。初，鄭文公有賤妾曰燕姞，生穆公，名之曰蘭。文公報鄭子之妃曰陳嬀，生子華、子臧。子臧得罪而出。誘子華而殺之南里，使盜殺子臧于陳、宋之間。又娶于江，生公子士。朝于楚，楚人酖之，及葉而死。又娶于蘇，生子瑕、子俞彌。俞彌早卒。洩駕惡瑕，文公亦惡之，故不立也。公逐羣公子，公子蘭奔晉，從晉文公伐鄭。石癸曰：『吾聞姬、姞耦，其子孫必蕃。姞，吉人也，后稷之元妃也。今公子蘭，姞甥也，天或啓之，必將爲君，其後必蕃。先納之，可以亢寵。』與孔將鉏、侯宣多納之，盟于大宫而立之，以與晉平。」

葬鄭穆公。

正傳曰：書「葬鄭穆公」，紀鄰國之大事也。禮，諸侯五月而葬，同盟畢至，相恤之義也。故春秋書之。

定王二年。**四年**晉成二年、齊惠四年、衛成三十年、蔡文七年、鄭靈公夷元年弑、曹文十三年、陳靈九年、杞桓三十二年、宋文六年、秦共四年卒、楚莊九年。

春王正月，公及齊侯平莒及郯。莒人不肯。公伐莒，取向。

正傳曰：向，莒邑也，何以書？明非禮也。夫平也者，平也，成也，出於人心之平也，而要之平而取之城，則非禮之甚矣。左氏曰：「非禮也。平國以禮，不以亂。伐而不治，亂也。以亂平亂，何治之有？無治，何以行禮？」胡氏曰：「心不偏黨之謂平，以此心平物者物必順，以此心平怨者怨必釋，惟小人不能宅心之若是也。雖以勢力強之，而有不獲成者矣。夫以齊、魯大國平郯、莒小邦，宜其降心聽命，不待文告之及也。然而莒人不肯，則以宣公心有所私繫，失平怨之本耳，故書『取』以著其罪及所欲也。平者，成也。取者，盜也。不肯者，心弗允從，莫能強之者也。以利心圖成，雖強大不能行之於弱小。春秋書此，戒後世之不知治其本者，故行有不得者，反求諸己，斯可矣。」

秦伯稻卒。

正傳曰：稻，秦伯名。書「秦伯稻卒」，紀霸國之大故也，餘義見前。

夏六月乙酉，鄭公子歸生弒其君夷。

正傳曰：書「公子歸生弒其君夷」，誅弒逆之首惡也。左氏曰：「楚人獻黿於鄭靈公。公子宋與子家將見。子公之食指動，以示子家，曰：『他日我如此，必嘗異味。』及入，宰夫將解黿，相視而笑。公問之，子家以告。及食大夫黿，召子公而弗與也。子公怒，染指於鼎，嘗之而出。公怒，欲殺子公。子公與子家謀先。子家曰：『畜老，猶憚殺之，而況君乎？』反譖子家，子家懼而從之。夏，弑靈公。書曰『鄭公子歸生弑其君夷』，權不足也。君子曰：『仁而不武，無能達也。』凡弑君，稱君，君無道也；稱臣，臣之罪也。鄭人立子良。辭曰：『以賢，則去疾不足；以順，則公子堅長。』乃立襄公。襄公將去穆氏，而舍子良。子良不可，曰：『穆氏宜存，則固願也。若將亡之，則亦皆亡，去疾何爲？』乃舍之，皆爲大夫。」愚謂此實傳也。觀此，則弑君之事，謀之者宋，成之者歸生也，非歸生成之，則謀敗矣。故首惡歸乎成之者，其法嚴矣。程子曰：「有欲亂之人，而無與亂者，則雖有强力，弗能爲也。今有劫人以殺人者，則先治劫者，而殺者次之。將以垂訓於後世，則先殺者而後劫者，春秋書『鄭公子歸生弑其君夷』是也。」胡氏曰：「首謀弑逆者，公子宋也。懼譖而從之者，歸生也。而以歸生爲首惡，何也？夫亂臣賊子，欲動其惡而不從者，未有能全其身而不死也。故季子然問：『仲由、冉求其從之者歟？』子曰：『弑父與君，亦不從也。』是以死節許二子矣。歸生懼譖而從公子宋，特無求、路不可奪之死節耳，書爲首惡，不亦過乎？曰：歸生與宋並爲大夫，乃貴戚之卿，同執國政，可以不從，一也；嘗統大師與宋戰，獲其元帥，已得兵權，可以不從，二也。聞宋逆謀，登時而覺，先事誅之，猶反手耳。夫據殺生之柄，仗大義以制人，使人聽己，猶犬羊之伏於虎也，何畏於人懼其見殺而從之也哉？計不出此，顧以畜老憚殺比方君父，歸生之心悖矣。故春秋捨公子宋而以弑君之罪歸之，爲後世鑒。若司馬亮、沈慶之等，苟知此義，則能討罪人，不至於失身爲賊所制矣。」

赤狄侵齊。

正傳曰：書「赤狄侵齊」，見夷狄屢陵中國也。高氏曰：「以齊之强，而連年爲狄所侵，則惠公之無政可知矣。」

秋，公如齊。公至自齊。

正傳曰：書「公如齊」「至自齊」，謹出告反面之義，而公如齊之非自見矣。如、至皆書，始終其非禮也。胡氏曰：「夫以簒弑謀於齊而取國，以土地賂齊而請會，以卑屈事齊而求安，上不知有天王，下不知有方伯，惟利交是奉，而可保乎？」愚謂此説是也，然胡氏又以爲「危之」者，非也。

冬，楚子伐鄭。

正傳曰：書「楚子伐鄭」，著脅人之兵也。左氏曰：「鄭未服也。」杜氏曰：「前年楚侵鄭不獲成，故曰未服。」據此，則是興兵脅鄭，所謂以力服人者也，是曲在楚。向使楚子移此兵，仗大義，以問鄭人弑君之罪，則楚其爲中國矣，不知出此，惜哉！

定王三年。五年晉成三年、齊惠五年、衛成三十一年、蔡文八年、鄭襄公堅元年、曹文十四年、陳靈十年、杞桓三十三年、宋文七年、秦桓公榮元年、楚莊十年。

春，公如齊。

正傳曰：書「公如齊」，著其如之非禮也。語曰：「恭近於禮，遠恥辱也。」公如齊之數，卑屈已甚，非禮矣，其能免恥辱乎？左氏曰：「公如齊，高固使齊侯止公，請叔姬焉。」此非辱而何？

夏，公至自齊。

正傳曰：書「公至自齊」，於是乎有反面之禮焉，其爲高固所止之辱，可以告廟乎？故左氏曰：「書，過也。」是已。

秋九月，齊高固來逆子叔姬。

正傳曰：凡男女皆稱子，子叔姬，宣公之女也。書「高固來逆子叔姬」，著昏配之非禮也。而宣公逼於强而與之女，可考而知矣。左氏曰：「齊高固來逆女，自爲也。故書曰『逆叔姬』，卿自逆也。」胡氏曰：「按左氏：『公如齊。高固使齊侯止公，請叔姬焉。』書『夏，公至自齊』『秋，齊高固來逆子叔姬』，罪宣公也。」愚謂此説是矣，然又謂「其曰來者，以公自爲之主，非敵體，以爲辱。稱子者，别於先公之女」，是又泥於一字之文，而不知解經傳之本意矣。夫謂之來，則或公使大夫爲之主，未可知也。而公自爲主，不明見於經傳，又安能知其如此乎？故宣公之罪，未見其在於自爲主，失尊卑之禮以爲辱，而在於數如齊，故見止于高固，以要其女，爲可恥也。

叔孫得臣卒。

正傳曰：叔孫得臣，字莊叔。書「叔孫得臣卒」，則使人考其平生，而惡逆可知矣。故舉其終，所以見其始也。又見弒逆之罪終不能討，而以惡善終也。胡氏曰：「内大夫卒，無有不日者，以春秋魯史也。其或不日，則見恩數之畧爾。仲遂如齊，謀弒子赤，叔孫得臣與之偕行，在宣公固有援立之私，其恩數豈畧而不書日？是聖人削之也。君臣父子，妃妾適庶，人道之大倫也。方仲遂以殺適立庶往謀於齊，而與得臣並使也，若懵然不知其謀，或知之而不能救，則將焉用彼相矣？春秋治子赤之事，專在仲遂，以其内交宫禁，外結强鄰，大惡無所分也，而叔孫得臣有同使于齊之罪，故特不書日以貶之。若曰大夫而不能爲有無者，不足加以恩數云爾。」愚謂胡氏他論皆是，獨以日爲恩數，以不日爲聖人削之貶之，非也。是得臣之弒逆黨惡，但舉其名而天下之人能共指其惡矣，惡在乎日與不日耶？其或魯史氏惡而畧之歟，未可知也，非聖人之削之也。

冬，齊高固及子叔姬來。

正傳曰：書「齊高固及子叔姬來」，著其並失禮也。高固不宜踰國而踰國，叔姬未宜歸寧而歸寧，男女不當同行而同行，皆非禮也。故公羊子曰：「其諸爲其雙雙而俱至者與？」則胡氏曰：「左氏曰：『反馬也。』禮，嫁女留其送馬，不敢自安，及廟見成婦，遣使反馬。高固親來，非禮也。又禮，女子有行，遠父母者，歲一歸寧。今見逆逾時，未易歲也，而叔姬亟來，亦非禮也。故書及、書來，以著齊罪也。大夫適他國，必有君命與公事，否則禮法之所禁，而可犯乎？惠公許其臣越禮恣行而莫遏，高固委其君踰境自如而不忌，則人欲已肆矣。凡婚姻常事不書，而書此者，則以爲非常，爲後世戒也。」愚謂胡氏此義盡之矣。

楚人伐鄭。

正傳曰：書「楚人伐鄭」，譏非義討也。夫楚於是三至鄭矣，不聞討賊問罪之義，而徒興師動衆，以力服鄭耳。故春秋書之，止著其猾夏之罪耳。左氏曰：「楚子伐鄭。陳及楚平。晉荀林父救鄭，伐陳。」愚謂楚屢伐鄭，志在於威鄭，而不能問鄭弒逆之罪，此晉所以救鄭而伐陳也。

六年晉成四年、齊惠六年、衛成三十二年、蔡文九年、鄭襄二年、曹文十五年、陳靈十一年、杞桓三十四年、宋文八年、秦桓二年、楚莊十一年。定王四年。

春，晉趙盾、衛孫免侵陳。

正傳曰：書「晉趙盾、衛孫免侵陳」，著不義之兵也。左氏曰：「春，晉、衛侵陳，陳即楚故也。」夫晉與衛侵陳，必假其以夏從夷之名，於義似矣，然以左氏之言觀之，乃惡陳即楚而不附己耳，愚故曰不義之兵也。胡氏曰：「愛人不親反其仁，治人不治反其智。晉嘗命上將帥師救陳，又再與之連兵伐鄭，今而即楚，無乃於己有闕，盍亦自反可也。不内省德，遽以兵加之，則非義矣。」愚謂盾以弑逆首惡，既書諸侯之策矣，而復使將兵侵陳，安能正己以正人耶？則晉不足以主盟，又可知也。他義見前。

夏四月。

正傳曰：無事亦書時月，義見于前。

秋八月，螽。

正傳曰：書「秋八月，螽」，紀災異也。程子曰：「螽，蝗也。」愚謂蝗之狀類螽，故曰螽。胡氏曰：「傳謂『螽爲穀災，虐取於民之效也。』先是，公伐莒取向，後再如齊伐萊，軍旅數起，賦斂既繁，戾氣應之矣。夫善惡之感萌於心，而災祥之應見於事。宣公不知舍惡遷善，以補前行之愆，而用兵不息，災異數見，年穀不豐，國用空乏，卒至於改助法而稅民，蓋自此始矣。經於螽螟一物之變，必書于策，示後世天人感應之理不可誣，當慎其所感也。」

冬十月。

正傳曰：無事亦書時月，義見于前。

校記：

〔一〕「鎮」，原作「錢」，據嘉靖本改。

〔二〕「之」，據嘉靖本補。

〔三〕「與」，原作「傳」，據嘉靖本改。

春秋正傳卷之二十

宣　公

定王五年。七年晉成五年、齊惠七年、衛成三十三年、蔡文十年、鄭襄三年、曹文十六年、陳靈十二年、杞桓三十五年、宋文九年、秦桓三年、楚莊十二年。

春，衛侯使孫良夫來盟。

正傳曰：書「衛侯使孫良夫來盟」，兩見其非義也。夫大道之世，上下以忠信相孚。春秋之初，盟則束牲載書而不歃血，明天子之禁耳。自是而後無義盟矣，蓋盟者，忠信之薄也。左氏曰：「春，衛孫桓子來盟，始通。且謀會晉也。」愚按：此實傳也。夫衛侯於魯，非會盟之正，而欲謀魯以會晉，志在爲晉而不爲禮矣，一非義也。衛侯不親來盟，而使其大夫與魯君盟，非交際之正，使其臣得以抗君矣，二非義也。故春秋直書，而兩非義並見矣。

胡氏曰：「來盟爲前定者，嘗有約言矣。未足效信而釋疑，又相歃血固結之爾。是盟衛欲爲晉致魯，而魯專事齊，初未與晉通也，必有疑焉，而衛侯任其無咎，故遣良夫來爲此盟，而公卒見辱。盟非春秋之所貴，義自見矣。」

夏，公會齊侯伐萊。

正傳曰：萊，東方小國。書「公會齊侯伐萊」，著陵弱之師也。萊未聞有可聲之罪，而魯會齊以伐之，是二國動無名之兵，而徒恃衆以陵弱可知矣。

秋，公至自伐萊。

正傳曰：書「公至自伐萊」，紀飮至反面告廟也。其告廟則將何以致詞耶？書之，所以始終乎非義之舉，蓋再致其意焉者也。

大旱。

正傳曰：書「大旱」，紀國災也。胡氏曰：「公與齊侯俱不務德，合黨連兵，恃强淩弱。軍旅之後，必有凶年，言民以征役怨咨之氣，感動天變，而旱乾作矣。其以大旱書者，或不雩，或雖雩而不雨也。不雩則無恤民憂國之心，雩而不雨，格天之精意闕矣。」

冬，公會晉侯、宋公、衛侯、鄭伯、曹伯于黑壤。

正傳曰：黑壤，一名黃父，晉地。此本會而盟也。書「公會晉侯、宋、衛、鄭、曹于黑壤」，則魯公不自揣而赴會盟，而其不得與盟之辱可考而知矣。左氏曰：「鄭及晉平，公子宋之謀也，故相鄭伯以會。冬，盟於黑壤。王叔桓公臨之，以謀不睦。晉侯之立也，公不朝焉，又不使大夫聘，晉人止公于會。盟于黃父，公不與盟，以賂免。故黑壤之盟不書，諱之也。」愚謂非諱之也，公只與會而不與盟，故但書會而不書盟，實事也，而其見止不與盟之辱自見矣。胡氏曰：「會而不得見，不以不得見爲諱；盟而不與盟，不以不與盟爲諱。則曲不在公，而主會盟者之罪耳。與于會不與于盟，而公有歉焉，非主會盟者之過也，則書會不書盟，若黑壤是也。晉侯之立，公既不朝，又不使大夫聘，而每歲適齊，是宣公行有不慊於心，而非晉人之咎矣。凡不直者，臣爲君隱，子爲父隱，於以養臣子愛敬之心。而不事盟主，又以賂免，則不直在己矣。」

定王六年。**八年** 晉成六年、齊惠八年、衛成三十四年、蔡文十一年、鄭襄四年、曹文十七年、陳靈十三年、杞桓三十六年、宋文十年、秦桓四年、楚莊十三年。

春，公至自會。

正傳曰：書「公至自會」，見與會而不得與盟，紀危也。公不自揣其不朝不聘於晉爲負歉，而于焉以赴會盟。及會而不得與盟，見止於會，僅以賂免，可謂辱矣。今至而反面告廟，則將何以爲詞耶？

夏六月，公子遂如齊，至黄乃復。

正傳曰：黄，齊地。書「公子遂如齊，至黄乃復」，譏無君也。何謂無君？無君命也。不恭君命，是無君也。公羊曰：「其言至黄乃復何？有疾也。何言乎有疾乃復？譏。何譏爾？大夫以君命出，聞喪，徐行而不返。」胡氏曰：「至黄乃復，壅君命也。有疾亦不復，可乎？大夫以君命出，聞喪，徐行而不返，未致事而死，以尸將事。楚伐吴，陳侯使公孫貞子往吊，及良而卒，將以尸入，吴人辭焉。上介芋尹蓋曰：『寡君使蓋備使，吊君之下吏，無禄，使人逢天之慼，大命隕墜，絶世于良，廢日供積，一日遷次。今君命逆使人曰「無以尸造于門」，是我寡君之命委于草莽也，無乃不可乎？』吴人不敢辭，君子以爲知禮。其曰復，事未畢也。」愚謂胡氏之言是也，至謂「乃者，無其上之詞」，則鑿矣。

辛巳，有事于大廟，仲遂卒于垂。

正傳曰：遂者，公子遂也。仲，其字。生以字而賜氏俾世其官，宣公德其殺惡及視而立己也。書「有事于大廟」，紀時祭也，禮之常也。書「仲遂卒于垂」，紀大夫卒也，事之變也，而遂以弑逆之賊得以善終，春秋感慨之情見矣。若胡氏以生而賜氏爲法之變而卒之，非經義矣。

壬午，猶繹。萬入，去籥。

正傳曰：何以書？見非禮也。左氏曰：「有事于太廟，襄仲卒而繹，非禮也。」公羊曰：「萬入去籥何？去其有聲者，廢其無聲者，存其心焉耳。」穀梁曰：「繹者，祭之旦日之享賓也。」胡氏曰：「萬，舞也，以其無聲也，故入而遂用；籥，管也，以其有聲也，故去而不作。是謂故知不可，存其邪心而不能格也。禮，大夫卒，當祭則不告，終事而聞則不繹。不告者，盡肅敬之誠於宗廟；不繹者，全始終之恩於臣子。今仲遂，國卿也，卒而猶繹，則失寵遇大臣之禮矣。春秋雖隆君抑臣，而體貌有加焉，則廉陛益尊而臣節礪。後世法家，專欲隆君而不得其道，至以犬馬國人相視，大倫滅矣。聖人書法如此，存君臣之大義也。」愚謂樂有歌有舞，故歌之舞之以盡神。萬入是有舞矣，徒去籥，無歌聲，何足以見不樂乎？故聞卿之喪猶繹，非禮也；萬入，非禮也；雖去籥，亦非禮也。

戊子，夫人嬴氏薨。

正傳曰：書「夫人嬴氏薨」，紀君母之大故，而僭禮之非見矣。敬嬴，妾也，嬖而僭稱夫人，國人稱之，史因而書之，而其非禮自見。胡氏曰：「敬嬴，文公妾也，何以稱夫人？自成風聞季友之繇，事友而屬其子，及僖公得國，立以爲夫人，於是乎嫡妾亂矣。春秋於風氏，凡始卒四貶之，則禘于太廟，秦人歸襚，榮叔含賵，召伯會葬，去其姓氏，不稱夫人，王再書而無天是也。」愚謂胡氏以此以爲貶成風矣。至於敬嬴，又書夫人稱氏，與成風之書異詞，不得其説，則又更爲從同無貶之説，何耶？夫既曰無貶矣，則又何以見其非也？大抵史因其僭而直書之，其失自見矣。

晉師、白狄伐秦。

正傳曰：書「晉師、白狄伐秦」，著援夷猾夏之罪也。左氏曰：「春，白狄及晉平。夏，會晉伐秦。晉人獲秦諜，殺諸絳市。」胡氏曰：「晉主夏盟，糾合諸侯，攘夷狄，安諸夏，乃其職矣。秦人之怨，起自侵崇，其曲在晉，責己可也。既不知自反，釋怨脩睦，以補前過，已可咎矣。乃復興師動衆，會戎狄以伐之，獨不惡傷其類乎？直書于策，貶自見矣。」

楚人滅舒、蓼。

正傳曰：書「楚人滅舒、蓼」，見夷狄之强暴也。左氏曰：「楚爲衆舒叛，故伐舒、蓼，滅之。楚子疆之。及滑汭，盟吴、越而還。」胡氏曰：「按詩稱『戎狄是膺，荆舒是懲。』在周公，所懲者其自相攻滅，中國何與焉？然春秋書而不削者，是時楚人疆舒、蓼，及滑汭，盟吴、越，勢益强大，將爲中國憂，而民有被髮左衽之患矣。經斯世者當以爲懼，有攘卻之謀而不可忽，則聖人之意也。」

秋七月甲子，日有食之，既。

正傳曰：書「日有食之，既」，紀天變也。遇變脩省，所以應天也。

冬十月己丑，葬我小君敬嬴。

正傳曰：書「葬我小君敬嬴」，紀君母之大事也，而非禮見矣。夫邦君之妻稱曰小君，敬嬴，妾也，而稱焉，則僭禮矣。因葬而書，聖人正名之義見矣。夫婦君臣，嫡妾上下，人之大倫也。今其僭亂，人情化之，國人稱之，國史稱之，因以爲固然，世變可知矣。胡氏有貶成風之説，而敬嬴無貶詞，又有不同，則又何足以取於義例也？惟稱因僭號直書其義自見之説爲的當，而不費其詞矣。

雨，不克葬。庚寅，日中而克葬。

正傳曰：何以書？紀異也。使人循其事而求，其生平之邪惡不可掩矣。左氏曰：「雨，不克葬，禮也。禮，卜葬，先遠日，辟不懷也。」胡氏曰：「敬嬴以其子宣公屬諸襄仲，殺太子及其母弟，雖假手於仲，實敬嬴之謀也。經書『子赤卒』、『夫人姜氏歸於齊』，其文無貶，而讀者有傷切之意焉，則以秉彝不可滅也。傳謂『哭而過市，市人皆哭』，敬嬴逆天理拂人心之狀慘矣。其於終事，雨不克葬，著咎徵焉，而謂無天理乎？此皆直書，以見人心與天理之不可誣者也。夫喪事即遠，有進無退，浴于中霤，飯于牖下，小斂于户内，大斂于阼階，殯于客位，遷于廟，祖于庭，塴于墓，以吊賓則其退有節，以虞事則其祭有時。不爲雨止，禮也。雨不克葬，喪不以制也。或曰：卜葬先遠日，所以避不懷也。諸侯相朝與旅見天子，入門而雨霑服，失容則廢。矧送終大事，人情所不忍遽者，反可冒雨不待成禮而葬乎？潦車載簑笠，士喪禮也。有國家者乃不能爲雨備，何也？且公庭之於墓次，其禮意固不同矣，不得不可以爲悦，無財不可以爲悦。得之爲有財，古之人皆用焉，而不能爲之備，是儉其親也，不亦薄乎？故穀梁子曰：『雨不克葬，喪不以制也。』厚葬，古人之所戒，而墨之治喪也以薄，又君子之所不與，故喪事以制，春秋之旨也。」

城平陽。

正傳曰：書「城平陽」，重興作也。左氏曰：「書，時也。」

楚師伐陳。

正傳曰：書「楚師伐陳」，紀猾夏也。左氏曰：「陳及晉平。楚師伐陳，取成而還。」

定王七年。九年晉成七年卒、齊惠九年、衛成三十五年卒、蔡文十二年、鄭襄五年、曹文十八年、陳靈十四年、杞桓三十七年、宋文十一年、秦桓五年、楚莊十四年。

春王正月，公如齊。

正傳曰：書「春王正月，公如齊」，謹君之出也。然以時月考之，則其忘親之罪著矣。孫氏曰：「公有母喪而遠朝强齊，無哀甚矣。夫公即位九年，未嘗朝周，是忘君也。以喪朝齊，是忘親也。上忘君，下忘親，宣公之惡不可掩矣。」

公至自齊。

正傳曰：書「公至自齊」，始終乎非義之出也。

夏，仲孫蔑如京師。

正傳曰：書「仲孫蔑如京師」，則其如之善否可考矣。左氏曰：「春，王使來徵聘。夏，孟獻子聘於周。王以爲有禮，厚賄之。」愚謂此實傳也。公使蔑聘於周，似矣，然必待王使來徵聘而後往，敬君之心何在耶？周王不能致其自來聘，而以〔一〕使來徵之，又厚賄之，御臣之禮何在耶？皆非禮矣。胡氏曰：「當歲首月，公朝於齊，夏使大夫聘于京師，此皆比事可考，不待貶絶而惡自見者也。宣公享國九年，於周纔一往聘，其在齊則又再朝矣，經於如齊，每行必致，深罪之也。下逮戰國，周衰甚矣，齊威王往朝于周，而天下皆賢之，況春秋時乎？而宣公不能也，故聘覲之禮廢，則君臣之位失，諸侯之行惡，而倍畔侵陵之敗起矣。此經書君『如齊』、臣『如周』之意，而特書『春王正月』以表之也。」

齊侯伐萊。

正傳曰：書「齊侯伐萊」，紀陵弱之兵也。

秋，取根牟。

正傳曰：根牟者，公羊以爲邾婁之邑也。書「取根牟」，則公忘哀貪殘之罪可見矣。母喪未畢，爰及干戈。春如齊，秋取根牟，蓋其貪心勝，良心喪，而哀戚忘也。

八月，滕子卒。

正傳曰：書「滕子卒」，紀與國之大故也，餘見前。

九月，晉侯、宋公、衛侯、鄭伯、曹伯會于扈。晉荀林父帥師伐陳。

正傳曰：何以書？先言會而後言伐，見陳不會然後以諸侯之師伐之，近於義也。胡氏曰：「按左氏：『討不睦也。陳侯不會。荀林父以諸侯之師伐陳。晉侯卒，乃還。』則知經所書者，與晉罪陳之詞也。會于扈以待陳，而陳侯不會，然後林父以諸侯之師伐之也，則幾於自反而有禮矣。不書諸侯之師而曰『林父帥師』者，在會諸侯皆以師聽命，而林父兼將之也，則其衆輯矣。晉主夏盟，又嘗救陳，所宜與也，而惟楚之即，夫豈義乎？」

辛酉，晉侯黑臀卒于扈。

正傳曰：扈，晉邑也。書「晉侯卒于扈」，紀盟主之大故也，且見異也。左氏曰：「會于扈，討不睦也。陳侯不會。晉荀林父以諸侯之師伐陳。晉侯卒于扈，乃還。」

冬十月癸酉，衛侯鄭卒。

正傳曰：鄭，衛侯名。書「衛侯鄭卒」，紀鄰國之大故也，餘見前。胡氏曰：「晉成公何以不葬？魯不會也。衛成公何以不葬？亦魯不會也。衛成事晉甚謹，而魯宣公獨深向齊，衛欲爲晉致魯，故謀黑壤之會，而特使孫良夫來盟以定之也。及會于黑壤，而晉人止公，賂然後免，是以扈之會皆前日諸侯，而魯獨不往。二國繼以喪赴，亦皆不會，此所謂無其事而闕其文者也。或曰：二君皆有貶焉，故不書葬。誤矣。魯人不會，亦無貶乎？書卒而以私怨廢禮忘親，其罪已見。春秋文簡而直，視人若日月之無私照也，曲生意義，失之遠矣。」

宋人圍滕。

正傳曰：書「宋人圍滕」，譏伐喪也。故左氏曰：「因其喪也。」胡氏曰：「滕既小國，又方有喪，所宜矜哀吊恤之不暇，而用兵革以圍之，比事以觀，知見貶之罪在不仁矣。」

楚子伐鄭。晉郤缺帥師救鄭。

正傳曰：書「楚子伐鄭，晉救鄭」，見晉攘夷安華之義也。左氏曰：「楚子爲厲之役故，伐鄭。晉郤缺救鄭。鄭伯敗楚師于柳棼。國人皆喜，唯子良憂曰：『是國之災也，吾死無日矣。』」愚謂鄭公子歸生負弒逆之罪，楚伐之，晉宜不救矣。然而中國諸侯不能興師致討而聽夷狄伐之，可乎？而楚亦未嘗倡問罪之義也。春秋重華夷之辨，故書晉之救鄭以與之也。詩曰：「兄弟鬩于牆，外禦其侮」，此華夷之大義也。

陳殺其大夫洩冶。

正傳曰：洩冶，大夫名，名之無他義。書「陳殺其大夫洩冶」，則陳國君臣擅殺之罪自見矣。左氏曰：「陳靈公與孔寧、儀行父通於夏姬，皆衷其衵服，以戲於朝。洩冶諫曰：『公卿宣淫，民無效焉，且聞不令。君其納之！』公曰：『吾能改矣。』公告二子。二子請殺之，公弗禁，遂殺洩冶。孔子曰：『詩云：「民之多辟，無自立辟。」其洩冶之謂乎！』」胡氏乃謂「稱『其大夫』，則不失官守，而殺之者有專殺之罪。」又謂：「洩冶無罪，而書名者，以其盡言無隱，不能潔身而去，不食其祿」，則又鑿於一字之文矣。

定王八年。十年晉景公獳元年、齊惠十年卒、衛穆公速元年、蔡文十三年、鄭襄六年、曹文十九年、陳靈十五年弒、杞桓三十八年、宋文十二年、秦桓六年、楚莊十五年。

春，公如齊。公至自齊。

正傳曰：書「公如齊。公至自齊」，則輕身以忘祖、畏强而忘君之非自見矣。公至是四朝齊而不一朝周，是忘君也；非時越境，而不思社稷宗廟之危，是忘祖也。忘祖者不孝，忘君者不仁。宣公負罪于天下，匪特篡弒之大惡而已也。此如齊，致其至而不書月；上九年如齊，致其至而書月者，史有詳畧耳。胡氏乃以爲「是年夏使仲孫蔑如京師，故特於歲首書『王正月』，以著宣公之罪」，則恐非春秋之大旨也。

齊人歸我濟西田。

正傳曰：歸，反也。我者，魯史自謂也。以爲濟西魯之本封及親之之詞，皆非也。書「齊人歸我濟西田」，見公以親昵所致，而非以威德致之也。左氏曰：「齊侯以我服故，歸濟西之田。」愚故曰以親昵之所致也。程子曰：「齊、魯〔二〕脩好，故歸魯田。田，魯有也，齊非義取之，故云歸我，不足爲善也。」胡氏曰：「宣公於齊，順其所欲，既以女妻其臣，又以兵會伐萊之舉，又每歲往朝于齊廷，雖諸侯事天子，無是禮也，故惠公悦其能順事己，而以所取濟西田歸之也。或謂『濟西，魯之本封，故書我』，則誤矣。以柔巽卑屈事人，不以其道而得地，與悦人之柔巽卑屈事己，不以其道而歸其地，皆人欲之私而非義矣。」

夏四月丙辰，日有食之。

正傳曰：書「日有食之」，紀天變以爲警戒也。

己巳，齊侯元卒。

正傳曰：元，齊侯名。書「齊侯元卒」，紀與國之大故也。餘見前。

齊崔氏出奔衛。

正傳曰：崔氏，崔杼也。書「齊崔氏出奔衛」，使人考其奔之故，而弑逆之端可辨矣。胡氏曰：「書『崔氏』，以族奔也。」公羊以爲「譏世卿」者，非也。按左傳，「齊惠公卒，崔杼有寵於惠公，高、國畏其逼也，公卒而逐之，奔衛。」由是觀之，是其所以奔者，以其彊而逼也。許翰謂：「崔杼出而能反，反而能弑者，以其宗彊，於此舉氏，辨之早也。」由是觀之，是其所以能反而行弑者，亦以其彊也。

公如齊。

正傳曰：書「公如齊」，左氏以爲奔喪也。宣公於天王不一朝，而四朝齊，又奔喪焉，禮過於天子矣。春秋書之，意可見矣。

五月，公至自齊。

正傳曰：書「公至自齊」，君之出入必書，禮也，而其得失於此乎見矣。胡氏曰：「文約而事詳者，經也。春如齊朝惠公，夏如齊奔其喪，若是雖不致可也，而皆致者，甚之也。天王之喪不奔，欲行郊禮，而汲汲於奔齊惠公之喪。天王之葬不會，使微者往，而公孫歸父會齊惠公之葬。其不顧君臣上下尊卑之等，所謂肆人欲、滅天理而無忌憚者也。詞繁而不殺，聖人之情見矣。」

癸巳，陳夏徵舒弑其君平國。

正傳曰：書「陳夏徵舒弑其君平國」，誅弑逆之賊也。此若於陳侯無罪也，然而使人考其跡，則致之者陳侯矣，焉得無罪？左氏曰：「陳靈公與孔寧、儀行父飲酒於夏氏。公謂行父曰：『徵舒似女。』對曰：『亦似君。』徵舒病之。公出，自其廄射而殺之。二子奔楚。」愚謂此實傳也。觀於此，則徵舒因怨而弑君，靈公君臣縱淫而自取，皆可見矣。愚故曰：經如標題，傳如案卷。孟子曰：「其文則史。」孔子曰：「其義則丘竊取之矣。」

六月，宋師伐滕。

正傳曰：書「宋師伐滕」，則私忿之師可見矣。左氏曰：「滕人恃晋而不事宋。六月，宋師伐滕。」觀此，則滕別無可聲之罪，惟以其不事己耳，是謂私忿之師矣。胡氏曰：「宋大國，爵上公，霸主之餘業，力非不足也。今鄰有弑逆，不能聲罪致討，乃用大衆以伐所當矜恤之小邦，且滕不事己，無乃己德猶有所闕，而滕何尤焉？」此説是矣。至謂「前圍滕稱人，譏伐喪。此伐滕稱師，譏用衆」，則非經之大旨矣。設使圍不稱人，伐不稱師，則二者，宋得爲義舉霸討乎？

公孫歸父如齊。葬齊惠公。

正傳曰：書「公孫歸父如齊。葬齊惠公」，而其得失可考而知矣。夫歸父逆遂之子，齊侯定公之位，皆公黨也。諸侯會葬之禮，是也，不於他而於齊，則出於私意，似禮而非矣。胡氏曰：「歸父，仲遂之子，貴而有寵。宣公深德齊侯之能定其位，而又以濟西田歸之也。故生則傾身以事之，而不辭於屈辱；没則親往奔喪，而使貴卿會其葬，亦不顧天王之禮闕然莫之供也。比事考辭，義自見矣。」

晋人、宋人、衛人、曹人伐鄭。

正傳曰：書「晋與諸侯之兵伐鄭」，紀貪忿之師也。左氏曰：「鄭及楚平，諸侯之師伐鄭，取成而還。」由是觀之，其謂鄭及楚平，諸侯伐之，則所謂忿兵也；其謂取成而還，則所謂貪兵也。皆考傳而知其非也。諸儒謂春秋一字見褒貶者，於此一節又將以何字見之乎？胡氏曰：「鄭居大國之間，從於彊令，豈其罪乎？不能以德鎮撫而用力争之，是謂五十步笑百步，庸何愈於楚！自是責楚益輕，罪在晋矣。」

秋，天王使王季子來聘。

正傳曰：書「天王使王季子來聘」，則其非禮見矣。左氏曰：「劉康公來報聘。」公羊曰：「王季子者何？天子之大夫也。其稱王季子何？貴也。其貴奈何？母弟也。」愚謂諸侯來朝于天子，於是天子有使大夫時聘焉，禮也。宣公未嘗親朝于周，周來徵聘，乃使大夫一往焉，周遂以爲德而報聘之，又使母弟之貴而重之，報戾其施，是謂非禮矣。胡氏曰：「王有時聘，以結諸侯之好，禮也。宣公享國至是十年，不朝于周而比年朝齊，不奔王喪而奔齊侯喪，不遣貴卿會匡王葬而使歸父會齊侯之葬。縱未舉法，勿聘焉猶可也，而使王季子來，王靈益不震矣。自是王聘，春秋亦不書矣。」

公孫歸父帥師伐邾，取繹。

正傳曰：繹，邾邑。書「公孫歸父帥師伐邾，取繹」，紀貪暴之兵也。胡氏曰：「用貴卿爲主將，舉大衆出征伐，不施於亂臣賊子，奉天討罪，而陵弱侵小，近在邦域之中附庸之國，是爲盜也。當此時，陳有弑君之亂，既來赴告，藏在諸侯之策矣，曾不是圖，而有事於邾，不亦傎乎！故魯人伐邾，特書『取繹』以罪之也。」愚謂不書伐邾，無以見其暴；不書取繹，無以見其貪。

大水。

正傳曰：大水，見前書。大水，紀災異也。

季孫行父如齊。

正傳曰：書「季孫行父如齊」，非其如也。魯之事齊可謂勤矣。蓋魯侯負篡弑之罪，畏齊之討而爲之，非禮甚矣。

冬，公孫歸父如齊。

正傳曰：書「冬，公孫歸父如齊」，使人考傳而其非義見矣。左氏曰：「冬，子家如齊，伐邾故也。」觀此，則歸父自知其伐邾取繹之非，而有歉于齊，故往齊告之也。胡氏曰：「按左氏：『行父如齊，初聘也。歸父如齊，邾故也。』齊侯嗣立，宣公親往奔其父喪，又使貴卿會葬矣，若待逾年然後脩聘，未晚也。而季孫亟行，歸父繼往，則以宣公君臣不知爲國以禮，而謂妄説取人可以免於討也。歸父貪於取繹，畏齊而往，蓋理屈則氣必餒矣，能無畏乎哉？春秋備書而不削，以著其罪，爲後世鑒也。」

齊侯使國佐來聘。

正傳曰：書「齊侯使國佐來聘」，則其非禮可得而知矣。左氏曰：「國武子來報聘。」愚謂報聘者，報季孫行父之聘，非正聘也。齊侯之喪未逾年，而行聘焉，是忘哀也。報聘之禮小，忘哀之罪大。胡氏曰：「葬之速也，太不懷也，又未逾年而以君命遣使聘于鄰國，則哀戚之情忘矣。孟子曰：『養生不足以當大事，惟送死可以當大事。』滕文公五月居廬，未有命戒，及至葬，顔色之戚，哭泣之哀，吊者大悦，而有願爲其氓者，蓋禮義人心之所同然也。齊頃公嗣位之初，舉動如此，喪師失地，幾見執獲，豈特婦人笑客之罪哉？已失守身之本矣。」

饑。

正傳曰：書「饑」，重民食也。民以食爲天，君以民爲天。

楚子伐鄭。

正傳曰：再書「楚子伐鄭」，重見其猾夏之罪也。左氏曰：「楚子伐鄭，晉士會救鄭，逐楚師于潁北。諸侯之師戍鄭。」觀此，則楚之猾夏，晉與諸侯之攘夷，可知矣。

定王九年。十有一年晉景二年、齊頃公無野元年、衛穆二年、蔡文十四年、鄭襄七年、曹文二十年、陳成公午元年、杞桓三十九年、宋文十三年、秦桓七年、楚莊十六年。

春王正月。

正傳曰：無事亦書時月，義見于前。

夏，楚子、陳侯、鄭伯盟于辰陵。

正傳曰：書「楚子、陳侯、鄭伯盟于辰陵」，紀中國之服夷也。愚按，左氏：「春，楚子伐鄭，及櫟。子良曰：『晉、楚不務德而兵争，與其來者可也。晉、楚無信，我焉得有信？』乃從楚。夏，盟于辰陵，陳、鄭服也。」觀此，則陳、鄭之服楚可知，而夏變於夷之罪著矣。胡氏曰：「晉、楚争此二國，爲日久矣。今陳、鄭背晉從楚，盟于辰陵，而春秋書之無貶詞者，豈與其下喬木、入幽谷乎！中國不能令，則夷狄進矣。經之大法，在誅亂臣，討賊子。有亂臣則無君，有賊子則無父，無父無君，即中國變爲夷狄，人類殄爲禽獸，雖得天下，不能一朝居也。今魯與齊方用兵伐莒，晉與狄方會于欑函，而不謀少西氏之逆也，而楚人能謀之，所謂『禮失而求之野』，『夷狄之有君，不如諸夏之亡也』。辰陵之盟，所以得書於經而詞無貶乎？聖人討賊之意可謂深切著明矣。」愚謂春秋只直書之，則其惡不待貶詞而自見矣。不能誅亂賊，罪中國可也，以與夷狄，可乎？

公孫歸父會齊人伐莒。

正傳曰：書「會齊人伐莒」，紀陵弱之罪也。

秋，晉侯會狄于欑函。

正傳曰：書「晉侯會狄于欑函」，亂華夷之辨也。左氏曰：「晉郤成子求成于衆狄，衆狄疾赤狄之役，遂服于晉。秋，會于欑函，衆狄服也。是行也，諸大夫欲召狄。郤成子曰：『吾聞之，非德，莫如勤，非勤，何以求人？能勤，有繼。其從之也。詩曰：「文王既勤止。」文王尤勤，況寡德乎？』」愚謂華夷之大分，如天地冠履之森嚴，而不可混焉者也。觀左氏之言，乃晉求成于狄，非狄心服于晉也。冠履之分，其能無自貶損矣乎？胡氏曰：「春秋正法，不與夷狄會同，分類也。書會戎、會狄、會吴，皆外詞也。內中國故詳，外四夷故畧。今中國有亂，天王不能討，則方伯之責也；又不能討，則四鄰諸侯宜有請矣。而魯方會齊伐莒，晉方求成于狄，是失肩背而養其一指，不能三年而緦小功之察，不亦傎乎！凡此直書其事，不待貶絶而義自見者也。」愚謂胡氏此言是矣，但所謂書會戎、會狄、會吴皆外詞，則又非直書見義之旨矣。

冬十月，楚人殺陳夏徵舒。

正傳曰：書「楚人殺陳夏徵舒」，則其誅賊之義、專殺之罪，皆可見矣。徵舒弒君之賊，人人得而誅之，誅之則善也。何以爲專殺？曰：天子之禁，無專殺大夫，宜執之以歸周，正刑於司寇可也。

丁亥，楚子入陳。

正傳曰：書「楚子入陳」，紀貪兵也。前殺徵舒，專殺也，然猶曰誅弒逆之賊，猶可言也。至于因而入陳，陳之人民何罪焉？不可言也。故春秋書其入以著其罪，見其爲夷狄之道也。穀梁曰：「不使夷狄爲中國也。」或以入爲内弗受，則鑿矣。胡氏曰：「討其賊爲義，取其國爲貪，舜、跖之相去遠矣，其分乃在於善與利耳。楚莊以義討賊，勇於爲善，舜之徒也；以貪取國，急於爲利，跖之徒矣。爲善與惡，特在一念須臾之間，而書法如此，故春秋傳心之要典，不可以不察者也。或曰：聖人大改過，楚雖縣陳，能聽申叔時之説而復封陳，可謂能改過矣。猶書入陳以貶之，何也？曰：楚莊意在滅陳，雖復封之，然鄉取一人焉以歸，謂之夏州。而又納其亂臣，是制人之上下，使不得其君臣之道也。晉人以幣如鄭，問駟乞之立故，子產對曰：『若寡君之二三臣，而晉大夫專制其位，是晉之縣鄙也，何國之爲？』辭客幣而報其使，晋人舍之。他國非所當與也，而必欲納其亂臣，存亡興滅，其若是乎？仲尼重傷中國，深美其有討賊之功，故特從末減，不稱取陳而書入，雖曰與之，可矣。」愚謂楚莊意在取陳，而不在於討徵舒也，特假討賊爲名耳。義利之間，不可以毫髮並立者也。胡氏與其討賊之義，而非其取陳之利，誤矣。

納公孫寧、儀行父于陳。

正傳曰：納者，楚子强納之也。書「納公孫寧、儀行父于陳」，著其黨惡之罪也。愚於此有以見楚子無討賊之志矣。夫二人者，實陳之首亂基禍者也，其惡莫大焉。今楚子納之於陳，則前之殺徵舒者，意在取陳也。左氏曰：「冬，楚子爲陳夏氏亂故，伐陳。謂陳人：『無動，將討於少西氏。』遂入陳，殺夏徵舒，轘諸栗門。因縣陳。陳侯在晋。申叔時使於齊，反，復命而退。王使讓之，曰：『夏徵舒爲不道，弑其君，寡人以諸侯討而戮之，諸侯、縣公皆慶寡人，女獨不慶寡人，何故？』對曰：『猶可辭乎？』王曰：『可哉！』曰：『夏徵舒弑其君，其罪大矣。討而戮之，君之義也。抑人亦有言曰：「牽牛以蹊人之田，而奪之牛。」牽牛以蹊者，信有罪矣；而奪之牛，罰已重矣。諸侯之從也，曰討有罪也。今縣陳，貪其富也。以討召諸侯，而以貪歸之，無乃不可乎！』王曰：『善哉！吾未之聞也。反之，可乎？』對曰：『可哉！吾儕小人所謂「取諸其懷而與之」也。』乃復封陳。鄉取一人焉以歸，謂之夏州。故書曰『楚子入陳。納公孫寧、儀行父于陳。』書有禮也。」愚謂：觀此，則知前之殺徵舒者，意在取陳而不在於討賊也。納亂賊之人，焉得爲有禮？程子曰：「致亂之臣，國所不容也。故書『納』。」胡氏曰：「此二臣者，從君於昏，宣淫於朝，誅殺諫臣，使其君見弑，蓋致亂之臣也。肆諸市朝，與衆同棄，然後快於人心。今乃詭辭奔楚，托於討賊復讎以自脱其罪，而楚莊不能察其反覆，又使陳人用之，是猶人有飲毒而死者，幸而復生，又强以毒飲之，可乎？爲楚莊者宜奈何？瀦徵舒之宫，封洩冶之墓，尸孔寧、儀行父于朝，謀於陳衆，定其君而去，其庶幾乎！」愚謂此言是矣，但言「納者，不受而强納之」，則固矣。

校記：

〔一〕「以」，原作「必」，據嘉靖本改。

〔二〕「魯」，原作「惠」，據嘉靖本改。

春秋正傳卷之二十一

宣公

定王十年。十有二年晉景三年、齊頃二年、衛穆三年、蔡文十五年、鄭襄八年、曹文二十一年、陳成二年、杞桓四十年、宋文十四年、秦桓八年、楚莊十七年。

春，葬陳靈公。

正傳曰：書「葬陳靈公」，紀鄰國之大事也。諸侯五月而葬，同盟至，蓋諸侯有相恤之義也。或又謂楚討殺賊，陳之臣子怨釋，故得書葬，則非也。

楚子圍鄭。

正傳曰：書「楚子圍鄭」，紀以力服人之師也；而荊夷〔一〕之陵中國，與王政之不行、霸圖之不振，俱可見矣。孔子曰：「微管仲，吾其被髮左〔二〕衽矣。」此聖人之心也。胡氏謂「取楚之能討亂賊」者，非也。按左氏曰：「春，楚子圍鄭，旬有七日。鄭人卜行成，不吉；卜臨于大宮，且巷出車，吉。國人大臨，守陴者皆哭。楚子退師，鄭人脩城。進復圍之，三月，克之。入自皇門，至于逵路。鄭伯肉袒牽羊以逆，曰：『孤不天，不能事君，使君懷怒以及敝邑，孤之罪也，敢不唯命是聽？其俘諸江南，以實海濱，亦唯命；其翦以賜諸侯，使臣妾之，亦唯命。若惠顧前好，徼福于厲、宣、桓、武，不泯其社稷，使改事君，夷於九縣，君之惠也，孤之願也，非所敢望也。敢布腹心，君實圖之。』左右曰：『不可許也，得國無赦。』王曰：『其君能下人，必能信用其民矣，庸可幾乎！』退三十里而許之平。潘尫入盟，子良出質。」此實傳也。由是觀之，楚子意在服鄭以横行中國，而不在於討篡弑之罪也。何也？傳之所載，畧無聲罪之詞可見矣。夫以荆楚之憑陵中國，入王畿之鄭，天王不能討，方伯、諸侯不能奉天討以行征，王政不行，霸圖不振矣！故春秋憾之。

夏六月乙卯，晉荀林父帥師及楚子戰于邲，晉師敗績。

正傳曰：書「晉荀林父帥師及楚子戰于邲」，並著不義之兵也。夫楚之伐鄭，非討罪之師也；晉之救鄭，非恤鄰之舉也。二國要皆争服鄭而已也。孟子曰「春秋無義戰」，非此之謂乎？當晉師之出，苟爲鄭也，而鄭已與楚平，則亦可以已矣，而又與楚戰，其至於敗績，非自取乎？春秋直書之，而罪自見矣。胡氏又泥「及」之一字，而言「釋楚不貶，使晉主之」，又許楚能討賊，而獨責林父冒進棄師之罪，則其義有未盡也。

秋七月。

正傳曰：無事亦書時月，義見于前。

冬十有二月戊寅，楚子滅蕭。

正傳曰：蕭，宋附庸小國。書「楚子滅蕭」，則貪暴憑陵之罪可見矣。左氏曰：「冬，楚子滅蕭，宋華椒以蔡人救蕭。蕭人囚熊相宜僚及公子丙。王曰：『勿殺，吾退。』蕭人殺之。王怒，遂圍蕭。蕭潰。申公巫臣曰：『師人多寒。』王巡三軍，拊而勉之，三軍之士皆如挾纊。遂傅於蕭。還無社與司馬卯言，號申叔展。叔展曰：『有麥麴乎？』曰：『無。』『有山鞠窮乎？』曰：『無。』『河魚腹疾奈何？』曰：『目於眢井而拯之。』『若爲茅絰，哭井則已。』明日，蕭潰。申叔視其井，則茅絰存焉，號而出之。」胡氏曰：「假於討賊而滅陳，春秋以討賊之義重也，未滅而書入；惡其貳己而入鄭，春秋以退師之情恕也，未滅而書圍，與人爲善之德宏矣。至是肆其强暴，滅無罪之國，其志已盈，雖欲赦之不得也，故傳稱『蕭潰』，經以『滅』書，斷其罪也。孟子曰：『以力假人者霸，霸必有大國。』楚莊蓋以力假仁，不能久假而遽歸者也。建萬國、親諸侯者，先王之政；興滅國、繼絶世者，仲尼之法。今乃滅人社稷而絶其祀，亦不仁甚矣。蕭既滅亡，必無赴者，何以得書于魯史？楚莊縣陳入鄭，大敗晋師于邲，莫與校者，不知以禮制心，至於驕溢，克、伐、怨、欲皆得行焉，遂以滅蕭告赴諸侯，矜其威力以恐中國耳。孟子定其功罪，以五霸爲三王之罪人。春秋，史外傳心之要典，推此類求之，斯得矣。」愚謂直書入、書圍、書滅蕭，則楚罪之輕重自見矣。聖人因史而書，代天以言，垂訓萬世，烏得以意而加減之哉？況歷稽諸傳，未有奉天王之命聲罪致討之詞，大抵欲以力服人耳，而謂以是末減其罪，可乎？

晋人、宋人、衛人、曹人同盟于清丘。

正傳曰：書「晋、宋、衛、曹同盟于清丘」，非其盟也。盟非聖人之所貴也。晋會諸侯爲此盟，以禦〔三〕楚也。及是時，明其政刑，楚烏得而侮之？舍是而汲汲於盟誓，盟誓未幾而渝盟之事至矣，此春秋所以非之。左氏曰：「晋原縠、宋華椒、衛孔達、曹人同盟于清丘，曰：『恤病，討貳。』於是卿不書，不實其言也。」愚謂此實傳也。傳云不實其言，則聖人非之之情可見矣。胡氏曰：「書同盟，志同欲也。或以惡其反覆而書同盟，非也。春秋不貴盟誓，自隱公始年書『儀父盟蔑』、『宋人盟宿』，已不實言矣，奚待清丘然後惡其反覆乎？清丘載書，恤病討貳，口血未乾，敗其盟好，所謂不待貶而惡自見者也，又奚必人諸國之卿，然後知反覆之可罪乎？楚既入陳圍鄭，大敗晋師，伐蕭滅之，憑陵中國甚矣，爲諸侯計者，宜信任仁賢，脩明政事，自强於爲善，則可以保其國耳。曾不是圖，而刑牲歃血，要質鬼神，蘄以禦楚，謀之不臧，孰大於是？故國卿貶而稱人，譏失職也。」愚謂胡氏前云奚必人諸國之卿而後知反覆之可罪，是不在乎人之矣；後又云國卿貶而稱人，譏失職，則前後自相矛盾矣。

宋師伐陳。衛人救陳。

正傳曰：書「宋師伐陳，衛人救陳」，則宋、衛之是非可考見矣。蓋宋之伐陳，責盟也。衛之救陳，叛盟也。其罪惟均矣。左氏曰：「宋爲盟故，伐陳。衛人救之，孔達曰：『先君有約言焉。若大國討，我則死之。』」愚謂：據此，則宋責陳之不與盟而向楚，衛乃叛盟而救陳，合是而觀，則盟之不足恃可知矣。二國乃輕於動無名之兵，而求無義〔四〕之事，其罪不亦均乎？胡氏不責衛之背盟，而取其恤陳之無罪而受兵，故書「救」以責宋，誤矣。

定王十一年。十有三年晋景四年、齊頃三年、衛穆四年、蔡文十六年、鄭襄九年、曹文二十二年、陳成三年、杞桓四十一年、宋文十五年、秦桓九年、楚莊十八年。

春，齊師伐莒。

正傳曰：書「齊師伐莒」，著貪忿之兵也。左氏曰：「莒恃晋而不事齊故也。」愚謂莒小弱之國也，未嘗有罪。齊特以其事晋而不事己，遂興大衆以伐之，是謂以强陵弱，以私報怨，非貪忿之兵乎？

夏，楚子伐宋。

正傳曰：書「楚子伐宋」，紀夷狄之憑陵也。左氏曰：「以其救蕭也。君子曰：『清丘之盟，惟宋可以免焉。』」夫楚以夷狄陵中國，而滅小弱之蕭，將以威中國而動王室也。宋之救蕭，恤小攘夷，未爲不當。楚以其救蕭而伐之，真蠻夷猾夏矣。胡氏乃謂「楚人滅蕭，將以脅宋，諸侯懼而同盟」，而責宋人不務恤民固本，使民效死親上以待敵，而急於伐陳攻楚，與國爲非策也，則緩矣。又謂「楚人有詞於伐而得書爵」，則誤矣。

秋，螽。

正傳曰：螽，蟲之害禾者也。

冬，晉殺其大夫先縠。

正傳曰：書「晉殺其大夫先縠」，罪專殺也。左氏曰：「秋，赤狄伐晉，及清，先縠召之也。冬，晉人討邲之敗與清之師，歸罪于先縠而殺之，盡滅其族。君子曰：『惡之來也，己則取之，其先縠之謂乎？』」愚謂：左氏此言徒知喪師之罪當殺，爲先縠之自取，而不知葵丘之會、天子之禁無專殺大夫之爲得罪也。夫大夫皆命於天子也，如其有罪，宜歸於司寇，故曰惟天吏可以殺之也。胡氏乃謂：「晉人治先縠之罪殺之，義也。而稱國以殺，不去其官者，敗師之由，君之過，罪累上也。」則鑿矣。

定王十二年。十有四年晉景五年、齊頃四年、衛穆五年、蔡文十七年、鄭襄十年、曹文二十三年卒、陳成四年、杞桓四十二年、宋文十六年、秦桓十年、楚莊十九年。

春，衛殺其大夫孔達。

正傳曰：書「衛殺其大夫孔達」，則其罪之當否可考矣。左氏曰：「清丘之盟，晉以衛之救陳也，討焉。使人弗去，曰：『罪無所歸，將加而師。』孔達曰：『苟利社稷，請以我說，罪我之由。我則爲政，而亢大國之討，將以誰任？我則死之。』春，孔達縊而死，衛人以説于晉而免。遂告于諸侯曰：『寡君有不令之臣達，搆我敝邑于大國，既伏其罪矣。敢告。』衛人以爲成勞，復室其子，使復其位。」愚謂孔達背盟棄信，以致晉師之討，社稷幾危矣，兵法所當誅也。然大夫命於天子，今不由於司寇而死焉，故書如此。

夏五月壬申，曹伯壽卒。

正傳曰：書「曹伯壽卒」，紀鄰國之大故也。來赴，故書之。

晉侯伐鄭。

正傳曰：書「晉侯伐鄭」，著報復之兵也。左氏曰：「夏，晉侯伐鄭，爲邲故也。告於諸侯，蒐焉而還。中行桓子之謀也，曰：『示之以整，使謀而來。』鄭人懼，使子張代子良於楚。鄭伯如楚，謀晉故也。鄭以子良爲有禮，故召之。」胡氏曰：「按左氏傳『爲邲故也』，比事以觀，知其爲報怨復讎之兵。詞無所貶者，直書其事而義自見矣。」愚謂胡氏之言是也，使皆以是而觀春秋，則聖人之取義得之矣，不亦善乎！

秋九月，楚子圍宋。

正傳曰：書「楚子圍宋」，則蠻夷猾夏之罪，與宋人自取之故，皆可見矣。夫蠻夷犯華，天下之大亂也。故聖人慎其所以御之之道，使其無間而入可也。今按左氏曰：「楚子使申舟聘於齊，曰：『無假道于宋。』亦使公子馮聘於晉，不假道于鄭。申舟以孟諸之役惡宋，曰：『鄭昭宋聾，晉使不害，我則必死。』王曰：『殺女，我伐之。』見犀而行。及宋，宋人止之。華元曰：『過我而不假道，鄙我也。鄙我，亡也。殺其使者，必伐我。伐我，亦亡也。亡一也。』乃殺之。楚子聞之，投袂而起，屨及於窒皇，劍及于寢門之外，車及於蒲胥之市。秋九月，楚子圍宋。」愚謂：由是觀之，楚之圍宋，由宋殺其使者招之也。輕舉以致其兵，則罪不專在楚矣。春秋書此，欲人考傳之迹，而得其由，以罪宋也。胡氏曰：「宋人要結盟誓，欲以禦楚，已非持國之道；輕舉大衆，勦民妄動，又非恤患之兵。特書『救陳』以著其罪，明見伐之由也。國必自伐，然後人伐之。凡事其作始也簡，其將畢也必巨。易於訟卦曰：『君子以作事謀始。』始而不謀，必至於訟，訟而不竟，必至於師，若宋是矣。始謀不臧，至於見伐、見圍，幾亡其國，則自取之也。春秋端本，故責宋爲深，若蠻夷圍中國，則亦明矣。」

葬曹文公。

正傳曰：書「葬曹文公」，紀與國之大事也。諸侯五月而葬，同盟至，禮也。

冬，公孫歸父會齊侯于穀。

正傳曰：公孫歸父會齊侯于穀，何以書？明是會之非禮也。曷爲非禮？自爲私會，一也。以臣抗君，二也。胡氏曰：「夫禮，别嫌明微，制治於未亂，自天子出者也。列國之君，非王事而自相會聚，是禮自諸侯出矣。以國君而降班失列，下與外臣會；以外臣而抗尊出位，上與諸侯會，是禮自大夫出矣。君若贅旒，陪臣執命，豈一朝一夕之故？其所由來漸矣。故易於坤之初六曰：『馴致其道，至堅冰也。』易言其理，春秋見諸行事，若合符節，可謂深切著明矣。」

十有五年晋景六年、齊頃五年、衛穆六年、蔡文十八年、鄭襄十一年、曹宣公廬元年、陳成五年、杞桓四十三年、宋文十七年、秦桓十一年、楚莊二十年。定王十三年。

春，公孫歸父會楚子于宋。

正傳曰：書「公孫歸父會楚子于宋」，著其會之非也。夫楚方圍宋，以夷陵夏，諸侯宜糾合以控禦之而不能，然又從而往會之，可乎？胡氏曰：「楚子不假道於宋以啓釁端而圍之，陵蔑中華甚矣。諸侯縱不能畏簡書、攘夷狄，存先代之後，嚴兵固圉以爲聲援，猶之可也。乃以周公之裔，千乘之國，謀其不免，至於薦賄，不亦鄙乎！若此類，聖人不徒筆之於經也。比事以觀，則知中國夷狄盛衰之由，春秋經世之畧矣。」

夏五月，宋人及楚人平。

正傳曰：書「宋人及楚人平」，善其平也。春秋無義戰，故爲善戰者服上刑。宋、楚之平，罷兵息民，固聖人之所與也。左氏曰：「宋人使樂嬰齊告急於晉，晉侯欲救之。伯宗曰：『不可。古人有言曰：「雖鞭之長，不及馬腹。」天方授楚，未可與爭。雖晉之强，能違天乎？諺曰：「高下在心。」川澤納汙，山藪藏疾，瑾瑜匿瑕，國君含垢，天之道也。君其待之！』夏五月，楚師將去宋，申犀稽首於王之馬前曰：『毋畏知死而不敢廢王命，王棄言焉。』王不能答。申叔時僕，曰：『築室反耕者，宋必聽命。』從之。宋人懼，使華元夜入楚師，登子反之牀，起之，曰：『寡君使元以病告，曰：「敝邑易子而食，析骸以爨。雖然，城下之盟，有以國斃，不能從也。去我三十里，唯命是聽。」』子反懼，與之盟，而告王。退三十里，宋及楚平。華元爲質。盟曰：『我無爾詐，爾無我虞。』」穀梁曰：「平者成也，善其量力而反義也。人者，衆辭也。平稱衆，上下欲之也。外平不道，以吾人之存焉道之也。」愚謂此言是也。胡氏乃以稱人爲貶二子，而引善則稱君，過則稱己，乃責二子以實情私告，以成平國之功，攘以爲己善，則非也。夫二子既受命於君，專梱外之制，則二子所爲之善，皆君之善也，又既歸而以實告君，不可謂欺詐矣。而以爲貶，豈其然乎？

六月癸卯，晉師滅赤狄潞氏，以潞子嬰兒歸。

正傳曰：杜氏謂：「潞氏，赤狄之別種，子爵。」是也。書「晉師滅赤狄潞氏，以潞子嬰兒歸」，則其義利是非之辨自見矣。左氏曰：「潞子嬰兒之夫人，晉景公之姊也。酆舒爲政而殺之，又傷潞子之目。晉侯欲伐之。諸大夫皆曰：『不可。酆舒有三儁才，不如待後之人。』伯宗曰：『必伐之。狄有五罪，儁才雖多，何補焉？不祀，一也。耆酒，二也。棄仲章而奪黎氏地，三也。虐我伯姬，四也。傷其君目，五也。怙其儁才，而不以茂德，茲益罪也。後之人或者將敬奉德義以事神人，而申固其命，若之何待之？』晉侯從之。六月癸卯，晉荀林父敗赤狄于曲梁。辛亥，滅潞。酆舒奔衛，衛人歸諸晉，晉人殺之。」愚謂：由是觀之，則數酆舒之罪而伐之，義也；因而滅其國，絶其宗社，虜其君主，非義也。公羊謂「潞君以爲善而稱子」，胡氏謂「滅而舉號及氏，滅見滅者之罪，而甚滅者之不仁」，則皆臆説也。又曰：「夫伐國之要，討其罪人斯止矣。按左氏：潞子夫人，晉景公之姊也。酆舒爲政而殺之，又傷潞子之目。則酆舒者，罪之在也。爲晉計者，執酆舒，轘諸市，立黎侯，安定潞子，改紀其政而返，則諸狄服，疆域安矣。今乃利狄之土，滅潞氏以其君歸，何義乎？」此皆是也。

秦人伐晉。

正傳曰：書「秦人伐晉」，著暴人之兵也。左氏曰：「秋七月，秦桓公伐晉，次于輔氏。壬午，晉侯治兵于稷，以畧狄土，立黎侯而還。及雒，魏顆敗秦師于輔氏，獲杜回，秦之力人也。」高氏曰：「秦師伐晉，晉不報秦，今十四年矣。復來伐之者，乘晉畧狄土而伐其虚也。」由是觀之，則乘人之虚而困人，是謂暴兵矣。其師取敗而杜回見獲也，固宜哉！

王札子殺召伯、毛伯。

正傳曰：王札子者，公羊以爲長庶之號也。書「王札子殺召伯、毛伯」，則其專殺之罪、王朝之亂，不待書字、書子而自見矣。左氏曰：「王孫蘇與召氏、毛氏争政，使王子捷殺召戴公及毛伯衛，卒立召襄。」穀梁曰：「王札子者，當上之辭也。殺召伯、毛伯，不言『其』，何也？兩下相殺也。兩下相殺，不志乎春秋，此其志何也？矯王命以殺之，非忿怒相殺也，故曰以王命殺也。以王命殺，則何志焉？爲天下主者天也，繼天者君也，君之所存者命也。爲人臣而侵其君之命而用之，是不臣也；爲人君而失其命，是不君也。君不君，臣不臣，此天下所以傾也。」胡氏曰：「邢侯專殺雍子於朝，叔向以殺人不忌爲賊，請施邢侯，君子以爲義。王札子之罪，當服此刑，而天王不能施之，無政刑矣，何以保其國而不替乎！」

秋，螽。

正傳曰：書「秋，螽」，紀災也。胡氏曰：「人事感於此，則物變應於彼。宣公爲國，虚内以事外，去實而務華，煩於朝會聘問賂遺之末，而不知務其本者也，故戾氣應之。六年螽，七年旱，十年大水，十有三年又螽，十有五年復螽。府庫匱，倉廩竭，調度不給，而言利剋民之事起矣。」

仲孫蔑會齊高固于無婁。

正傳曰：無婁，公羊作牟婁，杞邑也。書「仲孫蔑會齊高固于無婁」，則其失禮之非自見矣。諸侯非時私會，已非禮矣，況大夫私會乎！胡氏曰：「禮之始失也，諸侯非王事而自相會也，無以正之，不自天子出矣。然後諸侯與大夫會，又無以正之，然後大夫與大夫會，禮亦不自諸侯出矣。田氏簒齊，六卿分晋，三家專魯，理固然也。不能辨於早，雖欲正之，其將能乎？」

初税畝。

正傳曰：初税畝，何以書？志虐民之始也。左氏曰：「非禮也。穀出不過藉，以豐財也。」公羊曰：「初者何？始也。税畝者何？履畝而税也。初税畝何以書？譏。何譏爾？譏始履畝而税也。何譏乎始履畝而税？古者什一而藉。古者曷爲什一而藉？什一者，天下之中正也。多乎什一，大桀小桀。寡乎什一，大貉小貉。什一者，天下之中正也，什一行而頌聲作矣。」胡氏曰：「孟子曰：『耕者助而不税，則天下之農皆悦而願耕於其野矣。』書初税畝者，譏宣公廢助法而用税也。殷制公田爲助，助者，藉也；周因其法爲徹，徹者，通也，其實皆什一也。古者上下相親，上之於下則曰『駿發爾私，終三十里』，惟恐民食之不給也；下之於上則曰『雨我公田，遂及我私』，惟恐公田之不善也，故助法行而頌聲作矣。世衰道微，上下交惡，民惟私家之利，而不竭力以奉公；上惟邦賦之入，而不惻怛以利下。水旱凶災，相繼而起，公田之入薄矣，所以廢助法而税畝乎！初者，志變法之始也。其後作丘甲，用田賦，至於二猶不足，則皆宣公啓之也。故曰：『作法於涼，其弊猶貪。作法於貪，弊將若何？』有國家者，必欲克守成法而不變，其必先務本乎！」

冬，蝝生。

正傳曰：書「冬，蝝生」，紀蕃災也。胡氏曰：「始生曰蝝，既大曰螽。秋螽未息，冬又生子，災重及民也。而詳志之如此者，急民事，謹天災，仁人之心，王者之務也。遇天災而不懼，忽民事而不脩，而又爲繁政重賦以感之，國之危無日矣。」

饑。

正傳曰：書「饑」，重民食也。胡氏曰：「春秋饑歲多矣，書于經者三，而宣公獨有其二，何也？古者三年耕，餘一年之畜；九年耕，餘三年之食。雖有凶旱，民無菜色。是歲雖螽蝝而遽至於饑者，宣公爲國，務華去實，虛内事外，煩於朝會聘問賂遺之末，而不敦其本，府庫竭矣，倉廩匱矣。水旱螽蝝，天降饑饉，亦無以振業貧乏矣。經所以獨兩書饑，以示後世爲國之不可不敦本也。」

定王十四年。十有六年晉景七年、齊頃六年、衛穆七年、蔡文十九年、鄭襄十二年、曹宣二年、陳成六年、杞桓四十四年、宋文十八年、秦桓十二年、楚莊二十一年。

春王正月。晉人滅赤狄甲氏及留吁。

正傳曰：甲氏者，赤狄之種。胡氏以爲潞之餘種。留吁，其殘邑也。書「滅赤狄甲氏及留吁」，其罪不待稱人而自見矣。聖人之治夷狄，治之以不治，攘之而已矣。滅之，則有貪殘之罪矣。左氏曰：「晉士會帥師滅赤狄甲氏及留吁鐸辰。三月，獻狄俘。晉侯請于王，戊申，以黻冕命士會將中軍，且爲太傅。於是晉國之盜逃奔于秦。羊舌職曰：『吾聞之，禹稱善人，不善人遠，此之謂也。』」愚謂：觀此，則士會可謂貪殘之兵矣，而反以爲功，豈非惑耶？胡氏曰：「伯禽征徐夷，東郊既開而止；宣王伐玁狁，至于太原而止；武侯征戎瀘，服其渠帥而止。必欲盡殄滅之無遺種，豈仁人之心，王者之事乎？」愚謂此說是矣。至於又謂「士會所以貶而稱人」，則惑也。蓋人者，他國國史稱之之詞，仲尼豈肯擅奪大夫之爵乎？

夏，成周宣榭火。

正傳曰：成周，公羊以爲東周，是也。書「成周宣榭火」，紀王室之災變也。周來報，故書之。左氏曰：「人火之也。凡火，人火曰火，天火曰災。」胡氏曰：「成周，天子之東都。宣榭，宣王之廟也。按呂大臨考古圖有郱敦者，稱王格于宣榭，呼内史策命郱，是知宣榭者，宣王之廟也。古者爵有德，禄有功，必於太廟，示不敢專也。榭者，射堂之制，其堂無室，以便射事，故凡無室者皆謂之榭。宣王之廟謂之榭者，其廟制如榭也。宣榭火何以書？以宗廟之重書之也。貴戚專〔五〕殺大臣而天子不討，王室不復能中興矣，人火之，天所以見戒乎！」

秋，郯伯姬來歸。

正傳曰：來歸者，大歸也。左氏所謂出，是也。書「郯伯姬來歸」，紀人倫之大變也。胡氏曰：「内女出，書之策者，男女居室，人之大倫也。婚姻之禮廢，則夫婦之道苦，淫辟之罪多矣。復相棄背，喪其配耦，氓之詩所以刺衛；日以衰薄，室家相棄，中谷有蓷所以閔周。易叙咸、恒爲下經首，春秋内女出、夫人歸，凡男女之際詳書于策，所以正人倫之本也，其旨微矣。」

冬，大有年。

正傳曰：大有年，穀梁以爲五穀大熟之稱。書「大有年」，幸之也。夫以宣公之無道，亂倫逆理，厚税虐民，螽蝝頻生，饑饉荐臻，固其所也，而乃大有年焉，非幸耶？故春秋書以幸之。胡氏云：「程氏曰：『大有年，紀異也。旱乾水溢，饑饉荐臻者，災也；山崩地震，彗孛飛流者，異也；景星甘露，醴泉芝草，百穀順成者，祥也。大有年，上瑞矣，何以爲紀異乎？凡災異慶祥，皆人爲所感而天以其類應之者也。人事順於下，則天氣和於上。宣公弑立，逆理亂倫，水旱、螽蝝、饑饉之變，相繼而作，史不絶書，宜也。獨於是冬乃大有年，所以爲異乎！夫有年、大有年一耳，古史書之則爲祥，仲尼筆之則爲異，此言外微旨，非聖人莫能脩之者也。』」愚謂古史之書、仲尼之筆一也，聖人觀魯史而有感焉，故存之耳。

十有七年晉景八年、齊頃七年、衛穆八年、蔡文二十年卒、鄭襄十三年、曹宣三年、陳成七年、杞桓四十五年、宋文十九年、秦桓十三年、楚莊二十二年。定王十五年。

春王正月庚子，許男錫我卒。丁未，蔡侯申卒。

正傳曰：何以書？紀與國之大故也。二國來赴，故史書之，聖人存之，以示有吊賻會葬之禮焉。

夏，葬許昭公。葬蔡文公。

正傳曰：書「葬許昭公。葬蔡文公」，兩志會葬之禮也。胡氏曰：「日卒書名，赴而得禮，記之詳也。葬而不月，其畧在內。宣公爲國務華而無忠信誠慤之心，計利而不知禮義邦交之實，哀死送終，獨厚於齊，而利害不切其身者，皆闕如也。大則薄其君親，次則忽於盟主，又其次若秦若衛若滕，雖來告訃，怠於禮而不會也。比事以觀，義自見矣。」

六月癸卯，日有食之。

正傳曰：書「日有食之」，紀天變也。聖人示人君克謹天戒之道焉。

己未，公會晋侯、衛侯、曹伯、邾子，同盟于斷道。

正傳曰：書「公會晋、衛、曹、邾同盟于斷道」，誌同心也。左氏曰：「晋侯使郤克徵會于齊。齊頃公帷婦人使觀之。郤子登，婦人笑于房。獻子怒，出而誓曰：『所不此報，無能涉河！』獻子先歸，使欒京廬待命于齊，曰：『不得齊事，無復命矣。』郤子至，請伐齊。晋侯弗許。請以其私屬，又弗許。齊侯使高固、晏弱、蔡朝、南郭偃會。及斂盂，高固逃歸。夏，會于斷道，討貳也。」程子曰：「諸國同心欲伐齊，故書同盟。」胡氏曰：「書同盟者，志同欲也。大國率之，小國畏威而從命，非同欲也；小國訴之，大國勉强而應焉，非同欲也。若斷道之盟，諸侯同心謀欲伐齊，釋其憤怒，非有不得已而要之者也。或以爲『會同，天子之事。築宫爲壇，設方明如方嶽之盟，故書同』，疑其説之誤矣。」

秋，公至自會。

正傳曰：書「公至自會」，謹出告反面之義也。

冬十有一月壬午，公弟叔肸卒。

正傳曰：公弟，公母弟也。叔肸，其字。書「公弟叔肸卒」，紀賢者之正終也。穀梁曰：「其曰公弟叔肸，賢之也。其賢之何也？宣弑而非之也。非之，則胡爲不去也？曰：兄弟也，何去而之？與之財，則曰：我足矣。織屨而食，終身不食宣公之食。君子以是爲通恩也，以取貴乎春秋。」愚謂弟叔肸者，自是書其實，謂其弟字叔肸卒耳。胡氏又有「稱弟，得弟道。稱字，賢也」之說，則益支矣。

十有八年晋景九年、齊頃八年、衛穆九年、蔡景公固元年、鄭襄十四年、曹宣四年、陳成八年、杞桓四十六年、宋文二十年、秦桓十四年、楚莊二十三年卒。定王十六年。

春，晋侯、衛世子臧伐齊。

正傳曰：書「晋侯、衛世子臧伐齊」，著私憤討貳之兵也。郤克怨齊，是謂憤矣；高固逃歸，是謂貳矣。左氏曰：「晋侯、衛大子臧伐齊，至于陽穀。齊侯會晋侯盟于繒，以公子彊爲質于晋。晋師還。蔡朝、南郭偃逃歸。」胡氏曰：「保國以禮爲本者也。齊頃公不謹於禮，自己致寇，所謂國必自伐而後人伐之矣。諸侯上卿皆執國命，取必於其君，以行其克、伐、怨、欲之私，故『盟于斷道』、『師于陽穀』、『大戰于鞌』，逞其志而後止。春秋詳書于策，見伐與伐者之罪，皆可以爲鑒矣。」

公伐杞。

正傳曰：書「公伐杞」，則陵弱之罪見矣。語曰：「惟仁者爲能以大字小。」故曰：小邦懷其德，匪德之務；小邦不懷，則興兵伐之，豈仁者之師乎！高氏曰：「杞自文十六年來朝，不復至，故伐之。己不脩德，而欲人朝己，亦不思之甚矣。」

夏四月。

正傳曰：無事亦書時月，義見于前。

秋七月，邾人戕鄫子于鄫。

正傳曰：書「邾人戕鄫子于鄫」，則戕人者與見戕者皆不能無罪矣。夫邾子戕人之君，則爲盜賊之行；鄫子見戕於人，則其君臣素無保衛之道〔六〕，皆無道矣。胡氏曰：「戕者，殘賊而殺之也。于鄫者，刺臣子不能救君難也。夷貊無城郭宫室、百官有司，單車使者直造其廬帳，虜其酋長者，則有之矣。中國則重門擊柝，廉陛等威，侍衛守禦之嚴，奚至於坐使其君爲邾人殘賊殺之而莫禦乎？邾人蓋嘗執鄫子用之，則不共戴天之世讎也，既不能復，又使邾人得造其國都而戕殺其君。曰『于鄫』者，所以深責鄫之臣子至此極也。」

甲戌，楚子旅卒。

正傳曰：楚子旅書卒，以其與盟也，故卒之。穀梁曰：「夷狄不卒，卒，少進也。」胡氏以爲「楚僭稱王，而稱子者，仲尼筆之」，非也。夫楚之稱王，楚國之人稱之耳，其書子者，魯史則然也，何待仲尼之筆改之乎？

公孫歸父如晉。

正傳曰：書「公孫歸父如晉」，見其聘之非禮也。夫朝聘以時，邦交之禮也。今歸父聘晉，將以除三桓，豈朝聘之正乎？觀左氏曰：「公孫歸父以襄仲之立公也，有寵，欲去三桓，以張公室。與公謀，而聘于晉，欲以晉人去之。」夫以謀去三桓而聘，則是聘也，豈誠心直道哉？胡氏曰：「宣公因齊得國，故刻意事之，雖易世猶未怠也。及頃公不能謹禮，怒晉、魯上卿，而郤克當國，決策討之。晉方强盛，齊少懦矣，於是背齊而事晉。其於邦交，以利爲向背，無忠信誠慤之心者也。按左氏：『歸父欲去三桓，以張公室。與公謀，而聘于晉，欲以晉人去之。』夫輕於背與國，易於謀大家，而不知其本，未有能成而無悔也。然則公室不可張乎？務引其君當道，正心以正朝廷，禮樂刑政自己出也，其庶幾乎！必欲倚外援以去之，是去疥瘍而得腹心之疾也，庸愈哉？」

冬十月壬戌，公薨于路寢。

正傳曰：路寢者，穀梁以爲正寢也。書「公薨于路寢」，志正終也。夫以正始者以正終，正也。以不正始者得以正終，非正也。故桓公弒立，則斃于齊，正也。宣公亦弒立而獲正終，非正也。春秋書之，聖人之情可見矣。

歸父還自晉，至笙，遂奔齊。

正傳曰：書「歸父還自晉，至笙，遂奔齊」，善歸父之畢使，罪成公奔之之亟也。左氏曰：「冬，公薨。季文子言於朝曰：『使我殺適立庶以失大援者，仲也夫！』臧宣叔怒曰：『當其時不能治也，後之人何罪？子欲去之，許請去之。』遂逐東門氏。子家還，及笙，壇帷，復命於介。既復命，袒、括髮，即位哭，三踊而出。遂奔齊。書曰『歸父還自晉』，善之也。」胡氏曰：「仲尼稱：『孟莊子之孝，其不改父之臣與父之政，是難能也。』又曰：『三年無改於父之道，可謂孝矣。』夫仁人孝子，於其父之臣，非有大不可，如晉悼公於夷羊五之屬，必存始終進退之禮而不遽也。歸父以君命出使，未返而君薨，在聘禮有『執圭復命于殯』之文，『升自西階，子臣皆哭』，情亦戚矣。今宣公猶未殯，而東門氏逐，忍乎哉！書曰『歸父還自晉』者，已畢事之詞也。『至笙，遂奔齊』者，罪成公君臣死君而忘父，逐之亟也。穀梁子曰：『捐殯而奔其父之使者，是亦奔父也。』得經意矣。君薨家遣，方寸宜亂，而造次顛沛不失禮焉，非志於仁者弗能也。詞繁而不殺，歸父之善自著矣。比事以觀，則見當國者有無君之心，此春秋所以作，不可不察也。」

校記：

〔一〕「荆夷」，嘉靖本作「夷狄」。
〔二〕「左」，原作「在」，據嘉靖本改。
〔三〕「禦」，嘉靖本作「惧」。
〔四〕「義」，嘉靖本作「益」。
〔五〕「專」，嘉靖本作「擅」。
〔六〕「道」，嘉靖本作「圖」。

春秋正傳卷之二十二

成公

名黑肱，宣公子，母穆姜，在位十八年。

定王十七年。元年晋景十年、齊頃九年、衛穆十年、蔡景二年、鄭襄十五年、曹宣五年、陳成九年、杞桓四十七年、宋文二十一年、秦桓十五年、楚共王審元年。

春王正月，公即位。

正傳曰：書「春王正月，公即位」，正始也。

二月辛酉，葬我君宣公。

正傳曰：書「辛酉，葬我君宣公」，紀國之大事也，志禮也。送死，人之大事也。諸侯五月而葬，禮也。

無冰。

正傳曰：書「無冰」，紀異也。二月繫於春者，周正建子，則子、丑、寅皆春也。春二月，丑月也，即夏之十二月也，則時與月皆易，明矣。丑月宜寒而冰，乃無冰，是陽不閉而常燠，則爲災異矣。胡氏曰：「寒極而無冰者，常燠也。按洪範傳曰：『豫恒燠若，此政事舒緩，紀綱縱弛之象。』成公幼弱，政在三家，公室不張，其象已見，故當固陰沍寒，而常燠應之。古者日在北陸而藏冰，獻羔而啓，朝之禄位，賓食喪祭，冰皆與焉，此亦燮調愆伏之一事也。今既寒而燠，遂廢凌人之職。然策書所載，皆經邦大訓，人有微而不登其姓名，事有小而不記其本末，雨雹冰雪何以悉書？天人一理也，萬物一氣也，觀於陰陽寒暑之變，以察其消息盈虚，此制治於未亂，慎微之意也。每慎於微，然後王事備矣。」愚謂胡氏所謂既寒而燠者，惟子、丑兩月爲然。若至寅、卯兩月，則寒過而燠，無冰爲常事矣。此亦可以見時月皆改之證也。

三月，作丘甲。

正傳曰：書「三月，作丘甲」，紀重賦也。左氏曰：「爲齊難故，作丘甲。」胡氏曰：「作丘甲，益兵也。古者九夫爲井，四井爲邑，四邑爲丘，四丘爲甸，甸地方八里，旁加一里爲成，所取於民者，出長轂一乘，此司馬法一成之賦也。爲齊難作丘甲，益兵備敵，重困農民，非爲國之道。唐太宗問李靖：『楚廣與周制如何？』靖曰：『周制一乘，步卒七十二人，甲士三人，以二十五人爲一甲，凡三甲，共七十五人。』然則一丘所出十有八人，即四丘而具一乘耳。今作丘甲者，即丘出一甲，是一甸之中，共百人爲兵矣，則未知其所作者，三甸而增一乘乎？每乘而增一甲乎？魯至昭公時，嘗蒐于紅，革車千乘，則計甸而增乘，未可知也；楚人二廣之法，一乘至用百有五十人，則魯每乘而增一甲，亦未可知也。賦雖不同，其實皆爲益兵，其數皆增三之一耳。先儒或言『甲非人人之所能爲』，又以爲『丘出甸賦加四倍』者，誤矣。」愚謂作者創立之名，直書「作丘甲」，則其不宜作之義自見。胡氏乃又謂「作者，不宜作」，則拘於義例一字之文矣。

夏，臧孫許及晉侯盟于赤棘。

正傳曰：及，猶言與也。書「臧孫許及晉侯盟于赤棘」，著其盟之非也。左氏曰：「聞齊將出楚師，夏，盟于赤棘。」則是爲齊出楚師，而盟以禦之也。夫盟以求援於晉，孰若脩德於己，及時明其政刑，賢能在位，休養以結民心，制梃以撻齊、楚之堅甲利兵乎？故曰著其盟之非也。胡氏曰：「初，宣公謀以晉人去三桓，歸父爲是見逐而奔齊矣。今季孫當國，恨齊人之立宣公、納歸父，又懼晉侯之或見討也，故往結此盟。赤棘，晉地也。其稱『及』，魯所欲也。盟非春秋所貴，而惡屢盟者，非惟長亂，亦國用民力所難給也。成公即位之初，方經大故，未有施舍、己責、逮鰥寡、救乏困之事也。爲齊難既作丘甲矣，聞將出楚師，又遠與晉尋盟，豈固本保邦之道乎？書『及晉侯盟于赤棘』，非特備齊懼晉，蓋三桓懷忿懟君父之心，將有事于齊，而汲汲欲之者，罪可見矣。」愚謂此言多是，但云稱「及」者魯所欲，則魯所欲傳已明白，不在乎稱「及」一詞之贅矣。

秋，王師敗績于茅戎。

正傳曰：書「王師敗績于茅戎」，則王道之失可知矣。夫征伐自天子出，諸侯承天子之命而正其罪者，乃王道也。故曰天子討而不伐，諸侯伐而不討。討者，出令也。伐者，行兵也。今天子自行兵而致敗，失王道矣，故書以見之。左氏曰「王人來告敗」，故書之。先儒謂書敗不書戰，莫敢敵也，則支離而失其旨矣。

冬十月。

正傳曰：無事亦書時月，義見于前。

定王十八年。二年晉景十一年、齊頃十年、衛穆十一年卒、蔡景三年、鄭襄十六年、曹宣六年、陳成十年、杞桓四十八年、宋文二十二年〔卒〕〔一〕、秦桓十六年、楚共二年。

春，齊侯伐我北鄙。

正傳曰：書「齊侯伐我北鄙」，志警也，紀憤兵也。左氏曰：「齊侯伐我北鄙，圍龍。頃公之嬖人盧蒲就魁門焉。龍人囚之。齊侯曰：『勿殺，吾與而盟，無入而封。』弗聽，殺而膊之城上。齊侯親鼓，士陵城。三日，取龍。遂南侵，及巢丘。」胡氏曰：「初，魯事齊謹甚，雖易世而聘會不絶也。及與晋侯盟于斷道，而後怨隙成；再盟于赤棘，而後伐我北鄙。齊侯之興是役，非義矣。魯人爲鞌之戰，豈義乎？同曰憤兵，務相報復，而彼此皆無善者，則亦不待貶而罪自見矣。」愚謂不待貶而罪自見，乃春秋之正義也。餘皆倣此。

夏四月丙戌，衛孫良夫帥師及齊師戰于新築，衛師敗績。

正傳曰：新築，鄭地。書「衛孫良夫帥師及齊師戰于新築，衛師敗績」，著二國之憤兵也，其非義具見矣。左氏曰：「衛侯使孫良夫、石稷、甯相、向禽將侵齊，與齊師遇。石子欲還。孫子曰：『不可。以師伐人，遇其師而還，將謂君何？若知不能，則如無出。今既遇矣，不如戰也。』夏，有。石成子曰：『師敗矣，子不少須，衆懼盡。子喪師徒，何以復命？』皆不對。又曰：『子，國卿也。隕子，辱矣。子以衆退，我此乃止。』且告車來甚衆。齊師乃止，次于鞫居。新築人仲叔于奚救孫桓子，桓子是以免。既，衛人賞之以邑，辭，請曲縣、繁纓以朝，許之。仲尼聞之曰：『惜也，不如多與之邑。唯器與名，不可以假人，君之所司也。名以出信，信以守器，器以藏禮，禮以行義，義以生利，利以平民，政之大節也。若以假人，與人政也。政亡，則國家從之，弗可止也已。』」愚謂：記曰：「春秋無義戰。」夫戰有二義焉，其上則奉王命以伐有罪，義也；其次則人加兵於己，不得已而以兵應之，守其封疆社稷，猶不失爲義也。今齊忿衛與晉斷道之盟，及世子臧同晉伐己，而以兵侵衛，是非奉王命，擅以兵加人，其爲不義甚矣。及衛孫良夫帥師伐齊，戰于新築，以至敗績，是衛兵越境，及鄭地而與戰，則非守封疆之義矣。故春秋書之，而其罪自見也。或謂書法以衛主戰者，誤矣。

六月癸酉，季孫行父、臧孫許、叔孫僑如、公孫嬰齊帥師會晉郤克、衛孫良夫、曹公子首及齊侯戰于鞌，齊師敗績。

正傳曰：書魯四卿會晉、衛、曹大夫公子及齊侯戰于鞌，齊師敗績，則四國貪憤之兵具見矣。左氏曰：「孫桓子還于新築，不入，遂如晉乞師。臧宣叔亦如晉乞師。皆主郤獻子。晉侯許之七百乘。郤子請八百乘。許之。郤克將中軍，士燮佐上軍，欒書將下軍，韓厥爲司馬，以救魯、衛。臧宣叔逆晉師，且道之。季文子帥師會之。及衛地。師從齊師于莘。六月壬申，師至于靡笄之下。齊侯使請戰，曰：『詰朝請見。』對曰：『晉與魯、衛，兄弟也，來告曰：「大國朝夕釋憾於敝邑之地。」寡君使羣臣請於大國，無令輿師淹於君地。能進不能退。』齊侯曰：『大夫之許，寡人之願也。』癸酉，師陳於鞌。邴夏御齊侯，逢丑父爲右。晉解張御郤克，鄭丘緩爲右。郤克傷於矢，流血及屨，未絶鼓音，曰：『余病矣！』張侯曰：『自始合，而矢貫余手及肘，余折以御。豈敢言病？吾子忍之！』緩曰：『自始合，苟有險，余必下推車，子豈識之？然子病矣！』張侯曰：『師之耳目，在吾旗鼓。若之何其以病敗君之大事也？病未及死，吾子勉之！』左并轡，右援枹而鼓。馬逸不能止，師從之。齊師敗績。逐之，三周華不注。韓厥中御而從齊侯。邴夏曰：『射其御者，君子也。』公曰：『謂之君子而射之，非禮也。』射其左，越于車下。射其右，斃于車中。綦母張喪車，從厥。逢丑父與公易位。將及華泉，驂絓於木而止。丑父不能推車而及。韓厥執縶馬前，再拜稽首，奉觴加璧以進，曰：『寡君使羣臣爲魯、衛請，曰：「無令輿師陷入君地。」下臣不幸，屬當戎行，無所逃隱。且懼奔辟，而忝兩君。臣辱戎士。』丑父使公下，如華泉取飲。鄭周父御佐車，宛茷爲右，載齊侯以免。韓厥獻丑父，郤獻子將戮之，呼曰：『自今無有代其君任患者。』郤子曰：『人不難以死免其君，我戮之，不祥。』乃免之。齊侯免，求丑父，三入三出。晉師從齊師，入自丘輿，擊馬陘。齊侯使賓媚人賂以紀甗、玉磬與地。晉人不可，曰：『必以蕭同叔子爲質，而使齊之封内盡東其畝。』對曰：『蕭同叔子，寡君之母也。若以匹敵，則亦晉君之母也。吾子布大命於諸侯，而曰必質其母以爲信，是以不孝令也。先王疆理天下，物土之宜，而布其利。今吾子疆理諸侯，而曰「盡東其畝」而已，其無乃非先王之命也乎？反先王則不義，何以爲盟主？詩曰：「布政優優，百禄是遒。」子實不優，而棄百禄，諸侯何害焉？不然，寡君之命使臣，則有辭矣。曰：「子以君師辱於敝邑，不腆敝賦，以犒從者。畏君之震，師徒撓敗。吾子惠徼齊國之福，不泯其社稷，使繼舊好，唯是先君之敝器、土地不敢愛。子又不許，請收合餘燼，背城借一。敝邑之幸，亦云從也。況其不幸，敢不唯命是聽？」』魯、衛諫曰：『齊疾我矣。其死亡者，皆親暱也。子若不許，讎我必甚。唯子，則又何求？子得其國寶，我亦得地，而紓於難，其榮多矣。』對曰：『羣臣帥賦輿，以爲魯、衛請。苟有以藉口而復於寡君，君之惠也。敢不唯命是聽？』」愚按：左氏此傳詳矣，見四國諸大夫合兵勝齊之功矣，然皆貪憒之兵也。記曰：「爲善戰者服上刑，連諸侯者次之。」則其所謂功祇足以爲罪耳。有王者作，當以此服其刑。

秋七月，齊侯使國佐如師。己酉，及國佐盟于袁婁。

正傳曰：洛陽西有袁婁。師者，四國之師也。及者，晋及之也。書「齊侯使國佐如師。己酉，及國佐盟于袁婁」，善釋怨也。左氏曰：「秋七月，晋師及齊國佐盟于袁婁。使齊人歸我汶陽之田。」公羊曰：「鞌之戰，齊師大敗。齊侯使國佐如師。郤克曰：『與我紀侯之甗，反〔二〕魯、衛之侵地，使耕者東畝，且以蕭同姪子爲質，則吾舍子矣。』國佐曰：『與我紀侯之甗，請諾。反魯、衛之侵地，請諾。使耕者東畝，是則土齊也。蕭同姪子者，齊君之母也，齊君之母猶晋君之母也，不可！請戰！一戰不勝，請再。再戰不勝，請三。三戰不勝，則齊國盡子之有也，何必以蕭同姪子爲質？』揖而去之。郤克眣魯、衛之使，使以其辭而爲之請。然後許之，逮于袁婁而與之盟。」愚謂：按此，則以四國强兵，逞其欲而滅齊，無難也。晉以吞齊之氣而與之盟，而平焉，是齊求於晉，晉許於齊，善釋怨矣。春秋之善，莫大乎釋怨息兵，直書其事，而義自見矣。

八月壬午，宋公鮑卒。

正傳曰：鮑，宋公名。書「壬午，宋公鮑卒」，紀與國之大故也。來赴之詳，故詳其日。左氏曰：「八月，宋文公卒。始厚葬，用蜃、炭，益車馬，始用殉，重器備。椁有四阿，棺有翰、檜。君子謂：『華元、樂舉於是乎不臣。臣，治煩去惑者也，是以伏死而争。今二子者，君生則縱其惑，死又益其侈，是棄君於惡也，何臣之爲？』」愚謂：此又因卒而見義，不可掩矣。

庚寅，衛侯速卒。

正傳曰：書「庚寅，衛侯速卒」，紀與國之大故也。何以書日？因赴之詳，故書之詳。左氏曰：「九月，衛穆公卒，晉三子自役吊焉，哭於大門之外。衛人逆之，婦人哭於門内。送亦如之。遂常以葬。」

取汶陽田。

正傳曰：取者，對與之稱。或以爲得非其有之稱，見聖人謂魯在所損益者，皆非也。蓋汶陽，魯侵地。齊來與還，而魯受之也。然以强兵得之，不告於天王而復之，亦非春秋之全美，故書取汶陽田，則褒貶之情並見矣。公羊曰：「汶陽田者何？鞌之賂也。」杜氏曰：「汶陽田，汶水北地。汶水出泰山萊蕪縣，西入濟。」胡氏曰：「汶陽之田，本魯田也。取者，得非其有之稱。不曰復而謂之取，何也？恃大國兵力，一戰勝齊，得其故壤，而不請於天王以正疆理，則取之不以其道，與得非其有奚異乎？然則宜奈何？考于建邦土地之圖，若在封域之中，則先王所錫，先祖所受，經界世守不可亂矣。不然，侵小得之，春秋固有興滅國、繼絶世之義，必有處也。魯在戰國時，地方五百里，而孟氏語慎子曰：『如有王者作，在所損乎？在所益乎？』經於復其故田而書取，所損益亦可知矣。」愚謂胡氏此言非也。公侯皆方百里，先王之制也。而五百里者，魯先君之貽也。先君不能損之以歸天王，而子孫顧可以見奪於齊而因以爲不當有乎？夫國君之孝，莫大乎守疆土保社稷而已。齊昔以强而侵之，今以其敗而還之，於我克復舊物，子孫之大孝也，何爲不可？但以强兵戰勝而得之，爲未盡善耳，故孔子相夾谷之會，亦曰：「而不還我汶陽之田，有如此盟。」聖人固取之有道矣。

冬，楚師、鄭師侵衛。

正傳曰：書「楚師、鄭師侵衛」，則猾夏、伐喪之罪著矣。高氏曰：「以中國從夷狄，而首伐衛喪，是猶受戈與寇，而攻其親戚，罪不勝誅矣！」

十有一月，公會楚公子嬰齊于蜀。

正傳曰：書「公會楚公子嬰齊于蜀」，則其會之非禮自見矣。夫以君與臣會，爲首足混殽；中國之君與夷狄之臣會，爲冠屨倒置，是失禮之中又失禮焉。故穀梁曰：「其曰『公子』，嬰齊亢也。」左氏曰：「宣公使求好于楚，莊王卒，宣公薨，不克作好。公即位，受盟于晉，會晉伐齊。衛人不行使于楚，而亦受盟于晉，從於伐齊。故楚令尹子重爲陽橋之役以救齊。將起師，子重曰：『君弱，羣臣不如先大夫，師衆而後可。且先君莊王屬之曰：「無德以及遠方，莫如惠恤其民，而善用之。」』乃大户，已責，逮鰥，救乏，赦罪。悉師，王卒盡行。彭名御戎，蔡景公爲左，許靈公爲右。二君弱，皆强冠之。冬，楚師侵衛，遂侵我，師于蜀。使臧孫往，辭曰：『楚遠而久，固將退矣。無功而受名，臣不敢。』楚侵及陽橋，孟孫請往賂之以執斲、執鍼、織紝，皆百人，公衡爲質，以請盟。楚人許平。」胡氏曰：「二國稱師，著其衆也。侵衛則書侵，我師于蜀，致賂納質，没而不書，非諱也。書其重者，則莫重乎其以中國諸侯，降班失列，下與夷狄之大夫會也。季孫行父爲國上卿，當使其君尊榮，其民免於侵陵之患，而危辱至此，特起於忿忮，肆其褊心，而不知制之以禮也。書曰：『必有忍，乃其有濟。』懲忿窒慾，德之脩也；不忮不求，行之善也。躬自厚而薄責於人，遠怨之方也。季孫忿忮，弗能懲也，而辱逮君父，不亦憯乎！故春秋，史外傳心之要典也。考其行事，深切著明，於以反求諸己，則亦知戒矣。」

丙申，公及楚人、秦人、宋人、陳人、衛人、鄭人、齊人、曹人、邾人、薛人、鄫人盟于蜀。

正傳曰：書「公及楚、秦諸國之人盟于蜀」，見其盟之非也。葵丘之會，霸主率諸侯以聽王禁，今乃盡中國之諸侯以受盟於夷狄之楚，天地之大變也。春秋書之，則其罪自不可逭，不待如胡氏所謂人諸國之大夫以見意也。又曰：春秋於魯君盟會，不信，不臣，棄夏從夷，皆諱不書，而盟蜀書而不諱，不得其說而爲之詞，謂事同，既貶而從同，則逭矣。左氏曰：「十一月，公及楚公子嬰齊、蔡侯、許男、秦右大夫說、宋華元、陳公孫寧、衛孫良夫、鄭公子去疾及齊國之大夫盟于蜀。卿不書，匱盟也。於是乎畏晋而竊與楚盟，故曰『匱盟』。蔡侯、許男不書，乘楚車也，謂之失位。君子曰：『位其不可不慎也乎！蔡、許之君，一失其位，不得列於諸侯，況其下乎！詩曰：「不解於位，民之攸塈。」其是之謂矣。』」愚謂經既書人，使人求其實，則卿之名自不可匿矣，以是爲匱盟，可乎？

定王十九年。**三年**晋景十二年、齊頃十一年、衛定公臧元年、蔡景四年、鄭襄十七年、曹宣七年、陳成十一年、杞桓四十九年、宋共公固元年、秦桓十七年、楚共三年。

春王正月，公會晉侯、宋公、衛侯、曹伯伐鄭。

正傳曰：書「公會晉、宋、衛、曹之諸侯伐鄭」，使人考其傳、求其跡，而其勝負得失可見矣。左氏曰：「諸侯伐鄭，次于伯牛，討邲之役也。遂東侵鄭。鄭公子偃帥師禦之，使東鄙覆諸鄤，敗諸丘輿。皇戌如楚獻捷。」愚謂鄭之從楚，故諸侯伐之。及以詐敗諸侯之兵，而復以獻捷于楚，始終棄中國從夷狄，略無有因諸侯問罪之師而自反以悔，真夷狄矣！然而鄭不自反以詐敗諸侯之兵，固雖勝猶非義矣。諸侯之擅興大衆伐鄭，不請天子之命而行討，均於不義，是宜其敗也。其勝負得失，蓋兩分之矣。胡氏曰：「夫討邲之役，則復怨勦民，非觀釁也；遂東侵，則潛師掠境，非以律也；覆而敗諸，則專用詐謀，非正勝也。度彼參此，皆無善也。」是矣。然必謂「略而不紀，勝負微也。晉侯稱爵，而以『伐』書，盟主有詞于伐」者，則鑿矣。

辛亥，葬衛穆公。

正傳曰：書「辛亥，葬衛穆公」，紀與國之大事也。書日者，赴之詳也。以此見凡書日不書日，皆赴之詳略，而不足以取義也。書葬者，諸侯會葬之禮，禮也。

二月，公至自伐鄭。

正傳曰：書「公至自伐鄭」，謹出告反面之義也。蓋君舉必書，而其得失可見矣。無故越境以伐人，非王制矣。

甲子，新宮災。三日哭。

正傳曰：書「甲子，新宮災」，紀變也。「三日哭」，紀禮也。公羊曰：「新宮者何？宣公之宮也。宣公則曷爲謂之新宮？不忍言也。其言三日哭何？廟災，三日哭，禮也。新宮災，何以書？紀災也。」胡氏曰：「廟災而哭，禮也。得禮爲常事，則何以書？緱氏劉絢曰：『新宮者，宣宮也。不曰宣宮者，神主未遷也。知然者，丹楹刻桷皆稱桓宮，此不舉謚，故知其未遷也。宮成而主未入，遇災而哭，何禮哉？宣公薨，至是二十有八月，緩於遷主可知矣。言災，則不恭之致亦自見矣。』此說據經爲合。或曰：禮稱有焚其先人之室則三日哭。新宮將以安神主也，雖未遷而哭，不亦可乎？曰：先人之室，蓋嘗寢於斯，食於斯，會族屬於斯，其居處笑語之所在，皆可想也。事死如事生，故有焚其室則哭之，禮也。神主未遷而哭，於人情何居？」愚謂劉絢「主未遷，故爲新宮」之說，蓋臆說也，豈有薨二十八月而不遷主者？其說非也。公羊以「謂新宮，不忍言」，亦非也。蓋同一宮也，以其近則謂之新宮，以其遠則謂之宣宮。

乙亥，葬宋文公。

正傳曰：書「葬宋文公」於三年二月之下，使人數月而知其越禮也。書乙亥，來赴之詳也，故史詳而直書之，義自見矣。胡氏曰：「按左氏：『文公卒，始厚葬，益車馬，重器備。』君子謂華元、樂舉於是乎不臣。考於經，未有以驗其厚也。數其葬之月，則信然矣。天子七月，諸侯五月，大夫三月，士踰月，以降殺遲速爲禮之節，不可亂也。文公之卒，國家安静，外無危難，曷爲越禮踰時，逮乎七月而後克襄事哉？故知華元、樂舉之棄君於惡而益其侈，無疑矣。夫禮之厚薄，稱人情而爲之者也。宋公在殯，而離次出境，從金革之事，哀戚之情忘矣，顧欲厚葬其君親，此非有所不忍於死者，特欲誇耀淫侈無知之人耳。世衰道微，禮法既壞，無以制其侈心，至於秦、漢之間，窮竭民力以事丘隴，其禍有不可勝言者。春秋據事直書而其失自見，此類是也，豈不爲永戒哉！」

夏，公如晋。

正傳曰：書「夏，公如晋」，譏其如也。公之輕出，非禮也。左氏曰：「拜汶陽之田。」夫國君守社稷宗廟之重，非朝覲會同，莫宜以輕出，出則史書之。今據左傳，則公之如晋，非有朝覲會同之大禮，乃以拜汶陽之田而行，非禮之甚矣。

鄭公子去疾帥師伐許。

正傳曰：去疾，鄭公子名。書「鄭公子去疾帥師伐許」，則其非義之兵可考而知矣。左氏曰：「許恃楚而不事鄭。鄭子良伐許。」愚謂此實傳也。夫國君有睦鄰之義，恤小之仁，德脩於己，而人服之，可也。鄭上不事天王，下不事中國之盟主，委身俛首以從楚蠻，己之不脩，乃責許之不事己，不勝其區區之憤以往伐之，可謂能自反而縮乎？可謂之義兵乎？

公至自晉。

正傳曰：書「公至自晋」，始終乎非禮之行也。且君出入，史必書之。入則有反面之禮焉。胡氏曰：「宣公薨，至是三年之喪畢矣。宜入朝京師，見天子，受王命，然後歸而即政可也。嗣守社稷之重而不朝于周，以拜汶陽田之故而往朝于晋，其行事亦悖矣，此春秋所爲作也。公行多不致，其書『公至自晋』何？其至也，必有以也。」愚謂君出入必書，史之常也，而其非之之義自見矣。

秋，叔孫僑如帥師圍棘。

正傳曰：棘者，公羊云：「汶陽之不服邑也。」書「叔孫僑如帥師圍棘」，非其圍也，譏以力服也。左氏曰：「叔孫僑如圍棘，取汶陽之田。棘不服，故圍之。」愚謂魯能使齊歸之汶陽之田，而不能服其田間之小邑，何耶？能使歸之侵田者，晋之威力也。其不能服小邑者，魯成之德不足以服之，必待加之威力，圍之然後可也。孔子曰：「遠人不服，則脩文德以來之。既來之，則安之。」惜也當時魯國之臣不知此義，無有以告其君者，此魯之所以卒爲魯也。胡氏曰：「復故地而民不聽，至於命上將，用大師，環其邑而攻之，何也？魯於是時，初稅畝，作丘甲，稅役日益重矣，棘雖復歸故國，所以不願爲之民也歟！成公不知薄稅斂，輕力役，脩德政以來之，而肆其兵力，雖得之亦必失之矣。」

大雩。

正傳曰：書「大雩」，則非禮之禮自見矣。雩者，祭天禱雨之名，惟天子得以祭天。諸侯祭禱于山川。魯之大雩，僭也。春秋書之，其義見矣。

晋郤克、衛孫良夫伐廧咎如〔三〕。

正傳曰：廧咎如，赤狄别種。書「晋郤克、衛孫良夫伐廧咎如」，紀貪殘之兵也。左氏曰：「討赤狄之餘焉。廧咎如潰，上失民也。」按此，則廧咎如之民自潰耳，非二國之兵能潰之也。夫民心之向背得失，係乎上之舉措何如耳。記曰：「得衆則得國，失衆則失國。」由是言之，國之得失，由民心之得失。民心之得失，由上舉措之是非。故曰廧咎如之潰，民自潰也。晋爲中國盟主，其於夷狄，來則禦之，去則勿追，可也。晋嘗滅赤狄潞氏、甲氏及留吁矣，今又欲盡廧咎如而滅之，豈仁者之心乎？其爲貪殘甚矣！

冬十有一月，晋侯使荀庚來聘。衛侯使孫良夫來聘。丙午，及荀庚盟。丁未，及孫良夫盟。

正傳曰：何以書「聘」？志禮也。何以書「盟」？志非禮也。聘者，諸侯邦交之禮，禮也。盟者，歃血以要鬼神，非先王之禮，非禮也。且聘且盟，非禮也。左氏曰：「冬十一月，晋侯使荀庚來聘，且尋盟。衛侯使孫良夫來聘，且尋盟。公問諸臧宣叔曰：『中行伯之於晋也，其位在三；孫子之於衛也，位爲上卿，將誰先？』對曰：『次國之上卿，當大國之中，中當其下，下當其上大夫。小國之上卿，當大國之下卿，中當其上大夫，下當其下大夫。上下如是，古之制也。衛在晋，不得爲次國。晋爲盟主，其將先之。』丙午，盟晋。丁未，盟衛。禮也。」愚謂臧宣叔言處二卿之先後，禮也；其且聘且盟，非禮也。春秋不貴盟，盟者，忠信之薄也。故方聘問所以致誠信也，而又盟以要誠信焉，則何信之有？故曰且聘且盟，非禮也。胡氏謂：「劉敞曰：『諸侯有聘無盟。聘，禮也。盟，非禮也。庚與良夫，不務引其君當道，而生事專命，爲非禮不信，以干先王之典，故不繫於國，以見其遂事之辱，非人臣之操。』此説然也。其言『及』者，公與之盟而不言公，見二卿之抗也。盟者，春秋所惡，於惡之中又有惡焉者，此類是也。」愚謂言及者，則公及之可知，不待乎言公也。胡氏乃謂「不言公，見二卿之抗」，鑿矣。盟不稱國者，承上來聘之文也。劉敞謂「不繫於國，以見其遂事之辱」，誤矣。

鄭伐許。

正傳曰：書「鄭伐許」，則擅興陵暴之罪自見矣。夫許，小國也。惟仁者爲能以大字小。鄭一年而再伐之，其陵暴甚矣，其爲不仁亦甚矣，不待稱國以伐，夷狄之而後罪可著也。程、胡二子以鄭歸乎楚，以中國從夷狄，遂皆以稱國以伐爲夷狄之，則泥矣。信斯言也，則後四年冬伐許，又稱鄭伯者，何謂乎？春秋雖因告詞之畧而畧之，不係乎畧之而其夷狄之行已見矣。

四年定王二十年。晉景十三年、齊頃十二年、衛定二年、蔡景五年、鄭襄十八年卒、曹宣八年、陳成十二年、杞桓五十年、宋共二年、秦桓十八年、楚共四年。

春，宋公使華元來聘。

正傳曰：書「宋公使華元來聘」，紀邦交之禮也。左氏曰：「宋華元來聘，通嗣君也。」按此，則聘爲有詞，蓋庶乎得禮矣。

三月壬申，鄭伯堅卒。

正傳曰：堅，鄭伯名。書「鄭伯堅卒」，紀鄰國之大故也。書日者，來赴之詳也。使人因此而求其平生，從夷背華之罪惡著矣。

杞伯來朝。

正傳曰：書「杞伯來朝」，譏非禮之正也。左氏曰：「歸叔姬故也。」杜氏曰：「將出叔姬，先脩朝禮，言其故。」由是言之，非朝覲之正禮矣。

夏四月甲寅，臧孫許卒。

正傳曰：許，臧宣叔之名，文仲之子也。書「臧孫許卒」，紀内大夫之大故也。

公如晉。

正傳曰：書「公如晉」，著非禮也。夫禮不欲數，數則瀆。語曰：「恭近於禮，遠恥辱也。」成公頻年如晉，豈爲恭近於禮乎？左氏曰：「夏，公如晉。晉侯見公，不敬。季文子曰：『晉侯必不免。詩曰：「敬之敬之！天維顯思，命不易哉！」夫晉侯之命在諸侯矣，可不敬乎！』」愚謂晉侯不敬成公，非特其禍患之先兆，亦成公之卑屈頻瀆有以致之也。

葬鄭襄公。

正傳曰：書「葬鄭襄公」，紀恤鄰之大事也。因來赴而書之。然使人循月而數之，則知非禮之正矣。諸侯五月而葬，公薨至是未五月而葬焉，太速矣。太速者不懷，非孝愛之情也。

秋，公至自晉。

正傳曰：書「公至自晉」，謹出入也，始終乎非禮之行也。左氏曰：「秋，公至自晉，欲求成于楚而叛晉。季文子曰：『不可。晉雖無道，未可叛也。國大、臣睦，而邇於我，諸侯聽焉，未可以貳。史佚之志有之曰：「非我族類，其心必異。」楚雖大，非吾族也，其肯字我乎？』公乃止。」

冬，城鄆。

正傳曰：書「冬，城鄆」，志得時也，重興作也。周之冬十月，收藏農暇之時也。然興作，聖人之所謹，重民力也，故書之。

鄭伯伐許。

正傳曰：書「鄭伯伐許」，著陵暴之兵也，而忘哀之罪見矣。二年而三伐許，其陵暴甚矣。況其喪葬血未乾，而從戎以伐人，其忘哀甚矣。蓋至是，則其不仁不孝，豈復有人心乎？夷狄又化爲禽獸矣。左氏曰：「冬十一月，鄭公孫申帥師疆許田。許人敗諸展陂。鄭伯伐許，取鉏任、泠敦之田。」程子曰：「稱鄭伯，見其不復爲喪，以吉禮從戎。」胡氏曰：「前此鄭襄公伐許，既狄之矣。今悼公又伐許，乃復稱爵，何也？喪未踰年，以吉禮從金革之事，則忘親矣。稱爵非美詞，所以著其惡也。」愚謂二先生之言，不能無疑焉。前既以不稱伯爲狄之矣，今之稱伯又以爲惡之，是前後自相矛盾也。夫此之稱爵既足以著忘哀之惡，則三年何不亦稱爵以著其從楚之夷乎？無乃史書之有詳畧，而不係於一字以爲褒貶也歟？

定王二十一年崩。

五年晉景十四年、齊頃十三年、衛定三年、蔡景六年、鄭悼公費元年、曹宣九年、陳成十三年、杞桓五十一年、宋共三年、秦桓十九年、楚共五年。

春王正月，杞叔姬來歸。

正傳曰：書「杞叔姬來歸」，紀人倫之變也。穀梁曰：「婦人之義，嫁曰歸，反曰來歸。」胡氏曰：「前書杞伯來朝，左氏以爲歸叔姬也。此書杞叔姬來歸，則出也。春秋於内女，其歸其出，録之詳者，男女居室，人之大倫也。男子生而願爲之有室，女子生而願爲之有家。父母之心，人皆有之，而不能爲之擇家與室，則夫婦之道苦，淫僻之罪多矣。王法所重，人倫之本，録之詳也，爲世戒也。」

仲孫蔑如宋。

正傳曰：仲孫，氏。蔑，名。魯之賢大夫也。何以書？志聘禮也。左氏曰：「孟獻子如宋，報華元也。」按此，則獻子之如宋，報聘也。禮尚往來，一來一往，禮無不報，正也。

夏，叔孫僑如會晉荀首于穀。

正傳曰：書「叔孫僑如會晉荀首于穀」，著非禮也。左氏曰：「晉荀首如齊逆女，故宣伯會諸穀。」愚謂人臣無私交，荀首之如齊，非有君命於魯；僑如之會穀，非有君命於晉。二卿私相交會，非禮矣。

梁山崩。

正傳曰：書「梁山崩」，公羊曰：「記異也。外異不書，此何以書？爲天下記異也。」左氏曰：「梁山崩，晉侯以傳召伯宗。伯宗辟重，曰：『辟傳！』重人曰：『待我，不如捷之速也。』問其所，曰：『絳人也。』問絳事焉。曰：『梁山崩，將召伯宗謀之。』問將若之何，曰：『山有朽壤〔四〕而崩，可若何？國主山川，故山崩川竭，君爲之不舉、降服、乘縵、徹樂、出次，祝幣，史辭，以禮焉。其如此而已。雖伯宗，若之何？』」愚謂絳人則亦非常人矣。其謂山有朽壞而崩，斯言也，殆知天地陰陽貫通之理矣。夫天地間陰陽之氣，一而已也。一則天地位、萬物育，故天之陽氣常貫乎地，故山川不崩竭。其山有崩者，陽氣微而不能貫乎地，故山有枯朽之壞而崩。在人事，則君子道消之應也。絳人至於以禮文消異者，則末矣。本之，則無如之何。胡氏曰：「梁山，韓國也。詩曰：『奕奕梁山，韓侯受命』，而謂之韓奕者，言奕然高大，爲韓國之鎮也。後爲晉所滅，而大夫韓氏以爲邑焉。書而不繫國者，爲天下記異，是以不言晉也。左氏載絳人之語，於禮文備矣，而未記其實也。夫降服、乘縵、徹樂、出次、祝幣、史辭六者，禮之文也。古之遭變異而外爲此文者，必有恐懼脩省之心主於内，若成湯以六事檢身，高宗克正厥事，宣王側身脩行，欲銷去之是也。徒舉其文而無實以先之，何足以弭災變乎？夫國主山川，至於崩竭，當時諸侯，未〔五〕聞有戒心而脩德也。故自是而後，六十年間，弒君十有四，亡國三十二，其應亦憯矣。春秋不明著其事應，而事應具存，其可忽諸？」

秋，大水。

正傳曰：高下皆水，謂之大水。書大水，紀災異也。陰盛陽衰之應。

冬十有一月己酉，天王崩。

正傳曰：書「己酉，天王崩」，紀天下之大變也。左氏曰：「十一月己酉，定王崩。」夫天王崩，天下如喪考妣，赴告四方諸侯，故史書之，於是諸侯有奔喪會葬之禮，同軌畢至焉。

十有二月己丑，公會晉侯、齊侯、宋公、衛侯、鄭伯、曹伯、邾子、杞伯同盟于蟲牢。

正傳曰：書公會諸侯，同盟于蟲牢，則非禮非時之盟可見矣。夫非時者，非禮也。前十一月己酉，天王崩。十二月己丑，諸侯會盟，則非時矣。比事而觀，其越禮無君之罪可逭耶？左氏曰：「冬，同盟于蟲牢，鄭服也。諸侯謀復會，宋公使向爲人辭以子靈之難。」程子曰：「天王崩，而會盟不廢，書『同』，見其皆不臣。」胡氏曰：「按左氏：『許靈公愬鄭伯于楚，鄭伯如楚訟，不勝，歸而請成于晉。盟于蟲牢，鄭服也。』鄭服則何以書『同盟』？天王崩，赴告已及，在諸侯之策矣。以所聞先後而奔喪，禮也，而九國諸侯會盟不廢，故特書『同盟』，以見其皆不臣。春秋惡盟誓，於惡之中又有惡焉者，此類是也。」愚謂盟誓非禮也，天王崩而會盟焉，非禮之中又非禮也。

校記：

〔一〕「卒」，據嘉靖本補。

〔二〕「反」，原作「及」，據公羊傳改。

〔三〕「如」，原作「知」，據嘉靖本改。

〔四〕「壤」，原作「壞」，據嘉靖本改。

〔五〕「未」，原作「不」，據嘉靖本改。

春秋正傳卷之二十三

成公

簡王元年。六年晉景十五年、齊頃十四年、衛定四年、蔡景七年、鄭悼二年卒、曹宣十年、陳成十四年、杞桓五十二年、宋共四年、秦桓二十年、楚共六年、吴子壽夢元年。

春王正月，公至自會。

正傳曰：書「公至自會」，謹君之出入，以始終乎非禮之會也。

二月辛巳，立武宫。

正傳曰：立者，始建之名。武宫者，公羊以爲武公之宫，是也。書「立武宫」，明非禮也。

胡氏曰：「立武宫，非禮也。喪事即遠，有進而無退；宫廟即遠，有毁而無立。故二昭、二穆與太祖而五者，諸侯之廟制也。曰考廟，曰王考廟，曰皇考廟，皆月祭焉；曰顯考廟，曰祖考廟，享嘗乃止。去祖爲壇，去壇爲墠，壇墠有禱則祭，無禱乃止，去墠爲鬼，諸侯之祭法也。武公至是歷世十一，其毀已久而輒立焉，非即遠有終之意，故特書曰『立』。立者，不宜立也。」愚謂：但如此直書，而不宜之義自見矣，不必執「立」之一字而以謂不宜立也。

取鄟。

正傳曰：鄟，公羊以爲邾婁之邑，穀梁以爲國，然而書「取」，則穀梁之説是也。書「取鄟」，則魯君滅國絶世之罪見矣。胡氏曰：「鄟，微國也。書『取』者，滅之也。滅而書『取』，爲君隱也。項，亦國也，其書『滅』者，以僖公在會，季孫所爲，故直書其事而不隱，此春秋尊君抑臣，以辨上下，謹於微之意也。人倫之際，差之毫釐，繆以千里，故仲尼特立此義以示後世臣子，使以道事君，而無朋附權臣之惡。於傳有之：『犯上干主，其罪可救，乖忤貴臣，禍在不測。』故臣子多不憚人主而畏權臣，如漢谷永之徒，直攻成帝不以爲嫌，至於王氏則周旋相比，結爲死黨，而人主不之覺，此世世之公患也。歸父家遣，緣季氏也；朝吴出奔，因無極也；王章殺身，忤王鳳也；鄴侯寄館，避元載也。惟殺生在下，而人主失其柄也，是以黨與衆多，知有權臣而不知有君父矣。使春秋之義得行，尊君抑臣，以辨上下，每謹於微，豈有此患乎！」愚謂：春秋垂世立教之書，其文既因魯史，其義孔子以謂竊取，豈容有所曲意以隱君父乎？胡氏之説，以此愈離而愈遠，至謂滅而書取爲隱而尊君，其直書滅爲不隱而抑季氏之爲臣，則非夫子之意。且所謂取者即滅矣，何足以爲隱乎？故不立文義，據事直書，書之者無罪，聞之者足以戒，亦春秋之本意也。

衛孫良夫帥師侵宋。

正傳曰：書「衛孫良夫帥師侵宋」，紀憤兵也。左氏曰：「三月，晉伯宗、夏陽説、衛孫良夫、甯相、鄭人、伊雒之戎、陸渾、蠻氏侵宋，以其辭會也。師于鍼。衛人不保。説欲襲衛，曰：『雖不可入，多俘而歸，有罪不及死。』伯宗曰：『不可。衛唯信晉，故師在其郊而不設備。若襲之，是棄信也。雖多衛俘，而晉無信，何以求諸侯？』乃止。師還。」愚謂：由是觀之，衛、晉特以宋之辭會而遽不勝其憤，興大衆，援夷狄之兵以伐中國帝王之裔，其罪自見矣。

夏六月，邾子來朝。

正傳曰：汪氏云：「蓋成公即位，而始朝也。」夫天王崩，報赴諸侯，所當奔喪之不遑，而乃朝魯，據事直書，觀者自見其不臣之罪矣。

公孫嬰齊如晉。

正傳曰：嬰齊，叔肸子。書「公孫嬰齊如晉」，著非禮也。夫邦交之禮，有會同聘吊而已。今據左氏云「子叔聲伯如晉，命伐宋」，則是非禮之行也。夫以天王之喪不奔，而汲汲於謀伐宋，以知其罪大矣。

壬申，鄭伯費卒。

正傳曰：費，鄭伯名，謚悼公。書「壬申，鄭伯費卒」，紀鄰國之大故也。書日者，報之詳，故詳書之，非有可與而日之也。故凡日者，不足以爲與之矣。

秋，仲孫蔑、叔孫僑如帥師侵宋。

正傳曰：書「仲孫蔑、叔孫僑如帥師侵宋」，紀無名之兵也。左氏曰：「秋，孟獻子、叔孫宣伯侵宋，晋命也。」胡氏曰：「魯遣二卿爲主將，動大衆焉。有事於宋，而以『侵』書者，潛師侵掠，無名之意，蓋陋之也，於衛孫良夫亦然。上三年嘗會宋、衛同伐鄭矣，次年宋使華元來聘，通嗣君矣，又次年魯使仲孫蔑報華元矣，是年冬鄭伯背楚求成于晋，而魯、衛與宋又同盟于蟲牢矣。今而有事於宋，上卿授鉞，大衆就行，而師出無名，可乎？故特書『侵』以罪之也。左氏載此師，『晋命也』。後二年，宋來納幣，請伯姬焉，則此師爲晋而舉，非魯志明矣。兵戎，有國之重事；邦交，人道之大倫。聽命於人，不得已焉，將能立乎？春秋所以罪之也。」愚謂他不足怪也，曾謂以獻子之賢而不知乎？

楚公子嬰齊帥師伐鄭。

正傳曰：書「楚公子嬰齊帥師伐鄭」，譏不義也，而其伐喪之罪可見矣。左氏曰：「楚子重伐鄭，鄭從晉故也。」觀此，則楚之伐鄭，無他罪，惟以其從晉之私憤耳。夫以鄭伯費之喪未踰時，在禮，諸侯有吊賻相恤之義，而楚遽興大衆，逞私憤，雖冒伐喪之名而不顧，真夷狄之行矣。

冬，季孫行父如晉。

正傳曰：書「季孫行父如晉」，著聘禮也。左氏曰：「冬，季文子如晉，賀遷也。」夫遷都，大事也，以賀遷而聘，爲有詞矣，故曰近禮而無害於義也。

晉欒書帥師救鄭。

正傳曰：書「晉欒書帥師救鄭」，善其救也。夫鄭，舍楚從晉，棄夷歸夏，一宜救也；楚伐鄭之喪，二宜救也。故春秋書以善之。左氏曰：「晉欒書救鄭，與楚師遇於繞角。楚師還。晉師遂侵蔡。楚公子申、公子成以申、息之師救蔡，禦諸桑隧。趙同、趙括欲戰，請於武子，武子將許之。知莊子、范文子、韓獻子諫曰：『不可。吾來救鄭，楚師去我，吾遂至於此，是遷戮也。戮而不已，又怒楚師，戰必不克。雖克，不令。成師以出，而敗楚之二縣，何榮之有？』於是，軍帥之欲戰者衆。或謂欒武子曰：『聖人與衆同欲，是以濟事，子盍從衆？子爲大政，將酌於民者也。子之佐十一人，其不欲戰者，三人而已，欲戰者可謂衆矣。商書曰：「三人占，從二人」，衆故也。』武子曰：『善鈞從衆。夫善，衆之主也。三卿爲主，可謂衆矣。從之，不亦可乎？』」胡氏曰：「荆楚僭號稱王，聖人比諸夷狄而不赦者，大一統以存周，使民著於君臣之義也。鄭能背夷即華，是改過遷善，出幽谷而遷喬木也。嬰齊爲是帥師，又因其喪而伐之，不義甚矣，經所以深惡之也。書卿『帥師伐鄭』，於文無貶辭，何以知其深惡楚也？下書『欒武子帥師救鄭』，則知之矣。凡書『救』者，未有不善之也，而伐者之罪著矣。按左氏，晉、楚遇于桑隧，軍帥之欲戰者八人，武子遂還，則無功也，亦何善之有？曰：此春秋之所以善欒書也。兩軍相加，兵刃既接，折馘執俘，計功受賞，此非仁人之心，王者之事。故舞干羽而苗格者，舜也；因壘而崇降者，文也；次于陘而屈完服者，齊桓也；會于蕭魚而鄭不叛者，晉悼也。武子之能不遷戮而知還也，亦庶幾哉！」

簡王二年。七年晉景十六年、齊頃十五年、衛定五年、蔡景八年、鄭成公睔元年、曹宣十一年、陳成十五年、杞桓五十三年、宋共五年、秦桓二十一年、楚共七年、吴壽夢二年。

春王正月，鼷鼠食郊牛角，改卜牛。鼷鼠又食其角，乃免牛。

正傳曰：何以書？志異也。夫牛，祀天之大牲也。鼷鼠再食其角，異之大者也。書之，既以志異，又使人思之以爲神不歆非類。魯之郊天，非類也，天或不歆之，故鼠再食其牛角乎！聖人之意深矣。書正月者，古之郊天，以冬至十一月，周之正月是也。其不日者，忘乎日，有司之怠也。免牛，則不郊矣。穀梁曰：「免牲者，爲之緇衣纁裳，有司玄端，奉送至于南郊。免牛亦然。免牲不曰不郊，免牛亦然。」杜氏曰：「稱牛未卜日，免放也。」

吴伐郯。

正傳曰：吴，古荆蠻之國，太伯之後也。書「吴伐郯」，紀夷狄侵中國之始也。左氏曰：「春，吴伐郯，郯成。季文子曰：『中國不振旅，蠻夷入伐，而莫之或恤，無吊者也夫！詩曰：「不吊昊天，亂靡有定。」其此之謂乎！有上不吊，其誰不受亂？吾亡無日矣。』君子曰：『知懼如是，斯不亡矣。』」愚謂：按此，則當時已疾其入伐中國矣，此亦春秋之意乎？其稱國而不爵者，魯史以遠而畧之也。胡氏謂稱國以伐爲狄之者，非聖人之意也。他倣此。

夏五月，曹伯來朝。

正傳曰：書曹伯來朝，著邦交之禮也。汪氏曰：「蓋成公嗣位，而始來朝也。」夫以嗣位來朝，則得邦交之正禮，事大之常道，而非爲私而來矣，故春秋書以與之。

不郊，猶三望。

正傳曰：書「不郊，猶三望」，則非禮之非禮自見矣。夫魯之郊，非禮也；其三望，亦非禮也。天子祭天地、日月、星辰、天下山川。夫山川，則四望也。魯，諸侯，祭境内泰山於一望，得禮矣，而又僭三望而四焉，非僭天子之禮乎？故春秋非之，意在言表矣。胡氏曰：「吴郡朱長文曰：『禮，天子有四望，諸侯則祭境内山川而已。魯當祭泰山。泰山，魯之境也，禮所得祭，故不書。三望，僭天子禮，是以書之。』其説是矣。楚子軫言三代命祀，祭不越望，而曰江、漢、沮、漳，楚之望，非也。楚始受封，濱江之國，漢水、沮、漳，豈其境内哉？此亦據後世并兼封畧言之爾。」

秋，楚公子嬰齊帥師伐鄭。公會晉侯、齊侯、宋公、衛侯、曹伯、莒子、邾子、杞伯救鄭。八月戊辰，同盟于馬陵。

正傳曰：書楚伐鄭，著憤怨之兵也。書諸侯救鄭，大攘夷之義也。書同盟，見同心於攘夷狄尊中國也。左氏曰：「秋，楚子重伐鄭，師于氾。諸侯救鄭。鄭共仲、侯羽軍楚師，囚鄖公鍾儀，獻諸晉。八月，同盟于馬陵，尋蟲牢之盟，且莒服故也。晉人以鍾儀歸，囚諸軍府。」胡氏曰：「楚人軍旅數起，頻年伐鄭，以其背己而從諸夏也，與莊之欲討徵舒而入陳亦異矣。書大夫之名氏、書『帥師』、書『伐』，而無貶詞者，所謂不待貶絶而罪自見者也。晉合八國之君，親往救鄭，則攘夷狄、安中國之師也，欲著其善故，特書『救鄭』以美之。言『救』，則楚罪益明，而鄭能背夷即華，善亦著矣。前此晉遣上將，諸國不與焉，此則其君自行，而會合諸國，則楚人暴横憑陵諸夏之勢益張，亦可見矣。故盟于馬陵而書『同盟』者，同病楚也。」愚謂胡氏謂「不待貶絶而罪自見」，此春秋之正義，聖人之所竊取，而因魯史之文者也。若皆以此觀春秋，豈不灑然矣哉！然又以爲書名、書帥師、書伐而無貶詞，則亦未免猶泥於義例之説也。

公至自會。

正傳曰：書「公至自會」，始終其善會也，且以謹君之動而重反面之禮也。

吴入州來。

正傳曰：州來，楚之附庸，要害之地也。書「吴入州來」，著交暴之兵也，而傷中國霸圖之不振，聖人攘夷之情見矣。左氏曰：「楚圍宋之役，師還，子重請取於申、吕以爲賞田，王許之。申公巫臣曰：『不可。此申、吕所以邑也，是以爲賦，以禦北方。若取之，是無申、吕也，晋、鄭必至于漢。』王乃止。子重是以怨巫臣。子反欲取夏姬，巫臣止之，遂取以行，子反亦怨之。及共王即位，子重、子反殺巫臣之族子閻、子蕩及清尹弗忌及襄老之子黑要，而分其室。子重取子閻之室，使沈尹與王子罷分子蕩之室，子反取黑要與清尹之室。巫臣自晋遺二子書，曰：『爾以讒慝貪惏事君，而多殺不辜，余必使爾罷於奔命以死。』巫臣請使於吴，晋侯許之。吴子壽夢説之。乃通吴于晋，以兩之一卒適吴，舍偏兩之一焉。與其射御，教吴乘車，教之戰陳，教之叛楚。寘其子狐庸焉，使爲行人於吴。吴始伐楚、伐巢、伐徐，子重奔命。馬陵之會，吴入州來，子重自鄭奔命。子重、子反於是乎一歲七奔命。蠻夷屬於楚者，吴盡取之，是以始大，通吴於上國。」愚謂此州來之入，巫臣之爲也。有制夷之功，亦有召夷之患。如病人之苦毒藥者，又引毒藥以攻之，一毒去而一毒生，豈其國家之利乎！

冬，大雩。

正傳曰：書「冬，大雩」，則非禮之禮自見矣。穀梁曰：「雩，不月而時，非之也。冬無爲雩也。」餘義見於前。

衛孫林父出奔晋。

正傳曰：林父，良夫子。書「衛孫林父出奔晋」，著叛君之罪也。左氏曰：「衛定公惡孫林父。冬，林父出奔晋。衛侯如晋，晋反戚焉。」愚謂：戚者，林父之邑。左氏謂「衛侯如晋，晋反戚」者，高氏所謂恃晋反衛也。夫君臣之義，無所逃於天地之間者也。林父忠義苟孚於君，則何必去父母之邦，以墮先君之世禄？而定公惡之，必有以先其見惡矣，及恃晋反衛，終成逐君之惡，宜哉！

簡王三年。八年晋景十七年、齊頃十六年、衛定六年、蔡景九年、鄭成二年、曹宣十二年、陳成十六年、杞桓五十四年、宋共六年、秦桓二十二年、楚共八年、吴壽夢三年。

春，晉侯使韓穿來言汶陽之田，歸之于齊。

正傳曰：書「晉侯使韓穿來言汶陽之田，歸之于齊」，並譏之也。夫晉侯使韓穿來言，晉以一言與之，又以一言奪之，是晉之失也。魯以晉力復之，又以晉言歸之，是魯之失也。左氏曰：「晉侯使韓穿來言汶陽之田，歸之于齊。季文子餞之，私焉，曰：『大國制義，以爲盟主，是以諸侯懷德畏討，無有貳心。謂汶陽之田，敝邑之舊也，而用師于齊，使歸諸敝邑。今有二命，曰「歸諸齊」。信以行義，義以成命，小國所望而懷也。信不可知，義無所立，四方諸侯，其誰不解體？詩曰：「女也不爽，士貳其行。士也罔極，二三其德。」七年之中，一與一奪，二三孰甚焉？士之二三，猶喪妃耦，而況霸主？霸主將德是以，而二三之，其何以長有諸侯乎？』」公羊曰：「鞌之戰，齊師大敗。齊侯歸，吊死視疾，七年不飲酒，不食肉。晉侯聞之，曰：『嘻！奈何使人之君七年不飲酒、不食肉？請皆反其所取侵地。』」愚謂果如公羊此言，則晉侯小不忍而忘大義也。夫汶陽之田，魯舊物也。齊還其所侵於魯，天下之大義也。惜也！晉不足以知此，宜其霸圖之不振也。胡氏曰：「汶陽之田，本魯田也，魯人恃大國之威，以兵力脅齊，得其故地，而不正疆理於天王，則取之不以其道也。郤克戰勝，令於齊曰：『反魯、衛之侵地。』齊既從之，今復有命，俾歸諸齊，則歸之不以其道也。而齊人貪得，晉有二命，穿也列卿，無所諫止，皆罪也。」蓋得之矣。

晉欒書帥師侵蔡。

正傳曰：書「晉欒書帥師侵蔡」，則陵暴之罪自見矣。夫蔡有罪，奉詞致討可也，而以中國霸主爲盜賊之計，可乎？許氏曰：「侵蔡，報伐鄭也。」高氏曰：「爲其不與晉盟會也。」此皆以私憤報復，非仗天下之大義聲罪致討者也。左氏曰：「晉欒書侵蔡，遂侵楚，獲申驪。楚師之還也，晉侵沈，獲沈子揖初，從知、范、韓也。君子曰：『從善如流，宜哉！詩曰：「愷悌君子，遐不作人？」求善也夫！作人，斯有功績矣。』」愚謂由是觀之，則晉之君臣惟功利之急，而非有服天下之遠圖，其得罪於春秋，宜矣！

公孫嬰齊如莒。

正傳曰：書「公孫嬰齊如莒」，非禮也。左氏曰：「聲伯如莒，逆也。」夫大夫非君命不出境，故聘禮也，托而逆婦，非禮也，是故春秋非之。

宋公使華元來聘。

正傳曰：來聘，行昏聘之禮也。左氏曰：「宋華元來聘，聘共姬也。」是矣。何以書？志禮也，賢伯姬也。伯姬，賢也。

夏，宋公使公孫壽來納幣。

正傳曰：書「宋公使公孫壽來納幣」，志禮也，表伯姬之賢也。左氏曰：「禮也。」公羊子曰：「納幣不書，此何以書？録伯姬也。」愚謂合二氏之言而觀之，則納幣爲昏禮之常，而亦書者，以伯姬之賢而表異之爾。若胡氏以使卿爲非禮而書之，則是譏其〔一〕非禮矣，豈其然乎？夫昏，人道之始，禮之至重者也。陽先乎陰，男先乎女，凡可以致其重者，無不重焉。故丈夫親爲授綏，親行合巹之禮，而不以爲卑屈，皆所以致重之之意也。曾謂以伯姬之賢重之，以公孫壽即以爲非禮而譏之乎？參以二氏之傳，則知其爲禮，書之以録伯姬之賢，而謂譏之者誤矣。觀於九年二月季孫行父如宋致女，非卿耶？

晉殺其大夫趙同、趙括。

正傳曰：書「晉殺其大夫趙同、趙括」，著專殺之罪也。夫大夫皆命於天子，故其禁曰無專殺大夫。今按左氏曰：「晉趙莊姬爲趙嬰之亡，故譖之于晉侯，曰：『原、屏將爲亂。』欒、郤爲徵。六月，晉討趙同、趙括。武從姬氏畜于公宫。以其田與祁奚。韓厥言於晉侯曰：『成季之勳，宣孟之忠，而無後，爲善者其懼矣。三代之令王皆數百年保天之禄。夫豈無辟王？賴前哲以免也。周書曰：「不敢侮鰥寡」，所以明德也。』乃立武，而反其田焉。」由是觀之，則同、括無罪，特以譖見殺耳，是專殺之罪成於譖也。春秋書之，晉侯之罪著矣，不必如胡氏所謂：「稱國以殺而不去其官」，而後可以「見晉之失政刑矣」。故春秋之不明，以義例害之耳。

秋七月，天子使召伯來賜公命。

正傳曰：書「天子使召伯來賜公命」，則其失禮自見矣。穀梁曰：「禮有受命，無來錫命；錫命非正也。」胡氏曰：「諸侯嗣立而入見則有賜，已脩聘禮而來朝則有賜，敵王所愾而獻功則有賜。成公即位，服喪已畢，而不入見，既更五服一朝之歲矣，而不如京師，又未嘗敵王所愾而有功也，何爲來賜命乎？召伯者，縣内諸侯，爲王卿士者也。『來賜公命』，罪邦君之不王，譏天子之僭賞也。臨諸侯曰天王，君天下曰天子，蓋一人之通稱。」

冬十月癸卯，杞叔姬卒。

正傳曰：書「杞叔姬卒」，志歸女之大故也。左氏曰：「來歸自杞，故書。」

晋侯使士燮來聘。叔孫僑如會晋士燮、齊人、邾人伐郯。

正傳曰：書「晋侯使士燮來聘，僑如會士燮、齊、邾伐郯」，著陵暴之罪也，且見成於晋也。左氏曰：「晋士燮來聘，言伐郯也，以其事吴故。公賂之，請緩師。文子不可，曰：『君命無貳，失信不立。禮無加貨，事無二成。君後諸侯，是寡君不得事君也。燮將復之。』季孫懼，使宣伯帥師會伐郯。」由是觀之，則伐郯之師强陵弱、衆暴寡，此謀起於晋，晋之罪也。魯不能自立而從之，魯之罪也。胡〔二〕氏曰：「吴初伐郯，季孫固曰：『中國不振旅，蠻夷入伐而莫或恤，亡無日矣。』當其伐〔三〕，既不能救，及其既成，豈獲已也？而又率諸國伐之，何義乎？前書來聘，下書會、伐，晉侯之爲盟主可見矣。魯既知其不可，從大國之令而不敢違，其不能立亦可知矣。」

衛人來媵。

正傳曰：何以書？志禮也。公羊曰：「録伯姬也。」左氏曰：「衛人來媵共姬，禮也。凡諸侯嫁女，同姓媵之，異姓則否。」程子曰：「媵，小事，不書。伯姬之嫁，諸侯皆來媵之，故書，以見其一女子之賢尚聞於諸侯，況君子乎？」胡氏曰：「媵者何？諸侯有三歸，嫡夫人行則姪娣從，二國來媵亦以姪娣從，凡一娶九女，所以廣繼嗣。三國來媵，非禮也。夫以禮制欲則治，以欲敗禮則亂。而諸侯一娶十有二女，則是以欲敗禮矣。備書三國，以明逾制，爲後戒也。」愚謂禮於衛、晉二國之媵無貶，獨齊人來媵，則爲異姓，且越禮矣。

簡王四年。九年晉景十八年、齊頃十七年卒、衛定七年、蔡景十年、鄭成三年、曹宣十三年、陳成十七年、杞桓五十五年、宋共七年、秦桓二十三年、楚共九年、吳壽夢四年。

春王正月，杞伯來逆叔姬之喪以歸。

正傳曰：書「杞伯來逆叔姬之喪以歸」，交善之也，善其悔也，善歸乎正也。左氏曰：「春，杞桓公來逆叔姬之喪，請之也。杞叔姬卒，爲杞故也。逆叔姬，爲我也。」愚謂杞伯來請逆，則叔姬未有可出之罪。及歸魯不得其所而死，是杞致之也，此杞伯所以悔而來請逆其喪以歸。云歸者，歸其家也。婦人謂夫家爲歸也。春秋善改過遷善，故與之。穀梁引以爲「夫無逆出妻之喪而爲之」，是使人絶改過遷善之門矣。胡氏曰：「凡筆於經者，皆經邦大訓也。杞叔姬一女子爾，而四書于策，何也？有男女然後有夫婦，有夫婦然後有父子，故春秋慎男女之配，重大昏之禮，以是爲人倫之本也，事有大於此者乎？男而賢也，得淑女以爲配，則自家刑國，可以移風俗；女而賢也，得君子以爲歸，則承宗廟，奉祭祀，能化天下以婦道，豈曰小補之哉？夷考杞叔姬之行，雖賢不若宋共姬，亦不至如鄫季姬之越禮也。杞伯初來朝魯，然後出之，卒而復逆其喪以歸者，豈非叔姬本不應出，故魯人得以義責之，使復歸葬乎？魯在春秋時，内女之歸，不得其所者有矣，聖人詳録其始卒，欲爲後鑒，使得有終而無弊也，其經世之慮遠矣。」

公會晉侯、齊侯、宋公、衛侯、鄭伯、曹伯、莒子、杞伯，同盟于蒲。

正傳曰：蒲，衛地也。書公會晉及諸侯同盟，志譏也。其同不同，於事可考矣。左氏曰：「爲歸汶陽之田故，諸侯貳於晉。晉人懼，會于蒲，以尋馬陵之盟。季文子謂范文子曰：『德則不競，尋盟何爲？』范文子曰：『勤以撫之，寬以待之，堅彊以御之，明神以要之，柔服而伐貳，德之次也。』是行也，將始會吴，吴人不至。」胡氏曰：「按左氏：『爲歸汶陽之田故，諸侯貳於晉。晉人懼，會于蒲，以尋馬陵之盟。』夫盟，非固結之本也。衛獻公言于甯喜求復國，喜曰：『必子鮮在，不然必敗。』小邾射以句繹來奔，曰：『使季路要我，吾無盟。』夫信在言前者，不言而自喻；誠在令外者，不令而自行。晋初下令於齊，反魯、衛之侵地，而齊不敢違者，以其順也。齊既從之，魯君親往拜其賜矣，復有貳命，俾歸諸齊。一與一奪，信不可知，無惑乎諸侯之解體也。晋人不知反求諸己，惇信明義，以補前行之愆，而又欲刑牲歃血、要質鬼神以御之，是從事於末而不知本矣，特書『同盟』以罪晋也。」愚謂觀於二傳，蓋得之矣。然他經書「同盟」以爲同心者，泥一字之文，不亦異乎！

公至自會。

正傳曰：書「公至自會」，謹出入也。君舉必書，況遠出乎？

二月，伯姬歸于宋。

正傳曰：書「伯姬歸于宋」，重昏禮也。昏禮，人道之始也。

夏，季孫行父如宋致女。

正傳曰：季孫行父，卿也。書「季孫行父如宋致女」，紀異禮也，以著伯姬之賢也。致女使卿，異之也。致女而書，異之也。公羊曰：「未有言致女者，此其言致女何？録伯姬也。」穀梁曰：「致女，詳其事，賢伯姬也。」程子曰：「女既嫁，父母使人安之，謂之致女。古者三月而廟見，始成婦也。伯姬賢，魯國重之，故使卿致也。」愚謂觀此則胡氏前於宋使公孫壽來納幣，以使卿非禮，書之爲貶，則誤矣。又按左氏載：「季文子如宋致女，復命，公享之。賦韓奕之五章。穆姜出于房，再拜，曰：『大夫勤辱，不忘先君，以及嗣君，施及未亡人，先君猶有望也。敢拜大夫之重勤。』又賦緑衣之卒章而入。」觀此亦可見一時禮意之隆，而伯姬之賢益彰矣。

晉人來媵。

正傳曰：書「晉人來媵」，志禮之正也，著伯姬之賢也。左氏曰：「禮也。」夫禮，一國嫁女，二國媵之，其姪娣皆從，禮之正也。公羊曰：「媵不書，此何以書？録伯姬也。」愚故曰著伯姬之賢也。胡氏曰：「伯姬賢行著於家，故致女使卿，特厚其嫁遣之禮。賢名聞於遠，故諸國争媵，信其無妬忌之行。程氏以爲：『一女子之賢，尚聞於諸侯，況君子哉？』或曰：魯女雖賢，豈能聞於遠乎？曰：古者庶女與非敵者，則求爲媵，固爲之擇賢小君，則諸侯之賢女自當聞矣。」愚謂觀此説，則前公孫壽納幣使卿爲特厚伯姬之賢，不得爲非禮矣，且此亦稱人，又何義乎？

秋七月丙子，齊侯無野卒。

正傳曰：無野，齊侯名。名之無他義，則夫先儒以名不名取義者惑矣。書「齊侯無野卒」，紀與國之大故也。書日者，報之詳也，則夫以日不日取義者，惑矣！

晋人執鄭伯。晋欒書帥師伐鄭。

正傳曰：書「晋人執鄭伯」，見其執之非也。書「晋欒書帥師伐鄭」，見其伐之非也。左氏曰：「秋，鄭伯如晋，晋人討其貳於楚也，執諸銅鞮。欒書伐鄭，鄭人使伯蠲行成，晋人殺之，非禮也。兵交，使在其間可也。楚子重侵陳以救鄭。」愚謂按此則晋之惡自見矣。夫國君於遠人不服，當脩文德以來之，既來之則安之可也。孟子曰：「治人不治反其智，愛人不親反其仁。」楚人以重賂求鄭，鄭貪其賂而與公子成會于鄧，則鄭貳於楚，背華而從夷，固有罪矣。晋於鄭伯復來歸，歸斯受之可也，既來則安之可也，不知自反，乃執諸銅鞮，猶之人來禮己而執之座上，可乎？又使帥師伐之而乘其虛，如執禮己者於座上，又使乘其主不在而掠其家，可乎？故直書其事，不待人晋而罪自見矣。

冬十有一月，葬齊頃公。

正傳曰：書「葬齊頃公」，禮也。諸侯五月而葬，同盟至，故有恤鄰之禮焉。

楚公子嬰齊帥師伐莒。庚申，莒潰。楚人入鄆。

正傳曰：鄆，莒别邑也。書「楚公子嬰齊帥師伐莒」，著楚罪也。書「莒潰，楚人入鄆」，甚楚罪也。聖人抑夷尊華之情見矣。左氏曰：「冬十一月，楚子重自陳伐莒，圍渠丘。渠丘城惡，衆潰，奔莒。戊申，楚入渠丘。莒人囚楚公子平。楚人曰：『勿殺，吾歸而俘。』莒人殺之。楚師圍莒。莒城亦惡，庚申，莒潰。楚遂入鄆，莒無備故也。君子曰：『恃陋而不備，罪之大者也；備豫不虞，善之大者也。莒恃其陋而不脩城郭，浹辰之間，而楚克其三都，無備也夫！詩曰：「雖有絲麻，無棄菅蒯；雖有姬、姜，無棄蕉萃；凡百君子，莫不代匱。」言備之不可以已也。』」胡氏曰：「孟子曰：『鑿斯池也，築斯城也，與民守之，效死而民不去，是則可爲也。』夫鑿池築城者，爲國之備，所謂事也；效死而民不去，爲國之本，所謂政也。莒恃其陋，不脩城郭，浹辰之間，楚克其三都，信無備矣。然兵至而民逃，其上不能使民效死而不去，則昧於爲國之本也，雖隆莒之城，何益乎？故經於莒潰特書日以謹之者，以明城郭溝池、重門擊柝，皆守邦之末務，必以固本安民爲政之急耳。」愚謂此言是也，但謂「特書日以謹之」云云，則鑿矣。

秦人、白狄伐晉。

正傳曰：書「秦人、白狄伐晉」，重秦罪也。按左氏，伐晉之舉，與諸侯貳故也。晉如有罪，約與國，請王命，聲罪致討，夫誰敢不服？今乃不請王命而伐之，一罪矣；又援白狄而伐之，是猶引外人而攻其鬩牆之兄弟，可乎？二罪矣；又如引毒藥以攻疾，疾去而毒病愈甚，可謂得計乎？三罪矣。胡氏曰：「經所謹者，華夷之辨也。晉嘗與白狄伐秦，秦亦與白狄伐晉，族類不復分矣。武王伐商，誓師牧野，庸、蜀、羌、髳、微、盧、彭、濮皆與焉，豈亦不謹乎？除天下之殘賊，而出民於水火之中，雖蠻夷戎狄，以義驅之可也。亦慮其同惡相濟，貽患於後也。中國友邦，自相侵伐，已爲不義，又與非我族類者共焉，不亦甚乎！晉既失信，復聽婦人讒説，殺其世臣，而諸侯皆貳。秦、狄交伐，比事以觀，可謂深切著明矣。」愚謂此説是也。至於謂稱「人」爲貶詞，則觀所書，不待稱人而貶責之義見矣。

鄭人圍許。

正傳曰：其君不在，皆其大夫、國人之謀，故曰鄭人，衆之稱也。書「鄭人圍許」，志詭謀以圖全也。左氏曰：「示晉不急君也。是則公孫申謀之，曰：『我出師以圍許，爲將改立君者，而紓晉使，晉必歸君。』」愚謂信斯言也，則謀雖詭而意正矣。項羽執太公，將烹之以告。漢高祖曰「吾與項王結爲弟兄，吾翁即若翁，必欲烹而翁，幸分我一盃羹」，項羽乃不烹太公，亦此意耳。

城中城。

正傳曰：中城者，内宫之外，外城之内也。書「城中城」，則其是非自見矣。左氏曰：「書，時也。」穀梁曰：「城中城者，非外民也。」由二傳觀之，城於冬爲時，城中城爲非，爲外民故，城中城雖時猶非也。胡氏曰：「經世安民，視道之得失，不倚城郭溝池以爲固也。穀梁子謂

『凡城之誌，皆譏』，其説是矣。莒雖恃陋不設備，至使楚人入鄆，苟有令政，使民效死而不潰，寇亦豈能入也？城非春秋所貴，而書『城中城』，其爲儆守益微矣。王公設險以守其國，非歟？曰：百雉之城，七里之郭，設險之大端也。謹於禮以爲國，辨尊卑、分貴賤、明等威、異物采，凡所以杜絶陵僭、限隔上下者，乃體險之大用也，獨城郭溝池之足恃乎？」

簡王五年。**十年**晉景十九年卒、齊靈公環元年、衛定八年、蔡景十一年、鄭成四年、曹宣十四年、陳成十八年、杞桓五十六年、宋共八年、秦桓二十四年、楚共十年、吳壽夢五年。

春，衛侯之弟黑背帥師侵鄭。

正傳曰：書「衛侯之弟黑背帥師侵鄭」，譏伐危也。鄭伯執在晉矣，乘其虚危伐之，得爲武乎？不行聲罪之師而潛師掠境，爲盗賊之計耳，故春秋直書而其罪見矣。左氏曰：「衛子叔黑背侵鄭，晉命也。」愚謂不揆於義而惟晉命之從，以陷於不義，見衛之無人矣。胡氏乃又謂「其曰『衛侯之弟』者，以子叔黑背有寵愛之私，故孫林父、甯殖得以出衛侯衎而立黑背之子剽，特書『弟』以爲後戒」，則去經之本旨甚遠矣。蓋其書「弟」自是實事耳。

夏四月，五卜郊，不從，乃不郊。

正傳曰：不從者，不從人謀也。書「夏四月，五卜郊，不從，乃不郊」，則非禮自見矣。夫魯之郊，非禮也。古者，郊以至日，故不卜郊，考前經可見。今所卜者，蓋是祈穀。四月乃四陽之月，夏之二月也。因不從不郊而書之，則魯僭竊之罪見矣。穀梁曰：「五卜，强也。」則又非禮矣。公羊曰：「不免牲，故言『乃不郊』也。」

五月，公會晉侯、齊侯、宋公、衛侯、曹伯伐鄭。

正傳曰：書公會晉、齊、宋、衛、曹五國之君伐鄭，而伐之善惡自見矣。左氏曰：「鄭公子班聞叔申之謀。三月，子如立公子繻。夏四月，鄭人殺繻，立髡頑，子如奔許。欒武子曰：『鄭人立君，我執一人焉，何益？不如伐鄭而歸其君，以求成焉。』晉侯有疾，五月，晉立太子州蒲以爲君，而會諸侯伐鄭。鄭子罕賂以襄鐘，子然盟于脩澤，子駟爲質。辛巳，鄭伯歸。」愚謂左氏誤矣，豈有父病未卒而遽立其子以會者乎？然則是篡也。蓋鄭伯在晉，晉與諸侯伐而歸之，以求成也。夫伐其亂可也，歸其君亦可也，成其平亦可也，而使其國有殺立之禍，亂者誰歟？故春秋書之。

齊人來媵。

正傳曰：書「齊人來媵」，著非禮也。禮，同姓媵，異姓否；媵以二國而不以三國，以九女而不以十二女。魯伯姬之嫁，晉、衛來媵矣。齊又媵於魯，則爲異姓、爲三國、爲十二女矣，其來者、受者，皆非禮也。公羊曰「三國來媵，非禮」，是也。然又以爲皆録伯姬，婦人以衆多爲侈，則其言支矣。

丙午，晉侯獳卒。

正傳曰：獳，晉侯名。書「晉侯獳卒」，紀霸國之大故也，諸侯有吊賻相恤之禮焉。

秋七月，公如晉。

正傳曰：書「公如晉」，志吊禮也，而其非禮見矣。禮必以序，稱情而行者也。天王崩，魯不如周，故不見於策書。今晉侯卒，鄰國固有奔喪吊賻之禮、事大之儀，然使卿大夫往而已。今又不行於天王而行於盟主，可得爲循序稱情之禮乎？左氏曰：「公如晉。晉人止公，使送葬。於是糴茷未反。冬，葬晉景公，公送葬，諸侯莫在。魯人辱之，故不書，諱之也。」胡氏曰：「此葬晉侯也，而不書，諱之也。天子之喪動天下，屬諸侯；諸侯之喪動通國，屬大夫。公之葬晉侯，非禮也，唯天子之事焉可也。傳以『晉人止公。送葬，諸侯莫在焉。魯人辱之，故諱而不書』，非矣。假令諸侯皆在，魯人不以爲辱，而可書乎？」愚謂奔喪吊賻，諸侯親往者，事天子之禮；使大夫、士往者，事大之禮也。今不行於周而行於晉，非禮也。左氏謂：「公如晉。晉人止之，使送葬。」晉侯之卒至是三月，非葬期，二傳皆以爲葬晉侯，非也。初本來奔吊，而晉人脅之使送葬耳，然則書如不書葬，宜也，非諱也。然禮有「諸侯五月而葬，同盟至」之文。據胡子之説，則禮之文皆非歟！然而此既不行於今，使大夫往可也。

冬十月。

正傳曰：無事亦書時月，義見于前。

校記：

〔一〕「其」，原作「而」，據嘉靖本改。

〔二〕「胡」，原作「吴」，據嘉靖本、胡傳改。

〔三〕「伐」，嘉靖本、胡傳作「時」。

春秋正傳卷之二十四

成　公

簡王六年。十有一年晉厲公州蒲元年、齊靈二年、衛定九年、蔡景十二年、鄭成五年、曹宣十五年、陳成十九年、杞桓五十七年、宋共九年、秦桓二十五年、楚共十一年、吴壽夢六年。

春王三月，公至自晉。

正傳曰：書「公至自晉」，著危辱也。君舉必書，況成公如晉，留晉者九月，危且辱焉，故書之。左氏曰：「晉人以公爲貳於楚，故止公。公請受盟，而後使歸。」愚按，孔子曰：「恭近於禮，遠恥辱也。」成公於晉侯之喪，不計同盟之不至，而遽以奔吊，恭而非禮矣，宜乎其見止於晉，脅其送葬，又脅其受盟，而後遣之歸，危辱甚矣！故春秋書「至」，使人可考而知，以爲戒也。

晉侯使郤犨來聘。己丑，及郤犨盟。

正傳曰：聘，來涖盟也。書「晉侯使郤犨來聘，及郤犨盟」，非禮也。夫聘者，邦交之大禮，所以通誠信而睦鄰國也。郤犨之來，爲涖盟也，非聘也。以涖盟而聘，則誠信何在？臣與君盟，則禮義何在？況成公以奔喪至，晉止之而使送葬，又留之九月而脅之盟，及歸，而涖盟之使至矣。晉之無道如此，無惑乎諸侯之不服也已！左氏又載：郤犨來聘，求婦於聲伯。聲伯奪外妹嫁施孝叔之婦以與之。若其事可信，則亦可以見魯國君臣之無道，宜乎其屢見窘辱於人也已！

夏，季孫行父如晉。

正傳曰：書「季孫行父如晉」，志拜盟也，非禮也。左氏曰：「季文子如晉報聘，且涖盟也。」愚謂名爲報聘，實拜盟耳，非涖盟也。魯人屈於晉亦已甚矣，安能致晉之與涖盟乎？夫兩下之勢相當，彼此有欲盟之心，曰涖盟可也。晉之勢，視魯之卑屈，目中已無魯矣，安肯復許之涖盟乎？

秋，叔孫僑如如齊。

正傳曰：書「叔孫僑如如齊」，志聘禮也。左氏曰：「秋，宣伯聘于齊，以脩前好。」愚謂聘問之禮，諸侯所以通誠敬而睦鄰國也。晉不脩禮義，諸侯稍畔之。成公盡禮，屢見窘辱，乃捐歸汶陽之忿，脩前日之好，故使僑如往聘。春秋大釋怨，亦在所與也。

冬十月。

正傳曰：無事亦書時月，史法也。

簡王七年。十有二年晉厲二年、齊靈三年、衛定十年、蔡景十三年、鄭成六年、曹宣十六年、陳成二十年、杞桓五十八年、宋共十年、秦桓二十六年、楚共十二年、吴壽夢七年。

春，周公出奔晉。

正傳曰：周公，名楚，天子之三公也。何以書？左氏曰：「王使以周公之難來告。書曰『周公出奔晉』，凡自周無出，周公自出故也。」愚謂君臣之義，無所逃於天地之間者也，況王者無外，將焉逃乎？背君無上之罪不可逃矣。胡氏曰：「按左氏：『周公楚惡惠、襄之偪，且與伯輿争政，不勝，怒而出。王使劉子復之，盟于鄄而入。三日復出，奔晉。』夫人主無誠慤之心，而下要大臣盟，是謂君不君；人臣無忠信之實，而上與人主盟，是謂臣不臣。既已要質鬼神以入矣，又叛盟失信而出奔，則是自絶於天也。」

夏，公會晉侯、衛侯于瑣澤。

正傳曰：書「公會晉侯、衛侯于瑣澤」，善之也。左氏以爲「會于瑣澤，成故也」。成也者，平也。信斯言也，則三國平而諸侯睦矣。怨釋而和睦，以息人民，春秋之所善也。按左氏載「宋合楚、晉之盟」，不見於經，此華夷之大閑，豈聖人削之而不書乎？其不足據，信矣！

秋，晉人敗狄于交剛。

正傳曰：交剛，狄地名。書「晉人敗狄于交剛」，志攘夷之兵也。左氏曰：「狄人間宋之盟以侵晉，而不設備。秋，晉人敗狄于交剛。」夫帝王之禦夷狄如羣獸然，來則驅之，去則勿逐。此舉也，晉非先加于狄，狄來侵而驅之耳，猶爲得御夷之道。然至于其地，則遠矣，故春秋書之。

冬十月。

正傳曰：無事亦書時月，義見于前。

簡王八年。十有三年晉厲三年、齊靈四年、衛定十一年、蔡景十四年、鄭成七年、曹宣十七年卒、陳成二十一年、杞桓五十九年、宋共十一年、秦桓二十七年、楚共十三年、吴壽夢八年。

春，晉侯使郤錡來乞師。

正傳曰：書「晉侯使郤錡來乞師」，則貪憒之非自見矣。程子曰：「不以王命興諸侯師，故書乞。」胡氏曰：「晉主夏盟，行使諸侯，徵會討貳，誰敢不從？以霸主之尊而書曰『乞師』，何也？列國疏封，雖有大小，土地甲兵受之天子，不相統屬，魯兵非晉所得專也，今晉不以王命興諸侯之師，故特書曰『乞』，以見其卑伏屈損，無自反而縮之意矣。聖人作春秋，無不重内而輕外，至於乞師，則内外同辭者，蓋皆有報怨復讎貪得之心，是以如此。若夫誅亂臣、討賊子，請於天王，以大義驅之，誰不拱手以聽命，何至於乞哉？噫！此聖人所以垂戒後世，見諸行事之深切著明者也。」愚謂其行人之來，詞本稱乞，故史書「乞」，聖人筆之，春秋蓋深賤之，其竊取之義見矣，非仲尼特書乞也。左氏曰：「晉侯使郤錡來乞師，將事不敬。孟獻子曰：『郤氏其亡乎！禮，身之幹也；敬，身之基也。郤子無基。且先君之嗣卿也，受命以求師，將社稷是衛，而惰，棄君命也，不亡，何爲？』」

三月，公如京師。

正傳曰：書「公如京師」，譏之也。夫公如京師，則朝王可知矣，而不言朝王者，志不在朝王也，非朝覲之正也。

夏五月，公自京師，遂會晉侯、齊侯、宋公、衛侯、鄭伯、曹伯、邾人、滕人伐秦。

正傳曰：書「公自京師，遂會諸侯伐秦」，則尊王之義微而擅伐之罪著矣。言「自京師」者，聖人寓尊王之義也。言「遂會諸侯伐秦」者，見在京師，可以請王命與諸侯奉討矣，而遂私會諸侯以伐秦焉，非擅伐而何？以其冒擅伐之罪而知其無上之心，非尊王之義矣。左氏曰「公如京師。宣伯欲賜，請先使。王以行人之禮禮焉。孟獻子從，王以爲介，而重賄之。公及諸侯朝王，遂從劉康公、成肅公會晉侯伐秦。夏四月戊午，晉侯使呂相絕秦云：『君有二心於狄，曰：「晉將伐女。」狄應且憎，是用告我。楚人惡君之二三其德也，亦來告我曰：「秦背令狐之盟，而來求盟于我：『昭告昊天上帝、秦三公、楚三王曰：余雖與晉出入，余唯利是視。』不穀惡其無成德，是用宣之，以懲不壹。」諸侯備聞此言，斯是用痛心疾首，暱就寡人。寡人帥以聽命，唯好是求。君若惠顧諸侯，矜哀寡人，而賜之盟，則寡人之願也，其承寧諸侯以退，豈敢徼亂？君若不施大惠，寡人不佞，其不能以諸侯退矣。敢盡布之執事，俾執事實圖利之。』秦桓公既與晉厲公爲令狐之盟，而又召狄與楚，欲道以伐晉，諸侯是以睦於晉。晉欒書將中軍，荀庚佐之；士燮將上軍，郤錡佐之；韓厥將下軍，荀罃佐之；趙旃將新軍，郤至佐之。郤毅御戎，欒鍼爲右。孟獻子曰：『晉帥乘和，師必有大功。』五月丁亥，晉師以諸侯之師及秦師戰于麻隧。秦師敗績，獲秦成差及不更女父。師遂濟涇，及侯麗而還。迓晉侯于新楚。」程子曰：「不書朝王，因會伐而行也，故不成其朝。以伐秦爲遂事，明朝爲重。」胡氏曰：「諸侯每歲侵伐四出，未有能備朝覲之禮者。今公欲會伐秦，道自王都，不可越天子而往也，故皆朝王而不能成朝禮。書曰『如京師』，見諸侯之慢也，因會伐而行矣。又書『公自京師』，以伐秦爲遂事者，此仲尼親筆，明朝王爲重，存人臣之禮也。古者諸侯即位，服喪〔一〕畢則朝，小聘大聘終則朝，巡狩于方嶽則朝。觀春秋所載，天王遣使者屢矣，十二公之述職，蓋闕如也。獨此年書『公如京師』，又不能成朝禮，不敬莫大焉。君臣，人道之大倫，而至於此極，故仲尼嘗喟然嘆曰：『夷狄之有君，不如諸夏之亡也。』爲此懼，作春秋，或抑或縱，或予或奪，所以明君臣之義也至矣。其義得行，則臣必敬於君，子必敬於父，天理必存，人欲必消，大倫必正，豈曰小補之哉？此以伐秦爲遂事之意也。」

曹伯盧卒于師。

正傳曰：盧，曹伯名。書「曹伯盧卒于師」，穀梁云：「傳曰：閔之也。公、大夫，在師曰師，在會曰會。」愚謂穀梁云傳曰，則當時相傳別有傳，而今亡矣。左氏曰：「曹人使公子負芻守，使公子欣時逆曹伯之喪。秋，負芻殺其太子而自立也，諸侯乃請討之。晋人以其役之勞，請俟他年。」

秋七月，公至自伐秦。

正傳曰：書「公至自伐秦」，謹君之出入也。然據事而觀，則見公之如京師，非朝王也，伐秦也，可知矣。

冬，葬曹宣公。

正傳曰：書「冬，葬曹宣公」，志同盟之大事也。諸侯有相恤之禮，赴至，故書之。穀梁曰：「葬時，正也。」左傳曰：「冬，葬曹宣公。既葬，子臧將亡，國人皆將從之。成公乃懼，告罪，且請焉。乃反，而致其邑。」

簡王九年。十有四年晋厲四年、齊靈五年、衛定十二年卒、蔡景十五年、鄭成八年、曹成公負芻元年、陳成二十二年、杞桓六十年、宋共十二年、秦桓二十八年卒、楚共十四年、吴壽夢九年。

春王正月，莒子朱卒。

正傳曰：書「莒子朱卒」，志與國之大故也。

夏，衛孫林父自晋歸于衛。

正傳曰：林父，良夫之子。書「衛孫林父自晋歸于衛」，則其出、其歸而其君臣之非並見矣。按左氏，公惡孫林父，林父出奔晋，但言惡，不言得罪之由，是私惡之使出也。林父不思世卿無去國之義，而遽出奔晋，則臣之出與君之出之皆非矣。定公不念宗卿之嗣而追復之，至於畏晋而納焉。林父亦無君命而倚晋之强，以納歸于衛，是臣之歸與君畏晋納而歸之，皆非矣。左氏曰：「衛侯如晋，晋侯强見孫林父焉。定公不可。夏，衛侯既歸，晋侯使郤犫送孫林父而見之。衛侯欲辭，定姜曰：『不可。是先君宗卿之嗣也，大國又以爲請。不許，將亡。雖惡之，不猶愈於亡乎？君其忍之！安民而宥宗卿，不亦可乎？』衛侯見而復之。」愚謂：觀此，則其是非較然矣。

秋，叔孫僑如如齊逆女。

正傳曰：書「叔孫僑如如齊逆女」，志昏禮也。昏禮，人道之始也。左氏曰：「宣伯如齊逆女。稱族，尊君命也。」愚謂：或疑公不親逆而使同姓之卿爲非，然而國君守社稷，如使卿逆之，至境内爲館以行親迎焉，何不可之有？

鄭公子喜帥師伐許。

正傳曰：書「鄭公子喜帥師伐許」，志憤怨之兵也。左氏曰：「八月，鄭子罕伐許，敗焉。戊戌，鄭伯復伐許。庚子，入其郛。許人平以叔申之封。」愚謂此則鄭之强陵許之弱，一伐再伐，卒入其郛，其虐甚矣！

九月，僑如以夫人婦姜氏至自齊。

正傳曰：書「僑如以夫人婦姜氏至自齊」，譏非正始之義也。夫親迎，所以正始也。如卿迎之至境，君親迎於境上之館，而後成其爲婦、爲夫人可也。今卿迎之，至是則婦夫人成之於不親迎矣。胡氏曰：「娶於他邦，而道里或遠，必親迎乎？以封壤則有小大，以爵次則有尊卑，以道途則有遠邇。或迎之於其國，或迎之於境上，或迎之於所館，中禮之節可也。」

冬十月庚寅，衛侯臧卒。

正傳曰：臧，衛侯名。書「庚寅，衛侯臧卒」，志鄰國之大故也。諸侯有相恤之禮焉，具時月日者，赴之詳耳。左氏曰：「衛侯有疾，使孔成子、甯惠子立敬姒之子衎以爲太子。冬十月，衛定公卒。夫人姜氏既哭而息，見太子之不哀也，不内酌飲，嘆曰：『是夫也，將不唯衛國之敗，其必始於未亡人。嗚呼！天禍衛國也夫！吾不獲鱄也使主社稷。』大夫聞之，無不聳懼。孫文子自是不敢舍其重器於衛，盡寘諸戚，而甚善晋大夫。」

秦伯卒。

正傳曰：書「秦伯卒」，志盟主之大故也。不名者，赴不以名也。然則史之書皆緣報赴之詳畧矣。

簡王十年。十有五年 晋厲五年、齊靈六年、衛獻公衎元年、蔡景十六年、鄭成九年、曹成二年、陳成二十三年、杞桓六十一年、宋共十三年卒、秦景公元年、楚共十五年、吴壽夢十年。

春王二月，葬衛定公。

正傳曰：書「葬衛定公」，志鄰國之大事也。諸侯五月而葬，同盟至，有會葬之禮焉，來赴，故書之。

三月乙巳，仲嬰齊卒。

正傳曰：書「仲嬰齊卒」，志國卿之大故也，腹心手足，其欣戚一體也。公羊曰：「仲嬰齊者何？公孫嬰齊也。公孫嬰齊，則曷爲謂之仲嬰齊？爲兄後也。爲兄後，則曷爲謂之仲嬰齊？爲人後者，爲之子也。爲人後者爲其子，則其稱仲何？孫以王父字爲氏也。然則嬰齊孰後？後歸父也。歸父使于晋而未反，何以後之？叔仲惠伯，傅子赤者也。文公死，子幼，公子遂謂叔仲惠伯曰：『君幼，如之何？願與子慮之。』叔仲惠伯曰：『吾子相之，老夫抱之，何幼君之有？』公子遂知其不可與謀，退而殺叔仲惠伯，弑子赤而立宣公。宣公死，成公幼。臧宣叔者相也，君死不哭，聚諸大夫而問焉，曰：『昔者叔仲惠伯之事，孰爲之？』諸大夫皆雜然曰：『仲氏也，其然乎！』於是遣歸父之家，然後哭君。歸父使乎晋，還自晋，至檉，聞君薨家遣，墠帷，哭君成踊，反命于介，自是走之齊。魯人徐傷歸父之無後也，於是使嬰齊後之也。」胡氏曰：「嬰齊者，公子遂之子，公孫歸父之弟也。歸父出奔齊，魯人徐傷其無後也，於是使嬰齊後之，故書曰『仲嬰齊』，此可謂亂昭穆之序，失父子之親者。以後歸父，則弟不可爲兄嗣；以後襄仲，則以父字爲氏亦非矣。」愚謂二傳之論仲嬰齊皆誤矣。夫爲後與爲子不同。爲後則繼其世緒，兄弟猶可以相及；爲子則續其嗣，昭穆不可以相紊。公羊謂「爲人後者爲之子」，非也。而胡氏以爲亂昭穆之序、失父子之倫，亦非也。如使兄弟相繼爲父子，則殷之兄弟相繼四世，其長兄將不稱爲高祖乎？亂倫之大者也。據公羊傳，諸大夫稱仲遂爲仲氏，則見嬰齊之父襄仲賜氏，世卿子孫因以爲族，故嬰齊書「仲」，諸大夫稱仲氏，正也。故魯人以弟後兄，非以弟嗣兄也。觀春秋之經不與稱公孫，斷可見矣。

癸丑，公會晉侯、衛侯、鄭伯、曹伯、宋世子成、齊國佐、邾人同盟于戚。

正傳曰：書公會諸侯、世子、大夫同盟于戚，善其會也，討曹伯負芻之簒弑也。程子曰：「十三年，曹伯卒于師，負芻殺太子自立。既三年，諸侯與之盟矣，今方執之，稽天討也，故書同盟，見其既同矣。」愚謂：會者，會諸侯也。會盟者，方會同盟，而未盟，執之於會也。既執，然後與諸侯盟，共聲其罪也。不動干戈而罪人，斯得不虐其民，不貪其有，斯春秋善之矣。

晉侯執曹伯，歸于京師。

正傳曰：曹伯，負芻也。負芻負簒弑之罪，諸侯討之，而春秋猶爵而不名者，可見春秋因魯史之文，而非聖人增損其字以爲與奪矣。他倣此。書「晉侯執曹伯，歸于京師」，志霸討也，善其尊王之義也。夫負芻初弑立，諸侯請討之，晉以其役之勞，請俟他年，則志固欲討之矣。今以會而召之，執于會，又歸于京師，殺之于天吏焉，是下不虐民、上能尊王，得春秋之義者也。左氏曰：「春，會于戚，討曹成公也。執而歸諸京師。書曰『晉侯執曹伯』，不及其民也。凡君不道於其民，諸侯討而執之，則曰『某人執某侯』，不然則否。諸侯將見子臧於王而立之。子臧辭曰：『前志有之曰：「聖達節，次守節，下失節。」爲君非吾節也。

雖不能聖，敢失守乎？』遂逃，奔宋。」胡氏曰：「稱『侯』以執，霸討也。何以爲霸討？晉合諸侯伐秦，曹宣公卒于師，曹人使公子負芻守，使公子欣時逆曹伯之喪，負芻殺其太子而自立，至是晉侯執之，又不敢自治而歸于京師，使即天刑，夫是之謂霸討。春秋執諸侯者衆矣，未有執得其罪如此者，故獨書其爵。」愚謂胡氏稱「侯」書「爵」，惑矣。然則稱曹伯，亦爵也，能充其類乎？蓋史稱曹伯，故亦書晉侯執之，〔其〕〔二〕善不待書爵而自見矣。是討也，諸侯皆在，何以獨書晉侯？蓋晉侯之志也，前年云「請俟他年」，已定之矣。

公至自會。

正傳曰：書「公至自會」，志反面之禮也，始終乎會之善也。

夏六月，宋公固卒。

正傳曰：固，宋公名，謚共公。書「卒」，志與國之大故也。

楚子伐鄭。

正傳曰：書「楚子伐鄭」，志猾夏之師也。鄭蓋嘗從楚矣，何以謂之夏？晉、楚同盟，而鄭已反爲夏矣。楚背盟而猾夏，故春秋書以誅之。左氏曰：「楚將北師，子囊曰：『新與晉盟而背之，無乃不可乎？』子反曰：『敵利則進，何盟之有？』申叔時老矣，在申，聞之，曰：『子反必不免。信以守禮，禮以庇身，信、禮之亡，欲免，得乎？』楚子侵鄭，及暴隧。

遂侵衛，及首止。鄭子罕侵楚，取新石。欒武子欲報楚，韓獻子曰：『無庸，使重其罪，民將叛之。無民，孰戰？』」愚謂夫義，利之本也。楚舍其義而惟利是圖，未有不反受害者也。

秋八月庚辰，葬宋共公。

正傳曰：書「秋八月庚辰，葬宋共公」，志與國之大事也，來赴必往葬，故書之。禮，諸侯五月而葬，同盟至，況共姬之親乎！

宋華元出奔晉。宋華元自晉歸于宋。宋殺其大夫山。宋魚石出奔楚。

正傳曰：書「宋華元出奔晉」、「宋華元自晉歸于宋」，善出入之正也。書「宋殺其大夫山」，誅背族也。書「魚石出奔楚」，著逸黨也。左氏曰：「秋八月，葬宋共公。於是華元爲右師，魚石爲左師，蕩澤爲司馬，華喜爲司徒，公孫師爲司城，向爲人爲大司寇，鱗朱爲少司寇，向帶爲太宰，魚府爲少宰。蕩澤弱公室，殺公子肥。華元曰：『我爲右師，君臣之訓，師所司也。今公室卑，而不能正，吾罪大矣。不能治官，敢賴寵乎？』乃出奔晉。二華，戴族也；司城，莊族也；六官者，皆桓族也。魚石將止華元。魚府曰：『右師反，必討，是無桓氏也。』魚石曰：『右師苟獲反，雖許之討，必不敢。且多大功，國人與之，不反，懼桓氏之無祀於宋也。右師討，猶有戌在。桓氏雖亡，必偏。』魚石自止華元于河上。請討，許之，乃反。使華喜、公孫師帥國人攻蕩氏，殺子山。書曰『宋殺其大夫山』，言背其族也。魚石、向爲人、鱗朱、向帶、魚府出舍于睢上，華元使止之，不可。冬十月，華元自止之，不可，乃反。魚府曰：『今不從，不得入矣。右師視速而言疾，有異志焉。若不我納，今將馳矣。』登丘而望之，則馳。騁而從之，則決睢澨、閉門登陴矣。左師、二司寇、二宰遂出奔楚。華元使向戌爲左師，老佐爲司馬，樂裔爲司寇，以靖國人。」胡氏曰：「宋六卿魚氏、蕩氏、向氏、鱗氏，皆桓族也。華氏，戴族也。華元爲右師，魚石爲左師，蕩氏汰而驕。共公卒已葬，蕩澤弱公室，殺公子肥，華元以不賴寵而出奔，以國人與晋皆許之討而後入，正可知矣。蘇轍謂：『使元懷禄顧寵，重於出奔，則不能討。』此說是也。」然山以負背族之罪而見殺，乃其所也。胡氏乃又謂：「山背其族，故不書氏。」是惑於左氏之說，而不知山之罪不係去其氏而後見矣。

冬十有一月，叔孫僑如會晋士燮、齊高無咎、宋華元、衛孫林父、鄭公子鰌、邾人會吴于鍾離。

正傳曰：鍾離，楚地，近吴。書會諸侯會吴于鍾離，則華夷之勢可見矣，中國弱而夷狄强也，而聖人嘆世之情著矣。公羊有「殊會吴，外吴」之說，穀梁有「會又會，外之」之說，皆非也。程子曰：「吴益强大，求會于諸侯，諸侯之衆往而從之，故書諸國往與之會，以見夷狄盛而中國衰也。時中國病楚，故與吳親。襄十年柤之會，十四年向之會，與此同。」愚謂此説得之矣。胡氏曰：「殊會有二義，會王世子于首止，意在尊王室，不敢與世子抗也；會吳于鍾離、于柤、于向，意在賤夷狄，而罪諸侯不能與之敵也。夫以太伯至德，是始有吳，以族言之，則周之伯父也。至其後世，遂以號舉者，以其僭竊稱王，不能居中國之爵號耳。成、襄之間，中國無霸，齊、晋大國，亦皆俛首東向而親吳，聖人蓋傷之，故特殊會，可謂深切著明矣。」愚謂殊會、號舉之説，義例之弊也，蓋吳無念爾祖太伯之至德，蔑棄禮義，僭竊稱王，又在荒遠，不能自進於中國，故畧之耳。

許遷于葉。

正傳曰：葉，汝州葉縣，近楚。書「許遷于葉」，閔小國之失守也。左氏曰：「許靈公畏偪于鄭，請遷于楚。辛丑，楚公子申遷許于葉。」張氏曰：「中國盟主不能安小國，而使之昵夷狄以求安，春秋深以著小國之失所也。」李氏曰：「許以此年遷葉，昭九年遷夷，十八年遷白羽，定四年遷容城，皆避鄭也。又二年而滅於鄭，游速矣。觀其所主而成敗見，許之逃中國而主楚，其亦不善擇所從哉！」

簡王十一年。**十有六年**晋厲六年、齊靈七年、衛獻二年、蔡景十七年、鄭成十年、曹成三年、陳成二十四年、杞桓六十二年、宋平公成元年、秦景二年、楚共十六年、吳壽夢十一年。

春王正月，雨，木冰。

正傳曰：書「春王正月，雨，木冰」，公羊曰：「雨木冰者何？雨而木冰也。何以書？記異也。」穀梁曰：「傳曰：根枝折。」胡氏曰：「雨木冰者，雨而木冰也。何休曰：『木者，少陽，幼君大臣之象。冰者，凝陰，兵之類也。冰脅木者，君臣將執於兵之徵。』未幾而有沙隨、苕丘之事。天人之際，休咎之應，焉可誣也？而欲盡廢五行傳，亦過矣。」程子曰：「春秋所書災異，皆天人響應，但人以淺狹之見以爲無應，其實皆應之。然漢儒書災異皆牽合不足信，儒者見此，因盡廢之。」

夏四月辛未，滕子卒。

正傳曰：滕子，左氏以爲滕文公。以世次考之，孟子時滕文公爲世子，則左氏之説未可據信也。

鄭公子喜帥師侵宋。

正傳曰：書「鄭公子喜帥師侵宋」，著不義之兵也。鄭附中國，善徙義矣，旋復變於夷以侵中國，豈非所謂下喬木入幽谷乎？左氏曰：「鄭子罕伐宋，宋將鉏、樂懼敗諸汋陂。退，舍於夫渠，不儆。鄭人覆之，敗諸汋陵，獲將鉏、樂懼。宋恃勝也。」由是觀之，鄭乘宋之不儆，潛師掠境，爲盜賊之計，是久從于楚，化於夷矣。

六月丙寅朔，日有食之。

正傳曰：書「日有食之」，志天變也。

晉侯使欒黶來乞師。

正傳曰：書「晉侯使欒黶來乞師」，著貪勝之罪也。左氏曰：「晉侯將伐鄭。范文子曰：『若逞吾願，諸侯皆叛，晉可以逞。若唯鄭叛，晉國之憂，可立俟也。』欒武子曰：『不可以當吾世而失諸侯，必伐鄭。』乃興師。欒書將中軍，士燮佐之；郤錡將上軍，荀偃佐之；韓厥將下軍；郤至佐新軍。荀罃居守。郤犨如衛，遂如齊，皆乞師焉。欒黶來乞師。孟獻子曰：『有勝矣。』」愚謂孟獻子以欒黶來乞師，卑讓有禮，而知晉兵之有勝，則唯禮可以勝人之兵，謙受益，天之道也。雖然，晉人以兵力之不足而乞師於魯，以決勝而遂其志，得非貪勝乎！

甲午晦，晉侯及楚子、鄭伯戰于鄢陵。楚子、鄭師敗績。

正傳曰：晦者，晦冥也，兵慘之象。書「晉侯及楚子、鄭伯戰于鄢陵。楚子、鄭師敗績」，志攘夷之兵也。敗績，言楚子而不言師，言鄭師而不言伯，互文以見楚、鄭之君親行師而敗績也。胡氏以爲「不書楚師敗績，以其君親集矢於目，而身傷爲重」，則誤矣。左氏曰：「戊寅，晉師起。鄭人聞有晉師，使告于楚，姚句耳與往。楚子救鄭。過申，子反入見申叔時，曰：『師其何如？』對曰：『德、刑、詳、義、禮、信，戰之器也。戰之所由克也。今楚内棄其民，而外絶其好，瀆齊盟而食話言，姦時以動，而疲民以逞。民不知信，進退罪也。人恤所厎，其誰致死？子其勉之！吾不復見子矣。』五月，晋師濟河。聞楚師將至，范文子欲反，曰：『我僞逃楚，可以紓憂。夫合諸侯，非吾所能也，以遺能者。我若羣臣輯睦以事君，多矣。』武子曰：『不可。』六月，晋、楚遇于鄢陵。范文子不欲戰。郤至曰：『今我避楚，益恥也。』文子曰：『吾先君之亟戰也，有故。秦、狄、齊、楚皆强，不盡力，子孫將弱。今三彊服矣，敵楚而已。唯聖人能内外無患。自非聖人，外寧必有内憂，盍釋楚以爲外懼乎？』甲午晦，楚晨壓晋軍而陳。軍吏患之。范匄趨進，曰：『塞井夷竈，陳於軍中，而疏行首。晋、楚唯天所授，何患焉？』文子執戈逐之，曰：『國之存亡，天也，童子何知焉？』欒書曰：『楚師輕窕，固壘而待之，三日必退。退而擊之，必獲勝焉。』郤至曰：『楚有六間，不可失也。』伯州犁以公卒告王。苗賁皇在晋侯之側，亦以王卒告。皆曰：『國士在，且厚，不可當也。』苗賁皇言於晋侯曰：『楚之良，在其中軍王族而已。請分良以擊其左右，而三軍萃於王卒，必大敗之。』癸巳，潘尪之黨與養由基蹲甲而射之，徹七札焉。以示王，曰：『君有二臣如此，何憂於戰？』王怒曰：『大辱國！詰朝爾射，死藝。』及戰，射共王中目。王召養由基，與之兩矢，使射吕錡，中項，伏弢。以一矢復命。晋韓厥從鄭伯，其御杜溷羅曰：『速從之！其御屢顧，不在馬，可及也。』韓厥曰：『不可以再辱國君。』乃止。郤至從鄭伯，其右茀翰胡曰：『諜輅之，余從之乘，而俘以下。』郤至曰：『傷國君有刑。』亦止。石首曰：『衛懿公唯不去其旗，是以敗於熒。』乃內旗於弢中。楚師薄於險，叔山冉謂養由基曰：『雖君有命，爲國故，子必射。』乃射，再發，盡殪。叔山冉搏人以投，中車，折軾。晉師乃止。囚楚公子茷。欒鍼見子重之旌，請攝飲焉，公許之。使行人執榼承飲，造于子重，曰：『寡君乏使，使鍼御持矛，是以不得犒從者，使某攝飲。』子重曰：『夫子嘗與吾言于楚，必是故也。不亦識乎？』受而飲之，免使者而復鼓。旦而戰，見星未已。子反命軍吏察夷傷，補卒乘，繕甲兵，展車馬，鷄鳴而食，唯命是聽。晉人患之。苗賁皇徇曰：『蒐乘、補卒，秣馬、利兵，脩陳、固列，蓐食、申禱，明日復戰！』乃逸楚囚。王聞之，召子反謀。穀陽豎獻飲于子反，子反醉而不能見。王曰：『天敗楚也夫！余不可以待。』乃宵遁。晉入楚軍，三日穀。范文子立于戎馬之前，曰：『君幼，諸臣不佞，何以及此？君其戒之！周書曰：「惟命不于常」，有德之謂也。』」胡氏曰：「當是時，兩君相抗，未有勝負之形，晉之捷也，亦幸焉爾，幸非持勝之道。范文子所以立于軍門，有聖人能內外無患，『盍釋楚以爲外懼』之戒乎？楚師雖敗，其勢益張，晉遂怠矣，卒有欒氏之譖而誅三郤，國內大亂。聖人備書，以見行事之深切著明也。」愚謂晉之攘楚、鄭是矣，然帝王之兵以全取勝，其禦夷狄，來則驅之，去則勿逐。胡氏獨取范文子之謀，萬全之策蓋得之矣。

楚殺其大夫公子側。

正傳曰：側，子反名。書「楚殺其大夫側」，非其殺也，而其覆師之罪、擅殺之惡並著矣。左氏曰：「楚師還，及瑕，王使謂子反曰：『先大夫之覆師徒者，君不在。子無以爲過，不穀之罪也。』子反再拜稽首曰：『君賜臣死，死且不朽。臣之卒實奔，臣之罪也。』子重使謂子反曰：『初隕師徒者，而亦聞之矣。盍圖之！』對曰：『雖微先大夫有之，大夫命側，側敢不義？側亡君師，敢忘其死？』王使止之，弗及而卒。」愚謂按此則側服亡師之罪矣。楚子以言激側，側是以死，此春秋所以書殺而罪其擅專也。方楚師之初出，申叔以德、刑、詳、義、禮、信告諸子反，策楚之必敗，曰：「吾不復見子矣。」是敗師者子反也，所以致敗者非子反也，惜乎子反平時既不以六事事其君，以明其政刑，臨大事又醉于穀陽豎之獻飲，君召之謀而不能見，以致宵遁，敗師而身死，可鑒矣已！

秋，公會晉侯、齊侯、衛侯、宋華元、邾人于沙隨，不見公。

正傳曰：初言「公會諸侯于沙隨」，又言「不見公」者，初，公約會，及會，而晉不見之也。何以書？著晉之侈心無禮也。夫鄭之從楚，楚之背晉，與諸侯一伐之，亦可以已矣。連兵構怨，禍無已時，非侈心乎？魯侯既與約會而不見，非無禮乎？何以盟中國也？左氏曰：

「戰之日，齊國佐、高無咎至于師，衛侯出于衛，公出于壞隤。宣伯通于穆姜，欲去季、孟而取其室。將行，穆姜送公，而使逐二子。公以晉難告，曰：『請反而聽命。』姜怒，公子偃、公子鉏趨過，指之曰：『女不可，是皆君也。』公待于壞隤，申宮儆備，設守而後行，是以後。使孟獻子守于公宮。秋，會于沙隨，謀伐鄭也。宣伯使告郤犨曰：『魯侯待于壞隤，以待勝者。』郤犨將新軍，且爲公族大夫，以主東諸侯。取貨于宣伯，而訴公于晉侯。晉侯不見公。」愚謂：觀此，則不見公者，以譖也。程子曰：「晉怒公之後期，故不見公。君子正己而無恤乎人，魯之後期，國難故也，晉不見爲非禮。彼曲我直，故不足恥也。」胡氏曰：「以仁禮存心，而不憂橫逆之至者也。沙隨之會，魯有内難，師出後期，所當恤者。晉人聽叔孫僑如之譖，怒公而不見，曲在晉矣。魯侯自反，非有背仁棄禮不忠之咎也。昔曾子嘗聞大勇于夫子曰：『自反而縮，雖千萬人，吾往矣。』孟子言浩然之氣：『至大至剛，以直養而無害，則塞乎天地之間。』沙隨之不見，于公何歉乎？直書而不諱者，示天下後世，使知大勇、浩然之氣，所以守身應物如此，其垂訓之義大矣。」

公至自會。

正傳曰：書「公至自會」，謹君之出入也。君出入必書，禮也。

公會尹子、晉侯、齊國佐、邾人伐鄭。

正傳曰：尹子，杜氏以爲王卿士，子爵。書「公會尹子、晉侯、齊國佐、邾人伐鄭」，則擅興結怨之罪見矣。

曹伯歸自京師。

正傳曰：書「曹伯歸自京師」，著逸刑也。曹伯負芻弑太子而自立，晉帥諸侯會而執之，歸于京師，可謂討有罪矣。天子不能正之王法，釋而歸之，可謂無王法矣。左氏曰：「曹人復請于晉。晉侯謂子臧：『反，吾歸而君。』子臧反，曹伯歸。子臧盡致其邑與卿而不出。」愚謂子臧嘗爲臣者，義則然矣。晉侯不思率諸侯而執之者何心？又許「吾歸而君」，爲請于王而釋之者又何心也？此之謂失其本心。當是時，人欲横流，天理絶滅，良心死矣。穀梁曰「出入不名，以爲不失其國」，非也。程子曰：「自京師，王命也。」胡氏曰：「言天王之釋有罪也。善不蒙賞，惡不即刑，以堯爲君舜爲臣，雖得天下，不能一朝居也。負芻殺世子而自立，不能因晉之執，寘諸刑典，而使復國，則無以爲天下之共主矣。」

九月，晉人執季孫行父，舍之于苕丘。

正傳曰：書「晉人執季孫行父，舍之于苕丘」，善其舍也，紀其舍而罪其執也。左氏曰：「宣伯使告郤犫曰：『魯之有季、孟，猶晉之有欒、范也，政令于是乎成。今其謀曰：「晉政多門，不可從也。寧事齊、楚，有亡而已，蔑從晉矣。」若欲得志于魯，請止行父而殺之，我斃蔑也，而事晋，蔑有二矣。魯不貳，小國必睦。不然，歸必叛矣。』九月，晋人執季文子于苕丘。公還，待于鄆，使子叔聲伯請季孫于晋。郤犨曰：『苟去仲孫蔑，而止季孫行父，吾與子國，親於公室。』對曰：『僑如之情，子必聞之矣。若去蔑與行父，是大棄魯國而罪寡君也。若猶不棄，而惠徼周公之福，使寡君得事晋君，則夫二人者，魯國社稷之臣也。若朝亡之，魯必夕亡。以魯之密邇仇讎，亡而爲讎，治之何及？』郤犨曰：『吾爲子請邑。』對曰：『嬰齊，魯之常隸也，敢介大國以求厚焉？承寡君之命以請，若得所請，吾子之賜多矣，又何求？』范文子謂欒武子曰：『季孫于魯，相二君矣。妾不衣帛，馬不食粟，可不謂忠乎？信讒慝而棄忠良，若諸侯何？子叔嬰齊奉君命無私，謀國家不貳，圖其身不忘其君。若虛其請，是棄善人也。子其圖之！』乃許魯平，赦季孫。」愚謂觀此傳，則晋初聽僑如之譖，蓋將執行父而殺之矣。及從聲伯之請而舍之于苕丘，可謂能悔過以反于正也已。

冬十月乙亥，叔孫僑如出奔齊。

正傳曰：書「叔孫僑如出奔齊」，志罪人之逸也。高氏曰：「季孫得釋，將與公偕歸，故僑如懼罪而出奔。魯人立其弟豹以爲叔孫後。夫將作難以亂魯國者，僑如也，故書『出』以出之，立其弟以絶之。」

十有二月乙丑，季孫行父及晋郤犨盟于扈。

正傳曰：書「季孫行父及晉郤犨盟于扈」，善釋怨也。夫晉人執行父，曲在晉也。行父不以爲怨而與之盟，可謂善釋怨者也。春秋善釋怨，故書以與之。

公至自會。

正傳曰：此云會者，言會諸侯以伐鄭也。書「公至自會」，志反面之禮也。

乙酉，刺公子偃。

正傳曰：偃、鉏二公子，公之庶弟也。書「刺公子偃」，殺無罪也。夫偃若有罪，自當聲其罪，與衆棄之，乃刺之，是爲盜賊之計耳。書其刺，則偃無罪可聲亦可知矣。胡氏曰：「按左氏：宣伯通于穆姜，欲去季、孟而取其室。戰于鄢陵之日，公將行，穆姜送公，而使逐二子。公以晉難告，曰：『請反而聽命。』姜怒，公子偃、公子鉏趨過，指之曰：『女不可，是皆君也。』公待于壞隤，申宮儆備，設守而後行，是以後。使孟獻子守于公宮。宣伯使告郤犨曰：『魯侯待于壞隤，以待勝者。』郤犨取貨于宣伯，而訴公于晉侯。晉侯不見公。公會諸侯伐鄭。將行，姜又命公如初，公又申守而行。宣伯使告郤犨曰：『魯之有季、孟，猶晉之有欒、范也，政令于是乎成。今其謀曰：「晉政多門，不可從也。寧事齊、楚，有亡而已，蔑從晉矣。」若欲得志于魯，請止行父而殺之，我斃蔑也。不然，歸必叛。』晉人執季文子于苕丘。公還，待于鄆，使子叔聲伯請季孫于晉。郤犨曰：『苟去仲孫蔑，而止季孫行父，吾與子國，親於公室。』對曰：『僑如之情，子必聞之矣。若去蔑與行父，是大棄魯國，而罪寡君也。若猶不棄，使寡君得事晉君，則夫二人者，魯國社稷之臣也。若朝亡之，魯必夕亡。』范文子謂欒武子曰：『季孫于魯，相二君矣。妾不衣帛，馬不食粟，可不謂忠乎？信讒慝而棄忠良，若諸侯何？』乃許魯平，赦季孫，出叔孫僑如而盟之。季孫及郤犫盟于扈。歸，刺公子偃。」愚謂觀此，則刺偃，季孫爲之也。與郤犫盟而歸刺之，孰謂季孫爲魯之忠良乎？

簡王十二年。十有七年晉厲七年、齊靈八年、衛獻三年、蔡景十八年、鄭成十一年、曹成四年、陳成二十五年、杞桓六十三年、宋平二年、秦景三年、楚共十七年、吳壽夢十二年。

春，衛北宮括帥師侵鄭。

正傳曰：書「衛侵鄭」，則連兵結怨之罪見矣。左氏曰：「春王正月，鄭子駟侵晉虛、滑。衛北宮括救晉，侵鄭，至于高氏。」愚謂觀此則衛之侵鄭，連兵結怨，互相報復而不恤其民，則將何所止極乎？此聖人書于春秋之深意也。

夏，公會尹子、單子、晉侯、齊侯、宋公、衛侯、曹伯、邾人伐鄭。

正傳曰：書公會諸侯伐鄭，志黷武也。夫鄭之從楚背中國固有罪矣，鄢陵之敗，鄭不悛。十六年秋，諸侯再會伐之，今十七年春又會伐之，糜爛其民而不恤，可謂黷武甚矣！故春秋惡之。左氏曰：「夏五月，鄭太子髡頑、侯獳爲質于楚，楚公子成、公子寅戍鄭。公會尹武公、單襄公及諸侯伐鄭，自戲童至于曲洧。」愚謂鄭之屢從楚，諸侯屢伐之而不悛，則治人不治反其智，脩明政刑，尊上睦鄰，安其人民，脩文德以來之可也。否則，來則禦之可也。不此之圖，而乃會諸侯，連兵相黨，禍無窮極矣，則亦何以異于楚、鄭哉！

六月乙酉，同盟于柯陵。

正傳曰：書「同盟于柯陵」，著同心于邪也。左氏曰：「尋戚之盟也。」穀梁曰：「柯陵之盟，謀復伐鄭也。」程子曰：「諸侯同病楚也。」愚謂鄭從楚以背中國，滅天理，無人心，人人之所同惡，然來則禦之，去則勿逐，以夷狄治之可也。而乃結黨勞衆，連兵搆怨，相尋無已，豈非以暴易暴乎？故春秋書之。

秋，公至自會。

正傳曰：書「公至自會」，謹君之出入也。左氏曰：「楚子重救鄭，師于首止。諸侯還。」愚謂孔子曰「臨事而懼，好謀而成」，當時諸侯輕出，勞而無功，可謂好謀而成乎？

齊高無咎出奔莒。

正傳曰：書「齊高無咎出奔莒」，則君臣之間、奔之者與奔者之惡自見矣。左氏曰：「齊慶克通于聲孟子，與婦人蒙衣乘輦而入于閎。鮑牽見之，以告國武子。武子召慶克而謂之。慶克久不出，而告夫人曰：『國子謫我。』夫人怒。國子相靈公以會，高、鮑處守。及還，將至，閉門而索客。孟子訴之曰：『高、鮑將不納君，而立公子角，國子知之。』秋七月壬寅，刖鮑牽而逐高無咎。無咎奔莒。高弱以盧叛。齊人來召鮑國而立之。初，鮑國去鮑氏而來爲施孝叔臣。施氏卜宰，匡句須吉。施氏之宰有百室之邑。與匡句須邑，使爲宰，以讓鮑國而致邑焉。施孝叔曰：『子實吉。』對曰：『能與忠良，吉孰大焉？』鮑國相施氏忠，故齊人取以爲鮑氏後。仲尼曰：『鮑莊子之知不如葵，葵猶能衛其足。』」愚謂齊靈公聽其母之邪譖而逐無咎，無咎不能以道事君，以孚其心，至于疑間而去父母之邦，則君之奔之、臣之出奔皆非矣。

九月辛丑，用郊。

正傳曰：周之九月，夏之七月也。云用郊者，依禮：郊用正月上辛之日。書「九月辛丑，用郊」，志非禮也。祭惟其時，不時則非禮矣。公羊曰：「九月非所用郊也，然則郊曷用？郊用正月上辛。」穀梁曰：「宮室不設，不可以祭；衣服不脩，不可以祭；車馬器械不備，不可以祭；有司一人不備其職，不可以祭。祭者薦其時也，薦其敬也，薦其美也，非享味也。」胡氏曰：「郊之不時，未有甚于此者也。」又曰：「或曰：蓋以人饗，叩其鼻血以薦也。」古者六畜不相爲用，況敢用人乎？

晉侯使荀罃來乞師。

正傳曰：書「晋侯使荀罃來乞師」，罪貪勝也，而其屈辱可見矣。夫晋前以伐鄭而乞師，今又以王人、六諸侯伐鄭，師亦衆矣，而又來乞師，蓋其貪勝之心重而屈辱之恥輕，故不憚其乞之屢耳。殊不知寡能勝衆，不戰而屈人者，在德不在兵也。

冬，公會單子、晋侯、宋公、衛侯、曹伯、齊人、邾人伐鄭。

正傳曰：書「冬，公會單子、晋侯、宋公、衛侯、曹伯、齊人、邾人伐鄭」，則黷武之甚可見矣。左氏曰：「冬，諸侯伐鄭。十月庚午，圍鄭。」愚謂鄭之不服，諸侯至是伐之者三四矣，王人與者再矣，未聞能服之者，不但爲諸侯羞，將不爲天王羞乎？舜命禹征有苗，不服，還兵，增脩文德，舞干羽于兩階，七旬而有苗格。向使天子與諸侯息兵脩文德以來之，如又不服，則天子聲其罪，出命使方伯連帥，奉詞以往伐之，其誰不服焉？

十有一月，公至自伐鄭。

正傳曰：書「公至自伐鄭」，謹君之出入也。入則有反面焉。左氏曰：「楚公子申救鄭，師于汝上。十一月，諸侯還。」愚謂諸侯伐鄭而楚救之，諸侯還，如是者再矣。公于反面之詞，則將何以爲詞？其辱宗廟甚矣。

壬申，公孫嬰齊卒于貍脤。

正傳曰：書「壬申，公孫嬰齊卒于貍脤」，志大夫之大故也。卒，大夫禮也。壬申者，穀梁以爲「十一月無壬申，乃十月也」。李氏曰：「以下文十二月丁巳朔推之，則壬申爲十月十五日。」愚謂壬申者，乃嬰齊卒于貍脤之日也，歸而史書之于十一月之下耳，其理自明。書地，卒于外必有地，故詳之也。左氏曰：「初，聲伯夢涉洹，或與己瓊瑰食之，泣而爲瓊瑰盈其懷，從而歌之曰：『濟洹之水，贈我以瓊瑰。歸乎歸乎，瓊瑰盈吾懷乎！』懼不敢占也。還自鄭，壬申，至于貍脤而占之，曰：『余恐死，故不敢占也。今衆繁而從余三年矣，無傷也。』言之，之莫而卒。」愚謂左氏所載，事雖不經，然亦可以見死生之有定命而不足以動心也。

十有二月丁巳朔，日有食之。

正傳曰：書「日有食之」，志異也。

邾子貜且卒。

正傳曰：書「邾子貜且卒」，志與國之大故也。來赴，故書之。

晋殺其大夫郤錡、郤犨、郤至。

正傳曰：書「晋殺其大夫郤錡、郤犨、郤至」，罪專殺也，而厲公之無道並見矣。左氏曰：「晋厲公侈，多外嬖。反自鄢陵，欲盡去羣大夫，而立其左右。胥童以胥克之廢也，怨郤氏，而嬖于厲公。郤錡奪夷羊五田，五亦嬖于厲公。郤犨與長魚矯争田，執而梏之，與其父母妻子同一轅。既，矯亦嬖于厲公。欒書怨郤至，以其不從己而敗楚師也，欲廢之。使楚公子茷告公曰：『此戰也，郤至實召寡君，以東師之未至也，與軍帥之不具也，曰：「此必敗，吾因奉孫周以事君。」』公告欒書。書曰：『其有焉。不然，豈其死之不恤，而受敵使乎？君盍嘗使諸周而察之？』郤至聘于周，欒書使孫周見之。公使覘之，信。遂怨郤至。厲公田，與婦人先殺而飲酒，後使大夫殺。郤至奉豕，寺人孟張奪之，郤至射而殺之。公曰：『季子欺余。』厲公將作難，胥童曰：『必先三郤。族大，多怨。去大族，不偪；敵多怨，有庸。』公曰：『然。』壬午，胥童、夷羊五帥甲八百，將攻郤氏，長魚矯請無用衆，公使清沸魋助之。抽戈結衽，而僞訟者。三郤將謀于榭，矯以戈殺駒伯、苦成叔于其位。温季曰：『逃威也。』遂趨。矯及諸其車，以戈殺之。皆尸諸朝。胥童以甲劫欒書、中行偃于朝。矯曰：『不殺二子，憂必及君。』公曰：『一朝而尸三卿，余不忍益也。』公使辭于二子曰：『寡人有討于郤氏，郤氏既伏其辜矣，大夫無辱，其復職位！』皆再拜稽首曰：『君討有罪，而免臣于死，君之惠也。二臣雖死，敢忘君德？』乃皆歸。公使胥童爲卿。公遊于匠麗氏，欒書、中行偃遂執公焉。」愚謂觀此則見厲公昵嬖而殺忠，如以刀自戕其股肱而不恤，至于斃其身，其昏愚甚矣。故穀梁子曰：「自禍于是起矣。」

楚人滅舒庸。

正傳曰：書「楚人滅舒庸」，罪陵暴也。左氏曰：「舒庸人以楚師之敗也，道吳人圍巢，伐駕，圍釐、虺，遂恃吴而不設備。楚公子橐師襲舒庸，滅之。」

簡王十三年。

十有八年

晉厲八年弒、齊靈九年、衛獻四年、蔡景十九年、鄭成十二年、曹成五年、陳成二十六年、杞桓六十四年、宋平三年、秦景四年、楚共十八年、吴壽夢十三年。

春王正月，晉殺其大夫胥童。

正傳曰：書「晉殺其大夫胥童」，則可以殺而不可殺之義並見矣。左氏曰：「閏月乙卯晦，欒書、中行偃殺胥童。民不與郤氏，胥童道君爲亂，故皆書曰『晉殺其大夫』。」由是觀之，胥童道君爲亂，可殺也。然爲天吏則可以殺之，今書與偃不以請于天子、刑之司寇，則負擅殺之罪矣，故曰不可殺也。

庚申，晉弒其君州蒲。

正傳曰：書「晉弒其君州蒲」，著弒逆之罪也。左氏曰：「春王正月庚申，晉欒書、中行偃使程滑弒厲公，葬之于翼東門之外，以車一乘。使荀罃、士魴逆周子于京師而立之，生十四年矣。大夫逆于清原。周子曰：『孤始願不及此，雖及此，豈非天乎！抑人之求君，使出命也。立而不從，將安用君？二三子用我今日，否亦今日。共而從君，神之所福也。』對曰：『羣臣之願也，敢不唯命是聽。』庚午，盟而入，館于伯子同氏。辛巳，朝于武宫。逐不臣者七人。周子有兄而無慧，不能辨菽麥，故不可立。」愚謂按左傳，則弒厲公者，欒書、中行偃也，而春秋誅之，乃不以名而以國分其罪者，何也？穀梁謂「君惡甚矣」，厲公欲盡去其羣大夫而用其嬖，無道之甚，弑之者雖書、偃之爲，乃國人之所同志也，故書晋人，使人考跡而觀，同欲之者晋民，而爲之者，書、偃也。胡氏曰：「弑君，天下之大罪；討賊，天下之大刑。春秋合于人心而定罪，聖人順于天理而用刑，固不以大霈釋當誅之賊，亦不以大刑加不弑之人。然趙盾以不越境而書『弑』，許世子止以不嘗藥而書『弑』，鄭歸生以憚老懼讒而書『弑』，楚公子比以不能效死不立而書『弑』，齊陳乞以廢長立幼而書『弑』。晋欒書身爲元帥，親執厲公于匠麗氏，使程滑弑公，而以車一乘葬之于翼東門之外，而春秋稱國以弑其君，而不著欒書之名氏，何哉？仲尼無私，與天爲一，奚獨于趙盾、許止、歸生、楚比、陳乞，則責之甚備，討之甚嚴，而于欒武子闊畧如此乎？學者深求其旨，知聖人之誅亂臣討賊子之大要也，而後可與言春秋矣。」

齊殺其大夫國佐。

正傳曰：書「齊殺其大夫國佐」，則可以殺而不可以殺之義並見矣。左氏曰：「齊爲慶氏之難故，甲申晦，齊侯使士華免以戈殺國佐于内宫之朝。師逃于夫人之宫。書曰『齊殺其大夫國佐』，棄命、專殺、以穀叛故也。使清人殺國勝。國弱來奔。王湫奔萊。慶封爲大夫，慶佐爲司寇。既，齊侯反國弱，使嗣國氏，禮也。」愚謂據左傳則佐棄命專殺，以穀叛，其罪固可殺也，然不以正之于王法，而徒使士華免以戈殺之，是自犯專殺大夫之禁矣。

公如晉。

正傳曰：書「公如晉」，志禮也，而非禮見矣。左氏曰：「朝嗣君也。」夫晉悼公初立，逐不臣者七人，舉六官之長皆民譽，霸業復振，〔故〕〔三〕公首朝之。朝嗣君似禮矣，然公即位十有八年矣，未嘗正行朝王之禮，而乃首朝同列，可得爲禮乎？

夏，楚子、鄭伯伐宋。宋魚石復入于彭城。

正傳曰：書「楚子、鄭伯伐宋。宋魚石復入于彭城」，志納惡之罪也。左氏曰：「夏六月，鄭伯侵宋，及曹門外。遂會楚子伐宋，取朝郟。楚子辛、鄭皇辰侵城郜，取幽丘。同伐彭城，納宋魚石、向爲人、鱗朱、向帶、魚府焉，以三百乘戍之而還。書曰『復入』。凡去其國，國逆而立之，曰『入』；復其位，曰『復歸』；諸侯納之，曰『歸』；以惡曰『復入』。宋人患之。西鉏吾曰：『何也？若楚人與吾同惡，以德于我，吾固事之也，不敢貳矣。大國無厭，鄙我猶憾。不然，而收吾憎，使贊其政，以間吾釁，亦吾患也。今將崇諸侯之姦而披其地，以塞夷庚。逞姦而攜服，毒諸侯而懼吳、晉，吾庸多矣，非吾憂也。且事晉何爲？晉必恤之。』」又，左傳：「七月，宋老佐、華喜圍彭城，老佐卒焉。」愚謂由前傳觀之，則魚石以惡而復入者也，楚、鄭伐宋而納之，是納惡矣。觀西鉏吾之謀，則宋固畏楚之强而許之納矣。由後傳觀之，則宋又有惡魚石之惡而拒之者矣。夫書「宋魚石復入于彭城」，則楚、鄭納惡之罪自見矣，何必執「以惡曰復入」之説以見其惡耶？胡氏又執「不曰納之一字以爲不與其納」，皆鑿甚矣。

公至自晉。

正傳曰：書「公至自晉」，謹君之出入也。

晉侯使士匄來聘。

正傳曰：書「晉侯使士匄來聘」，志禮也。左氏曰：「公至自晉。晉范宣子來聘，且拜朝也。君子謂晉于是乎有禮。」

秋，杞伯來朝。

正傳曰：書「杞伯來朝」，志邦交之禮也。左氏曰：「秋，杞桓公來朝，勞公，且問晉故。公以晉君語之。杞伯于是驟朝于晉而請爲昏。」

八月，邾子來朝。

正傳曰：書「邾子來朝」，志禮也。左氏曰：「八月，邾宣公來朝，即位而來見也。」由傳觀之，則邾子即位而來見，得小國事大之禮，故春秋書之。

築鹿囿。

正傳曰：書「築鹿囿」，著不時且病民也。夫不奪民時，政之大者也。三時務農，至冬役民，正也。周之八月，夏之六月，正農工方殷之時，而築囿焉，非時矣。公羊曰：「有囿矣，又爲也。」穀梁曰：「山林藪澤之利，所以與民共也；虞之，非正也。」由二傳觀之，則匪特奪時之病民，而虞民利，則病民之大者也。

己丑，公薨于路寢。

正傳曰：書「己丑，公薨于路寢」，左氏以爲「言道也」，穀梁曰「路寢，正也。男子不絶婦人之手，以齊終也」。

冬，楚人、鄭人侵宋。

正傳曰：書「楚人、鄭人侵宋」，著附夷猾夏之罪也。鄭以中國附夷而崇姦，與楚侵宋，則附夷猾夏之罪著矣。左氏曰：「冬十一月，楚子重救彭城，伐宋。宋華元如晋告急。韓獻子爲政，曰：『欲求得人，必先勤之。成霸安疆，自宋始矣。』晋侯師于台谷以救宋。遇楚師于靡角之谷，楚師還。」

晋侯使士魴來乞師。

正傳曰：書「晋侯使士魴來乞師」，志大事也。戎，國之大事也。左氏曰：「晋士魴來乞師。季文子問師數于臧武仲，對曰：『伐鄭之役，知伯實來，下軍之佐也。今彘季亦佐下軍，如伐鄭可也。事大國，無失班爵而加敬焉，禮也。』從之。」

十有二月，仲孫蔑會晉侯、宋公、衛侯、邾子、齊崔杼同盟于虚朾。

正傳曰：虚朾，宋地。書「仲孫蔑會晉侯、宋公、衛侯、邾子、齊崔杼同盟于虚朾」，著同心以崇華也。左氏曰：「十二月，孟獻子會于虚朾，謀救宋也。宋人辭諸侯而請師以圍彭城。孟獻子請于諸侯而先歸會葬。」愚謂觀此則見楚、鄭侵宋，納魚石于彭城，其崇姦濟惡以夷陵夏，列國同心以救宋，圍彭城，天理之正也。書曰「予有臣三千，惟一心」，言同心同德也。

丁未，葬我君成公。

正傳曰：書「丁未，葬我君成公」，志國君之大事也。左氏曰：「書，順也。」杜氏曰：「薨于路寢，五月而葬，國家安靖，世適承嗣，故曰『書順』。」得之矣。

校記：

〔一〕「服喪」，原誤倒，據嘉靖本乙正。

〔二〕「其」，據嘉靖本補。

〔三〕「故」，據嘉靖本補。

春秋正傳卷之二十五

襄公

名午。成公妾定姒之子。四歲即位，在位三十一年。

簡王十四年崩。元年晉悼公周元年、齊靈十年、衛獻五年、蔡景二十年、鄭成十三年、曹成六年、陳成二十七年、杞桓六十五年、宋平四年、秦景五年、楚共十九年、吴壽夢十四年。

春王正月，公即位。

正傳曰：書「春王正月，公即位」，正統也。即位者君道之始也，所以正始也。

仲孫蔑會晉欒黶、宋華元、衛甯殖、曹人、莒人、邾人、滕人、薛人圍宋彭城。

正傳曰：書會諸侯之兵圍宋彭城，著禦叛攘夷之義也。楚强以兵納魚石于彭城，欲據彭城以自固，非楚以其地封之也。彭城，故宋地，故曰宋彭城。圍宋彭城，以討宋叛臣也。左氏以爲彭城「非宋地，追書也」，公羊以爲楚「取彭城以封魚石」者，皆非也。胡氏曰：

「按左氏曰：『非宋地，追書也』，然則書『圍彭城』者，魯史舊文也。曰『圍宋彭城』者，仲尼親書也。楚已取彭城，封魚石，戍之三百乘矣，則曷爲繫之宋？楚不得取之宋，魚石不得受之楚。雖專其地，君子不登叛人，所以正疆域，固封守，謹王度也。」愚謂胡氏謂彭城「繫之宋，楚不得取之宋，魚石不得受之楚」，是也。但此皆當時史之舊文，非仲尼筆之也。當時之史豈無如董狐、南史之良者乎？審如胡氏之言，則與孟子之説異矣。故劉氏曰：「春秋故史也，有所不革。」孟子曰：「其事則齊桓、晉文，其文則史。」孔子曰：「其義則丘竊取之矣。」愚謂謂之竊者，如竊比老彭之竊，不敢顯然之謂也，況革乎？

夏，晉韓厥帥師伐鄭，仲孫蔑會齊崔杼、曹人、邾人、杞人次于鄫。

正傳曰：鄫，鄭地。書晉韓厥帥師伐鄭，列國之師次于鄫，討背夏也。左氏曰：「夏五月，晉韓厥、荀偃帥諸侯之師伐鄭，入其郛，敗其徒兵于洧上。于是東諸侯之師次于鄫，以待晉師。晉師自鄭以鄫之師侵楚焦、夷及陳。晉侯、衞侯次于戚，以爲之援。」愚謂以天下諸侯與晉相爲犄角，以討鄭之叛夏，其名義正矣，故春秋詳書而深與之。胡氏曰：「楚人釋君而臣是助，事已悖矣，晉于是乎降彭城，以魚石等歸，遂伐鄭，諸侯次于鄫，此皆放于義而行者也。傳書『楚子辛救鄭』而經不書者，鄭本爲楚以其君之故，親集矢于目，是以與楚而不貳也。棄中國從蠻夷，不能以大義裁之，惟私欲之從，則鄭無可救之善，楚不得有能救之名，經所以削之不言救也。」

秋，楚公子壬夫帥師侵宋。

正傳曰：書「楚公子壬夫帥師侵宋」，著猾夏之師也。左氏曰：「秋，楚子辛救鄭，侵宋呂、留。鄭子然侵宋，取犬丘。」汪氏曰：「楚憤宋之復彭城，且欲援鄭而退諸侯之師，故復釋憾于宋。」愚謂楚以彭城之故侵宋，是憤兵也。書曰「蠻夷猾夏，寇賊姦宄」，其楚之謂乎！故春秋惡之。

九月辛酉，天王崩。

正傳曰：天王，簡王也。書「天王崩」，志天下之大變也。天下如喪考妣，諸侯有奔喪之禮焉，故史因來赴而書之。

邾子來朝。冬，衛侯使公孫剽來聘。晉侯使荀罃來聘。

正傳曰：書「邾子來朝。冬，衛、晉使來聘」，則失禮之非自見矣。左氏以「凡諸侯即位，小國朝之，大國聘焉，以繼好、結信、謀事、補闕，禮之大者」，非也。夫天王之崩已赴，大小之國乃不聞有奔喪于京師者，而且小國大國盛脩朝聘，其無君滅天甚矣！故聖人書之，以繼于天王崩之下，所以誅列國之罪以厲天下，意亦至矣。胡氏曰：「簡王崩，赴告已及，藏在諸侯之策矣，則宜以所聞先後而奔喪。今邾子方來脩朝禮，衛侯、晉侯方來脩聘事，于王喪若越人視秦人之肥瘠，曾不與焉。而左氏以爲禮，此何禮乎？·滕定公薨，世子定爲三年喪，父兄百官皆不欲，曰：『吾宗國魯先君莫之行也。』喪紀益廢，民習于耳目而不察，故後世以日易月，人子安而行之，不知春秋之義，無君臣之禮，豈不惜哉！」

二年

晉悼二年、齊靈十一年、衛獻六年、蔡景二十一年、鄭成十四年卒、曹成七年、陳成二十八年、杞桓六十六年、宋平五年、秦景六年、楚共二十年、吴壽夢十五年。靈王元年。

春王正月，葬簡王。

正傳曰：書「春王正月，葬簡王」，志葬之非禮也。禮，天子七月而葬，同軌畢至。今簡王五月而葬，非禮矣。

鄭師伐宋。

正傳曰：書「鄭師伐宋」，則鄭從夷之罪自見矣。左氏曰：「春，鄭師侵宋，楚令也。」愚謂鄭以中國從楚之令，以伐中國帝王之裔，其罪大矣，故春秋惡之。

夏五月庚寅，夫人姜氏薨。

正傳曰：姜氏，襄公嫡母也。書「庚寅，夫人姜氏薨」，志君母之大故也。姜氏，成公之嫡夫人。書「薨」，禮也，國中臣民如喪妣焉。春秋書此，與四年七月書「夫人姒氏薨」，其文同也，然而聖人竊取之義，一與一刺，大不同矣。而先儒謂春秋爲聖人之筆，一字之間有美刺不同，焉可乎？左氏曰：「夏，齊姜薨。初，穆姜使擇美檟，以自爲櫬與頌琴，季文子取以葬。君子曰：『非禮也。禮無所逆。婦，養姑者也。虧姑以成婦，逆莫大焉。詩曰：「其惟哲人，告之話言，順德之行。」』季孫于是爲不哲矣。」

六月庚辰，鄭伯睔卒。

正傳曰：睔，鄭伯名。書「庚辰，鄭伯睔卒」，志大故也，而鄭伯平生之惡可考矣。左氏曰：「鄭成公疾，子駟請息肩于晋。公曰：『楚君以鄭故，親集矢于其目，非異人任，寡人也。若背之，是棄力與言，其誰暱我？免寡人，唯二三子。』秋七月庚辰，鄭伯睔卒。」愚謂觀左傳所言，則鄭伯至死而不肯背楚以息肩于晋，其亦異乎人之性矣。所謂鳥之將死，其鳴也哀；人之將死，其言也善。鄭伯臨死，其言不善，豈人之性乎？夫以鄭伯不念祖宗之德、華夏之裔，棄中國之盟以從夷狄，力行其惡而不悛，至死猶無悔悟之心，不能反躬，天理滅矣，悲夫！

晋師、宋師、衛甯殖侵鄭。

正傳曰：書「晋、宋、衛侵鄭」，譏伐喪也。夫諸侯有相恤之義，鄭伯睔卒未踰月而三國侵之，失禮害義之大者也。左氏曰：「于是子罕當國，子駟爲政，子國爲司馬。晋師侵鄭。諸大夫欲從晋。子駟曰：『官命未改。』」愚謂子駟之言蓋謂鄭伯臨終之命也。

秋七月，仲孫蔑會晉荀罃、宋華元、衛孫林父、曹人、邾人于戚。

正傳曰：書「仲孫蔑會晉、宋、衛、曹、邾于戚」，著其會之非也。左氏曰：「會于戚，謀鄭故也。孟獻子曰：『請城虎牢以偪鄭。』知武子曰：『善。鄫之會，吾子聞崔子之言，今不來矣。滕、薛、小邾之不至，皆齊故也。寡君之憂不唯鄭。罃將復于寡君，而請于齊。得請而告，吾子之功也。若不得請，事將在齊。吾子之請，諸侯之福也，豈唯寡君賴之。』」愚謂諸侯邦交之禮，朝聘、會同，所以脩好，今六國之會乃以謀鄭爲事，可爲善會乎？

己丑，葬我小君齊姜。

正傳曰：書「葬我小君齊姜」，志國之大事也。左氏曰：「齊侯使諸姜、宗婦來送葬，召萊子。萊子不會，故晏弱城東陽以偪之。」

叔孫豹如宋。

正傳曰：書「叔孫豹如宋」，志禮也。左氏曰：「穆叔聘于宋，通嗣君也。」夫國君嗣位，而使大夫通聘問焉，可謂得禮矣，故春秋善之。

冬，仲孫蔑會晉荀罃、齊崔杼、宋華元、衛孫林父、曹人、邾人、滕人、薛人、小邾人于戚，遂城虎牢。

正傳曰：虎牢，鄭之制邑也。書十國之大夫會于戚，遂城虎牢，志禦侮之義也。左氏曰：「冬，復會于戚，齊崔武子及滕、薛、小邾之大夫皆會，知武子之言故也。遂城虎牢。鄭人乃成。」愚謂鄭援楚，屢爲中國之患。城虎牢，鄭失所據矣。公羊以爲虎牢不言取、不繫乎鄭，爲中國諱伐喪者，非也。十國但城虎牢以禦鄭之猾夏，而未嘗取之也，以中國合諸侯以擯夷狄，仗大義者不計小節，聖人斯與之而已矣。程子曰：「設險，所以守國也。有虎牢之險而不能守，故不繫于鄭，責其不能有也。」胡氏曰：「虎牢，鄭地，故稱制邑，至漢爲成皋，今爲汜水縣。巖險聞于天下，猶虞之下陽、趙之上黨、魏之安邑、燕之榆關、吴之西陵、蜀之漢樂。地有所必據，城有所必守，而不可以棄焉者也。有是險而不能守，故不繫于鄭。然則據地設險，亦所貴乎？天險不可升也，地險山川丘陵也。王公設險以守其國，大易之訓也；城郭溝池以爲固，亦君子之所謹也；鑿斯池，築斯城，與民同守，孟子之所以語滕君也。夫狡焉思啓封疆，而争地以戰，殺人盈野，争城以戰，殺人盈城者，固非春秋之所貴。守天子之土，繼先君之世，不能設險守國，將至于遷潰滅亡，亦非聖人之所與。故城虎牢而不繫于鄭，程氏以爲『責鄭之不能有也』，其聖人以待衰世之意，小康之事邪！」愚謂二子之言皆泥于文義，而不知經之大旨矣。經之大旨，不過紀城虎牢，見諸侯同禦鄭抑楚之義，夫豈論鄭之能守與不能守，而遂以不繫于鄭以取義哉？且十年〔一〕又書

「戍鄭虎牢」者，復何謂乎？可類觀矣。

楚殺其大夫公子申。

正傳曰：書「楚殺其大夫公子申」，則擅殺之罪自見矣。左氏曰：「楚公子申爲右司馬，多受小國之賂，以偪子重、子辛。楚人殺之，故書曰『楚殺其大夫公子申』。」愚謂禁曰無專殺大夫。申多受小國之賂，是申誠可殺也。然必以告于天子，歸之司寇，而殺之可也。又云「以偪子重、子辛。楚人殺之」，是子重、子辛畏其偪己，使國人殺之耳。夫聽楚人之殺其大夫，而楚君不能禁，亦不之問，則楚之不競亦可知矣。

靈王二年。**三年** 晉悼三年、齊靈十二年、衛獻七年、蔡景二十二年、鄭僖公髡頑元年、曹成八年、陳成二十九年、杞桓六十七年、宋平六年、秦景七年、楚共二十一年、吳壽夢十六年。

春，楚公子嬰齊帥師伐吳。

正傳曰：書「楚公子嬰齊帥師伐吳」，著貪憤之兵也。左氏曰：「楚子重伐吳，爲簡之師，克鳩茲，至于衡山。使鄧廖帥組甲三百、被練三千，以侵吳。吳人要而擊之，獲鄧廖。其能免者，組甲八十、被練三百而已。子重歸，既飲至，三日，吳人伐楚，取駕。駕，良邑也。鄧廖，亦楚之良也。君子謂『子重于是役也，所獲不如所亡』。楚人以是咎子重。子重病之，遂遇心疾而卒。」愚謂：兵，凶器也，用之不以其道，未有不反自傷者也。故貪人者自殘，憒人者自賊。觀于左傳，嬰齊伐吴，爲簡之師，克鳩兹，至于衡山。使鄧廖侵吴。此非貪憒之兵乎？宜乎子重之喪師喪心以死也。

公如晉。

正傳曰：書「公如晉」，志失禮也。左氏曰：「始朝也。」高氏曰：「童子侯不朝王，蓋不可接以成人之禮也，豈可反朝同列乎？」觀此，可以見朝晉之非矣。

夏四月壬戌，公及晉侯盟于長樗。

正傳曰：書「公及晉侯盟于長樗」，則非禮之禮可考見矣。左氏曰：「孟獻子相，公稽首。知武子曰：『天子在，而君辱稽首，寡君懼矣。』孟獻子曰：『以敝邑介在東表，密邇仇讎，寡君將君是望，敢不稽首？』」愚謂以禮天子之禮禮同列，非所謂非禮之禮乎？孟獻子之對，不知惟禮之守足以自安，而惟利之圖，孟獻子亦不得爲賢大夫矣！

公至自晉。

正傳曰：書「公至自晉」，謹君之出入也。

六月，公會單子、晉侯、宋公、衛侯、鄭伯、莒子、邾子、齊世子光。己未，同盟于雞澤。

正傳曰：單子爲王卿士，書「同盟于鷄澤」，志脩好也，而非禮自見矣。夫以諸侯同盟脩好，禮也；以王人下會盟于諸侯，非禮也。左氏曰：「晋爲鄭服故，且欲脩吳好，將合諸侯。使士匄告于齊曰：『寡君使匄，以歲之不易，不虞之不戒，寡君願與一二兄弟相見，以謀不協。請君臨之，使匄乞盟。』齊侯欲勿許，而難爲不協，乃盟于耏外。六月，公會單頃公及諸侯。己未，同盟于雞澤。晋侯使荀會逆吳子于淮上，吳子不至。」愚謂此爲鄭服而與王人、諸侯脩好，息兵安民，則未有不善。然單子以王人下盟，則失天王之尊矣。春秋書之，雖以取彼善于此，亦以憾王道之陵夷也歟！程子曰：「楚强，諸侯皆畏之而脩盟，故書同。」胡傳曰：「同盟或以爲有三例：一則王臣預盟而書『同』，二則諸侯同欲而書『同』，三則惡其反覆而書『同』。夫惡其反覆與諸侯同欲而書『同』，信矣。王臣預盟而書『同』，義則未安。盟于女栗，及蘇子也，而不書『同』；盟于洮、于翟泉，會王人也，而不書『同』。然則此三盟者，正所謂諸侯同欲而書『同盟』也。其同欲奈何？同病楚也。會于柯陵之歲，夏伐鄭，楚人師于首止而諸侯還；冬伐鄭，楚人師于汝上而諸侯還。雞澤之盟，陳袁僑如會，楚師在繁陽而韓獻子懼；平丘之盟〔二〕，楚棄疾立，復封陳、蔡而中國恐。是知此三盟者，諸侯皆有戒心而脩盟，故稱『同』，不以尹子、單子、劉子亦預此盟而譏之也。夫王臣將命，必惇信明義，而後可以表正乎天下；諸侯守邦，必尊主奉法，而後可以保其社稷。今王臣下與諸侯約誓，諸侯亦敢上與王臣要言，斯大亂之道也，則亦不待書同盟而罪自見矣。」

陳侯使袁僑如會。

正傳曰：書「陳侯使袁僑如會」，善歸會也。穀梁曰：「如會，外乎會也。于會受命也。」左氏曰：「楚子辛爲令尹，侵欲于小國，陳成公使袁僑如會求成。晉侯使和組父告于諸侯。」愚謂由此觀之，則陳僑之如會非正會也，蓋不堪于楚之侵欲而如會以求成耳。其意則善矣，故春秋與之。

戊寅，叔孫豹及諸侯之大夫及陳袁僑盟。

正傳曰：書「叔孫豹及諸侯大夫及袁僑盟」，罪私盟也。左氏曰：「陳請服也。」愚謂諸侯大夫以陳袁僑之來服，既已受命于諸侯，而又私與之盟，是二政也。春秋直書之，而其罪自見矣。善乎，穀梁子曰：「諸侯以爲可與則與之，不可與則釋之。諸侯盟，又大夫相與私盟，是大夫張也。故雞澤之會，諸侯始失政矣，大夫執國權。曰袁僑，異之也。」

秋，公至自會。

正傳曰：書「公至自會」，謹君之出入也。

冬，晉荀罃帥師伐許。

正傳曰：書「晉荀罃伐許」，見可伐也，非所伐也。左氏曰：「許靈公事楚，不會于雞澤。冬，晉知武子帥師伐許。」夫〔許〕[三]背華事夷，誠有罪矣，然晉不以王命而伐之，猶爲擅興之師，與許一間耳。

靈王三年。

四年 晉悼四年、齊靈十三年、衛獻八年、蔡景二十三年、鄭僖二年、曹成九年、陳成三十年卒、杞桓六十八年、宋平七年、秦景八年、楚共二十二年、吳壽夢十七年。

春王三月，己酉，陳侯午卒。

正傳曰：午，陳侯名。胡氏論諱名不諱名之義，止可諱之于交際之時，一時之事也。若春秋垂訓之書，萬世之事也，其可以諱乎？書「陳侯午卒」，志與國之大故也。諸侯卒，則相赴，以其有相吊賻相恤之義焉。左氏曰：「春，楚師爲陳叛故，猶在繁陽。韓獻子患之，言于朝曰：『文王帥殷之叛國以事紂，唯知時也。今我易之，難哉！』三月，陳成公卒。楚人將伐陳，聞喪乃止。陳人不聽命。臧武仲聞之，曰：『陳不服于楚，必亡。大國行禮焉，而不服；在大猶有咎，而況小乎？』夏，楚彭名侵陳，陳無禮故也。」

夏，叔孫豹如晉。

正傳曰：書「夏，叔孫豹如晉」，著禮也。夫禮尚往來，惟其稱而已矣。左氏曰：「穆叔如晉，報知武子之聘也。」非所謂往來而稱者乎？又按左傳：「晉侯享之，金奏肆夏之三，不拜。工歌文王之三，又不拜。歌鹿鳴之三，三拜。韓獻子使行人子員問之，曰：『子以君命辱于敝邑，先君之禮，藉之以樂，以辱吾子。吾子舍其大，而重拜其細。敢問何禮也？』對曰：『三夏，天子所以享元侯也，使臣弗敢與聞。文王，兩君相見之樂也，臣不敢及。鹿鳴，君所以嘉寡君也，敢不拜嘉？四牡，君所以勞使臣也，敢不重拜？皇皇者華，君教使臣曰：「必諮于周。」臣聞之：「訪問于善爲咨，咨親爲詢，咨禮爲度，咨事爲諏，咨難爲謀。」臣獲五善，敢不重拜？』」愚謂觀此，可謂得禮也已。

秋七月戊子，夫人姒氏薨。

正傳曰：姒氏，成公妾，襄公母。姒，杞姓。書「夫人姒氏薨」，志君母之大故也，而禮之得失自見矣。姒氏，妾也，就以子貴，無乃爲貴妾耳，而稱「夫人」、書「薨」，以妾僭嫡，非禮矣。臣民僭稱之，國史因其故而書之，聖人因史文而不改，而其非禮自見矣。左氏曰：「秋，定姒薨。不殯于廟，無櫬，不虞。匠慶謂季文子曰：『子爲正卿，而小君之喪不成，不終君也。君長，誰受其咎？』初，季孫爲己樹六檟于蒲圃東門之外，匠慶請木，季孫曰：『略。』匠慶用蒲圃之檟，季孫不御。君子曰：『志所謂「多行無禮，必自及也」，其是之謂乎！』」愚謂據此則姒氏以妾不殯于廟。及觀季孫之意，蓋謂妾不可以僭嫡，故曰略之耳，于禮未失也。又觀匠慶以爲小君之喪云云，則襄公違禮尊其母，季孫不得違之，故史以夫人之禮書「薨」耳。先儒皆謂春秋是聖人之筆，豈聖人有此越禮之書哉？其説可不攻自破矣，又可以此例觀其他矣。

葬陳成公。

正傳曰：書「葬陳成公」，志時也，有同盟皆至之禮焉。

八月辛亥，葬我小君定姒。

正傳曰：定，姒氏謚。書「八月辛亥，葬我小君定姒」，志君母之大事也，則不時、違禮之非自見矣。高氏曰：「死纔二十三日耳。前書夫人，此書小君，則以國君之嫡禮喪葬之矣。」

冬，公如晋。

正傳曰：書「公如晋」，則非禮之行自見矣。左氏曰：「冬，公如晋聽政。晋侯享公，公請屬鄫。晋侯不許。孟獻子曰：『以寡君之密邇于仇讎，而願固事君，無失官命。鄫無賦于司馬，爲執〔四〕事朝夕之命敝邑，敝邑褊小，闕而爲罪，寡君是以願借助焉。』晋侯許之。」愚謂按此則棄喪屈己之罪大矣。夫襄公喪母，至是纔三四月耳，而棄喪以朝晋，爲忘哀，非孝也。以魯與晋敵國同列耳，而曰如晋聽政，又請鄫焉，爲辱己非仁也。襄公一行而有二失焉，故曰：吉凶悔吝生乎動，君子慎動。

陳人圍頓。

正傳曰：頓，小國。書「陳人圍頓」，著陵弱憤怨之兵也。左氏曰：「楚人使頓間陳而侵伐之，故陳人圍頓。」

靈王四年。

五年 晉悼五年、齊靈十四年、衛獻九年、蔡景二十四年、鄭僖三年、曹成十年、陳哀公溺元年、杞桓六十九年、宋平八年、秦景九年、楚共二十三年、吳壽夢十八年。

春，公至自晉。

正傳曰：書「公至自晉」，謹君之出入也，而公取辱于晉之道，不朝正于廟之失，並見矣。

夏，鄭伯使公子發來聘。

正傳曰：書「鄭伯使公子發來聘」，與其悔過之善也。左氏曰：「夏，鄭子國來聘，通嗣君也。」鄭背華從楚久矣，今來聘，通嗣君，得中國邦交之禮，故聖人書以善之。

叔孫豹、鄫世子巫如晉。

正傳曰：書「叔孫豹、鄫世子巫如晉」，著非禮也。左氏曰：「穆叔覲鄫太子于晉，以成屬鄫。書曰『叔孫豹、鄫太子巫如晉』，言比諸魯大夫也。」愚謂先王疆理天下，分封大小諸國，所以固封守、親鄰國而尊天子也，使其後世子孫各守其社稷宗廟，以輯其人民。今魯以鄫之弱小不能自立，屢困于鄭、楚，不知相恤、濟弱扶傾之義，乃又假晉之强而請屬之。穆叔又覿鄫世子于晉，以成屬焉，其如先王分封社稷以奉天子之制何？非禮甚矣！故春秋直書，而竊取之義自見矣。

仲孫蔑、衛孫林父會吴于善道。

正傳曰：善道，吴地。書「仲孫蔑、衛孫林父會吴于善道」，著會之非禮也。左氏曰：「吴子使壽越如晉，辭不會于雞澤之故，且請聽諸侯之好。晉人將爲之合諸侯，使魯、衛先會吴，且告會期。故孟獻子、孫文子會吴于善道。」愚謂聖人與天地萬物爲一體也，然于華夷之辨甚嚴，非外二之也，其禮分則然也，所以正冠履而防外侮也。以中國與夷狄會盟，華夷之辨已混矣。聖人之心不欲絶物，來則受之可也，乃使二大夫往會于彼境，則非禮矣。故張氏曰：「悼公初立，其風聲所及，遠人慕之，故吴有志于親中國，辭謝雞澤之不會，而請聽後會之期。悼公告以會期，而聽其自來足矣，至使魯、衛往會之，則是以中國大邦而爲蠻夷屈，此二大夫會吴之所以書也。」是矣〔五〕。

秋，大雩。

正傳曰：大雩者，祭天禱雨，天子之祭也。周之秋，夏之五、六、七月，正農人憂旱之時也。左氏曰：「旱也。」是魯因旱而致〔六〕大雩，聖人因史而書之，其僭禮之罪自見矣。

楚殺其大夫公子壬夫。

正傳曰：壬夫，楚令尹子辛名。書「楚殺其大夫公子壬夫」，則專殺之罪自見矣。葵丘之誓曰無專殺大夫。楚專殺壬夫，是犯禁矣。左氏曰：「楚人討陳叛故，曰：『由令尹子辛實侵欲焉。』乃殺之。書曰『楚殺其大夫公子壬夫』，貪也。君子謂：『楚共王于是不刑。詩曰：「周道挺挺，我心扃扃。講事不令，集人來定。」已則無信，而殺人以逞，不亦難乎？』」愚謂壬夫以貪敗政而遠人叛之，可殺也。然不以請于天子、歸之司寇而殺之，是乃專殺，自干先王之誅矣，故春秋書之。

公會晉侯、宋公、陳侯、衛侯、鄭伯、曹伯、莒子、邾子、滕子、薛伯、齊世子光、吳人、鄫人于戚。

正傳曰：書「公會晉、宋、陳、衛、鄭、曹、莒、邾、滕、薛、齊、吳、鄫之諸侯、世子、大夫于戚」，善其會也，善拒楚也。左氏曰：「九月丙午，盟于戚，會吳，且命戍陳也。穆叔以屬鄫爲不利，使鄫大夫聽命于會。」愚謂戍陳所以拒楚也，拒楚善矣，然援吳以入中國，則恐有勾賊破家之患焉。聖人于春秋皆書之，其竊取之義見矣。程子曰：「吳來會，非爲主也。」胡氏又謂「來會諸侯而不爲主，則進而稱『人』；諸侯往與之會而主吳，則貶而稱國」，則泥矣。

公至自會。

正傳曰：書「公至自會」，謹君之出入也。

冬，戍陳。

正傳曰：戍者，以兵守之也。公羊曰：「孰戍之？諸侯戍之。」故言魯則諸侯之戍可知矣。何以書戍？程子曰：「非王命而勤〔七〕民遠戍，罪也，而善戍陳，何哉？蓋陳附中國而楚爭之，則戍之者在于助陳而拒楚，與之可也。」愚謂斯義得之矣。

楚公子貞帥師伐陳。公會晉侯、宋公、衛侯、鄭伯、曹伯、齊世子光救陳。

正傳曰：書楚伐陳，諸侯救陳，善之也，善拒楚也，攘夷以尊夏也。左氏曰：「楚子囊爲令尹。范宣子曰：『我喪陳矣。楚人討貳而立子囊，必改行，而疾討陳。陳近于楚，民朝夕急，能無往乎？有陳，非吾事也；無之而後可。』冬，諸侯戍陳。子囊伐陳。十一月甲午，會于城棣以救之。」

十有二月，公至自救陳。

正傳曰：書「公至自救陳」，謹君之出入也。穀梁曰：「善救陳也。」

辛未，季孫行父卒。

正傳曰：稱名不稱大夫，無他義，然則以稱官不稱官觀春秋，則不足以明春秋矣。書「辛未，季孫行父卒」，則其平生之善可考見矣。左氏曰：「季文子卒。大夫入斂，公在位。宰庀家器爲葬備，無衣帛之妾，無食粟之馬，無藏金玉，無重器備，君子是以知季文子之忠于公室也，相三君矣，而無私積，可不謂忠乎？」愚謂由是觀之，則平生之善豈不可見乎！

六年

晉悼六年、齊靈十五年、衛獻十年、蔡景二十五年、鄭僖四年、曹成十一年、陳哀二年、杞桓七十年卒、宋平九年、秦景十年、楚共二十四年、吳壽夢十九年。靈王五年。

春王三月，壬午，杞伯姑容卒。

正傳曰：姑容，杞伯名，謚桓公。書「杞伯姑容卒」，志同盟之大故也。左氏曰：「春，杞桓公卒。始赴以名，同盟故也。」

夏，宋華弱來奔。

正傳曰：華弱，宋大夫。書「宋華弱來奔」，憫奔者而罪夫奔之者也。左氏曰：「宋華弱與樂轡少相狎，長相優，又相謗也。子蕩怒，以弓梏華弱于朝。平公見之，曰：『司武而梏于朝，難以勝矣。』遂逐之。夏，宋華弱來奔。司城子罕曰：『同罪異罰，非刑也。專戮于朝，罪孰大焉？』亦逐子蕩。子蕩射子罕之門，曰：『幾日而不我從！』子罕善之如初。」愚謂弱不能以禮自保，守先人之遺，而至于出奔，子蕩以忿嫉而梏之，平公因而逐之，使奔他國，是子蕩之忿嫉、平公之輕棄，罪矣，而弱之奔亦不能無罪焉，然而猶在所可憫者也，春秋書之之意可見矣。

秋，葬杞桓公。

正傳曰：書「葬杞桓公」，以來赴而志之，著諸侯有同盟皆至之禮焉。

滕子來朝。

正傳曰：書「滕子來朝」，志邦交之禮也。左氏曰：「秋，滕成公來朝，始朝公也。」愚謂諸侯初立，同列有相朝之禮，滕子來朝，可謂得禮矣。

莒人滅鄫。

正傳曰：書「莒人滅鄫」，誅貪暴也，而聖人興滅繼絶之情見矣。左氏曰：「鄫恃賂也。」是矣。蓋鄫恃賂而不脩備，故莒得而滅之。穀梁以爲：「莒人滅鄫，非滅也，立異姓以莅祭祀，滅亡之道也。」胡氏又謂：「公羊亦云：『莒女有爲鄫夫人者，蓋欲立其出也。』或曰：鄫取莒公子爲後。」愚謂皆非也。按左傳：襄公四年冬，公如晉。孟獻子相，請屬鄫，晉許之。五年夏，叔孫豹覿鄫世子巫于晉，以成屬鄫。其年秋九月，公會十三國諸侯大夫于戚，鄫人又與焉。左氏以爲穆叔以屬鄫爲不利，使鄫大夫聽命于會，則魯復又不屬鄫矣。故至是莒人取之。至昭四年九月，書「魯取鄫」，左氏謂莒亂，著丘公立，不撫鄫，鄫叛而來，則莒人于襄六年滅鄫以爲邑，乃其實事明矣。至昭四年，鄫人乃叛而來魯，魯取之也。自經書「九月取鄫」之後，鄫再不書于經，不與于會盟，則到彼時爲魯取焉耳。況此經書「滅」在于六年之秋，明有其時，豈有世子巫已如晉，又謂立異姓，取莒公子爲後，而始于此時耶？諸儒之説皆誤矣。

冬，叔孫豹如邾。

正傳曰：書「冬，叔孫豹如邾」，善其如也。左氏曰：「冬，穆叔如邾，聘，且脩平。」愚謂聘而脩平者，聖人之所善也，故春秋書之，其亦與人爲善之意乎！

季孫宿如晉。

正傳曰：宿，行父之子，始嗣。立爲大夫。據左氏謂「晉人以鄫滅來討故，宿如晉」，此季孫宿如晉之由也。蓋魯前既以屬鄫告晉，至是聽莒滅之，故晉人來討，若曰爾屬鄫，何以聽鄫之見滅也？然宿以父喪未周，非有國家金革之事而遽如晉，則其如之非禮可見矣，此春秋所以書之歟！

十有二月，齊侯滅萊。

正傳曰：書「齊侯滅萊」，則貪殘之兵可見矣。左氏曰：「十一月，齊侯滅萊，萊恃謀也。于鄭子國之來聘也，四月，晏弱城東陽，而遂圍萊。甲寅，堙之環城，傅于堞。及杞桓公卒之月，乙未，王湫帥師及正輿子、棠人軍齊師，齊師大敗之。丁未，入萊。萊共公浮柔奔棠。正輿子、王湫奔莒，莒人殺之。四月，陳無宇獻萊宗器于襄宫。晏弱圍棠，十一月丙辰滅之。遷萊于郳。高厚、崔杼定其田。」愚謂以大事小，國君之仁也。興滅國，繼絶世，先王之政也。齊侯恃其强大，逞其憤而滅小國，非仁矣。絶滅人之社稷宗廟，定其田焉，其悖先王興滅繼絶之道矣，何以令天下乎？

靈王六年。七年晉悼七年、齊靈十六年、衛獻十一年、蔡景二十六年、鄭僖五年卒、曹成十二年、陳哀三年、杞孝公匄元年、宋平十年、秦景十一年、楚共二十五年、吴壽夢二十年。

春，郯子來朝。

正傳曰：書「郯子來朝」，志邦交之禮也。左氏以爲始朝公也，蓋公即位至是七年矣，而始朝者，似爲慢，然而雖加一日，猶愈于已也，故春秋書之。高氏曰：「郯，少皞氏之後也。前世聖賢之後，所封之國皆逼近四夷，先王之意非特以蕃王室，蓋用夏變夷也。後世子孫往往多變于夷者，反漸其習俗。」然也。

夏四月，三卜郊，不從，乃免牲。

正傳曰：周夏四月，即夏之春二月，此郊乃祈穀之祀也。書「夏四月，三卜郊，不從，乃免牲」，見非禮之中又非禮也。穀梁曰：「夏四月，不時也。」左氏曰：「孟獻子曰：『吾乃今而後知有卜、筮。夫郊，祀后稷以祈農事也。是故啓蟄而郊，郊而後耕。今既耕而卜郊，宜其不從也。』」愚謂古者冬至日郊天迎陽至，故不卜郊，此卜郊乃祈穀。左氏、穀梁二傳乃謂不時，既耕卜郊，皆誤也。魯之郊非禮矣，以四陽而郊，非其時又非禮矣。故春秋以非時書，而非禮之祀自見矣。

小邾子來朝。

正傳曰：書「小邾子來朝」，志邦交之禮也。左氏曰：「小邾穆公來朝，亦始朝公也。」愚謂小邾以襄公即位而來朝，得朝聘之禮也。

城費。

正傳曰：城者，築城也。費，季氏邑也。書「城費」，志非禮也。孔子曰「大夫無百雉之城」，而季氏城費，又以夏役奪民時，二者皆非禮之甚矣。左氏曰：「南遺爲費宰。叔仲昭伯爲隧正，欲善季氏，而求媚於南遺。謂遺：『請城費，吾多與而役。』故季氏城費。」胡氏曰：「夫文子相三君，無衣帛之妾，無食粟之馬，無藏金玉，無重器備，則固忠于公室，而不顧其所食之私邑也。及行父卒，宿之不忠，遂專魯國之政，羣小媚之，無故勞民，妄興是役，季氏益張，其後孔子行乎季孫，三月不違，至於帥師墮費，其越禮不度可知矣。然則書『城費』，乃履霜堅冰之戒，强私家弱公室之萌，據事直書而義自見矣。用人不惟其賢惟其世，豈不殆哉！」

秋，季孫宿如衛。

正傳曰：書「季孫宿如衛」，志其如之禮也。左氏曰：「秋，季武子如衛，報子叔之聘，且辭緩報，非貳也。」愚謂春秋之「如」有不同。有謀人而如者，有貪利而如者，非聖人之所與也。至于報聘而辭緩，則有睦鄰脩好之道，故春秋書而與之。

八月，螽。

正傳曰：書「螽」，志災也，聖人重民食之情見矣。

冬十月，衛侯使孫林父來聘。壬戌，及孫林父盟。

正傳曰：書「衛侯使孫林父來聘，及林父盟」，禮也，而非禮並見矣。夫聘者，諸侯邦交之禮，使大夫，禮也。因而使盟，非禮也。故春秋並書而其似禮而非禮見矣。左氏曰：「衛孫文子來聘，且拜武子之言，而尋孫桓子之盟。公登，亦登。叔孫穆子相，趨進，曰：『諸侯之會，寡君未嘗後衛君。今吾子不後寡君，寡君未知所過。吾子其少安！』孫子無辭，亦無悛容。穆叔曰：『孫子必亡。爲臣而君，過而不悛，亡之本也。詩曰「退食自公，委蛇委蛇」，謂從者也。衡而委蛇，必折。』」

楚公子貞帥師圍陳。

正傳曰：書「楚公子貞帥師圍陳」，志蠻夷之猾夏也。

十有二月，公會晉侯、宋公、陳侯、衛侯、曹伯、莒子、邾子于鄬。

正傳曰：書公會諸侯于鄬，善其會也。左氏曰：「楚子囊圍陳，會于鄬以救之。」愚謂會諸侯救陳以擯楚，尊夏攘夷，善之大者也，故春秋與之。

鄭伯髡頑如會，未見諸侯。丙戌，卒于鄵。

正傳曰：鄵，鄭地。書「鄭伯如會，未見諸侯，卒于鄵」，志變也，憫其遷善之念也。夫鄭伯如會，棄楚以救陳，逃夷以歸華，一念悔過遷善之正也，而遽卒焉，聖人之所憫也，故書之春秋。左氏曰：「鄭僖公之爲太子也，於成之十六年與子罕適晉，不禮焉。又與子豐適楚，亦不禮焉。及其元年朝于晉，子豐欲愬諸晉而廢之，子罕止之。及將會于鄬，子駟相，又不禮焉。侍者諫，不聽。又諫，殺之。及鄵，子駟使賊夜弑僖公，而以瘧疾赴于諸侯。簡公生五年，奉而立之。」愚謂事雖未可考信，而春秋之書皆史氏據赴而書者，而聖人竊取之義則不係乎此，亦不足深論也。胡氏曰：「按鄭僖公三傳皆以爲弑，而春秋書『卒』者，左氏則曰『以瘧疾赴也』，公羊則曰『爲中國諱也』，穀梁則曰『不使夷狄之民加乎中國之君也』。夫弑而可以僞赴，又順其欲而不彰，則亂臣賊子免於見討，而春秋非傳信之書矣。然則弑而書『卒』，二傳以爲爲中國諱，不使夷狄之民加中國之君，疑得聖人之意，顧習其説者未之察爾。夫弑君之賊，其惡不待貶絶而自見矣。見弑者豈無不善之積以及其身者乎？衛桓則以嫡母無寵，宋殤則以亟戰疲民，齊襄則以行同鳥獸，鄭夷則以侮慢大臣，蔡固則以淫而不父，陳平國則以殺諫臣而通于夏氏，楚虔則以多行無禮，奚齊則以嬖孽而國人不之君，吴餘祭則以輕近刑人，而晋州蒲欲盡去羣大夫而立其左右也，若夫鄭僖公則異於是矣。中國者，禮義之所出也。夷狄者，禽獸之與鄰也。僖公欲從諸侯會于鄬，則是貴禮義爲中國之君也。諸大夫欲背諸夏、與荆楚，則是近禽獸爲夷狄之民也。以中國之君，而見弑於夷狄之民，豈有不善之積以及其身者乎？聖人至是，傷之甚，懼之甚，故變文而書曰『鄭伯髡頑如會，未見諸侯。丙戌，卒于鄵』。未見諸侯，其曰『如會』何？致其志也。諸侯卒于境内，不地。鄵，鄭邑也。其曰『卒于鄵』，見其弑而隱之也。卒鄭伯、逃歸陳侯，聖人之旨微，而公、穀之義精矣，存天理抑人欲之意遠矣。」愚謂諸侯卒于境内不地，此所謂義例，不知孔子爲之耶？抑後儒爲之耶？拘聖經所無之例，昧聖人竊取之義，皆此之類爲之蔽也，吾故謂孟子之後無善治春秋者。

陳侯逃歸。

正傳曰：書「陳侯逃歸」，則陳侯之罪自見矣。左氏曰：「陳人患楚。慶虎、慶寅謂楚人曰：『吾使公子黄往，而執之。』楚人從之。二慶使告陳侯于會，曰：『楚人執公子黄矣。

君若不來，羣臣不忍社稷宗廟，懼有二圖。』陳侯逃歸。」愚謂諸侯之會，凡以救陳也。陳侯既無預防之策，又背其信義以逃歸，其何以自立乎？胡氏曰：「穀梁子曰：『逃義曰逃。』逃者，匹夫之事。上二年諸侯戍陳，今楚令尹來伐，諸侯又救之，亦既勤矣。爲陳侯計者，下令國中，大申儆備，立太子以固守，親聽命於諸侯，謀禦敵之策。當是時，晉君方明，八卿和睦，諸侯聽命，必能致力於陳矣。不此之顧，棄儀衛而逃歸，此匹夫之事耳。夫義，路也；禮，門也。輕棄中國，惟蠻夷之懼，是不能由是路出入是門，故書『逃歸』以罪之，可謂深切著明矣。」愚謂逃義曰逃之說非也，逃則非義矣。

靈王七年。**八年**晉悼八年、齊靈十七年、衛獻十二年、蔡景二十七年、鄭簡公嘉元年、曹成十三年、陳哀四年、杞孝二年、宋平十一年、秦景十二年、楚共二十六年、吳壽夢二十一年。

春王正月，公如晉。

正傳曰：書「公如晉」，見其如之過禮也。左氏曰：「春，公如晉，朝，且聽朝聘之數。」夫襄公立八年而三朝于晉，過于五年一朝天子之禮矣。至是又朝，以聽朝聘之數焉，宛若諸侯聽命於天子者，此魯所以日卑也，惜哉！

夏，葬鄭僖公。

正傳曰：書「葬鄭僖公」，志鄰國之大事也。公羊曰：「賊未討，何以書葬？爲中國諱也。」

愚謂當時鄭以病卒赴，未嘗以賊也，故春秋因其赴而書之耳。若以賊弑赴，則春秋當直書之，以爲天下後世戒，何必爲中國諱哉？若云賊未討不葬，乃彼國事也，何與於魯？

鄭人侵蔡，獲蔡公子燮。

正傳曰：書「鄭人侵蔡，獲蔡公子燮」，則罪不義也。左氏曰：「庚寅，鄭子國、子耳侵蔡，獲蔡司馬公子燮。鄭人皆喜，唯子産不順，曰：『小國無文德，而有武功，禍莫大焉。楚人來討，能勿從乎？從之，晋師必至。晋、楚伐鄭，自今鄭國不四、五年弗得寧矣。』子國怒之曰：『爾何知！國有大命，而有正卿，童子言焉，將爲戮矣！』」愚謂：記曰：「國必自伐，然後人伐之。」故侵人者人亦侵之矣，伐人者人亦伐之矣。子産有至言，而鄭之君臣不之知，徒多行不義，鮮不反自及矣。

季孫宿會晋侯、鄭伯、齊人、宋人、衛人、邾人于邢丘。

正傳曰：書「季孫宿與諸侯之大夫會晋侯、鄭伯于邢丘」，志非禮也。左氏曰：「五月甲辰，會于邢丘，以命朝聘之數，使諸侯之大夫聽命。季孫宿、齊高厚、宋向戌、衛甯殖、邾大夫會之。鄭伯獻捷于會，故親聽命。」諸侯之大夫聽命朝聘之數，使若以臣承命於君然，未爲不可，然而非禮也。天下有道，禮樂自天子出。晋以諸侯之霸而專制天子之命，是禮樂自諸侯出矣，故曰非禮也。使晋侯知禮，則必請天子五載一巡狩，羣后四朝及諸侯聘問之禮，使禮樂自天子出，則爲得〔八〕禮之正矣，惜乎其不知出此也！胡氏曰：「蘇轍曰：『晉悼公脩文、襄之業，改命朝聘之數，使諸侯之大夫聽命於會。大夫稱「人」，衆辭也。朝聘之節，儉而有禮，衆之所安也。』臣則以爲大夫稱『人』，貶之也。昔周公戒成王以『繼自今我其立政立事』，夫不自爲政而委於臣下，是以國之利器示人而不知寶也。朝聘，事之大者，重煩諸侯而使大夫聽命，無乃以姑息愛人而不由德乎？使政在大夫而諸侯失國，又豈所以愛之也？後此八年，湨梁之會，悼公初没，諸侯皆在而大夫獨盟，君若贅旒，夫豈一朝一夕之故哉？故邢丘之事，魯公在晋，而季孫宿會，見魯之失政也。諸侯之大夫貶而稱『人』，謹其始也。」愚謂禮樂自天子出，是則然矣。至於稱「人」，非貶也，以諸大夫聽命于晋，晋君屬也，以臣承君，順也，何足貶？若以諸侯聽命，則以同列承命，同列如奉天子然，乃大不可耳。

公至自晋。

正傳曰：書「公至自晋」，謹君之出入也。

莒人伐我東鄙。

正傳曰：書「莒人伐我東鄙」，志警也，罪小國之犯大也。

秋九月，大雩。

正傳曰：周之秋九月，即夏七月也。左氏曰：「旱也。」記曰：「七、八月之間旱，則苗槁矣。」以旱而雩，春秋書之，而非禮見矣。

冬，楚公子貞帥師伐鄭。

正傳曰：書「楚公子貞帥師伐鄭」，則伐之者與致伐者其罪並見矣。左氏曰：「冬，楚子囊伐鄭，討其侵蔡也。子駟、子國、子耳欲從楚，子孔、子蟜、子展欲待晉。子駟曰：『周詩有之曰：「俟河之清，人壽幾何？兆云詢多，職競作羅。」謀之多族，民之多違，事滋無成。民急矣，姑從楚，以紓吾民。晉師至，吾又從之。敬共幣帛，以待來者，小國之道也。犧牲玉帛，待於二竟，以待彊者而庇民焉。寇不爲害，民不罷病，不亦可乎？』子展曰：『小所以事大，信也。小國無信，兵亂日至，亡無日矣。五會之信，今將背之，雖楚救我，將安用之？親我無成，鄙我是欲，不可從也。舍之聞之，杖莫如信。完守以老楚，杖信以待晉，不亦可乎？』子駟曰：『詩云：「謀夫孔多，是用不集。發言盈庭，誰敢執其咎？如匪行邁謀，是用不得于道。」請從楚，騑也受其咎。』乃及楚平。使王子伯駢告于晉，曰：『君命敝邑：「脩而車賦，儆而師徒，以討亂畧。」蔡人不從，敝邑之人不敢寧處，悉索敝賦，以討于蔡，獲司馬燮，獻于邢丘。今楚來討曰：「女何故稱兵于蔡？」民知窮困，而受盟于楚。孤也與其二三臣不能禁止，不敢不告。』知武子使行人子員對之曰：『君有楚命，亦不使一介行李告于寡君，而即安于楚。君之所欲也，誰敢違君？寡君將帥諸侯以見于城下，唯君圖之。』」愚謂觀此，則楚之伐鄭固爲非義，而鄭不自守而伐蔡，亦有以召之也。及楚兵壓境，又背晉以與楚平，是又以召晉兵之至也。前不聽子產之言，後又不聽子展之言，以至於此也。胡氏曰：「齊宣王問孟子：『交鄰國有道乎？』孟子曰：『有。惟智者爲能以小事大，故大王事獯鬻，勾踐事吴。以小事大，畏天者也。畏天者保其國。』鄭介大國之間，困强楚之令，而欲息肩于晉，若能信任仁賢，明其刑政，經畫財賦，以禮法自守而親比四鄰，必能保其封境，荆楚雖大，何畏焉？而子耳、子國加兵于蔡，獲公子燮，無故怒楚，所謂不脩文德而有武功者也。楚人來討，不從則力不能敵，從之則晉師必至，故國人皆喜，而子產獨不順焉。以晉、楚之争鄭，自兹弗得寧矣，是以獲公子燮，特書『侵蔡』以罪之。而公子貞來伐，鄭及楚平，不復書矣。平而不書，以見鄭之屈服于楚而不信也。犧牲玉帛，待于境上，以待强者而請盟，其能國乎？」

晉侯使士匄來聘。

正傳曰：書「晉侯使士匄來聘」，志邦交也，有往來之禮也。左氏曰：「晉范宣子來聘，且拜公之辱，告將用師于鄭。公享之。宣子賦摽有梅。季武子曰：『誰敢哉？今譬于草木，寡君在君，君之臭味也。歡以承命，何時之有？』武子賦角弓。賓將出，武子賦彤弓。宣子曰：『城濮之役，我先君文公獻功于衡雍，受彤弓於襄王，以爲子孫藏。匄也，先君守官之嗣也，敢不承命？』君子以爲知禮。」愚謂公先如晉，而晉侯使士匄來聘拜辱，可謂一往一來，禮無不報者矣。及告伐鄭，賦詩相求而應命如響，其于邦交之儀，得其正矣。故君子以爲知禮，春秋與之。

靈王八年。**九年** 晉悼九年、齊靈十八年、衛獻十三年、蔡景二十八年、鄭簡二年、曹成十四年、陳哀五年、杞孝三年、宋平十二年、秦景十三年、楚共二十七年、吳壽夢二十二年。

春，宋災。

正傳曰：書「宋災」，志相恤之義也。左氏曰：「宋災，樂喜爲司城以爲政，使伯氏司里。火所未至，徹小屋，塗大屋，陳畚、挶；具綆、缶，備水器，量輕重，蓄水潦，積土塗；巡丈城，繕守備，表火道。使華臣具正徒，令隧正納郊保，奔火所。使華閱討右官，官庀其司。向戌討左，亦如之。使樂遄庀刑器，亦如之。使皇鄖命校正出馬，工正出車，備甲兵，庀武守。使西鉏吾庀府守，令司宮、巷伯儆宮。二師令四鄉正敬享，祝宗用馬于四墉，祀盤庚于西門之外。晉侯問于士弱曰：『吾聞之，宋災於是乎知有天道，何故？』對曰：『古之火正，或食於心，或食於味，以出內火。是故味爲鶉火，心爲大火。陶唐氏之火正閼伯居商丘，祀大火，而火紀時焉。相土因之，故商主大火。商人閔其禍敗之釁，必始於火，是以日知其有天道也。』公曰：『可必乎？』對曰：『在道。國亂無象，不可知也。』」

夏，季孫宿如晉。

正傳曰：書「季孫宿如晉」，志邦交之禮也。左氏曰：「季武子如晉，報宣子之聘也。」報聘者，禮也，禮尚往來也。

五月辛酉，夫人姜氏薨。

正傳曰：姜氏，穆姜，成公母也。書「辛酉，夫人姜氏薨」，志國母之大故也。左氏曰：「穆姜薨於東宮。始往而筮之，遇艮之八。史曰：『是謂艮之隨。隨，其出也。君必速出！』姜曰：『亡！是於周易曰：「隨，元、亨、利、貞，无咎。」元，體之長也；亨，嘉之會也；利，義之和也；貞，事之幹也。體仁足以長人，嘉會足以合禮，利物足以和義，貞固足以幹事。然，故不可誣也，是以雖隨无咎。今我婦人，而與於亂。固在下位，而有不仁，不可謂元。不靖國家，不可謂亨。作而害身，不可謂利。棄位而姣，不可謂貞。有四德者，隨而无咎。我皆无之，豈隨也哉？我則取惡，能无咎乎？必死於此，弗得出矣。』」

秋八月癸未，葬我小君穆姜。

正傳曰：穆，姜氏謚。書「葬我小君穆姜」，謹國母之大事也。

冬，公會晉侯、宋公、衛侯、曹伯、莒子、邾子、滕子、薛伯、杞伯、小邾子、齊世子光伐鄭。十有二月己亥，同盟于戲。

正傳曰：戲，鄭地。書公會諸侯伐鄭，罪從夷也。同盟于戲，善歸正也。左氏曰：「冬十月，諸侯伐鄭。庚午，季武子、齊崔杼、宋皇鄖從荀罃、士匄門于鄟門，衛北宫括、曹人、邾人從荀偃、韓起門于師之梁，滕人、薛人從欒黶、士魴門于北門，杞人、郳人從趙武、魏絳斬行栗。甲戌，師于氾。令於諸侯曰：『脩器備，盛餱糧，歸老幼，居疾于虎牢，肆眚，圍鄭。』鄭人恐，乃行成。中行獻子曰：『遂圍之，以待楚人之救也，而與之戰。不然，無成。』知武子曰：『許之盟而還師，以敝楚人。吾三分四軍，與諸侯之鋭，以逆來者，於我未病，楚不能矣，猶愈於戰。暴骨以逞，不可以争。大勞未艾，君子勞心，小人勞力，先王之制也。』諸侯皆不欲戰，乃許鄭成。十一月己亥，同盟于戲，鄭服也。將盟，鄭六卿公子騑、公子發、公子嘉、公孫輒、公孫蠆、公孫舍之及其大夫、門子，皆從鄭伯。晋士莊子爲載書，曰：『自今日既盟之後，鄭國而不唯晋命是聽，而或有異志者，有如此盟！』公子騑趨進曰：『天禍鄭國，使介居二大國之間，大國不加德音，而亂以要之，使其鬼神不獲歆其禋祀，其民人不獲享其土利，夫婦辛苦墊隘，無所厎告。自今日既盟之後，鄭國而不唯有禮與彊可以庇民者是從，而敢有異志者，亦如之！』荀偃曰：『改載書。』公孫舍之曰：『昭大神要言焉。若可改也，大國亦可叛也。』知武子謂獻子曰：『我實不德，而要人以盟，豈禮也哉？非禮，何以主盟？姑盟而退，脩德、息師而來，終必獲鄭，何必今日？我之不德，民將棄我，豈唯鄭？若能休和，遠人將至，何恃於鄭？』乃盟而還。」愚謂觀此則鄭有罪而伐之，既服而盟釋之，與窮兵黷武者異矣，亦聖人之所與也，故書之。胡氏曰：「夫善爲國者不師，善師者不陣，善陣者不戰。知武子明于善陣之法以佐晉悼公，屢與諸侯伐鄭，楚輒救之，而不與之戰，楚師遂屈，得善勝之道矣，故下書蕭魚之會以美之。」

楚子伐鄭。

正傳曰：書「楚子伐鄭」，志憤怨之兵也。鄭與晉平，故楚憤其二心而伐之。夫鄭一懷二心于兩大國之間，而干戈相尋無已。苟失其忠信，國其能自立乎？子展之言驗矣。左氏曰：「楚子伐鄭。子駟將及楚平，子孔、子蟜曰：『與大國盟，口血未乾而背之，可乎？』子駟、子展曰：『吾盟固云「唯彊是從」，今楚師至，晉不我救，則楚彊矣。盟誓之言，豈敢背之？且要盟無質，神弗臨也。所臨唯信，信者，言之瑞也，善之主也，是故臨之。明神不蠲要盟，背之，可也。』乃及楚平。公子罷戎入盟，同盟于中分。楚莊夫人卒，王未能定鄭而歸。」愚謂君子盡其在我者耳。夫信在我，見信不見信在人，豈可以其要盟而背之乎？此鄭之棄信，所以互見討于晉、楚也，不亡何待？

校記：

〔一〕「年」下，嘉靖本有「冬」字。

〔二〕「盟」，嘉靖本作「行」。

〔三〕「許」，據嘉靖本補。

〔四〕「執」，原作「職」，據嘉靖本改。

〔五〕「矣」，原作「夫」，據嘉靖本改。

〔六〕「致」，嘉靖本作「舉」。

〔七〕「勤」，原作「戍」，據嘉靖本改。

〔八〕「得」，原作「德」，據嘉靖本改。

春秋正傳卷之二十六

襄公

十年靈王九年。晉悼十年、齊靈十九年、衛獻十四年、蔡景二十九年、鄭簡三年、曹成十五年、陳哀六年、杞孝四年、宋平十三年、秦景十四年、楚共二十八年、吴壽夢二十三年。

春，公會晉侯、宋公、衛侯、曹伯、莒子、邾子、滕子、薛伯、杞伯、小邾子、齊世子光會吴于柤。

正傳曰：柤，楚地。書「公會晉、宋、衛、曹、莒、邾、滕、薛、杞、小邾諸侯、齊世子會吴于柤」，志其會之非也。會中國以會夷狄，非禮也。穀梁曰「不以中國從夷狄」，是也。夫中國之待夷狄，來則受之，去則勿追可也。今乃率中國諸侯而往會之，其禮則卑矣。冠雖敝不以加於足，嚴其分也，於此可以見中國之無人矣。左氏曰：「春，會于柤，會吴子壽夢也。三月癸丑，齊高厚相太子光，以先會諸侯于鍾離，不敬。士莊子曰：『高子相太子以會諸侯，將社稷是衛，而皆不敬，棄社稷也，其將不免乎！』夏四月戊午，會于柤。」

夏五月甲午，遂滅偪陽。

正傳曰：偪陽，妘姓，楚與國也。遂者，繼事之詞，諸侯因會而遂滅偪陽也。何以書？見中國無興滅恤小之義也。夫率中國諸侯以往會吴，其義已卑矣，又因而滅無罪之小國，則彼吴蠻者見之，何以服其心乎？左氏曰：「晉荀偃、士匄請伐偪陽，而封宋向戌焉。荀罃曰：『城小而固，勝之不武，弗勝爲笑。』固請。丙寅，圍之，弗克。諸侯之師久於偪陽，荀偃、士匄請於荀罃曰：『水潦將降，懼不能歸，請班師。』知伯怒，投之以机，出於其間，曰：『女成二事，而後告余。余恐亂命，以不女違。七日不克，必爾乎取之！』五月庚寅，荀偃、士匄帥卒攻偪陽，親受矢石，甲午，滅之。書曰『遂滅偪陽』，言自會也。以與向戌。向戌辭曰：『君若猶辱鎮撫宋國，而以偪陽光啓寡君，羣臣安矣，其何貺如之！若專賜臣，是臣興諸侯以自封也，其何罪大焉！敢以死請。』乃予宋公。宋公享晉侯於楚丘，請以桑林。荀罃辭。荀偃、士匄曰：『諸侯，宋、魯於是觀禮。魯有禘樂，賓祭用之。宋以桑林享君，不亦可乎？』晉侯有間，以偪陽子歸，獻于武宮。」愚謂以偪陽封向戌，向戌固辭不受，是矣。以與宋公，宋公受之，亦非福也。

公至自會。

正傳曰：書「公至自會」，謹君之出入也，所以始終乎是會之非也。

楚公子貞、鄭公孫輒帥師伐宋。

正傳曰：書「楚、鄭伐宋」，著從夷陵夏之罪也。左氏曰：「六月，楚子囊、鄭子耳伐宋，師于訾母。庚午，圍宋，門于桐門。」愚謂是亦宋不能無致之之罪焉。諸侯滅偪陽以與宋，宋受之，爲不義矣，此其所以召楚、鄭之兵乎？鄭初盟中國，乃背中國以從夷狄，又助夷狄以伐中國，其罪在不赦矣。春秋書之，深惡之之義見矣。

晉師伐秦。

正傳曰：書「晉師伐秦」，著報怨之師也。左氏曰：「晉荀罃伐秦，報其侵也。」愚謂晉不勝其怨憤之心，勞師相報，以怨報怨，何時已乎？赤子糜爛，何辜乎？故春秋罪之。

秋，莒人伐我東鄙。

正傳曰：書「莒人伐我東鄙」，志警也。左氏曰：「莒人間諸侯之有事也，故伐我東鄙。」愚謂由是觀之，莒人間諸侯之有事而來伐，以無警備故也。書曰：「惟事事乃其有備，有備無患。」詩曰：「迨天之未陰雨，徹彼桑土，綢繆牖户。今此下民，或敢侮予？」警而有備，誰敢侮之？

公會晉侯、宋公、衛侯、曹伯、莒子、邾子、齊世子光、滕子、薛伯、杞伯、小邾子伐鄭。

正傳曰：書十二諸侯伐鄭，志討罪也。鄭既與中國諸侯盟，背之以從楚，又助楚以伐中國，其罪不容誅矣，故十二諸侯往討之。左氏曰：「諸侯伐鄭，齊崔杼使太子光先至於師，故長於滕。己酉，師于牛首。」

冬，盜殺鄭公子騑、公子發、公孫輒。

正傳曰：書盜殺鄭三卿，志亂賊也。左氏曰：「初，子駟與尉止有爭，將禦諸侯之師，而黜其車。尉止獲，又與之爭。子駟抑尉止曰：『爾車，非禮也。』遂弗使獻。初，子駟爲田洫，司氏、堵氏、侯氏、子師氏皆喪田焉。故五族聚羣不逞之人，因公子之徒以作亂。於是子駟當國，子國爲司馬，子耳爲司空，子孔爲司徒。冬十月戊辰，尉止、司臣、侯晉、堵女父、子師僕帥賊以入，晨攻執政于西宮之朝，殺子駟、子國、子耳，劫鄭伯以如北宮。子孔知之，故不死。書曰『盜』，言無大夫焉。子西聞盜，不儆而出，尸而追盜。盜入於北宮，乃歸，授甲，臣妾多逃，器用多喪。子産聞盜，爲門者，庀羣司，閉府庫，慎閉藏，完守備，成列而後出，兵車十七乘。尸而攻盜於北宮，子蟜帥國人助之，殺尉止、子師僕，盜衆盡死。侯晉奔晉，堵女父、司臣、尉翩、司齊奔宋。」愚謂書「盜殺」，則罪人斯得矣，然而曾子曰：「吾得正而斃焉，斯已矣。」騑、發、輒皆大夫也，不良于政，身死于盜，不得其正矣。聖人之取義將於是乎？在程子乃以爲「不稱大夫，〔失〕[一]卿職也。」胡氏以爲：「卿大夫者，國君之陪貳，政之本。乃至於身不能保，而盜得殺之於朝，爲失陪貳之道，故削其大夫。」則皆求義之過，而失誅亂賊之旨矣。

戍鄭虎牢。楚公子貞帥師救鄭。

正傳曰：虎牢復曰鄭者，鄭之舊封，猶言宋彭城云爾也，亦可以證前虎牢不言鄭者之無他義矣。書「戍鄭虎牢，楚救鄭」，譏之也，罪諸侯之不能存鄭以棄之於楚也。夫諸侯初城虎牢以偪鄭，鄭懼而服，則宜思既來則安之之義，圖所以安存乎鄭可也。鄭之復變而爲楚，豈得已哉？以諸侯莫之救也，既而變以從楚而楚能救之，則楚反能存鄭矣，中國諸侯能無愧乎？春秋書此，其意深矣。左氏曰：「諸侯之師城虎牢而戍之，晉師城梧及制，士魴、魏絳戍之。書曰『戍鄭虎牢』，非鄭地也，言將歸焉。鄭及晉平。楚子囊救鄭。十一月，諸侯之師還鄭而南，至於陽陵。楚師不退。知武子欲退，曰：『今我逃楚，楚必驕，驕則可與戰矣。』欒黶曰：『逃楚，晉之恥也。合諸侯以益恥，不如死。我將獨進。』師遂進。己亥，與楚師夾潁而軍。子蟜曰：『諸侯既有成行，必不戰矣。從之將退，不從亦退。退，楚必圍我。猶將退也，不如從楚，亦以退之。』宵涉潁，與楚人盟。欒黶欲伐鄭師，荀罃不可，曰：『我實不能禦楚，又不能庇鄭，鄭何罪？不如致怨焉而還。今伐其師，楚必救之。戰而不克，爲諸侯笑。克不可命，不如還也。』丁未，諸侯之師還，侵鄭北鄙而歸。楚人亦還。」

公至自伐鄭。

正傳曰：書「公至自伐鄭」，義見于前。

十有一年晋悼十一年、齊靈二十年、衛獻十五年、蔡景三十年、鄭簡四年、曹成十六年、陳哀七年、杞孝五年、宋平十四年、秦景十五年、楚共二十九年、吴壽夢二十四年。靈王十年。

春王正月，作三軍。

正傳曰：作者，新其舊之義。書「作三軍」，志始變制也，變公家之制而爲三家也，而三家不臣之罪見矣。左氏曰：「春，季武子將作三軍，告叔孫穆子曰：『請爲三軍，各征其軍。』穆子曰：『政將及子，子必不能。』武子固請之。穆子曰：『然則盟諸？』乃盟諸僖閎，詛諸五父之衢。正月，作三軍，三分公室而各有其一。三子各毁其乘。季氏使其乘之人，以其役邑入者無征，不入者倍征。孟氏使半爲臣，若子若弟。叔孫氏使盡爲臣，不然不舍。」愚按左傳，季武子之爲三軍，各征其軍，則是分三軍入三家，私門張而公室亡矣。胡氏曰：

「三軍，魯之舊也。古者大國三軍，次國二軍，小國一軍。魯侯封於曲阜，地方數百里，天下莫强焉。及僖公時，能復周公之宇而史克作頌，其詩曰『公車千乘』，説者以爲大國之賦也。又曰『公徒三萬』，説者以爲大國之軍也。故知三軍，魯之舊爾。然車而謂之『公車』，則臣下無私乘也；徒而謂之『公徒』，則臣下無私民也。若有侵伐，諸卿更帥以出，事畢則將歸於朝，車復於甸，甲散於丘，卒還於邑，將皆公家之臣，兵皆公家之衆，不相繫也。文、宣以來，政在私門。襄公幼弱，季氏益張，廢公室之三軍，三家各有其一，季氏盡征焉，而舊法亡矣，是以謂之『作』。其明年季孫宿救台，遂入鄆，又其後享范獻子，而公臣不能具三耦，民不屬公可知矣。春秋書其『作』、『舍』，以見昭公失國，定公無正，而兵權不可去公室，有天下國家者之所宜鑒也。」

夏四月，四卜郊，不從，乃不郊。

正傳曰：書「夏四月，四卜郊，不從，乃不郊」，則三非禮可見矣。穀梁曰：「夏四月，不時也。四卜，非禮也。」愚謂古者至日而郊。四月，四陽之月，是謂不時，一非禮也。古者郊以至日而不卜，卜而且至四焉，二非禮也。禮，天子之祭乃郊天，而魯以諸侯僭之，三非禮也。亦因書而見矣。

鄭公孫舍之帥師侵宋。

正傳曰：書「鄭公孫舍之帥師侵宋」，著詭道之兵也。左氏曰：「鄭人患晉、楚之故，諸大夫曰：『不從晉，國幾亡。楚弱於晉，晉不吾疾也。晉疾，楚將辟之。何爲而使晉師致死於我，楚弗敢敵，而後可固與也。』子展曰：『與宋爲惡，諸侯必至，吾從之盟。楚師至，吾又從之，則晉怒甚矣。晉能驟來，楚將不能，吾乃固與晉。』大夫説之，使疆埸之司惡於宋。宋向戌侵鄭，大獲。子展曰：『師而伐宋可矣。若我伐宋，諸侯之伐我必疾，吾乃聽命焉，且告於楚。楚師至，吾又與之盟，而重賂晉師，乃免矣。』夏，鄭子展侵宋。」愚謂觀此則鄭之侵宋非誠侵宋也，侵宋以致諸侯之師而聽命焉，以告楚，楚師至而與之盟，是得免於二國也，是之謂詭道之兵。

公會晉侯、宋公、衛侯、曹伯、齊世子光、莒子、邾子、滕子、薛伯、杞伯、小邾子伐鄭。

正傳曰：書「公會諸侯伐鄭」，著討叛之師也。鄭叛盟從楚，又以侵宋負罪於中國矣，故又會伐之。左氏曰：「四月諸侯伐鄭。己亥，齊太子光、宋向戌先至于鄭，門于東門。其莫，晉荀罃至于西郊，東侵舊許。衛孫林父侵其北鄙。六月，諸侯會于北林，師于向。右還，次于瑣。圍鄭，觀兵于南〔二〕門，西濟于濟隧。」

秋七月己未，同盟于亳城北。

正傳曰：書「同盟于亳城北」，善同好也。春秋之義，莫不善于戰，莫善于同好，故書之。左氏曰：「鄭人懼，乃行成。秋七月，同盟于亳。范宣子曰：『不慎，必失諸侯。諸侯道敝而無成，能無貳乎？』乃盟。載書曰：『凡我同盟，毋蘊年，毋壅利，毋保姦，毋留慝，救災患，恤禍亂，同好惡，奬王室。或間茲命，司慎、司盟，名山、名川，羣神、羣祀，先王、先公，七姓、十二國之祖，明神殛之，俾失其民，隊命亡氏，踣其國家。』」程子曰：「鄭服而同盟也。隨復從楚伐宋，云同，見其反覆。」愚謂聖人之心如天地，物各付物，不追既往，不逆將來，即事即時，因其同而書同，與其進也，不保其往也，安得因其後之反覆而遽書同以見之哉？

公至自伐鄭。

正傳曰：書「公至自伐鄭」，謹君之出入也。穀梁曰：「不以後〔三〕致，盟後復伐鄭也。」

楚子、鄭伯伐宋。

正傳曰：書「楚子、鄭伯伐宋」，繼于盟亳之後，明失信義也。左氏曰：「楚子囊乞旅于秦。秦右大夫詹帥師從楚子，將以伐鄭。鄭伯逆之。丙子，伐宋。」胡氏曰：「盟于亳城北，鄭服而同盟也。尋復從楚伐宋，故書『同盟』，見其既同而又叛也。既同而又叛，從子展之謀，欲致晉師而後與之也，故亳之盟，其載書曰：『或間茲命，明神殛之，俾失其民，隊命亡氏，踣其國家。』雖渝此盟而不顧也。噫！慢鬼神至於此極，而盟猶足恃乎？」

公會晉侯、宋公、衛侯、曹伯、齊世子光、莒子、邾子、滕子、薛伯、杞伯、小邾子伐鄭，會于蕭魚。

正傳曰：蕭魚，鄭地。何以兩書？善之也。先書諸侯伐鄭，繼書會于蕭魚，則伐而服之，然後與之會。春秋與人遷善之意見矣。左氏曰：「九月，諸侯悉師以復伐鄭。諸侯之師觀兵于鄭東門。鄭人使王子伯駢行成。甲戌，晉趙武入盟鄭伯。冬十月丁亥，鄭子展出盟晉侯。十二月戊寅，會于蕭魚。庚辰，赦鄭囚，皆禮而歸之，納斥候，禁侵掠。晉侯使叔肸告于諸侯。公使臧孫紇對曰：『凡我同盟，小國有罪，大國致討，苟有以藉手，鮮不赦宥，寡君聞命矣。』鄭人賂晉侯以師悝、師觸、師蠲；廣車、軘車淳十五乘，甲兵備，凡兵車百乘；歌鐘二肆，及其鎛、磬；女樂二八。」愚謂始伐其犯中國，鄭服而即與之會盟，與人遷善之意則善矣，然而晉受其賂焉，而欲鄭之心服，得乎？程氏謂會于蕭魚，鄭又服而請會，是也。又謂「不書鄭會，謂其不可信」，非也。晉悼公猶與之會而不疑，豈有既書與之會而又去其「鄭」字以見其不可信耶？胡氏曰：「晉悼公推至誠以待人，信鄭不疑，禮其囚而歸焉。納斥候，禁侵掠，遣叔肸告于諸侯，而鄭自此不復背晉者二十四年。至哉！誠之能感人也。自悼公能謀於魏絳以息民，聽於知武子而不與楚戰，故三駕而楚不能與之爭，雖城濮之績不越是矣。」

公至自會。

正傳曰：書「公至自會」，謹君之出入也，於是乎有反面飲至書勞之禮焉。穀梁曰：「伐而後會，不以伐鄭致，得鄭伯之辭也。」愚謂書「至」舍伐，言會者重會也，重服鄭也。

楚人執鄭行人良霄。

正傳曰：書「楚人執鄭行人良霄」，罪忿暴也。左氏曰：「鄭人使良霄、太宰石㚟如楚，告將服于晉，曰：『孤以社稷之故，不能懷君。君若能以玉帛綏晉，不然，則武震以攝威之，孤之願也。』楚人執之。書曰『行人』，言使人也。」愚謂鄭使行人告服晉，言不得已之故，是鄭舒誠於楚也，鄭爲無罪矣。楚乃不勝其憤怒之心，而遷怒于行人，行人又何罪焉？此楚之所以終爲夷也。

冬，秦人伐晉。

正傳曰：書「秦人伐晉」，著無名之師也。左氏曰：「秦庶長鮑、庶長武帥師伐晉以救鄭。鮑先入晉地，士魴御之，少秦師而弗設備。壬午，武濟自輔氏，與鮑交伐晉師。己丑，秦、晉戰于櫟，晉師敗績，易秦故也。」按高氏曰：「秦景公妹爲楚共王夫人，於是爲楚伐晉，報去年之役，則晉未嘗有罪可聲，秦特爲楚之故伐之耳，是謂無名之兵也，故春秋惡之。」

靈王十一年。十有二年晉悼十二年、齊靈二十一年、衛獻十六年、蔡景三十一年、鄭簡五年、曹成十七年、陳哀八年、杞孝六年、宋平十五年、秦景十六年、楚共三十年、吴壽夢二十五年卒。

春王三月，莒人伐我東鄙，圍台。

正傳曰：台，魯邑名，琅邪費縣。書「莒人伐我東鄙，圍台」，志國警也。夫莒小國而屢犯大國者，豈非魯君徒從事於外而不暇自治，故乘間而伐以圍之耶？記曰：「國必自伐而後人伐之。」又曰：「及是時，明其政刑，誰敢侮之？」

季孫宿帥師救台，遂入鄆。

正傳曰：鄆，莒邑名。書「季孫宿帥師救台」，著正也。書「遂入鄆」，著非正也。夫救台者，承君命而禦侮也，故於義爲正。因救台而入鄆者，非君命，遂己私也，故於義爲不正。據事而書，褒貶之義見矣。左氏曰：「季武子救台，遂入鄆，取其鐘以爲公盤。」穀梁曰：「遂，繼事也。受命而救台，不受命而入鄆，惡季孫宿也。」胡氏曰：「或曰：古者命將，得專制閫外之事，有可以安國家利社稷者，專之可也。曰：此爲境外言之也。台在邦域之中，而專行之，非有無君之心者不敢爲也。昭公逐，定無正，豈一朝一夕之故哉？其所由來者漸矣。」

夏，晉侯使士魴來聘。

正傳曰：書「晉侯使士魴來聘」，志邦交之禮也。左氏曰：「夏，晉士魴來聘，且拜師。」愚謂據此則士魴之來，且聘且拜師，晉悼公於是乎得睦鄰之禮矣，故春秋書以表之。

秋九月，吴子乘卒。

正傳曰：書「吴子乘卒」，來赴故也。左氏曰：「秋，吴子壽夢卒，臨於周廟，禮也。凡諸侯之喪，異姓臨於外，同姓於宗廟，同宗於祖廟，同族於禰廟。是故魯爲諸姬，臨於周廟。爲邢、凡、蔣、茅、胙、祭，臨于周公之廟。」

冬，楚公子貞帥師侵宋。

正傳曰：書「楚公子貞帥師侵宋」，則猾夏之罪自見矣。左氏曰：「冬，楚子囊、秦庶長無地伐宋，師于揚梁，以報晉之取鄭也。」愚謂楚之伐宋，既無可名之罪，特以報晉而遷怒於宋耳。書曰：「蠻夷猾夏，寇賊姦宄。」其楚之謂乎！

公如晉。

正傳曰：書「公如晉」，見如之過禮也。左氏曰：「公如晉朝，且拜士魴之辱，禮也。」趙氏曰：「大國使聘，即須自往拜之，是公無寧歲也。而左氏言禮也，一何謬乎！」愚謂禮貴得中，欲其稱而已。禮尚往來，來而不往非禮也。若使大夫往拜焉，則往來相答無不稱矣。

靈王十二年。十有三年晉悼十三年、齊靈二十二年、衛獻十七年、蔡景三十二年、鄭簡六年、曹成十八年、陳哀九年、杞孝七年、宋平十六年、秦景十七年、楚共三十一年卒、吴諸樊遏元年。

春，公至自晋。

正傳曰：書「公至自晋」，謹君之出入也。左氏曰：「孟獻子書勞于廟，禮也。」愚謂書至，則有告廟、飲至、書勞之禮焉。

夏，取邿。

正傳曰：邿，小國，在任城縣。書「夏，取邿」，著貪兵也。左氏曰：「夏，邿亂，分爲三。師救邿，遂取之。凡書『取』，言易也。用大師焉曰滅，弗地曰入。」愚謂言易、言用大師、言弗地，皆義例之蔽也。取者，以爲己有也，故春秋非之。

秋九月庚辰，楚子審卒。

正傳曰：書「楚子審卒」，來赴故也。左氏曰：「楚子疾，告大夫曰：『不穀不德，少主社稷。生十年而喪先君，未及習師保之教訓而應受多福，是以不德，而亡師于鄢，以辱社稷，爲大夫憂，其弘多矣。若以大夫之靈，獲保首領以殁於地，唯是春秋窀穸之事，所以從先君於禰廟者，請爲『靈』若『厲』。大夫擇焉。』莫對。及五命，乃許。秋，楚共王卒。子囊謀謚。大夫曰：『君有命矣。』子囊曰：『君命以共，若之何毁之？赫赫楚國，而君臨之，撫有蠻夷，奄征南海，以屬諸夏，而知其過，可不謂共乎？請謚之「共」。』大夫從之。」

冬，城防。

正傳曰：周之冬，夏八、九、十月也。防，魯邑名。書「冬，城防」，左氏曰：「書事，時也。於是將早城，臧武仲請俟畢農事，禮也。」愚謂早者冬早，夏八月也，適農穫之時，故武仲請俟畢農事，則周之十二月，夏時之十月也，於是爲得時矣。得時而亦書者，凡無故而興作，皆非聖人之所善也。閔子騫曰：「仍舊貫，如之何？何必改作？」孔子曰：「夫人不言，言必有中。」此聖人之意也。

十有四年晋悼十四年、齊靈二十三年、衛獻十八年、蔡景三十三年、鄭簡七年、曹成十九年、陳哀十年、杞孝八年、宋平十七年、秦景十八年、楚康王昭元年、吳諸樊二年。靈王十三年。

春王正月，季孫宿、叔老會晋士匄、齊人、宋人、衛人、鄭公孫蠆、曹人、莒人、邾人、滕人、薛人、杞人、小邾人會吳于向。

正傳曰：向在鄭地。吳來在向，諸侯會之也。書諸侯會吳于向，善其與吳之歸華，而拒楚之强横也。詩曰：「戎狄是膺，荊舒是懲。」攘夷狄，尊中國，聖人與物同體之心，非有所外也，蓋抑陰而扶陽，去邪而與正，禦寇賊而崇禮義，此聖人之心也。左氏曰：「春，吳告敗于晋。會于向，爲吳謀楚故也。」吳與楚皆夷狄，吳能慕中國而來歸，見敗於楚，則因其來而會之以謀楚焉，蓋取其用夏變夷，而與之攘夷也。

二月乙未朔，日有食之。

正傳曰：書「日有食之」，志天變也。

夏四月，叔孫豹會晉荀偃、齊人、宋人、衛北宮括、鄭公孫蠆、曹人、莒人、邾人、滕人、薛人、杞人、小邾人伐秦。

正傳曰：書會諸侯之師伐秦，著憤怨之兵也。左氏曰：「夏，諸侯之大夫從晉侯伐秦，以報櫟之役也。晉侯待于竟，使六卿帥諸侯之師以進。及涇，不濟。叔向見叔孫穆子，穆子賦匏有苦葉，叔向退而具舟。魯人、莒人先濟。鄭子蟜見衛北宮懿子曰：『與人而不固，取惡莫甚焉，若社稷何？』懿子説。二子見諸侯之師而勸之濟。濟涇而次。秦人毒涇上流，師人多死。鄭司馬子蟜帥鄭師以進，師皆從之，至于棫林，不獲成焉。荀偃令曰：『雞鳴而駕，塞井夷竈，唯余馬首是瞻。』欒黶曰：『晉國之命，未是有也。余馬首欲東。』乃歸。下軍從之。左史謂魏莊子曰：『不待中行伯乎？』莊子曰：『夫子命從帥，欒伯，吾帥也，吾將從之。從帥，所以待夫子也。』伯游曰：『吾令實過，悔之何及？多遺秦禽。』乃命大還。晉人謂之『遷延之役』。欒鍼曰：『此役也，報櫟之敗也。役又無功，晉之恥也。吾有二位於戎路，敢不恥乎？』與士鞅馳秦師，死焉。士鞅反，欒黶謂士匄曰：『余弟不欲往，而子召之。余弟死，而子來，是而子殺余之弟也。弗逐，余亦將殺之。』士鞅奔秦。於是齊崔杼、宋華閲、仲江會伐秦。不書，惰也。向之會亦如之。衛北宫括不書於向，書於伐秦，攝也。」

己未，衛侯出奔齊。

正傳曰：書「衛侯出奔齊」，則自奔者與奔君者之罪人斯著矣。左氏曰：「衛獻公戒孫文子、甯惠子食，皆服而朝，日旰不召，而射鴻於囿。二子從之，不釋皮冠而與之言。二子怒。孫文子如戚，孫蒯入使。公飲之酒，使大師歌巧言之卒章。大師辭。師曹請爲之。初，公有嬖妾，使師曹誨之琴，師曹鞭之。公怒，鞭師曹三百。故師曹欲歌之，以怒孫子，以報公。公使歌之，遂誦之。蒯懼，告文子。文子曰：『君忌我矣，弗先，必死。』并帑於戚而入，見蘧伯玉，曰：『君之暴虐，子所知也。大懼社稷之傾覆，將若之何？』對曰：『君制其國，臣敢姦之？雖姦之，庸知愈乎？』遂行，從近關出。公使子蟜、子伯、子皮與孫子盟于丘宫，孫子皆殺之。四月己未，子展奔齊。公如鄄，使子行〔請〕〔四〕於孫子，孫子又殺之。公出奔齊，孫氏追之，敗公徒于阿澤，鄄人執之。子鮮從公。及竟，公使祝宗告亡，且告無罪。定姜曰：『無神，何告？若有，不可誣也。有罪，若何告無？舍大臣而與小臣謀，一罪也。先君有冢卿以爲師保，而蔑之，二罪也。余以巾櫛事先君，而暴妾使余，三罪也。告亡而已，無告無罪！』公使厚成叔吊于衛。厚孫歸，復命，語臧武仲曰：『衛君其必歸乎！有大叔儀以守，有母弟鱄以出。或撫其内，或營其外，能無歸乎！』齊人以郲寄衛侯。及其復也，以郲糧歸。衛人立公孫剽，孫林父、甯殖相之，以聽命於諸侯。衛侯在郲，臧紇如齊唁衛侯。衛侯與之言，虐。退而告其人曰：『衛侯其不得入矣。其言糞土也。亡而不變，何以復國？』子展、子鮮聞之，見臧紇，與之言，道。臧孫説，謂其人曰：『衛君必入。夫二子者，或輓之，或推之，欲無入，得乎？』」愚謂此實傳也。以孫林父、甯殖逐其君而使之奔齊，則其罪不容誅矣。以定姜之言觀之，則衛侯負此三罪而奔，乃其所自取，棄封守，捐社稷宗廟而不顧，其罪豈小哉！故春秋書「衛侯奔齊」，則自奔者與奔君者之罪見矣。左氏曰：「衛甯殖將死，語其子曰：吾得罪于君，名在諸侯之策，曰『孫林父、甯殖出其君。』」又曰：「師曠侍于晉侯。晉侯曰：『衛人出其君，不亦甚乎？』對曰：『或者其君實甚。良君將賞善而刑淫，養民如子，蓋之如天，容之如地；民奉其君，愛之如父母，仰之如日月，敬之如神明，畏之如雷霆，其可出乎？夫君，神之主而民之望也。若困民之主，匱神乏祀，百姓絶望，社稷無主，將安用之？弗去何爲？天生民而立之君，使司牧之，勿使失性。有君而爲之貳，使師保之，勿使過度。天之愛民甚矣，豈其使一人肆于民上，以從其淫，而棄天地之性？必不然矣。』」愚謂觀此二傳，則衛國君臣之罪均矣，然則有君如衛衎，爲之臣者奈何？語曰：「君有過，三諫而不聽，則易位，爲貴戚之卿。」上告于天子，下告于連帥，而易之可也，逐之不可也。

莒人侵我東鄙。

正傳曰：書「莒人侵我東鄙」，志警也。

秋，楚公子貞帥師伐吳。

正傳曰：書「楚公子貞帥師伐吳」，志憤怨之兵也。楚既不得志于中國，故發憤于吳。左氏曰：「秋，楚子爲庸浦之役故，子囊師于棠，以伐吳。吳不出而還。子囊殿，以吳爲不能而弗儆。吳人自皋舟之隘要而擊之，楚人不能相救，吳人敗之，獲楚公子宜穀。」愚謂觀此，則凡無故而逞其憤怨，以兵加人者，未有不自敗者也。故兵以守爲常勝，而應敵之師次之。

冬，季孫宿會晉士匄、宋華閱、衛孫林父、鄭公孫蠆、莒人、邾人于戚。

正傳曰：書季孫宿會諸侯之大夫于戚，則會之善否可考見矣。左氏曰：「晉侯問衛故于中行獻子。對曰：『不如因而定之。衛有君矣，伐之，未可以得志，而勤諸侯。史佚有言曰：「因重而撫之。」仲虺有言曰：「亡者侮之，亂者取之。推亡、固存，國之道也。」君其定衛以待時乎！』冬，會于戚，謀定衛也。范宣子假羽毛于齊而弗歸，齊人始貳。」愚按，此則戚之會爲謀定衛也，衛之卿大夫不勝其君之惡，諫之而不聽，不以告于天子而請易之，既逐其君而擅立焉，又謀定之，又不謀于列國之君而謀于列國之臣，是君之易置在臣掌握中矣。春秋特書其會，使人求其故，而知其取義之深意也。

靈王十四年。

十有五年

晉悼十五年卒、齊靈二十四年、衛獻十九年、殤公剽元年、蔡景三十四年、鄭簡八年、曹成二十年、陳哀十一年、杞孝九年、宋平十八年、秦景十九年、楚康二年、吳諸樊三年。

春，宋公使向戌來聘。二月己亥，及向戌盟于劉。

正傳曰：因來聘而及盟，志非禮也。聘者，邦交脩睦之道也。盟者，要質鬼神，未信之事也。夫信而後行聘，向戌既來聘，而又與之盟而結信焉，惡在其爲聘哉！故曰非禮也。

劉夏逆王后于齊。

正傳曰：劉夏，胡氏以爲天子之士。書「劉夏逆王后于齊」，志非禮也。左氏曰：「官師從單靖公逆王后于齊。卿不行，非禮也。」禮，逆后以卿而公監之。故無使士之禮，使士則輕天下之母而瀆宗廟之主矣，故來報而史書之，聖人存之，而非禮見矣。公羊謂：「外逆女不書，此何以書？過我也。」愚謂非也。王者無外，逆天下之母，必有布告，豈得以過我而志之哉？劉夏不言使者，史畧之而義自具矣。胡氏謂「不與天子之使夏也」，則鑿之甚矣。胡氏曰：「昏姻，人倫之本。王后，天下之母。劉夏，士也。士而逆后，是不重人倫之本而輕天下之母矣。然則何使？卿往逆，公監之，禮也。官師從單靖公逆王后于齊，書『劉夏』

而不書『靖公』，是知卿往逆，公監之，禮也。春秋昏姻得禮者，常事不書。」愚謂逆王后，天下之母；昏禮，人道之始，豈得謂常事不書乎？

夏，齊侯伐我北鄙，圍成。公救成，至遇。

正傳曰：成、遇，皆魯地。書「齊圍成，公救成，至遇」，志禦侮之師也。公羊曰：「其言至遇何？不敢進也。」愚謂至遇而不進，以不戰爲功，亦春秋之所善也。

季孫宿、叔孫豹帥師城成郛。

正傳曰：郛者，城之外城。書「城成郛」，志非時也。左氏曰：「齊侯圍成，貳于晉故也。于是乎城成郛。」愚謂據左氏，則魯之城成爲禦齊之故耳，而遽以大衆作于農務之時，則惑甚矣，故春秋書之。

秋八月丁巳，日有食之。

正傳曰：書「日有食之」，志天變也。

邾人伐我南鄙。

正傳曰：書「邾人伐我南鄙」，志警也。左氏曰：「秋，邾人伐我南鄙，使告于晉。晉將爲會以討邾、莒。晉侯有疾，乃止。冬，晉悼公卒，遂不克會。」

冬十有一月癸亥，晉侯周卒。

正傳曰：書「晉侯周卒」，志盟主之大故也，于是諸侯有奔喪吊葬之禮焉。左氏曰：「鄭公孫夏如晉奔喪，子蟜送葬。」

靈王十五年。十有六年晉平公彪元年、齊靈二十五年、衛獻二十年、殤二年、蔡景三十五年、鄭簡九年、曹成二十一年、陳哀十二年、杞孝十年、宋平十九年、秦景二十年、楚康三年、吴諸樊四年。

春王正月，葬晉悼公。

正傳曰：書「葬晉悼公」，志盟主之大事也。

三月，公會晉侯、宋公、衛侯、鄭伯、曹伯、莒子、邾子、薛伯、杞伯、小邾子于溴梁。

戊寅，大夫盟。

正傳曰：書「三月，公與諸侯會；戊寅，大夫盟」，聖人喜懼之情見矣。喜者，喜其會，曰將討罪也。懼者，大夫盟，征伐之權將下移也。夫公與諸侯會，若無所事而使大夫盟，則君若贅旒于上，而臣執大權于下，此聖人喜懼之情而春秋所以作也。左氏曰：「晉侯與諸侯宴于温，使諸大夫舞，曰：『歌詩必類。』齊高厚之詩不類。荀偃怒，且曰：『諸侯有異志矣。』使諸大夫盟高厚，高厚逃歸。于是叔孫豹、晉荀偃、宋向戌、衛甯殖、鄭公孫蠆、小邾之大夫盟，曰：『同討不庭。』」高氏曰：「爲討邾、莒也。邾、莒連年伐魯，魯使告于晉悼公，將爲會以討之，遇疾乃止。平公即位，遂成父志。」愚謂參以二傳觀之，則此盟蓋爲同討不庭，而所謂不庭者，邾、莒耳。然此征伐之事，天下有道，禮樂征伐自天子出。征伐者，天子之事也，一變而自諸侯出，再變而自大夫出，故此諸侯會、大夫盟，則見世道之大變也。公羊曰：「諸侯皆在是，其言大夫盟何？信在大夫也。何言乎信在大夫？徧刺天下之大夫也。曷爲徧刺天下之大夫？君若贅旒然。」穀梁曰：「溴梁之會，諸侯失政矣。諸侯會而曰『大夫盟』，政在大夫也。」胡氏曰：「牡丘之會，諸侯既次于匡，則書曰『公孫敖帥師及諸侯之大夫救徐。』雞澤之會，諸侯既盟，而陳侯使袁僑如會，則書曰『叔孫豹及諸侯之大夫及陳袁僑盟。』今溴梁之會，諸侯皆在是，若欲使大夫盟者，則書『魯卿及諸侯之大夫盟』可也，而獨書『大夫』，何也？諸侯失政，大夫皆不臣也。上二年春正月會于向，十有四國之大夫也；夏四月會伐秦，十有三國之大夫也；冬會于戚，七國之大夫也。此三會，皆國之大事也，而使大夫皆專之，而諸侯皆不與焉，是列國之君不自爲政，弗躬弗親，禮樂征伐已自大夫出矣。況悼公既没，晉平初立，無先公之明也。君若贅旒，而大夫張亦宜矣，夫豈一朝一夕之故哉？善惡積于至微而不可掩，常情忽于未兆而不預謀，荀偃怒，大夫盟，而晉靖公廢，趙籍、韓虔、魏斯爲諸侯之勢見矣。有國者謹于禮而不敢忽，此春秋以待後世之意也。」

晉人執莒子、邾子以歸。

正傳曰：書「晉人執莒子、邾子以歸」，著詭謀討罪之非其所也。夫莒、邾之罪可討，而會盟非討罪之所也。左氏曰：「以我故，執邾宣公、莒犂比公，且曰：通齊、楚之使。」愚謂莒、邾數加侵魯，以小犯大，而又貳齊、楚，誠有罪矣。晉爲霸主，宜告于天子，聲罪致討可也，于其來會盟而盟之，乃又執之于盟會，又以歸焉，刑政紊矣，其可乎？故春秋非之。

齊侯伐我北鄙。

正傳曰：何以書？志警也。

夏，公至自會。

正傳曰：書「公至自會」，謹君之出入也。

五月甲子，地震。

正傳曰：書地震，志變異也。地道主静，其常也；而震動焉，則反常矣。反常爲變，爲臣下、夷狄、小人弄權，干正陵犯之象，故春秋志之，示警戒也。

叔老會鄭伯、晉荀偃、衛甯殖、宋人伐許。

正傳曰：書「叔老會鄭伯、諸侯之師伐許」，討背約也。左氏曰：「許男請遷于晉。諸侯遂遷許，許大夫不可，晉人歸諸侯。鄭子蟜聞將伐許，遂相鄭伯以從諸侯之師。穆叔從公。齊子帥師會晉荀偃。書曰『會鄭伯』，爲夷故也。夏六月，次于棫林。庚寅，伐許，次于函氏。晉荀偃、欒黶帥師伐楚，以報宋揚梁之役。楚公子格帥師，及晉師戰于湛阪。楚師敗績。晉師遂侵方城之外，復伐許而還。」愚謂許請遷于晉，蓋欲從晉以背楚，棄夷狄以歸中國，其約善矣，乃爲諸大夫所不可，以背約焉，故晉與諸侯之師伐之，討其貳約也。其道于諸侯爲直，于許爲曲矣。先鄭伯者，許氏以爲臣不可過君，是也。左氏以爲夷者，非矣。

秋，齊侯伐我北鄙，圍成。

正傳曰：書「齊侯伐我北鄙，圍成」，甚齊擅興背義之罪也。左氏曰：「秋，齊侯圍成，孟孺子速徼之。齊侯曰：『是好勇，去之以爲之名。』速遂塞海陘而還。」愚謂齊屢伐魯，今再圍成，蓋與楚故，伐魯致晉而與之戰，其惡甚矣，故春秋惡之。

大雩。

正傳曰：秋書大雩，後時，非禮也。非禮之中又見其非禮焉也。

冬，叔孫豹如晉。

正傳曰：書「叔孫豹如晉」，著其如之非也。左氏曰：「穆叔如晉聘，且言齊故。晉人曰：

『以寡君之未禘祀，與民之未息，不然，不敢忘。』穆叔曰：『以齊人之朝夕釋憾于敝邑之地，是以大請。敝邑之急，朝不及夕，引領西望曰：「庶幾乎！」比執事之閒，恐無及也。』見中行獻子，賦圻父。獻子曰：『偃知罪矣，敢不從執事以同恤社稷，而使魯及此！』見范宣子，賦鴻雁之卒章。宣子曰：『匄在此，敢使魯無鳩乎！』」愚謂魯國之君臣苟能明其政刑，使其德威足以懾服敵人之氣，誰敢侮之？惟其政在三家，而君道不立，齊人得以乘間而屢侮，乃汲汲于援晉以報怨，抑亦末矣。

靈王十六年。 十有七年 晉平二年、齊靈二十六年、衛獻二十一年、殤三年、蔡景三十六年、鄭簡十年、曹成二十二年、陳哀十三年、杞孝十一年、宋平二十年、秦景二十一年、楚康四年、吳諸樊五年。

春王二月庚午，邾子牼卒。

正傳曰：牼，邾子名。書卒，以其來赴也。

宋人伐陳。

正傳曰：書「宋人伐陳」，則擅興之罪自見矣。左氏曰：「宋莊朝伐陳，獲司徒卬，卑宋也。」高氏曰：「七年，鄬之會，陳侯逃歸，自是不復與諸侯會。而楚、鄭連年侵宋，宋于是請于晉而伐之。」愚謂據此則陳自逃歸，不與中國盟會，誠爲有罪，然不以告于天子而伐之，則春秋所惡也。

夏，衛石買帥師伐曹。

正傳曰：書「衛石買帥師伐曹」，著憤怨之兵也。左氏曰：「衛孫蒯田于曹隧，飲馬于重丘，毀其瓶。重丘人閉門而詢之，曰：『親逐而君，爾父爲厲。是之不憂，而何以田爲？』夏，衛石買、孫蒯伐曹，取重丘。曹人愬于晉。」愚謂此本傳也，據此則孫蒯越境田獵，取辱于重丘之人，此私怨之微事，非有國家之大討。遂附重臣，興大衆，伐曹取其地，是又遷怒于曹君，而負罪于天下也。

秋，齊侯伐我北鄙，圍桃。齊高厚帥師伐我北鄙，圍防。

正傳曰：書「齊侯伐我北鄙，圍桃。齊高厚帥師伐我北鄙，圍防」，志警也，而齊君臣之暴兵可見矣。左氏曰：「齊人以其未得志于我故，秋，齊侯伐我北鄙，圍桃。高厚圍臧紇于防。師自陽關逆臧孫，至于旅松。郰叔紇、臧疇、臧賈帥甲三百，宵犯齊師，送之而復。齊師去之。齊人獲臧堅。齊侯使夙沙衛唁之，且曰『無死』。堅稽首曰：『拜命之辱。抑君賜不終，姑又使其刑臣禮于士。』以杙抉其傷而死。」愚謂齊、魯婚姻舊好之國也，齊屢加侵伐于魯，以未得志，而其君臣至是乃交加兵焉，貪暴爲甚，故春秋直書之，而其罪自見矣。

九月，大雩。

正傳曰：書「九月，大雩」，譏非時也，而失禮自見矣。餘見于前。

宋華臣出奔陳。

正傳曰：書「宋華臣出奔陳」，譏逸賊也。左氏曰：「宋華閱卒，華臣弱皋比之室，使賊殺其宰華吳，賊六人以鈹殺諸盧門合左師之後。左師懼，曰：『老夫無罪。』賊曰：『皋比私有討于吳。』遂幽其妻，曰：『畀余而大璧。』宋公聞之，曰：『臣也不唯其宗室是暴，大亂宋國之政，必逐之。』左師曰：『臣也，亦卿也。大臣不順，國之恥也。不如蓋之。』乃舍之。左師爲己短策，苟過華臣之門，必騁。十一月甲午，國人逐瘈狗。瘈狗入于華臣氏，國人從之。華臣懼，遂奔陳。」愚按：華閱，皋比之父也。華閱卒而皋比弱，華臣使賊殺其宰華吳，殘宗室以亂宋政，擅殺無君，其罪大矣。宋公知其罪，欲逐之，聽左師之言而不果，乃至爲國人所逐而奔陳，宋之刑政乖矣。聖人書之以罪宋也。

冬，邾人伐我南鄙。

正傳曰：書「邾人伐我南鄙」，志警也。左氏曰：「爲齊故也。」然則邾以小國黨齊，恃强以犯大國，其得罪于王法，不待貶而自見矣。

十有八年晉平三年、齊靈二十七年、衛獻二十二年、殤四年、蔡景三十七年、鄭簡十一年、曹成二十三年、陳哀十四年、杞孝十二年、宋平二十一年、秦景二十二年、楚康五年、吳諸樊六年。靈王十七年。

春，白狄來。

正傳曰：來者，來朝也。不言朝者，史以其夷狄畧之也，而朝之義已具。公羊以爲「不能朝」，誤矣。史稱越裳氏重譯而來朝，何謂乎？書「白狄來」，謹遠人之至也。中國之禦夷狄也，于其歸義而來，則受之；于其背義而去，則勿追。不必其來朝，亦不必其不來朝。書稱「四夷來王」、「有苗格」，春秋之書「白狄來」，其義一也。胡氏據劉敞不與其朝之說，則非聖人不棄物之心矣。

夏，晉人執衛行人石買。

正傳曰：書「晉人執衛行人石買」，罪非義也。左氏曰：「夏，晉人執衛行人石買于長子，執孫蒯于純留，爲曹故也。」愚謂孫蒯不勝其重丘之私憤，與石買帥師伐曹，輕動大衆，以糜爛其民，其罪可誅矣。晉爲盟主，不能告于天王，聲其罪以伐之，乃執其行人，又不以歸之京師，則刑政失矣，可得爲義舉乎？故春秋直書之，而其罪自見。

秋，齊師伐我北鄙。

正傳曰：書「齊師伐我北鄙」，志警也。

冬十月，公會晉侯、宋公、衛侯、鄭伯、曹伯、莒子、邾子、滕子、薛伯、杞伯、小邾子同圍齊。

正傳曰：書「公會諸侯同圍齊」，善其同罪齊也。左氏曰：「秋，齊侯伐我北鄙。晉侯伐齊，將濟河，獻子以朱絲係玉二瑴，而禱曰：『齊環怙恃其險，負其衆庶，棄好背盟，陵虐神主。曾臣彪將率諸侯以討焉，其官臣偃實先後之。苟捷有功，無作神羞，官臣偃無敢復濟。唯爾有神裁之。』沈玉而濟。冬十月，會于魯濟，尋湨梁之言，同伐齊。齊侯禦諸平陰，塹防門而守之，廣里。夙沙衛曰：『不能戰，莫如守險。』弗聽。諸侯之士門焉，齊人多死。范宣子告析文子曰：『吾知子，敢匿情乎？魯人、莒人皆請以車千乘自其鄉入，既許之矣。若入，君必失國。子盍圖之！』子家以告公。公恐。晏嬰聞之，曰：『君固無勇，而又聞是，弗能久矣。』齊侯登巫山以望晉師。晉人使司馬斥山澤之險，雖所不至，必旆而疏陳之。使乘車者左實右僞，以旆先，輿曳柴而從之。齊侯見之，畏其衆也，乃脱歸。丙寅晦，齊師夜遁。十一月丁卯朔，入平陰，遂從齊師。夙沙衛連大車以塞隧而殿。殖綽、郭最曰：『子殿國師，齊之辱也。子姑先乎！』乃代之殿。衛殺馬於隘以塞道。晉州綽及之，射殖綽，中肩，兩矢夾脰，曰：『止，將爲三軍獲；不止，將取其衷。』顧曰：『爲私誓。』州綽曰：『有如日。』乃弛弓而自後縛之。其右具丙亦舍兵而縛郭最，皆衿甲面縛，坐于中軍之鼓下。晉人欲逐歸者，魯、衛請攻險。己卯，荀偃、士匄以中軍克京茲。乙酉，魏絳、欒盈以下軍克邿。趙武、韓起以上軍圍盧，弗克。十二月戊戌，及秦周，伐雍門之萩。范鞅門于雍門，其御追喜以戈殺犬于門中。孟莊子斬其櫄以爲公琴。己亥，焚雍門及西郭、南郭。劉難、士弱率諸侯之師焚申池之竹木。壬寅，焚東郭、北郭，范鞅門于揚門。州綽門于東閭，左驂迫，還于東門中，以枚數闔。齊侯駕，將走郵棠。太子與郭榮扣馬，曰：『師速而疾，畧也。將退矣，君何懼焉？且社稷之主不可以輕，輕則失衆。君必待之！』將犯之。太子抽劍斷鞅，乃止。甲辰，東侵及濰，南及沂。」愚謂齊以背盟棄好，屢加侵伐于魯，負不義之罪于天下，天下諸侯同心惡之，故春秋書「同圍」，言共棄之也。程子曰：「書『同圍』，見諸侯之惡齊。」是也。

曹伯負芻卒于師。

正傳曰：負芻，曹伯名。書「曹伯負芻卒」，志與國之大故也，而其平生之大惡可以考而知矣。穀梁以爲閔之，非也。

楚公子午帥師伐鄭。

正傳曰：午，字子庚。書「公子午帥師伐鄭」，著不義之師也。左氏曰：「鄭子孔欲去諸大夫，將叛晋而起楚師以去之。使告子庚，子庚弗許。楚子聞之，使揚豚尹宜告子庚曰：『國人謂不穀主社稷而不出師，死不從禮。不穀即位，於今五年，師徒不出，人其以不穀爲自逸而忘先君之業矣。大夫圖之，其若之何？』子庚嘆曰：『君王其謂午懷安乎！吾以利社稷也。』見使者，稽首而對曰：『諸侯方睦於晋，臣請嘗之。若可，君而繼之。不可，收師而退，可以無害，君亦無辱。』子庚帥師治兵於汾。於是子蟜、伯有、子張從鄭伯伐齊，子孔、子展、子西守。二子知子孔之謀，完守入保。子孔不敢會楚師。楚師伐鄭，次於魚陵。右師城上棘，遂涉潁。次于旃然。蔿子馮、公子格帥鋭師侵費滑、胥靡、獻于、雍梁，右回梅山，侵鄭東北，至于蟲牢而反。子庚門于純門，信于城下而還，涉于魚齒之下。甚雨及之。楚師多凍，役徒幾盡。晋人聞有楚師，師曠曰：『不害。吾驟歌北風，又歌南風，南風不競，多死聲。楚必無功。』董叔曰：『天道多在西北。南師不時，必無功。』叔向曰：『在其君之德也。』」愚謂楚爲子孔欲去諸大夫叛晋，而請楚伐鄭，固已負不義之罪矣。春秋書之，而其竊取之義自見也。

校記：

〔一〕「失」，據嘉靖本、中華書局本二程集補。

〔二〕「南」，原作「西」，據嘉靖本改。

〔三〕「後」，原作「盟」，據嘉靖本、穀梁傳改。

〔四〕「請」，據左傳補。